2dos

California Edition

McDOUGAL LITTELL

¡En español!

AUTHORS

Estella Gahala

Patricia Hamilton Carlin

Audrey L. Heining-Boynton

Ricardo Otheguy

Barbara J. Rupert

CULTURE CONSULTANT

Jorge A. Capetillo-Ponce

McDougal Littell
A HOUGHTON MIFFLIN COMPANY
Evanston, Illinois • Boston • Dallas

Cover Photography

Foreground: Photo by Martha Granger/EDGE Productions.
Background: View of Arenal Volcano from Tabacón Hot Springs, Costa Rica, Kevin Schafer
(also appears on spine).

Back cover, top: Woven baskets in Oaxaca, Mexico; From left to right: El Morro Castle, San Juan, Puerto Rico, Bruce Adams/Corbis; Quito, Ecuador, Joseph F. Viesti/The Viesti Collection; Pyramid of the Sun at Teotihuacán, Mexico City, Michael T. Sedam/Corbis; View of Arenal Volcano from Tabacón Hot Springs, Costa Rica, Kevin Schafer; Aerial view of Las Ramblas, Barcelona, Spain, AGE Fotostock; Machu Picchu, Urubamba Valley, Peru, Robert Fried

Front Matter Photography

vi *top* PhotoDisc, *bottom* Jon Chomitz; **viii** *top* Tom Stack & Associates, *bottom* Kactus Foto, Santiago, Chile/SuperStock; **ix** Victor Ramos/Getty Images; **x** School Division, Houghton Mifflin Co.; **xi** Robert & Linda Mitchell Photography; **xii** Robert Frerck/Odyssey Productions; **xiii** E.R. Degginger/Photo Researchers, Inc.; **xv** Ken O'Donoghue; **xx** *top* Michael Fogden/Animals Animals; **xxii** *top* Bonnie Kamin/PhotoEdit, Inc.; **xxvi** SuperStock; **xxx** *top* Archivo Iconográfico, S.A./Corbis, *bottom* Robert Holmes/Corbis; **xxxi** *top left* Stock Montage, *center right* Barry Sweet/AP Wide World Photos, *bottom left* Courtesy of the San Diego Historical Society, *bottom right* Joe Marquette/AP Wide World Photos; **xxxiii** *center right* Nebinger/Sichov/Gromik/Sipa Press

Illustration

xxxiv-xxxix Gary Antonetti/Ortelius Design.

ISBN: 0-618-30442-8   5 6 7 8 9 - VJM - 07 06 05

Internet: www.mcdougallittell.com

The following chart indicates pages that provide benchmarks for language learning. Page numbers that appear in **bold** are core references that appear as annotations on the pages of the text. The remaining page numbers are supporting references that illustrate the full scope of the learning process.

Stage II	Exemplars		
Function	**Introduction**	**Practice**	**Mastery**
Make requests	p. 188	pp. 190, 209, 210, 262	pp. 196, 198, 218, 220, 270
Express needs	pp. 132, 232	pp. 132, 187, 232, 261, 280	p. 170
Understand and express important ideas and some detail	p. 66	pp. 66, 284, 335, 362	pp. 88, 458
Describe and compare	pp. 246, 305	p. 305	pp. 316, 318
Use and understand expressions indicating emotion	pp. 6, 308	pp. 114, 134, 136, 138, 308, 310	pp. 122, 317, 318

Context	**Introduction**	**Practice**	**Mastery**
Converse in face-to-face social interactions	p. 18	pp. 80, 160, 236, 310, 336	p. 453
Listen in social interactions	p. 2	pp. 44, 162, 236, 288, 357	p. 431
Listen to audio or video texts	pp. 34, 56, 78	pp. 108, 130, 152, 182, 204, 226, 256, 278, 300, 330, 352, 374	pp. 404, 426, 448
Write letters	p. 246	pp. 340, 458	p. 468
Write short guided compositions	p. 98	pp. 172, 320, 394, 436	p. 456
Use authentic materials when reading:			
short narratives	pp. 32, 54, 76	pp. 106, 128, 150, 180, 202, 224, 254, 276, 298, 328, 350, 372, 379	pp. 403, 424, 446
advertisements	p. 150	pp. 362, 436	p. 438
tickets	p. 32	p. 32	p. 312
brochures	p. 195	p. 268	p. 340
media	p. 76	p. 76	p. 90

Stage II	Exemplars		
Content	Introduction	Practice	Mastery
Understand and convey information about:			
family	pp. **10, 113**	pp. **82, 113, 116, 118, 228, 410, 434**	pp. 122, 124
friends	pp. **10, 113**	pp. **113, 380, 434**	p. 122
home	p. 209	pp. 209, **228, 410**	p. 220
rooms	p. 254	pp. **258, 262, 264**	pp. 271, 272
health	pp. 180, 224	pp. **184, 231**	pp. 197, 198, 242, 244
school	p. **16**	pp. **18, 20, 58, 376**	p. 24
schedules	p. 15	pp. **64, 136, 206, 410**	pp. **140**, 198
leisure activities	pp. **22, 39**, 106	pp. **39, 40, 61, 110, 154, 450**	pp. **48, 70**, 124
campus life	p. **16**	pp. **18, 20, 58, 376**	p. 24
likes and dislikes	p. **4**	pp. **4, 160**	pp. 24, 168, 170
shopping	pp. 276, 298	pp. **306, 308, 314**	pp. 311, 318
clothes	pp. **8**, 298	pp. **302, 305, 306**	p. 318
prices	p. **306**	p. **306**	pp. 311, 318
size and quantity	p. 298	pp. **306**, 310	p. 318
pets and animals	p. 328	p. **332**	pp. 341, **416**
geography	pp. **82, 216, 338**	pp. **338, 342, 346, 410, 416**	pp. 341, **420**
topography	p. **216**	p. **342**	p. 420
directions	p. **284**	pp. **284, 286**, 288	pp. 292, 294, **320**
buildings and monuments	p. 30	p. 256	p. **312**
weather and seasons	p. **358**	pp. **358, 360**	pp. 366, 368
symbols	p. **358**	p. **358**	p. 366
cultural and historical figures	p. **68**	pp. **240, 290**	p. **462**
places and events	p. 46	pp. **92, 142, 164, 238, 312, 388**	pp. **98**, 246, **320**
colors	p. 6	p. **8**	p. 67
numbers	p. **8**, 140	pp. 14, **140**	p. 24
days	p. 139	p. **140**	p. **140**
dates	p. **142**	p. **142**	p. **142**
months	p. **86**	p. **86**	p. **86**
time	p. 14	pp. **14, 64, 136, 206**	pp. **140**, 198
food and customs	pp. 55, 150	pp. **62, 157, 158, 166**	pp. **72**, 168
transportation	pp. **266**, 276	pp. **278, 283**	p. 292
travel	pp. 32, 254	pp. **36, 58, 264, 268, 364**	pp. 50, 270, 272, 294
professions and work	pp. **85**, 402, 424	pp. **406, 409, 412, 428, 432, 453**	pp. 418, 420, 442

Stage II	Exemplars		
Text Type	Introduction	Practice	Mastery
Use and understand learned expressions when speaking and listening	p. 88	pp. 234, 310	p. 382
Use and understand sentences and strings of sentences when speaking and listening	p. 118	p. 214	p. 384
Use and understand questions when speaking and listening	p. 14	pp. 42, 157, 212, 280, 354	p. 454
Use and understand polite commands when speaking and listening	p. 192	p. 192	p. 266
Create simple paragraphs when writing	p. 66	pp. 138, 162, 288	p. 384
Understand important ideas and some details in highly contextualized authentic texts when reading	p. 90	pp. 120, 195, 314, 386	p. 460

Accuracy/Assessments	Exemplars
Demonstrate increasing fluency and control of vocabulary	pp. 24, 96, 146, 244, 272, 368, 442
Understand oral and written discourse, with few errors in comprehension when reading	p. 366
Show no significant pattern of error when:	
greeting and responding to greetings	p. 2
introducing and responding to introductions	p. 2
engaging in conversations	pp. 24, 72, 124, 220, 272, 368, 466
expressing likes and dislikes	pp. 4, 168
making requests	pp. 196, 218, 270
obtaining information	pp. 24, 50, 124, 244, 294, 392, 414
understanding some ideas and familiar details	pp. 48, 70, 94, 144, 242, 292, 344, 390, 418, 440, 464
providing information	pp. 12, 96, 140, 192, 294, 392, 414
Communicate effectively with some pattern of error, which may interfere slightly with full comprehension when:	
making requests	p. 198
expressing needs	p. 170
understanding and expressing important ideas and some detail	p. 458
describing and comparing	p. 316
using and understanding expressions indicating emotion	pp. 122, 317
Demonstrate culturally appropriate behavior when:	
making requests	p. 220
expressing needs	p. 170
understanding and expressing important ideas and some detail	p. 88
describing and comparing	p. 318
using and understanding expressions indicating emotion	p. 318

CONTENIDO

U N I D A D

ESTADOS UNIDOS

¿QUÉ PASA?

ETAPA **1**

Los Ángeles - Pasatiempos   30

VIVA EL PUEBLO
EL PUEBLO DE LOS ÁNGELES HISTORIC MONUMENT

UNIDAD 1

ETAPA 2

LANGUAGE LEARNING CONTINUUM

- Use authentic materials when reading: short narratives, *p. 54*

- Listen to audio or video texts, *p. 56*

- Understand and convey information about travel, *p. 58, Activity 3*

- Understand and convey information about school and campus life, *p. 58, Activity 4*

- Understand and convey information about leisure activities, *p. 61, Activity 7*

- Understand and convey information about food and customs, *p. 62, Activity 8*

- Understand and convey information about schedules, time, *p. 64, Activity 13*

- Understand and express important ideas and some detail, *p. 66, Activity 15*

- Create simple paragraphs when writing, *p. 66, Activity 18*

- Understand and convey information about cultural and historical figures, *p. 68*

- Show no significant pattern of error when understanding some ideas and familiar details, *p. 70, Activities 1–5*

- Show no significant pattern of error when engaging in conversations, *p. 72, Activity 6*

Gitana, por Arturo Gordon Vargas

El Universo

Robo en el museo, ladrón atrapado

¡Rescate dramático!
Héroe local
rescata a niño

UNIDAD 1

ETAPA
3

LANGUAGE LEARNING CONTINUUM

Miami - ¿Viste las noticias? 74

UNIDAD 2

CIUDAD DE MÉXICO
MÉXICO

AYER Y HOY

ETAPA 1

LANGUAGE LEARNING CONTINUUM

- Use authentic materials when reading: short narratives, *p. 106*

- Listen to audio or video texts, *p. 108*

- Understand and convey information about leisure activities, *p. 110, Activity 4*

- Understand and convey information about family, *p. 113, Activity 6; p. 116, Activity 10; p. 118, Activity 15*

- Understand and convey information about friends, *p. 113, Activity 6*

- Use and understand expressions indicating emotion, *p. 114, Activity 8*

- Use and understand sentences and strings of sentences when speaking and listening, *p. 118, Activity 17*

- Understand important ideas and some details in highly contextualized authentic texts when reading, *p. 120*

- Communicate effectively with some pattern of error, which may interfere slightly with full comprehension when using and understanding expressions indicating emotion, *p. 122, Activity 3*

- Show no significant pattern of error when engaging in conversations, obtaining information, *p. 124, Activity 5*

UNIDAD 2

ETAPA 2

Había una vez...   126

UNIDAD 3

ETAPA 1

SAN JUAN
PUERTO RICO
SOL Y SOMBRA

UNIDAD 3

ETAPA 2

LANGUAGE LEARNING CONTINUUM

- Use authentic materials when reading: short narratives, *p. 202*
- Listen to audio or video texts, *p. 204*

- Understand and convey information about schedules and time, *p. 206, Activity 3*
- Make requests, *p. 209, Activities 5–6; p. 210, Activities 8–10*
- Use and understand questions when speaking and listening, *p. 212, Activities 12–13*
- Use and understand sentences and strings of sentences when speaking and listening, *p. 214, Activity 17*
- Understand and convey information about geography and topography, *p. 216*
- Show no significant pattern of error when making requests, *p. 218, Activities 1–2*
- Show no significant pattern of error when engaging in conversations, *p. 220, Activities 5–6*
- Demonstrate culturally appropriate behavior when making requests, *p. 220, Activities 5–6*

UNIDAD 3

ETAPA 3

¿Cómo te sientes?   222

LANGUAGE LEARNING CONTINUUM

- Use authentic materials when reading: short narratives, *p. 224*
- Listen to audio or video texts, *p. 226*

- Understand and convey information about family and home, *p. 228, Activity 3*
- Understand and convey information about health, *p. 231, Activity 7*
- Express needs, *p. 232, Activities 8–10*
- Use and understand learned expressions when speaking and listening, *p. 234, Activity 13*
- Converse in face-to-face social interactions, *p. 236, Activity 16*
- Listen in social interactions, *p. 236, Activity 17*
- Understand and convey information about places and events, *p. 238*
- Understand and convey information about cultural and historical figures, *p. 240*
- Show no significant pattern of error when understanding some ideas and familiar details, *p. 242, Activities 1–4*
- Demonstrate increasing fluency and control of vocabulary, *p. 244, Activity 5*
- Show no significant pattern of error when obtaining information, *p. 244, Activity 5*
- Write letters, *p. 246*
- Describe and compare, *p. 246*

MADRID
ESPAÑA
UN VIAJE

LANGUAGE LEARNING CONTINUUM

- Use authentic materials when reading: short narratives, *p. 254*
- Listen to audio or video texts, *p. 256*

- Understand and convey information about rooms, *p. 258, Activity 3; p. 262, Activity 9; p. 264, Activity 13*
- Express needs, *p. 261, Activity 6*
- Make requests, *p. 262, Activities 7–8*
- Understand and convey information about travel, *p. 264, Activity 13*
- Use and understand polite commands when speaking and listening, *p. 266, Activity 15*
- Understand and convey information about transportation, *p. 266, Activity 15*
- Use authentic materials when reading: brochures, *p. 268*
- Understand and convey information about travel, *p. 268*
- Show no significant pattern of error when making requests, *p. 270, Activity 4*
- Demonstrate increasing fluency and control of vocabulary, *p. 272, Activities 5–6*
- Show no significant pattern of error when engaging in conversations, *p. 272, Activities 5–6*

UNIDAD 4

ETAPA 2

Conoce la ciudad   274

UNIDAD 4

ETAPA 3

LANGUAGE LEARNING CONTINUUM

Vamos de compras 296

UNIDAD

5

SAN JOSÉ
COSTA RICA

LA NATURALEZA

LANGUAGE LEARNING CONTINUUM

- Use authentic materials when reading: short narratives, *p. 328*
- Listen to audio or video texts, *p. 330*

- Understand and convey information about pets and animals, *p. 332, Activities 3–4*
- Understand and express important ideas and some detail, *p. 335, Activity 7*
- Converse in face-to-face social interactions, *p. 336, Activity 8*
- Understand and convey information about geography, *p. 338, Activity 13*
- Use authentic materials when reading: brochures, *p. 340, Activity 16*
- Write letters, *p. 340, Activity 17*
- Understand and convey information about geography and topography, *p. 342*
- Show no significant pattern of error when understanding some ideas and familiar details, *p. 344, Activities 1–4*
- Understand and convey information about geography, *p. 346, Conexiones*

UNIDAD 5

ETAPA 2

Nuestro medio ambiente 348

LANGUAGE LEARNING CONTINUUM

- Use authentic materials when reading: short narratives, *p. 350*
- Listen to audio or video texts, *p. 352*

- Use and understand questions when speaking and listening, *p. 354, Activity 5*
- Listen in social interactions, *p. 357, Activity 8*
- Understand and convey information about weather and seasons, *p. 358, Activity 11; p. 360, Activity 12*
- Understand and convey information about symbols, *p. 358, Activity 11*
- Use authentic materials when reading: advertisements, *p. 362, Activity 15*
- Understand and express important ideas and some detail, *p. 362, Activity 15*
- Understand and convey information about travel, *p. 364*
- Understand oral and written discourse, with few errors in comprehension, when reading, *p. 366, Activity 3*
- Show no significant pattern of error when engaging in conversations, *p. 368, Activity 4*
- Demonstrate increasing fluency and control of vocabulary, *p. 368, Activity 5*

ETAPA 3

¿Cómo será el futuro? 370

LANGUAGE LEARNING CONTINUUM

- Use authentic materials when reading: short narratives, *p. 372*
- Listen to audio or video texts, *p. 374*

- Understand and convey information about school and campus life, *p. 376, Activity 3*
- Use authentic materials when reading: short narratives, *p. 379, Activity 7*
- Understand and convey information about friends, *p. 380, Activity 9*
- Use and understand learned expressions when speaking and listening, *p. 382, Activity 12*
- Use and understand sentences and strings of sentences when speaking and listening, *p. 384, Activity 17*
- Create simple paragraphs when writing, *p. 384, Activity 18*
- Understand important ideas and some details in highly contextualized authentic texts when reading, *p. 386*
- Understand and convey information about places and events, *p. 388*
- Show no significant pattern of error when understanding some ideas and familiar details, *p. 390, Activities 1–4*
- Show no significant pattern of error when obtaining information, *p. 392, Activity 5*
- Show no significant pattern of error when providing information, *p. 392, Activity 6*
- Write short guided compositions, *p. 394*

LANGUAGE LEARNING CONTINUUM

- Use authentic materials when reading: short narratives, *p. 403*
- Listen to audio or video texts, *p. 404*

- Understand and convey information about professions and work, *p. 406, Activities 3–4; p. 409, Activity 7; p. 412, Activities 11–13*
- Understand and convey information about schedules, family, home, *p. 410, Activity 9*
- Understand and convey information about geography, *p. 410, Activity 10*
- Show no significant pattern of error when providing information, *p. 414, Activity 17*
- Show no significant pattern of error when obtaining information, *p. 414, Activity 18*
- Understand and convey information about pets and animals, geography, *p. 416*
- Show no significant pattern of error when understanding some ideas and familiar details, *p. 418, Activities 1–4*
- Understand and convey information about geography, *p. 420, Conexiones*

LANGUAGE LEARNING CONTINUUM

- Use authentic materials when reading: short narratives, *p. 424*
- Listen to audio or video texts, *p. 426*

- Understand and convey information about professions and work, *p. 428, Activity 4; p. 432, Activities 8–10*
- Listen in social interactions, *p. 431, Activity 7*
- Understand and convey information about family and friends, *p. 434, Activity 11*
- Use authentic materials when reading: advertisements, *p. 436, Activity 15*
- Write short guided compositions, *p. 436, Activities 15–17*
- Use authentic materials when reading: advertisements, *p. 438*
- Show no significant pattern of error when understanding some ideas and familiar details, *p. 440, Activities 1–4*
- Demonstrate increasing fluency and control of vocabulary, *p. 442, Activities 5–6*

UNIDAD 6

ETAPA 3

LANGUAGE LEARNING CONTINUUM

- Use authentic materials when reading: short narratives, *p. 446*
- Listen to audio or video texts, *p. 448*

- Understand and convey information about leisure activities, *p. 450, Activity 3*
- Understand and convey information about professions and work, *p. 453, Activity 5*
- Converse in face-to-face social interactions, *p. 453, Activity 7*
- Use and understand questions when speaking and listening, *p. 454, Activity 10*
- Write short guided compositions, *p. 456, Activity 11*
- Write letters, *p. 458, Activity 15*
- Communicate effectively with some pattern of error, which may interfere slightly with full comprehension when understanding and expressing important ideas and some detail, *p. 458, Activity 17*
- Understand important ideas and some details in highly contextualized authentic texts when reading, *p. 460*
- Understand and convey information about cultural and historical figures, *p. 462*
- Show no significant pattern of error when understanding some ideas and familiar details, *p. 464, Activities 1–4*
- Show no significant pattern of error when engaging in conversations, *p. 466, Activity 5*
- Write letters, *p. 468*

About the Authors

Estella Gahala holds a Ph.D. in Educational Administration and Curriculum from Northwestern University. A career teacher of Spanish and French, she has worked with a wide range of students at the secondary level. She has also served as foreign language department chair and district director of curriculum and instruction. Her workshops at national, regional, and state conferences as well as numerous published articles draw upon the current research in language learning, learning strategies, articulation of foreign language sequences, and implications of the national Standards for Foreign Language Learning upon curriculum, instruction, and assessment. She has coauthored nine basal textbooks.

Patricia Hamilton Carlin completed her M.A. in Spanish at the University of California, Davis, where she also taught as a lecturer. Previously she had earned a Master of Secondary Education with specialization in foreign languages from the University of Arkansas and had taught Spanish and French at levels K–12. Her secondary programs in Arkansas received national recognition. A coauthor of the *¡DIME! UNO* and *¡DIME! DOS* secondary textbooks, Patricia currently teaches Spanish and foreign language/ESL methodology at the University of Central Arkansas, where she coordinates the second language teacher education program. In addition, Patricia is a frequent presenter at local, regional, and national foreign language conferences.

Audrey L. Heining-Boynton received her Ph.D. in Curriculum and Instruction from Michigan State University. She is a Professor of Education and Romance Languages at The University of North Carolina at Chapel Hill, where she is a second language teacher educator and Professor of Spanish. She has also taught Spanish, French, and ESL at the K–12 level. Dr. Heining-Boynton was the president of the National Network for Early Language Learning, has been on the Executive Council of ACTFL, and involved with AATSP, Phi Delta Kappa, and state foreign language associations. She has presented both nationally and internationally, and has published over forty books, articles, and curricula.

Ricardo Otheguy received his Ph.D. in Linguistics from the City University of New York, where he is currently Professor of Linguistics at the Graduate School and University Center. He has written extensively on topics related to Spanish grammar as well as on bilingual education and the Spanish of the United States. He is coauthor of *Tu mundo: Curso para hispanohablantes,* a Spanish high school textbook for Spanish speakers, and of *Prueba de ubicación para hispanohablantes,* a high school Spanish placement test.

Barbara J. Rupert has taught Level 1 through A.P. Spanish and has implemented a FLES program in her district. She completed her M.A. at Pacific Lutheran University. Barbara is the author of CD-ROM activities for the *¡Bravo!* series and has presented at local, regional, and national foreign language conferences. She is the president of the Washington Association for Language Teaching. In 1996, Barbara received the Christa McAuliffe Award for Excellence in Education, and in 1999, she was selected Washington's "Spanish Teacher of the Year" by the Juan de Fuca Chapter of the AATSP.

Culture Consultant

Jorge A. Capetillo-Ponce is currently Assistant Professor of Sociology at University of Massachusetts, Boston, and Researcher at the Mauricio Gastón Institute for Latino Community Development and Public Policy. His graduate studies include an M.A. and a Ph.D. in Sociology from the New School for Social Research in New York City, and an M.A. in Area Studies at El Colegio de México in Mexico City. He is the editor of the book *Images of Mexico in the U.S. News Media* and has published essays on a wide range of subjects such as media, art, politics, religion, international relations, and cultural theory. Dr. Capetillo's geographical areas of expertise are Latin America, the United States, and the Middle East. During the years 2000 and 2001 he was the Executive Director of the Mexican Cultural Institute of New York. He has also worked as an advisor to politicians and public figures, as a researcher and an editor, and as a university professor and television producer in Mexico, the United States, and Central America.

Consulting Authors

Dan Battisti
Dr. Teresa Carrera-Hanley
Bill Lionetti
Patty Murguía Bohannan
Lorena Richins Layser

Senior Reviewers

O. Lynn Bolton
Dr. Jane Govoni
Elías G. Rodríguez
Ann Tollefson

Contributing Writers

Ronni L. Gordon
Christa Harris
Debra Lowry
Sylvia Madrigal Velasco
Sandra Rosenstiel
David M. Stillman
Jill K. Welch

Regional Language Reviewers

Dolores Acosta (Mexico)
Jaime M. Fatás Cabeza (Spain)
Grisel Lozano-Garcini (Puerto Rico)
Isabel Picado (Costa Rica)
Juan Pablo Rovayo (Ecuador)

California Teacher Reviewers

Linda Amour
Highland High School
Bakersfield, CA

Dawne Ashton
Sequoia High School
Redwood City, CA

Gail Block
Daly City, CA

Art Edwards
Canyon High School
Santa Clarita, CA

Rubén D. Elías
Roosevelt High School
Fresno, CA

Paula Hirsch
Windward School
Los Angeles, CA

Ann Hively
Orangevale, CA

Janet King
Long Beach Polytechnic
  High School
Long Beach, CA

Maria Leinenweber
Crescenta Valley High School
La Crescenta, CA

Sandra Martín
Palisades Charter High School
Pacific Palisades, CA

Karen McDowell
Aptos, CA

Sue McKee
Tustin, CA

Robert Miller
Woodcreek High School
Roseville, CA

Barbara Mortanian
Tenaya Middle School
Fresno, CA

Leslie Ogden
Nordhoff High School
Ojai, CA

Teri Olsen
Alameda High School
Alameda, CA

Lewis Olvera
Hiram Johnson West Campus
  High School
Sacramento, CA

Margery Sotomayor
Ferndale, CA

Carol Sparks
Foothill Middle School
Walnut Creek, CA

Dana Valverde
Arroyo Grande High School
Arroyo Grande, CA

Teacher Reviewers

Susan Arbuckle
Mahomet-Seymour High School
Mahomet, IL

Sheila Bayles
Rogers High School
Rogers, AR

Warren Bender
Duluth East High School
Duluth, MN

Amy Brewer
Stonewall Jackson Middle School
Mechanicsville, VA

William Brill
Hollidaysburg Area Junior High School
Hollidaysburg, PA

Adrienne Chamberlain-Parris
Mariner High School
Everett, WA

Norma Coto
Bishop Moore High School
Orlando, FL

Roberto del Valle
Shorecrest High School
Shoreline, WA

José Esparza
Curie Metropolitan High School
Chicago, IL

Lorraine A. Estrada
Cabarrus County Schools
Concord, NC

Vincent Fazzolari
East Boston High School
East Boston, MA

Alberto Ferreiro
Harrisburg High School
Harrisburg, PA

Judith C. Floyd
Henry Foss High School
Tacoma, WA

Valarie L. Forster
Jefferson Davis High School
Montgomery, AL

Michael Garber
Boston Latin Academy
Boston, MA

Becky Hay de García
James Madison Memorial High School
Madison, WI

Lucy H. García
Pueblo East High School
Pueblo, CO

Marco García
Lincoln Park High School
Chicago, IL

Raquel R. González
Odessa High School
Odessa, TX

Linda Grau
Shorecrest Preparatory School
St. Petersburg, FL

Myriam Gutiérrez
John O'Bryant School
Roxbury, MA

Deborah Hagen
Ionia High School
Ionia, MI

Sandra Hammond
St. Petersburg High School
St. Petersburg, FL

Bill Heller
Perry Junior/Senior High School
Perry, NY

Joan Heller
Lake Braddock Secondary School
Burke, VA

Robert Hughes
Martha Brown Middle School
Fairport, NY

Jody Klopp
Oklahoma State Department
  of Education
Edmond, OK

Richard Ladd
Ipswich High School
Ipswich, MA

Carol Leach
Francis Scott Key High School
Union Bridge, MD

Laura McCormick
East Seneca Senior High School
West Seneca, NY

Rafaela McLeod
Southeast Raleigh High School
Raleigh, NC

Kathleen L. Michaels
Palm Harbor University High School
Palm Harbor, FL

Teacher Reviewers (cont.)

Vickie A. Mike
Horseheads High School
Horseheads, NY

Patty Murray
Cretin-Derham Hall High School
St. Paul, MN

Linda Nanos
West Roxbury High School
West Roxbury, MA

Terri Nies
Mannford High School
Mannford, OK

María Emma Nunn
John Tyler High School
Tyler, TX

Judith Pasco
Sequim High School
Sequim, WA

Anne-Marie Quihuis
Paradise Valley High School
Phoenix, AZ

Rita Risco
Palm Harbor University High School
Palm Harbor, FL

James J. Rudy, Jr.
Glen Este High School
Cincinnati, OH

Kathleen Solórzano
Homestead High School
Mequon, WI

Sarah Spiesman
Whitmer High School
Toledo, OH

M. Mercedes Stephenson
Hazelwood Central High School
Florissant, MO

Carol Thorp
East Mecklenburg High School
Charlotte, NC

Elizabeth Torosian
Doherty Middle School
Andover, MA

Pamela Urdal Silva
East Lake High School
Tarpon Springs, FL

Wendy Villanueva
Lakeville High School
Lakeville, MN

Helen Webb
Arkadelphia High School
Arkadelphia, AR

Jena Williams
Jonesboro High School
Jonesboro, AR

Janet Wohlers
Weston Middle School
Weston, MA

Teacher Panel

Jeanne Aréchiga
Northbrook High School
Houston, TX

Dena Bachman
Lafayette Senior High School
St. Joseph, MO

Sharon Barnes
J. C. Harmon High School
Kansas City, KS

Paula Biggar
Sumner Academy of Arts & Science
Kansas City, KS

Hercilia Breton
Highlands High School
San Antonio, TX

Edda Cárdenas
Blue Valley North High School
Leawood, KS

Laura Cook
Evans Junior High School
Lubbock, TX

Mike Cooperider
Truman High School
Independence, MO

Judy Dozier
Shawnee Mission South High School
Shawnee Mission, KS

Susanne Kissane
Shawnee Mission Northwest
  High School
Shawnee Mission, KS

Rudy Molina
McAllen Memorial High School
McAllen, TX

Montserrat Rey
Hightower High School
Fort Bend, TX

Terrie Rynard
Olathe South High School
Olathe, KS

Beth Slinkard
Lee's Summit High School
Lee's Summit, MO

Rosa Stein
Park Hill High School
Kansas City, MO

Shannon Zerby
North Garland High School
Garland, TX

California Teacher Panel

Linda Amour
Highland High School
Bakersfield, CA

Ben Barrientos
Calvin Simmons Junior High School
Oakland, CA

Gwen Cannell
Cajon High School
San Bernardino, CA

Joyce Chow
Crespi Junior High School
Richmond, CA

Maggie Elliott
Bell Junior High School
San Diego, CA

Dana Galloway-Grey
Ontario High School
Ontario, CA

Nieves Gerber
Chatsworth Senior High School
Chatsworth, CA

April Hansen
Livermore High School
Livermore, CA

Janet King
Long Beach Polytechnic High School
Long Beach, CA

Ann López
Pala Middle School
San Jose, CA

Beatrice Marino
Palos Verdes Peninsula High School
Rolling Hills, CA

Anna Marxson
Laguna Creek High School
Elk Grove, CA

Barbara Mortanian
Tenaya Middle School
Fresno, CA

Vickie Musni
Pioneer High School
San Jose, CA

Teri Olsen
Alameda High School
Alameda, CA

Rodolfo Orihuela
C. K. McClatchy High School
Sacramento, CA

Marianne Villalobos
Modesto High School
Modesto, CA

Acknowledgments

Urban Panel

Rebecca Carr
William G. Enloe High School
Raleigh, NC

Rita Dooley
Lincoln Park High School
Chicago, IL

Norha Franco
East Side High School
Newark, NJ

Frank González
Mast Academy
Miami, FL

Kathryn Gardner
Riverside University High School
Milwaukee, WI

Eula Glenn
Remtec Center
Detroit, MI

Jeana Harper
Detroit Fine Arts High School
Detroit, MI

Guillermina Jauregui
Los Angeles Senior High School
Los Angeles, CA

Lula Lewis
Hyde Park Career Academy
   High School
Chicago, IL

Florence Meyers
Overbrook High School
Philadelphia, PA

Vivian Selenikas
Long Island City High School
Long Island City, NY

Sadia White
Spingarn Stay Senior High School
Washington, DC

Block Scheduling Panel

Barbara Baker
Wichita Northwest High School
Wichita, KS

Patty Banker
Lexington High School
Lexington, NC

Beverly Blackburn
Reynoldsburg Senior High School
Reynoldsburg, OH

Henry Foust
Northwood High School
Pittsboro, NC

Gloria Hawks
A. L. Brown High School
Kannapolis, NC

Lois Hillman
North Kitsap High School
Poulsbo, WA

Nick Patterson
Central High School
Davenport, IA

Sharyn Petkus
Grafton Memorial High School
Grafton, MA

Cynthia Prieto
Mount Vernon High School
Alexandria, VA

Julie Sanchez
Western High School
Fort Lauderdale, FL

Marilyn Settlemyer
Freedom High School
Morganton, NC

Student Review Board

Andrea Avila
Fannin Middle School
Amarillo, TX

Maya Beynishes
Edward R. Murrow High School
Brooklyn, NY

James Dock
Guilford High School
Rockford, IL

Richard Elkins
Nevin Platt Middle School
Boulder, CO

Kathryn Finn
Charles S. Pierce Middle School
Milton, MA

Robert Foulis
Stratford High School
Houston, TX

Lorrain García
Luther Burbank High School
Sacramento, CA

Katie Hagen
Ionia High School
Ionia, MI

Steven Hailey
Davis Drive School
Apex, NC

Eli Harel
Thomas Edison Intermediate School
Westfield, NJ

Cheryl Kim
Dr. Leo Cigarroa High School
Laredo, TX

Jennifer Kim
Kellogg Middle School
Seattle, WA

Jordan Leitner
Scripps Ranch High School
San Diego, CA

Courtney McPherson
Miramar High School
Miramar, FL

Zachary Nelson
Warsaw Community High School
Warsaw, IN

Diana Parrish
Oak Crest Junior High School
Encinitas, CA

Kimberly Robinson
Perryville Senior High School
Perryville, AR

John Roland
Mountain Pointe High School
Phoenix, AZ

Nichole Ryan
Bermudian Springs High School
York Springs, PA

Ryan Shore
West Miami Middle School
Miami, FL

Tiffany Stadler
Titusville High School
Titusville, FL

Michael Szymanski
West Seneca East High School
West Seneca, NY

Anela Talic
Soldan International Studies
   High School
St. Louis, MO

Gary Thompson
Fort Dorchester High School
Charleston, SC

Bethany Traynor
Glen Este High School
Cincinnati, OH

Gerard White
Paramount High School
Paramount, CA

Nichols Wilson
Waubonsie Valley High School
Aurora, IL

Amy Wyron
Robert Frost Intermediate School
Rockville, MD

Karina Zepeda
West Mecklenburg High School
Charlotte, NC

El español en California

A brief history

From the arrival of European explorers to the present day, Spanish-speaking peoples have been an integral part of California's history and culture. Spanish speakers under the rule of Spain, Mexico, and the United States have excelled as explorers, writers, social reformers, and politicians. Here are just a few important ways in which speakers of Spanish have influenced California and contributed to the identity of the United States.

1530s–1542

Spanish explorer Hernán Cortés sends several expeditions to *Baja California*. The Spaniards believe they have discovered a gigantic island. It is claimed as part of *Nueva España*. Upon venturing inland they discover that *Baja California* extends north to join the continent. The Spanish call the newly discovered region *Alta California*, which today comprises the state of California.

1500   **1600**   **1700**   **1800**

1769

José de Gálvez is sent by the king of Spain to colonize *Alta California*. Gálvez appoints Spanish-born Junípero Serra, a Franciscan friar, to found missions there. Serra establishes the first of twenty-one missions in California in what is now San Diego. Many of the mission churches are still standing today.

Junípero Serra

1822–1850

In 1822 California becomes a province of Mexico, which has just gained its independence from Spain. Californians rebel against Mexican rule and capture the Mexican headquarters in Sonoma in what becomes known as the *Bear Flag Revolt*.

California is claimed by the United States after the Bear Flag Revolt. Mexico officially surrenders its claim to California and other territories in the Treaty of Guadalupe Hidalgo in 1848. California becomes the 31st state of the United States in 1850.

1962–1972

Labor organizer César Chávez founds the National Farm Workers Association (NFWA), which negotiates for better wages and improved working conditions for farm laborers, many of whom are Chicano. In 1965 strikes against grape growers begin, and Chávez organizes a nationwide grape boycott. After five years, most of the grape growers agree to union contracts. The NFWA becomes the United Farm Workers of America (UFW) in 1972.

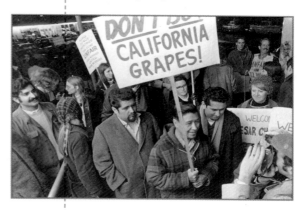

1900

2000

1885

María Amparo Ruiz de Burton, a Mexican American novelist, writes about how California's transition from being part of Mexico to becoming a U.S. state affects the original Spanish-speaking settlers (known as *californios*). She tells her story from the perspective of California's displaced landowners.

Californios of the 1870s

2002

Californians elect the first pair of sisters, Loretta and Linda Sánchez, to the U.S. House of Representatives. Younger sister Linda, a lawyer, is elected for the first time; older sister Loretta, a businesswoman, wins a fourth term. The daughters of Mexican immigrants, Linda and Loretta join a pair of Cuban-American brothers from Florida in the 108th Congress.

Loretta and Linda Sánchez

How to Study Spanish

Use Strategies

Listening strategies provide a starting point to help you understand.
Speaking strategies will help you express yourself in Spanish.
Reading strategies will show you different ways to approach reading.
Writing strategies help you out with your writing skills.
Cultural strategies help you compare Spanish-speaking cultures of the world to your own culture.

STRATEGY: SPEAKING

Use all you know The models in exercises are a guide to help you get started. It is better to say more than what is shown in the model. Take risks! Recombine what you have learned in fresh new ways. That is how you become a good speaker of Spanish.

Use Study Hints

The **Apoyo para estudiar** feature provides study hints that will help you learn Spanish.

Apoyo para estudiar

Pronoun Placement

Remember that when you attach any object pronoun (direct, indirect, or reflexive) to an affirmative command of two or more syllables, you need to add a written accent to the stressed syllable of the verb. Examples: **Escríbalo. Tráigame. Siéntese. Póngase la gorra. Acuéstese.** But… **Hazlo. Ponlos.**

Build Your Confidence

Everyone learns differently, and there are different ways to achieve a goal. Find out what works for you. Grammar boxes are set up with an explanation, a visual representation, and examples from real-life contexts. Use this combination of words and graphics to help you learn Spanish. Focus on whatever helps you most.

GRAMÁTICA Hacer with Expressions of Time

In Spanish, if someone asks, "How long has this been going on?" or "How long has it been?" you answer with the verb **hacer:**

hace + **the period of time** + **que** + **the present tense**

Ay, Elena, **hace cuatro años que** quiero venir a tu programa.
*Oh, Elena, **I've been wanting** to come to your program **for four years.***

Ay, doctor, **hace una hora que** lo espero.
*Oh, doctor, **I've been waiting** for you **for an hour.***

Practice: Actividades
5 6 7

Más práctica
cuaderno p. 85
Para hispanohablantes
cuaderno p. 83

Online Workbook
CLASSZONE.COM

Have Fun

Taking a foreign language does not have to be all serious work. The dialogs in this book present the Spanish language in **entertaining, real-life contexts.**

- Pair and group activities give you a chance to **interact with your classmates.**
- Vocabulary and grammar puzzles will test your knowledge, but will also be **fun to do.**

Listen to Spanish Inside and Outside of Class

Hearing Spanish will help you understand it. Pay attention to the **dialogs** and the **listening activities** in class.

Take advantage of opportunities to **hear Spanish outside of class** as well.

- Do you know someone who speaks Spanish?
- Are there any Spanish-language radio and/or television stations in your area?
- Does your video store have any Spanish-language movies?

Take Risks

The goal of studying a foreign language like Spanish is to **communicate.**

Don't be afraid to **speak.**

Everyone makes mistakes, so don't worry if you make a few. When you do make a mistake, **pause and then try again.**

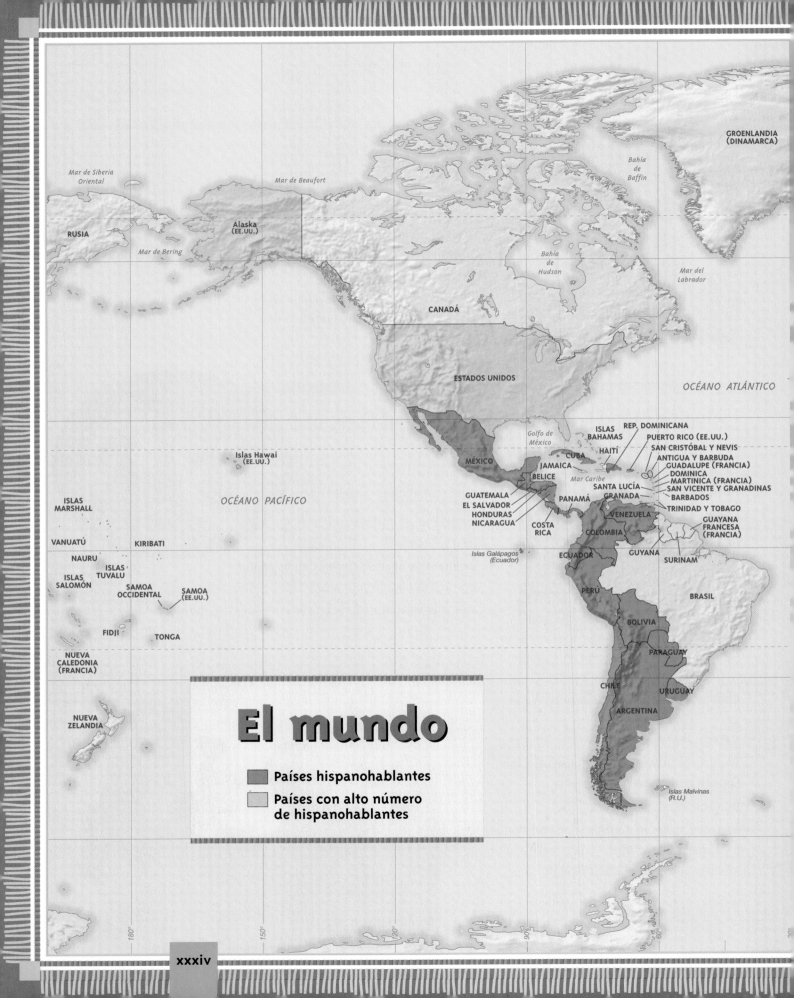

El mundo

■ Países hispanohablantes
□ Países con alto número de hispanohablantes

GROENLANDIA (DINAMARCA)

RUSIA

Alaska (EE.UU.)

Mar de Siberia Oriental

Mar de Beaufort

Mar de Bering

Bahía de Baffin

Bahía de Hudson

Mar del Labrador

CANADÁ

ESTADOS UNIDOS

OCÉANO ATLÁNTICO

Islas Hawai (EE.UU.)

OCÉANO PACÍFICO

Golfo de México

MÉXICO

ISLAS BAHAMAS

REP. DOMINICANA
PUERTO RICO (EE.UU.)
SAN CRISTÓBAL Y NEVIS
ANTIGUA Y BARBUDA
GUADALUPE (FRANCIA)
DOMINICA
MARTINICA (FRANCIA)
SAN VICENTE Y GRANADINAS
BARBADOS

CUBA
HAITÍ

JAMAICA

BELICE

Mar Caribe

GUATEMALA
EL SALVADOR
HONDURAS
NICARAGUA

COSTA RICA

PANAMÁ

SANTA LUCÍA
GRANADA

TRINIDAD Y TOBAGO

VENEZUELA

GUAYANA FRANCESA (FRANCIA)

COLOMBIA

GUYANA

SURINAM

ISLAS MARSHALL

VANUATÚ

NAURU

ISLAS SALOMÓN

ISLAS TUVALU

KIRIBATI

SAMOA OCCIDENTAL

SAMOA (EE.UU.)

FIDJI

TONGA

NUEVA CALEDONIA (FRANCIA)

NUEVA ZELANDIA

Islas Galápagos (Ecuador)

ECUADOR

PERÚ

BOLIVIA

PARAGUAY

BRASIL

CHILE

URUGUAY

ARGENTINA

Islas Malvinas (R.U.)

OCÉANO ÁRTICO

Mar de Laptev

Mar de Kara

Mar de Barents

Mar de Noruega

ISLANDIA

1	DINAMARCA	9	ESLOVENIA
2	HOLANDA	10	CROACIA
3	BÉLGICA	11	BOSNIA Y HERZEGOVINA
4	LUXEMBURGO	12	SERBIA Y MONTENEGRO
5	SUIZA	13	ALBANIA
6	REPÚBLICA CHECA	14	MACEDONIA
7	ESLOVAQUIA	15	BULGARIA
8	HUNGRÍA	16	MALTA

RUSIA

SUECIA
NORUEGA
FINLANDIA
ESTONIA
LETONIA
LITUANIA
REINO UNIDO
Mar del Norte
Mar Báltico
IRLANDA
BIELORRUSIA
POLONIA
ALEMANIA
UCRANIA
FRANCIA
AUSTRIA
MOLDAVIA
ANDORRA
ITALIA
RUMANIA
ESPAÑA
PORTUGAL
GRECIA
Mar Negro
GEORGIA
Mar de Aral
KAZAKSTÁN
UZBEKISTÁN
KIRGUISTÁN
TURQUÍA
ARMENIA
Mar Caspio
TURKMENISTÁN
TADJIKISTÁN
MONGOLIA
Lago Baikal
Mar de Ojotsk
GIBRALTAR (R.U.)
TÚNEZ
Mar Mediterráneo
CHIPRE
LÍBANO
SIRIA
IRAQ
AZERBAIYÁN
IRÁN
AFGANISTÁN
CHINA
COREA DEL NORTE
Mar de Japón
COREA DEL SUR
JAPÓN
Islas Canarias (Esp.)
MARRUECOS
ISRAEL
JORDANIA
KUWAIT
QATAR
BAHREIN
PAQUISTÁN
NEPAL
BHUTÁN
SAHARA OCCIDENTAL
ARGELIA
LIBIA
EGIPTO
ARABIA SAUDITA
E.Á.U.
Trópico de Cáncer
TAIWÁN
GUAM (EE.UU.)
MAURITANIA
MALÍ
NÍGER
CHAD
Mar Rojo
OMÁN
INDIA
MYANMAR
LAOS
Mar Arábigo
SENEGAL
BURKINA FASO
BENIN
NIGERIA
SUDÁN
ERITREA
YEMEN
JIIBUTI
BANGLADESH
TAILANDIA
VIETNAM
FILIPINAS
GUINEA
COSTA DE MARFIL
TOGO
ETIOPÍA
Golfo de Bengala
Mar de China
CAMBOYA
GUINEA BISSAU
GHANA
CAMERÚN
REP. CENTRO-AFRICANA
SOMALIA
BRUNEI
PALAU
MICRONESIA
SIERRA LEONA
LIBERIA
GUINEA ECUATORIAL
GABÓN
CONGO
UGANDA
KENIA
SRI LANKA
MALASIA
ISLAS MALDIVAS
Ecuador
CABINDA (ANGOLA)
REP. DEM. DEL CONGO
RUANDA
BURUNDI
SINGAPUR
INDONESIA
PAPUASIA NUEVA GUINEA
ANGOLA
MALAWI
TANZANÍA
SEYCHELLES
TIMOR ORIENTAL
ZAMBIA
COMORES
NAMIBIA
ZIMBABWE
MOZAMBIQUE
MADAGASCAR
MAURICIO
OCÉANO ÍNDICO
BOTSWANA
Trópico de Capricornio
AUSTRALIA
SUDÁFRICA
SUAZILANDIA
LESOTHO

N

0	1000	2000 kilómetros
0	1000	2000 millas

ANTÁRTIDA

30
60
90
120

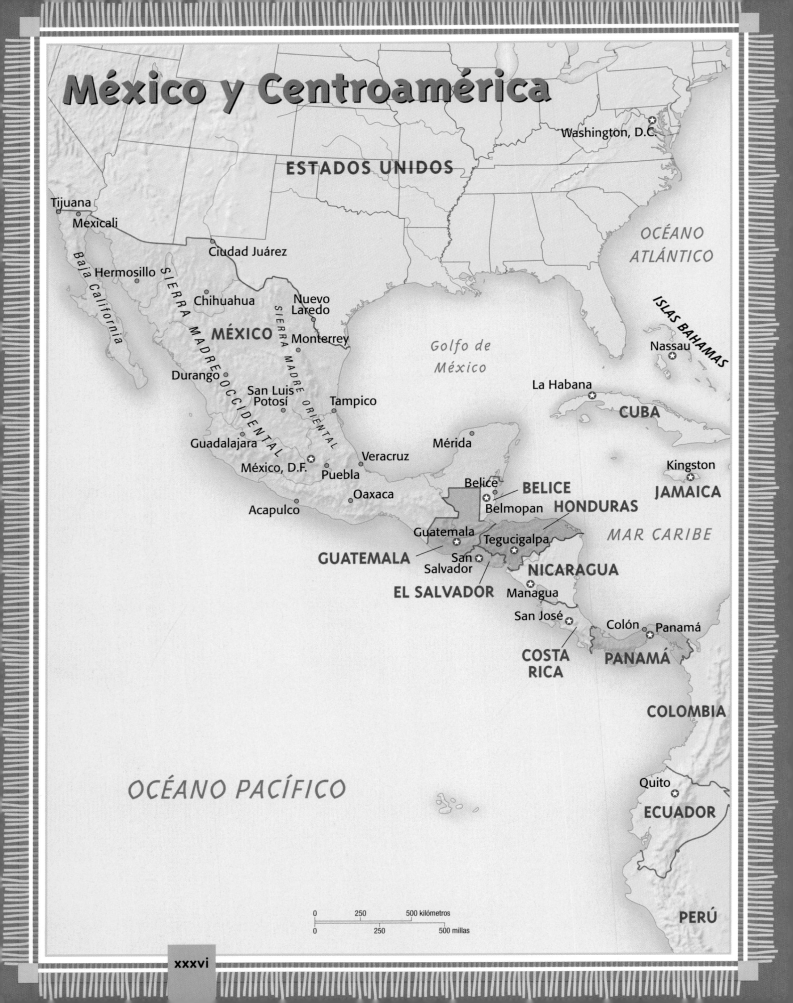

México y Centroamérica

ESTADOS UNIDOS

Washington, D.C.

OCÉANO
ATLÁNTICO

Tijuana

Mexicali

Ciudad Juárez

Hermosillo

Chihuahua

Nuevo
Laredo

SIERRA MADRE OCCIDENTAL

MÉXICO

Monterrey

SIERRA MADRE ORIENTAL

Golfo de
México

La Habana

ISLAS BAHAMAS

Nassau

Durango

San Luis
Potosí

Tampico

CUBA

Guadalajara

México, D.F.

Puebla

Veracruz

Mérida

Kingston

Oaxaca

Acapulco

Belice

BELICE

JAMAICA

Belmopan

HONDURAS

MAR CARIBE

Guatemala

GUATEMALA

Tegucigalpa

San
Salvador

NICARAGUA

EL SALVADOR

Managua

San José

Colón

Panamá

COSTA
RICA

PANAMÁ

COLOMBIA

OCÉANO PACÍFICO

Quito

ECUADOR

0   250   500 kilómetros

0   250   500 millas

PERÚ

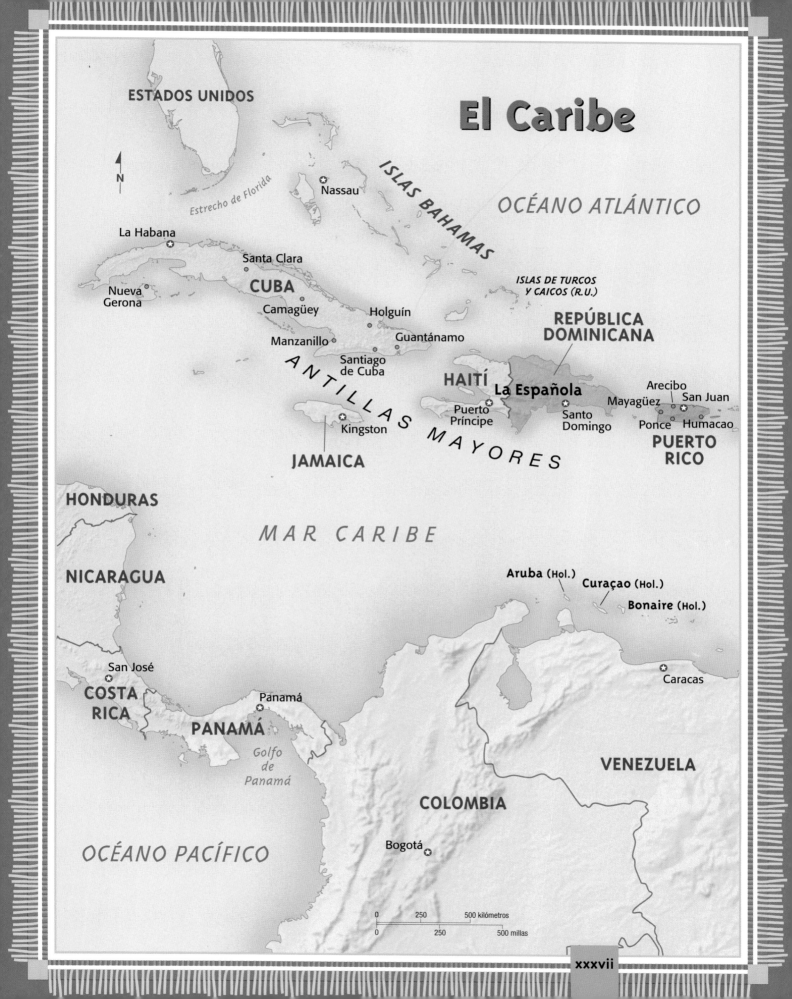

El Caribe

ESTADOS UNIDOS

N

Estrecho de Florida

Nassau

ISLAS BAHAMAS

OCÉANO ATLÁNTICO

La Habana

Santa Clara

CUBA

Nueva Gerona

Camagüey

Holguín

ISLAS DE TURCOS Y CAICOS (R.U.)

Manzanillo

Guantánamo

REPÚBLICA DOMINICANA

Santiago de Cuba

HAITÍ

La Española

Arecibo

Mayagüez

San Juan

ANTILLAS MAYORES

Puerto Príncipe

Santo Domingo

Ponce

Humacao

Kingston

PUERTO RICO

JAMAICA

HONDURAS

MAR CARIBE

NICARAGUA

Aruba (Hol.)

Curaçao (Hol.)

Bonaire (Hol.)

San José

COSTA RICA

Caracas

Panamá

PANAMÁ

Golfo de Panamá

VENEZUELA

COLOMBIA

OCÉANO PACÍFICO

Bogotá

| 0 | 250 | 500 kilómetros |
| 0 | 250 | 500 millas |

Sudamérica

MAR CARIBE

OCÉANO ATLÁNTICO

Barranquilla
Cartagena
Maracaibo
Caracas
TRINIDAD Y TOBAGO
Puerto España
Lago Maracaibo
VENEZUELA
Medellín
Georgetown
Paramaribo
GUYANA
SURINAM
Cayena
Manizales
Bogotá
COLOMBIA
GUAYANA FRANCESA (FRANCIA)
Cali
Otavalo
Quito
ECUADOR
Ecuador
Guayaquil
Cuenca
Río Negro
Río Amazonas
Río Tapajóz
Río Xingú
Río Tocantins
PERÚ
Trujillo
Río Madeira
BRASIL
Río São Francisco
C O R D I L L E R A
Lima
Callao
Lago Titicaca
BOLIVIA
La Paz
Cochabamba
Santa Cruz
Brasilia
Sucre
GRAN CHACO
PARAGUAY
Trópico de Capricornio
Salta
Asunción
CHILE
San Miguel de Tucumán
Resistencia
Córdoba
Mendoza
Rosario
URUGUAY
Valparaíso
Santiago
Buenos Aires
La Plata
Montevideo
ARGENTINA
Concepción
Bahía Blanca
Mar del Plata
PAMPAS
Temuco
A N D E S
P A T A G O N I A

OCÉANO PACÍFICO

OCÉANO ATLÁNTICO

Estrecho de Magallanes
Tierra del Fuego
Islas Malvinas (R.U.)
Cabo de Hornos

N

Islas Galápagos (Ecuador)
OCÉANO PACÍFICO
0   250 kilómetros
0   250 millas
Bogotá
COLOMBIA
Quito
ECUADOR
PERÚ

0   250   500 kilómetros
0   250   500 millas

España

FRANCIA

OCÉANO ATLÁNTICO

MAR CANTÁBRICO

La Coruña

ASTURIAS · CANTABRIA · Bilbao
GALICIA · CORDILLERA CANTÁBRICA · PAÍS VASCO · ANDORRA
LOS PIRINEOS
León · Pamplona
NAVARRA · CATALUÑA
CASTILLA-LEÓN · Río Ebro
Valladolid · Río Duero · Zaragoza · Barcelona
E S P A Ñ A · ARAGÓN
Salamanca
Río Tajo
SIERRA DE GUADARRAMA · MADRID
Madrid · Islas Baleares · Menorca
COMUNIDAD · Palma
PORTUGAL · VALENCIANA · Mallorca
CASTILLA-LA MANCHA · Valencia
Ibiza
Río Guadiana
Lisboa
EXTREMADURA
MAR MEDITERRÁNEO
Córdoba
MURCIA
Sevilla · Granada
ANDALUCÍA · SIERRA NEVADA
Río Guadalquivir
Málaga
Gibraltar (R.U.)
Estrecho de Gibraltar · Ceuta (España)
Melilla (España)

OCÉANO
ATLÁNTICO

MARRUECOS

Islas Canarias (España)

OCÉANO ATLÁNTICO

La Palma · Santa Cruz de Tenerife
Tenerife · Las Palmas
Gran Canaria

0 ___ 50 kilómetros
0 ___ 50 millas

ÁFRICA

África

CAMERÚN

Malabo

GUINEA
ECUATORIAL

Golfo de
Guinea · Bata

GABÓN

0 ___ 50 ___ 100 kilómetros
0 ___ 50 ___ 100 millas

0 ___ 200 kilómetros
0 ___ 200 millas

ETAPA PRELIMINAR

Día a día

OBJECTIVES

- Exchange greetings

- Discuss likes, dislikes

- Describe people, places

- Ask for and give information

- Talk about school life

- Talk about the new school year

¿Qué ves?

Mira la foto. ¿Qué ves?

1. ¿Cuántos jóvenes hay en la foto? ¿Qué hacen?

2. ¿Dónde están?

3. ¿Adónde van si les gusta la música salsa?

En colaboración con
Asociación Amigos de
Puerto Rico

LA RISA
Espectáculos   Presentan

la **historia**
de la música
SALSA
ayer y *hoy*

Vie. 23 de oct.
Actuación en vivo

Desde P.R. presentando todos
sus éxitos de ayer
Pete "El Conde" Rodríguez

Desde Santo Domingo, presentando
sus más recientes éxitos
Raulín Rosendo

Desde Nueva York, presentando
sus éxitos más modernos
José Alberto "Canario"

Vestimenta apropiada, sin sombreros ni zapatos deportivos. La entrada se abre a las 9 PM
Boletos: $20 por adelantado $25 en la entrada hasta las 11 PM. $30 Hasta la medianoche
Se dan descuentos al mostrar este póster. Para comprar boletos por adelantado, llamar al 718-601-9856

¡Saludos!

VOCABULARIO Y GRAMÁTICA

Look at the pictures and read the captions to see how Spanish speakers in the United States greet one another.

¡Hola! ¿Cómo están? ¿Yo? Estoy muy bien, gracias. Aquí vamos a ver qué dicen estos chicos.

Ciudad de Nueva York

A

Sofía: Buenas tardes, Raúl y Carlos. Les presento a mi amiga, Linda.

Raúl: Mucho gusto.

Linda: Encantada.

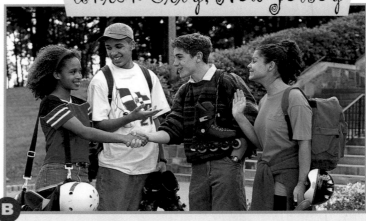

Union City, New Jersey

B

Marcos: Hola. ¿Qué pasa? Les presento a mi prima, Luisa. Ella es de California.

Arturo: Mi nombre es Arturo Alcázar. Mucho gusto.

Luisa: El gusto es mío.

Boston, Massachusetts

Estudiantes: Hola, señora Rivera. ¿Cómo está usted?

Señora Rivera: Bien. Vamos a clase, ¿no?

Hartford, Connecticut

Miguel: ¿Qué tal, Patricia? Hola, señora. Me llamo Miguel.

Señora: Mucho gusto. Soy la abuela de Patricia. ¿Cómo están?

Miguel y Lalo: Regular. ¿Y ustedes?

1 ¿Qué pasa?

Leer/Escribir Escoge la respuesta correcta según la lectura. *(Hint: Choose the correct answer.)*

1. Sofía les presenta a su amiga a…
   a. unos chicos
   b. un restaurante
   c. Linda y otra chica

2. Marcos…
   a. es el hermano de Raúl
   b. dice que su prima es de Texas
   c. le presenta a su prima a Arturo

3. La señora Rivera va…
   a. a clase
   b. de compras
   c. a comer

4. La abuela de Patricia…
   a. se llama Lalo
   b. está regular
   c. habla con Miguel y Lalo

2 Te presento a…

Hablar En grupos pequeños, hagan presentaciones informales y formales. Usen estas expresiones. *(Hint: Practice introductions.)*

Hola.	
Bien.	¿Qué pasa?
Buenos días.	Mucho gusto.
Te/Le presento a…	¿Cómo estás?
Buenas tardes.	Regular.
Mi nombre es…	¿Cómo está usted?
¿Qué tal?	Terrible.
Me llamo…	Soy…

¿Qué te gusta?
VOCABULARIO Y GRAMÁTICA

Union City, New Jersey Look at the pictures and read about what young people from New Jersey like to do in their free time.

A A muchos jóvenes les gusta cantar, bailar y escuchar música.

B Me gusta escribir en mi diario en mi tiempo libre.

C Nos gusta patinar con patines en línea.

3 ¿Qué les gusta más?

Hablar/Escribir Describe lo que a las siguientes personas les gusta hacer. *(Hint: Which activities do these people prefer?)*

modelo

mi hermano(a): bailar / nadar

A mi hermano le gusta nadar. (A mi hermano no le gusta bailar.)

Nota: Gramática

Remember that when you talk about what you or someone else likes to do, you use the verb **gustar** + an infinitive. **Gustar** always takes an indirect object pronoun (**me, te, le, os, nos, les**).

Me gusta cantar. *I like to sing.*

¿Te gusta cantar? *Do you like to sing?*

1. yo: cantar / escuchar música
2. tú: ir de compras / practicar deportes
3. mis padres: comer en la casa / comer en un restaurante
4. mis amigos y yo: ir a fiestas / ir al cine
5. los estudiantes: escribir / leer

Y claro, como todos los chicos, a nosotros nos gusta comer. ¡Uuuuffff!

4 ¿A quién le gusta...?

Hablar/Escribir ¿Qué les gusta hacer a ti y a tus amigos? Haz oraciones afirmativas o negativas usando estas expresiones. *(Hint: What do you like to do?)*

modelo

A Derek le gusta patinar.

bailar   cantar   escribir   escuchar
comer   alquilar un video   leer

Practice:
Más práctica *cuaderno p. 1*
Para hispanohablantes *cuaderno p. 1*

¡A describir!

VOCABULARIO Y GRAMÁTICA

Ciudad de Nueva York Look at the pictures and read about these teenagers in New York City.

A

¿Cómo son los jóvenes? ¿Qué tienen?

Linda

Carlos

Raúl

Sofía

Panza, el perro

Carlos es alto, de pelo castaño. Tiene un suéter verde.

Linda es baja y delgada. Tiene pelo rubio y largo. Su suéter es amarillo y su falda es de muchos colores.

Raúl tiene una camisa anaranjada y jeans. Es muy guapo.

Sofía tiene pelo corto. Usa un vestido azul y una bolsa negra.

Panza, el perro, no es delgado. Es gordo. También es feo.

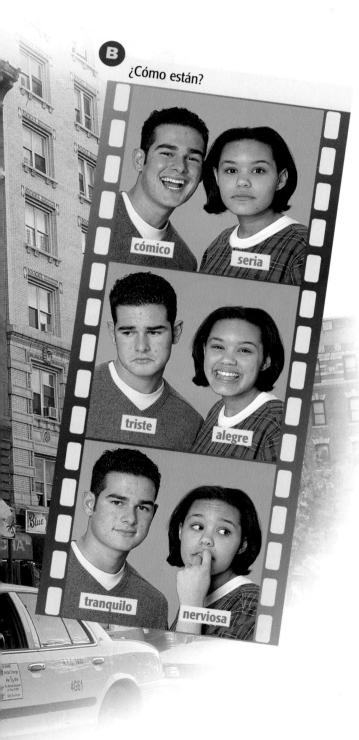

B ¿Cómo están?

cómico

seria

triste

alegre

tranquilo

nerviosa

5 Unas descripciones

Hablar/*Escribir* Tú conoces a Linda, Raúl, Sofía, Carlos y el perro de Carlos en Nueva York. Haz oraciones para explicar cómo son, cómo están y qué tienen. Usa estas expresiones. *(Hint: You meet Linda, Raúl, Sofía, Carlos, and Carlos's dog in New York City. Describe them, using these expressions.)*

alegre	cómico(a)	serio(a)
alto(a)	delgado(a)	un suéter
amarillo(a)	una falda	triste
azul	pelo castaño	verde
bajo(a)	pelo rubio	un vestido

REPASO **Use Adjectives to Describe**

Remember that **adjectives** describe nouns. They match the gender and number of the nouns they describe. In Spanish, **adjectives** usually follow the noun.

Masculine adjectives
often end in **-o**.

el chic**o** **guapo**
the good-looking boy

Feminine adjectives
often end in **-a**.

la chic**a** **guapa**
the good-looking girl

Most adjectives that end with **-e** or a **consonant** refer to both genders.

same word

el chic**o** **paciente**　　la chic**a** **paciente**

To make an adjective **plural,** add **-s** if it ends with a vowel, **-es** if it ends with a consonant.

los chico**s** **guapo**s
los chico**s** **trabajador**es

When an adjective describes a group containing both genders, the **masculine** form of the adjective is used.

Practice:
Actividades **6** **7** **8**
Más práctica *cuaderno p. 2*
Para hispanohablantes *cuaderno p. 2*

 Online Workbook
CLASSZONE.COM

6 ¿Cómo es?

Escribir ¿Cómo es la tía de Isabel? Completa la descripción. Luego dibújala con esas características. *(Hint: Complete the description of Isabel's aunt. Then draw her.)*

1. Mi tía es (alto, altos, baja, bajas).

2. Tiene pelo (larga, largas, corto, cortos) y (rubia, rubias, castaño, castaños).

3. Ella es un poco (gorda, gordas, delgado, delgados).

4. Tiene ojos (grande, grandes, pequeña, pequeñas) y (azul, verdes).

5. Sus blusas favoritas son (rojo, rojos, amarilla, amarillas).

6. Le gusta llevarlas con sus pantalones (negro, negra, azul, azules).

7. Ella es muy (simpática, simpáticas, perezoso, perezosos).

8. Mi tía tiene un nombre (bonito, bonitos, cómica, cómicas). Se llama Gloria.

Estados Unidos

También se dice

Si caminas por la calle y alguien te dice «¡Oye, flaco!», no te enojes (*don't get mad*). Es una forma cariñosa que usan en los países hispanos. **Viejo(a)** es otra de estas palabras cariñosas que puedes oír.

7 ¿De qué color?

Hablar Pregúntales a tus compañeros(as) sobre la ropa que llevan hoy. Usa estos colores en tu conversación. *(Hint: Ask what people are wearing today.)*

amarillo(a)	morado(a)
anaranjado(a)	negro(a)
azul	rojo(a)
blanco(a)	rosado(a)
marrón	verde

modelo

Tú: *¿Quién lleva una chaqueta roja?*

Compañero(a): *Teresa lleva una chaqueta roja.*

1.

2.

3.

4.

5.

6.

8 ¡Adivina!

Hablar/*Escribir* Escribe tres descripciones: una sobre un(a) estudiante de tu clase, otra sobre un(a) profesor(a) y otra sobre alguien famoso (real o imaginario). Léeles cada descripción a tus compañeros(as). Ellos van a adivinar quién es. *(Hint: Write three descriptions of people for classmates to guess.)*

alto(a)	joven
bajo(a)	largo(a)
bonito(a)	mayor
castaño(a)	menor
corto(a)	moreno(a)
delgado(a)	pelirrojo(a)
fuerte	pequeño(a)
gordo(a)	rubio(a)
guapo(a)	viejo(a)

Nota cultural

En Nueva York y New Jersey encontramos grupos latinos de todos los países de habla hispana, incluyendo México, España, América Central, el Caribe y América del Sur. Pero la gran mayoría vienen de tres países del Caribe: Puerto Rico, la República Dominicana y Cuba.

REPASO **The Verb tener**

When you want to talk about what you have, use the verb tener.

tengo	tenemos
tienes	tenéis
tiene	tienen

La chica **tiene** pelo rubio.
*The girl **has** blond hair.*

Tener is also used to talk about how old a person is.

El chico **tiene** quince **años.**
*The boy **is** fifteen **years old**.*

Practice: Actividades
9 10

Más práctica
cuaderno p. 3
Para hispanohablantes
cuaderno p. 3

 Online Workbook
CLASSZONE.COM

9 La edad

Hablar/*Escribir* ¿Cuántos años tienen las siguientes personas? Si no sabes la edad exacta, adivina. Escribe tus respuestas y luego habla con un(a) compañero(a). *(Hint: Tell the ages of these people.)*

modelo

mi tía

Mi tía tiene treinta y ocho años.

1. mi amigo *(nombre)*
2. mis amigas *(nombre)* y *(nombre)*
3. yo
4. mi hermano(a)
5. mi madre/padre
6. mi primo(a)
7. mi perro/gato/pez/pájaro/¿?
8. *(una persona famosa)*

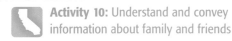
10 ¿Se parecen?

Hablar/*Escribir* ¿Tú y tu familia se parecen? ¿Y tus amigos(as)? Describe el pelo y los ojos de tu familia y de tus amigos(as), combinando elementos de cada columna. ¡Ojo! Cuidado con las formas de los adjetivos. *(Hint: Describe your family and friends.)*

modelo

Mi amiga Lupita y yo tenemos pelo largo.

mi madre/madrastra	tengo		largo(s)
mi hermano(a) y yo	tienes		rubio(s)
yo	tiene		azul(es)
tú, *(nombre)*	tenemos	pelo	corto(s)
mi amigo(a) y yo	tenéis	ojos	verde(s)
mis hermanos(as)	tienen		castaño(s)
mi amiga, *(nombre)*			negro(s)
mi madre/padre y yo			marrón(es)

REPASO | **Describe People and Things: ser vs. estar**

▶ Remember that even though **ser** and **estar** both correspond to the English verb *to be,* their uses are very different.

soy	somos
eres	sois
es	son

Ser is used

- to tell who the subject is or what the subject is like.
- to describe origin, profession, and basic characteristics.

Ella **es** alta. **Es** de Nueva York.
*She **is** tall. She **is** from New York.*

estoy	estamos
estás	estáis
está	están

Estar is used

- to tell where the subject is or how the subject feels.
- to describe location and feelings that may change.

El chico **está** bien. **Está** en Nueva York.
*The boy **is** OK. He **is** in New York.*

Practice: | **Actividades** 11 12 13 | **Más práctica** *cuaderno* p. 4
 Para hispanohablantes *cuaderno* p. 4 | **Online Workbook** CLASSZONE.COM

11 ¡Saludos desde Nueva York!

Escribir Linda está visitando Nueva York con su amiga y le escribe esta carta a su familia. Complétala con la forma correcta de **ser** o **estar.** *(Hint: Complete the postcard with the correct forms of* ser *and* estar.*)*

Querida familia:

¿Saben dónde ___1___? Hoy ___2___ en la Estatua de la Libertad con Sofía y su amigo. Su amigo se llama Raúl. ___3___ de Nueva York también. ___4___ muy simpático. También ___5___ muy guapo.

¡___6___ muy bien y muy contenta!

Un abrazo,

Linda

Estados Unidos

Nota cultural

La población latina El censo (*census*) de 1845 menciona «508 personas de México y Sudamérica» en Nueva York. La población latina de esta ciudad ha crecido (*has grown*) mucho. Hay más de dos millones de habitantes de Nueva York de origen latino.

12 ¡A describir!

Hablar/*Escribir* Usa las expresiones entre paréntesis y la forma apropiada de **ser** o **estar** para describir a las siguientes personas. Luego, describe a una persona de tu clase. *(Hint: Describe these people using* ser *and* estar.*)*

modelo

Mary (rubia / alta / de New Hampshire)

Mary es rubia. Es alta. Es de New Hampshire.

1. Carlos (de Buenos Aires / en Nueva York / alegre)
2. Melisa (en casa / de Santo Domingo / triste)
3. Miguel (preocupado / maestro / de San Francisco)
4. Ana (de México / simpática / en Italia)
5. yo (estudiante / en clase / de...)
6. ¿?

13 Un retrato

Escuchar/*Escribir* Unos chicos le piden a Raúl que describa a Linda. Escucha su descripción. Luego, contesta las preguntas. *(Hint: Listen to the tape and answer the questions.)*

1. ¿Cuántos años tiene Linda?
2. ¿De dónde es ella?
3. ¿Dónde está ahora?
4. ¿Qué ropa tiene ella?
5. ¿Cómo es?

¡A preguntar! 🎧

VOCABULARIO Y GRAMÁTICA

Hartford, Connecticut Look at the pictures and read about Patricia's plans for a Saturday afternoon in Hartford.

A

Patricia: Abuela, ¿qué hora es?

Abuela: Son las tres de la tarde. ¿Por qué?

Patricia: Tengo la fiesta de Miguel esta noche. ¡Ay! No tengo la dirección. Le hablo a Lalo. Él tiene su teléfono.

B

Lalo: Aló.

Patricia: Hola, Lalo. Soy Patricia. ¿Cuál es el teléfono de Miguel?

Lalo: 531-4275. Pero, ¿por qué?

Patricia: No tengo su dirección.

Lalo: ¿Por qué no vas conmigo a la fiesta?

Patricia: Muy bien. Chao.

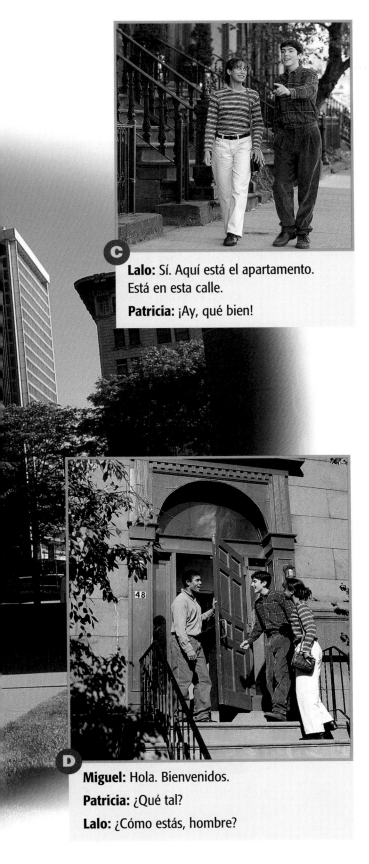

C

Lalo: Sí. Aquí está el apartamento. Está en esta calle.

Patricia: ¡Ay, qué bien!

D

Miguel: Hola. Bienvenidos.

Patricia: ¿Qué tal?

Lalo: ¿Cómo estás, hombre?

14 **En Hartford...**

Leer/*Escribir* Contesta las preguntas sobre lo que Patricia, su abuela y sus amigos hacen en la ciudad. *(Hint: Answer questions about Patricia's plans.)*

1. Según la abuela, ¿qué hora es?
2. ¿Por qué quiere saber Patricia la hora?
3. ¿Cuál es el teléfono de Miguel?
4. ¿Vive Miguel en un apartamento o una casa?
5. ¿Por qué van Lalo y Patricia a la casa de Miguel?

REPASO **Interrogative Words**

Remember that Spanish has many words that introduce a question. These words are called **interrogatives**. Some questions are formed by putting a **conjugated verb** after the **question word**.

Each interrogative word has an accent on the appropriate vowel.

All questions are preceded by an inverted question mark and followed by a question mark.

adónde *(to) where*	**¿Adónde vas** con Ana?
cómo *how*	**¿Cómo está** el chico?
cuál(es) *which (ones)*	**¿Cuál es** el libro?
cuándo *when*	**¿Cuándo estudias**?
cuánto *how much*	**¿Cuánto cuesta**?
cuántos(as) *how many*	**¿Cuántos** años **tienes**?
dónde *where*	**¿Dónde está** el carro?
por qué *why*	**¿Por qué vas** a casa?
qué *what*	**¿Qué es**?
quién(es) *who*	**¿Quién(es) habla(n)**?

Practice:
Actividades 15 16 17

 Online Workbook
CLASSZONE.COM

Más práctica *cuaderno p. 5*
Para hispanohablantes *cuaderno p. 5*

15 Una conversación

Hablar/Escribir Completa las preguntas y las respuestas. Luego practícalas con un(a) compañero(a). *(Hint: Complete the questions. Practice them with a classmate.)*

adónde   cómo   cuál(es)   cuándo
dónde   por qué   qué   cuántos(as)
de dónde   quién(es)

1. ¿ _____ te llamas?   Me llamo…
2. ¿ _____ eres?   Soy de…
3. ¿ _____ eres?   Soy…
4. ¿ _____ vives?   Vivo en…
5. ¿ _____ es tu dirección?   Mi dirección es…
6. ¿ _____ años tienes?   Tengo…
7. ¿ _____ es tu clase favorita?   Me gusta más la clase de…
8. ¿ _____ te gusta esa clase?   Es mi favorita porque…
9. ¿ _____ es tu mejor profesor(a)?   Mi mejor profesor(a) es…
10. ¿ _____ es tu mejor amigo(a)?   Mi mejor amigo(a) es…

16 ¿Cuál es...?

Hablar/Escribir Tu maestro(a) te va a dar tres minutos para preguntarles a tus amigos(as) su número de teléfono y dirección. Escribe la información en un papel. La persona que tenga la lista más larga y correcta gana. ¡Ojo! Sólo puedes hablar español. *(Hint: Race to see how many phone numbers and addresses you can collect in three minutes. You are only allowed to give information when asked in Spanish!)*

¿Cuál es tu teléfono?   ¿Cuál es tu dirección?

17 Una encuesta

Hablar/Escribir Escribe una lista de diez preguntas con palabras interrogativas para una encuesta. Hazles las preguntas a varios compañeros de clase y anota sus respuestas. *(Hint: Use interrogatives to write survey questions. Get classmates' answers.)*

modelo

¿Cuántas personas hay en tu familia?
¿Cuándo es tu cumpleaños?
¿Quién es tu actor favorito?

Estados Unidos

Nota cultural

De Connecticut La gente de habla hispana de Connecticut es reconocida (*recognized*) por ser políticamente fuerte, creando asociaciones latinas y eventos culturales por todo el estado.

To talk about what time it is, use:

¿Qué hora es?
What time is it?

Son las doce **y** *minutes*

Use **y** + *minutes* for the number of minutes **after** the hour.

Son las doce. (12:00)

Son las doce **y diez.** (12:10)

Son las doce **y media.** (12:30)

Use **cuarto** for a quarter of an hour and **media** for half an hour.

Es la una **menos** *minutes*

Use **menos** + *minutes* for the number of minutes **before** the hour.

Es la una. (1:00)

Es la una **menos cuarto.** (12:45)

To talk about when something will happen, use:

¿A qué hora es la clase?   *What time is the class?*
A las (dos, tres).   *At (two o'clock, three o'clock).*
A la una.   *At one o'clock.*

Practice:
Actividades 18 19

Online Workbook
CLASSZONE.COM

Más práctica *cuaderno p. 6*
Para hispanohablantes *cuaderno p. 6*

---

18 ¿Qué hora es?

Leer/*Escribir* Isabel llama a casa durante el día para decirles a sus padres dónde está. Según su calendario, ¿qué hora es cada vez que llama? *(Hint: Tell what time it is.)*

5	septiembre	
9:10	caminar con el perro	
10:30	comprar fruta para la fiesta	
11:15	gimnasio	
12:00	tomar algo con Patricia	
12:45	sacar un libro	
1:00	buscar zapatos nuevos	
1:20	ir a la tienda de videos	
2:00	comer con mi familia	

1. «Hola, estoy en el mercado.»
2. «Bueno, mis amigas y yo vamos a jugar al baloncesto.»
3. «Acabo de llegar al café.»
4. «Oye, estoy en la biblioteca.»
5. «Voy a alquilar un video. ¿Quieres uno también?»

19 ¿A qué hora?

Hablar/*Escribir* ¿A qué hora es cada una de estas actividades? Habla con un grupo de compañeros(as). *(Hint: Tell at what time these activities begin.)*

tu programa favorito de televisión

la clase de español   **el almuerzo**

la escuela

las películas baratas en el cine

la práctica de deportes escolares

En la escuela
VOCABULARIO Y GRAMÁTICA

Boston, Massachusetts Look at the photos and read about what these students do in Boston.

A

Antes de la escuela…

Susana: Voy a tomar la clase de arte este año. ¿Y tú?

Luis: ¿Arte? No. Voy a tomar otra clase de música para practicar con mi guitarra. Mi banda está en un concurso.

B

Luego, Luis y Susana van a la clase de español. Le preguntan a la señora Rivera si van a hablar español todo el tiempo. La señora Rivera contesta que sólo van a usar español.

C

Todos los estudiantes descansan durante el día. Estos jóvenes comen su almuerzo.

20 Durante el día

Leer/*Escribir* Contesta las preguntas sobre lo que hacen los jóvenes durante el día escolar.
(Hint: Answer questions about the school day.)

1. ¿Qué clase va a tomar Susana? ¿y Luis?
2. ¿Van a hablar español e inglés en la clase de español?
3. ¿Qué clase da la señora Rivera?
4. ¿Qué hace David después de la escuela? ¿y Susana y Luis?

Después de la escuela, David corre con un equipo.

Entrenador Santiago: ¿Corres en tu tiempo libre, David?

David: Sí, un poco. Pero, como no vivo cerca de aquí, corro en mi barrio.

Entrenador Santiago: Está bien.

Susana y Luis caminan a la biblioteca después de la escuela. Tienen mucha tarea y van a estudiar. ¿Tienes mucha tarea?

REPASO — **Regular Present Tense Verbs**

To talk about things you do, you use the present tense. To form the present tense of a regular verb, drop the **-ar**, **-er**, or **-ir** and add the appropriate ending.

Regular Verbs

	-ar habl**ar**	-er com**er**	-ir viv**ir**
yo	habl**o**	com**o**	viv**o**
tú	habl**as**	com**es**	viv**es**
usted, él, ella	habl**a**	com**e**	viv**e**
nosotros	habl**amos**	com**emos**	viv**imos**
vosotros	habl**áis**	com**éis**	viv**ís**
ustedes, ellos, ellas	habl**an**	com**en**	viv**en**

Practice:
Actividades   21 22 23

Más práctica *cuaderno p. 7*
Para hispanohablantes *cuaderno p. 7*

Online Workbook
CLASSZONE.COM

Activities 21–25: Understand and convey information about school and campus life
Activity 25: Converse in face-to-face social interactions

21 ¿Dónde?

Escribir Tú describes las actividades de varias personas en la escuela. Completa las oraciones e indica dónde tienen lugar las actividades. *(Hint: Complete the sentences and tell where the activity takes place.)*

la biblioteca   la cafetería

el auditorio   el gimnasio

el campo   la cancha

la clase de ¿?   el estadio   la piscina

1. Nosotros (comer) el almuerzo en _____ .
2. Mis amigos (nadar) en _____ .
3. Tú (leer) literatura en _____ .
4. Yo (hablar) español en _____ .
5. En la clase de educación física, ustedes (correr) en _____ .

22 En nuestra escuela

Hablar/*Escribir* Completa las oraciones y explica si estas actividades pasan en tu escuela. Si la actividad no pasa en tu escuela, cambia la oración para describir una actividad que sí pasa. *(Hint: Complete the sentences. Change any that do not apply.)*

modelo

Los estudiantes / preparar / jugo / en la cafetería

Los estudiantes preparan jugo en la cafetería. (Los estudiantes no preparan jugo en la cafetería. Beben jugo en la cafetería.)

Nota: Gramática

Remember that using the right verb ending is important. Sometimes an incorrect ending changes a word's meaning, even with regular verbs like **preguntar**.

Pregunto a la maestra. *I **ask** the teacher.*

Pregunta a la maestra. *He **asks** the teacher.*

1. Yo / llegar / a clase a tiempo
2. Mis amigos / vender / la tarea
3. El (La) director(a) / caminar / a la escuela
4. Tú __(nombre)__ / visitar / durante las clases
5. Mis amigos y yo / beber / refrescos en clase

23 Las clases

Hablar Habla sobre las clases con un grupo de compañeros(as). Describe lo que haces en cada clase, cómo es y dónde tiene lugar *(takes place)*. *(Hint: Talk about classes with a group.)*

modelo

Tú: *¿Qué hacen ustedes en la clase de francés?*

Compañero(a) 1: *Hablamos mucho francés y aprendemos mucho.*

Tú: *¿Cómo es?*

Compañero(a) 2: *Es interesante y divertida.*

Tú: *¿Dónde tiene lugar?*

Compañero(a) 3: *Tiene lugar en el salón número mil trescientos cuatro.*

el arte
la biología
las ciencias
la computación
la educación física
los estudios sociales
la física
la historia
la literatura
las matemáticas
la música

The Verb ir

Remember that when you talk about where someone is going, you use the verb **ir**, *to go*.

voy	vamos
vas	vais
va	van

Remember that forms of **ir** are usually followed by the preposition **a**.

Susana y Luis **van** a la biblioteca.
*Susana and Luis **go** to the library.*

Practice:
Actividades 24 25

Más práctica *cuaderno p. 8*
Para hispanohablantes *cuaderno p. 8*

Online Workbook
CLASSZONE.COM

---

24 ¿Adónde van?

Hablar/Escribir ¿Adónde van estas personas en la escuela? *(Hint: Tell where these people are going.)*

modelo

Jorge necesita tomar una prueba de computadoras.

Va a la clase de computación.

1. Comemos el almuerzo.
2. Buscas información sobre Puerto Rico.
3. Practico deportes en mi próxima clase.
4. Juegan al tenis.
5. Nadamos hoy en la clase de educación física.
6. Tomo una prueba de plantas y animales.

---

25 ¿Qué haces allí?

Hablar Imagínate que vas a los siguientes lugares. Habla con un(a) compañero(a) sobre adónde vas y qué vas a hacer allí. *(Hint: Tell where you are going and what you will do there.)*

la oficina   la biblioteca   el español
la cafetería   el gimnasio   las ciencias

modelo

Compañero(a): *¿Adónde vas?*

Tú: *Voy al auditorio.*

Compañero(a): *¿Qué vas a hacer allí?*

Tú: …

1.

2.

3.

4.

Estados Unidos

También se dice

Muchas palabras en inglés vienen del español u otros idiomas romanos. ¿Crees que la palabra **cafetería** tiene sus orígenes en el inglés o el español? ¿Qué tal estas palabras: **el rodeo, la plaza, el récord, la televisión**? Si no sabes, ¿dónde puedes buscar esta información?

¿Qué haces?

VOCABULARIO Y GRAMÁTICA

Boston, Massachusetts Look at the pictures and read about these students' goals for the upcoming school year.

A

Luis: ¿Qué quieres hacer en el futuro?

Susana: No sé. ¿Y ustedes?

David: Yo pienso estar en City Year, un programa de servicio comunitario. Hacen sus ejercicios aquí mismo.

B

Aquí Susana y Luis están trabajando en la computadora. Encuentran información sobre los trabajos y las universidades.

Durante el año escolar, puedes comer con los amigos.

También puedes entrar en la universidad. ¡Hay muchas universidades aquí en Boston!

26 Unas preguntas personales

Hablar/*Escribir* Ya sabes lo que hacen Luis, Susana y David. Luego contesta las preguntas sobre lo que haces tú. *(Hint: Answer the questions.)*

1. ¿Qué quieres hacer este año?
2. ¿Encuentras información por computadora? ¿Qué tipo?
3. ¿Dónde almuerzas?
4. ¿Qué piensas hacer este fin de semana?
5. ¿Vuelves a la misma escuela el año que viene?
6. ¿Prefieres salir con tus amigos(as) o hacer la tarea?

REPASO **Stem-Changing Verbs**

As you know, Spanish has many stem-changing verbs. Review the ones that follow.

pensar *to think*
e → ie

pienso	**pensamos**
piensas	**pensáis**
piensa	**piensan**

The stem doesn't change for the **nosotros** (*we*) or **vosotros** (*you*) form.

almorzar *to eat lunch*
o → ue

almuerzo	**almorzamos**
almuerzas	**almorzáis**
almuerza	**almuerzan**

For a complete list of stem-changing verbs, refer to pp. R30–R31.

Practice:
Actividades **27** **28**

  Online Workbook
CLASSZONE.COM

Más práctica *cuaderno p. 9*
Para hispanohablantes *cuaderno p. 9*

27 ¿Qué pasa?

Leer/*Escribir* Meche participa en un concurso en su escuela. Completa su descripción. *(Hint: Complete Meche's description of a contest at her school.)*

Mi amiga me __1__ (contar) de un concurso en nuestra escuela para ganar dinero para nuevos uniformes. Los uniformes __2__ (costar) mucho. El concurso es un maratón de tenis y los estudiantes __3__ (poder) participar por doce horas. Nosotros __4__ (poder) ganar un premio. Pero yo no __5__ (encontrar) mi raqueta. Entonces __6__ (volver) a casa y la __7__ (encontrar) en mi cuarto. Terminamos y... ¡qué cansada estoy! Ahora voy a dormir mucho. ¿ __8__ (Dormir) tú mucho después de jugar tanto?

28 ¿Cuántas veces?

Hablar/*Escribir* ¿Cuántas veces haces las siguientes actividades? Usa expresiones como **nunca, rara vez, de vez en cuando, mucho** y **siempre** en tus respuestas. *(Hint: How often do you do these things?)*

modelo

dormir en casa de un(a) amigo(a)

De vez en cuando duermo en casa de un amigo.

Nota: Vocabulario

| nunca | rara vez | de vez en cuando | mucho | siempre |

To say how often you do something, you can use **nunca** (*never*), **rara vez** (*rarely*), **de vez en cuando** (*sometimes*), and **mucho** (*often*) or **siempre** (*always*). In negative sentences, you can use a negative word and the word **no.**

No, no como en restaurantes **nunca.**   *No, I **never** eat in restaurants.*

1. contar tu dinero
2. dormir en clase
3. almorzar con tus padres
4. perder un partido
5. pensar en el pasado
6. entender las matemáticas
7. cerrar la casa con llave
8. volver a casa después de las once

29 Después de la escuela

Escuchar ¿Qué hacen los chicos después de clases? Escucha la descripción y ordena las fotos según lo que escuchaste. *(Hint: Listen to the description. Then put photos in chronological order.)*

a.

b.

c.

Remember that some verbs are only irregular in the first person singular (yo) form. Compare the **yo** and **tú** forms of these verbs.

- These take the ending **-go**.

	caer *to fall*	hacer *to make, to do*	poner *to put*	salir *to go out, to leave*	traer *to bring*
yo	cai**go**	ha**go**	pon**go**	sal**go**	trai**go**
tú	ca**es**	hac**es**	pon**es**	sal**es**	tra**es**

- Other verbs that are irregular in the **yo** form only are **conocer, dar, saber,** and **ver.**

	conocer *to know, to meet*	dar *to give*	saber *to know*	ver *to see*
yo	cono**zco**	d**oy**	s**é**	v**eo**
tú	conoc**es**	d**as**	sab**es**	v**es**

Practice:
Actividades
30 **31**

Más práctica
cuaderno p. 10
Para hispanohablantes
cuaderno p. 10

Online Workbook
CLASSZONE.COM

30 Unas actividades

Hablar/Escribir ¿Haces estas cosas? Completa las oraciones para explicar si haces las siguientes actividades. *(Hint: Do you do these things?)*

modelo

hacer la tarea por la mañana

Yo no hago la tarea por la mañana.

1. traer el cuaderno a clase
2. hacer la cama todos los días
3. poner la ropa en su lugar todos los días
4. dar fiestas para tus padres
5. siempre saber las respuestas de la tarea
6. ver la televisión hasta la medianoche
7. conocer a una persona famosa
8. salir de la casa a las cinco de la mañana

31 ¿Y tú?

Hablar/Leer Lee sobre David, un estudiante de Boston. Dile a un(a) compañero(a) si las situaciones también te pasan a ti. *(Hint: Read the descriptions and tell a classmate if they are true for you.)*

modelo

Compañero(a): *David ve pájaros de su ventana por la mañana. ¿Y tú?*

Tú: *Yo también (No) veo pájaros de mi ventana por la mañana.*

Nota: Gramática

Remember that the verbs **decir** *to say, to tell* and **venir** *to come* are irregular. Like the irregular **yo** verbs, they have first person singular forms ending in **-go** (**digo, vengo**).

Vengo del mercado. *I come from the market.*

1. David hace la tarea por la mañana.
2. Él ve todas las películas que salen.
3. Él les dice sus problemas a sus amigos.
4. Sale para la escuela muy temprano.
5. David trae sus libros en una mochila.
6. Él les da papel a sus amigos en clase.
7. David sabe hablar español bien.
8. Viene a la escuela en moto.

More Practice: **Más comunicación** *p. R1*

Online Workbook
CLASSZONE.COM

En uso
REPASO Y MÁS COMUNICACIÓN

1 Unas preguntas

Contesta estas preguntas con un grupo de compañeros(as). Luego escribe un resumen de las respuestas. *(Hint: Answer these questions with a group of classmates.)*

1. ¿Qué traes a clase todos los días?

2. ¿Prefieres ir a la escuela o trabajar? Explica.

3. ¿Sabes hacer algo bien? ¿Puedes enseñarles la actividad a otros?

4. ¿Le das dinero a alguien o a una institución? ¿Por qué?

5. ¿Qué quieres aprender este año?

6. ¿Qué cosa nueva quieres hacer este año?

2 ¿Quién soy yo?

Completa las oraciones y presenta la información en una forma artística que simbolice lo que escribes. *(Hint: Make a poster that represents you. Present the information in a symbolic manner.)*

1. Me llamo *(nombre)*.

2. Soy *(dos descripciones físicas)*.

3. También soy *(dos descripciones de tu personalidad)*.

4. Mi familia es *(dos descripciones)*.

5. Mis amigos son *(dos descripciones)*.

6. Me gusta *(tres actividades)*.

3 Las presentaciones

> **STRATEGY: SPEAKING**
>
> **Give and get personal information** Getting acquainted involves sharing information about yourself as well as getting information about others.
>
> For example, tell something about yourself and then ask your new classmate a related question: **—A mí me gusta estudiar después de la cena. Y tú, ¿cuándo prefieres estudiar?**
>
> Or after asking the question, react to the answer: **—Prefiero estudiar antes de la cena cuando no estoy cansado.**
> **—¡Qué buena idea!**

Haz una entrevista con un(a) compañero(a) de clase que no conozcas bien. Primero, escribe una lista de preguntas e incluye todos los elementos de la lista. Luego preséntale la persona a la clase y comparte cinco cosas nuevas que ya sabes. *(Hint: Interview a classmate and then introduce him or her to the class.)*

nombre	gustos	clases
origen	dirección	actividades
edad	teléfono	metas *(goals)*

En resumen

YA SABES ♻

DISCUSS LIKES AND DISLIKES

gustar	to like

Activities

bailar	to dance
cantar	to sing
comer	to eat
escribir	to write
escuchar música	to listen to music
patinar	to skate

EXCHANGE GREETINGS

Buenas tardes.	Good afternoon.
¿Cómo estás?	How are you?
¿Cómo te llamas?	What is your name?
El gusto es mío.	The pleasure is mine.
Encantado(a).	Delighted.
Les presento a…	I'd like to introduce you to…
Me llamo…	My name is…
Se llama…	His/Her name is…

TALK ABOUT SCHOOL LIFE

caminar	to walk
contestar	to answer
correr	to run
descansar	to rest
estudiar	to study
hablar	to talk, to speak
ir	to go
tomar	to take, to eat or drink
vivir	to live

DESCRIBE PEOPLE AND PLACES

estar	to be
ser	to be
tener	to have

Appearance and Personality

alegre	happy
alto(a)	tall
bajo(a)	short (height)
castaño(a)	brown (hair)
cómico(a)	funny, comical
corto(a)	short (length)
delgado(a)	thin
guapo(a)	good-looking
largo(a)	long
moreno(a)	dark (hair and skin)
nervioso(a)	nervous
rubio(a)	blond
serio(a)	serious
tranquilo(a)	calm
triste	sad

THE NEW SCHOOL YEAR

Stem-Changing Verbs

almorzar (o→ue)	to eat lunch
cerrar (e→ie)	to close
contar (o→ue)	to count, to (re)tell
costar (o→ue)	to cost
dormir (o→ue)	to sleep
encontrar (o→ue)	to find, to meet
entender (e→ie)	to understand
pensar (e→ie)	to think, to plan
perder (e→ie)	to lose
poder (o→ue)	to be able, can
preferir (e→ie)	to prefer
querer (e→ie)	to want
volver (o→ue)	to return, to come back

ASK FOR/GIVE INFORMATION

adónde	(to) where
cómo	how
cuál(es)	which (ones), what
cuándo	when
cuánto	how much
cuántos(as)	how many
¿Cuántos años tiene…?	How old is …?
dónde	where
por qué	why
qué	what
quién(es)	who

Juego

Adriana y Paula se encuentran por la calle.

Adriana: ¿Cómo están tus hijas? ¿Cuántos años tienen?

Paula: El producto de las tres edades es 36 y la suma es el mismo que el número de tu casa.

Adriana: Sé que vivo en el 13. Pero todavía necesito más información.

Paula: Sí. Es cierto. Mi hija mayor toca el piano.

¿Cuántos años tiene cada hija?

STANDARDS

Communication
- Talking about where you went and what you did in the past
- Discussing leisure time activities
- Expressing activity preferences
- Commenting on travel, food, art
- Reacting to news
- Asking for and giving information
- Talking about things and people you know

Cultures
- Food and fine art of Hispanic communities in the U.S.
- Hispanic communities in Los Angeles, Chicago, Miami

Connections
- Art: Comparing art forms and artists
- Journalism: Comparing news in Spanish and English
- Mathematics: Creating graphs based on surveys in Spanish

Comparisons
- Travel in the U.S. and abroad
- Foods
- Media and communication

Communities
- Using Spanish to help others
- Using Spanish in the workplace

 INTERNET Preview
CLASSZONE.COM

- More About Latinos
- Webquest
- Self-Check Quizzes
- Flashcards
- Writing Center
- Online Workbook
- eEdition Plus Online

ESTADOS UNIDOS

¿QUÉ PASA?

HISPANOS EN HOLLYWOOD Edward James Olmos, Jennifer López y Jimmy Smits están entre los actores latinos más famosos de Hollywood. Todos salen en esta película, *Mi familia,* que cuenta de una familia que llegó a California en 1920. ¿Qué otros actores hispanos conoces?

POBLACIÓN: 281,421,906

POBLACIÓN DE DESCENDENCIA HISPANA: 35,305,818

CIUDAD CON MÁS LATINOS: Nueva York

CIUDAD CON MAYOR PORCENTAJE (%) DE LATINOS: El Paso

EN ESTADOS UNIDOS

¿Qué tienen en común todas las ciudades que ves en el mapa? Son 10 ciudades con un gran número de gente de descendencia hispana. Los Ángeles, Chicago y Miami son las ciudades que vas a conocer en esta unidad. ¡Vamos!

> **More About Latinos**
> CLASSZONE.COM

TOSTONES Se puede encontrar esta comida típica de Puerto Rico y otros países del área caribeña en los restaurantes de Chicago. Tostones son plátanos verdes fritos. ¿Conoces algún plato como éste?

ARTISTAS Y LA COMUNIDAD Alejandro Romero es un artista de México que celebra la comunidad latina en Chicago. ¿Qué otros artistas conoces?

LA MISIÓN SAN FERNANDO REY DE ESPAÑA, fundada por el Padre Fermín Lasuén en 1797, está cerca de Los Ángeles. Puedes ver la misión en las películas y en la televisión. ¿Conoces otras misiones en California?

TELEVISIÓN Hay muchos canales de televisión en español. Los dos más populares son Univisión y Telemundo, que tienen oficinas en Miami y en Los Ángeles. ¿Ves la tele en español?

GLORIA ESTEFAN es una cantante famosa que vive en Florida. ¿Conoces sus canciones?

 NOTICIAS 23

JORGE RAMOS Y MARÍA ELENA SALINAS son reporteros famosos que trabajan desde Miami.

El Universo

Robo en el museo, ladrón atrapado

¿QUÉ PASA?

Comunicación

¡Comunicar en otra lengua!

Ya puedes empezar a hablar con otras personas y a escribirles en español. En esta unidad vas a describir viajes y actividades del pasado. ¿Adónde fuiste el verano pasado? ¿Qué hiciste?

Culturas

¡Aprender de otras culturas!

El arte es una forma de expresión. Vas a ver trabajos de arte y a conocer artistas hispanohablantes que se encuentran en Estados Unidos. ¿Qué puedes aprender de una cultura por medio de su arte?

Webquest
CLASSZONE.COM

Guided Web-based activities help you explore how Spanish is used in the United States.

Conexiones

¡Conectar nueva información con otras materias!

Cuando estudias español tienes la oportunidad de
aprender muchas cosas interesantes sobre varias materias.
Vas a aprender más sobre el arte y el periodismo
incluyendo aspectos del periódico y de la televisión.

Comparaciones

¡Comparar tu cultura y tu lengua con otras!

¿Te gusta comer en los restaurantes de tu
ciudad que sirven comida de otras culturas?
Probablemente sirven comidas que puedes
preparar en casa y otras que no conoces.
Vas a ver las semejanzas y las diferencias
entre comidas, comunicaciones y otras cosas.

Comunidades

¡Participar en comunidades multilingües en tu ciudad y otras partes del mundo!

Muchos estudiantes
usan el español
fuera de la clase
para divertirse y ayudar en su comunidad.
Estudiar español es útil. Lo puedes usar en
tus viajes y en tu lugar de trabajo. Vas a
conocer a un joven que usa el español para
ayudar a otros en su trabajo.

Fíjate

Para conocer mejor estas categorías
(Comunicación, Culturas, Conexiones,
Comparaciones, Comunidades), contesta
las siguientes preguntas.

1. ¿Con quiénes te gustaría hablar español?

2. ¿Conoces a un(a) artista hispanohablante?
   ¿Quién?

3. ¿Cuáles de estas materias estudiaste el año
   pasado?

la música   el arte   las matemáticas
los estudios sociales
la salud   la historia   la geografía

4. ¿Sabes más sobre el inglés después de
   estudiar el español? Explica.

5. ¿Dónde hay oportunidades de hablar
   español en tu comunidad?

ETAPA 1

Pasatiempos

OBJECTIVES

- Talk about where you went and what you did

- Discuss leisure time

- Comment on airplane travel

¿Qué ves?

Mira la foto y contesta las preguntas.

1. ¿Dónde están las personas de la foto?

2. ¿Qué hacen?

3. ¿Qué relación crees que hay entre ellos?

4. ¿Puedes nombrar un monumento histórico de Los Ángeles?

¡VIVA EL PUEBLO!

EL PUEBLO DE LOS ÁNGELES HISTORIC MONUMENT

VIDEO   DVD   AUDIO

En contexto
VOCABULARIO

Francisco va a viajar. Mira las ilustraciones de sus preparaciones. Te ayudan a comprender las palabras en azul y a responder a las preguntas personales.

¡Hola! Como ya saben, voy de **viaje**. Soy **el pasajero**. Tengo todo listo. Tengo **la identificación**, **el pasaporte** y **el boleto**.

Mira mi **equipaje**. Va a ser un problema. Tengo muchísimas **maletas**. ¡Voy a tener **un exceso de equipaje**!

A En **el mostrador** de la **aerolínea**, me van a dar un pase de **abordar**. **La agente de viajes** me va a indicar dónde esperar. **Los letreros** me ayudan a ver adónde ir. Tengo que pasar por **seguridad**.

Francisco, el pasajero

el equipaje

la maleta

la identificación

PASSPORT
el pasaporte

el boleto

B Antes de entrar al aeropuerto, todas las personas que vienen de otros países tienen que pasar por **la aduana**.

c

Como yo, todos los pasajeros pasan por **un pasillo** para abordar el avión. En el avión, **la auxiliar de vuelo** ayuda a los pasajeros a encontrar sus **asientos**. ¡Yo quiero un asiento de **ventanilla** porque me gusta ver cosas por la ventana!

la auxiliar de vuelo

la ventanilla

el asiento

el pasillo

CD-ROM Take-Home Tutor

el letrero

el mostrador

D

Aquí todos **los vuelos** llegan al aeropuerto. En una sala, la gente espera **la salida** de su vuelo para ir a otro destino. En otra sala, la gente espera **la llegada** de un vuelo.

Me gusta viajar. Quiero ser **piloto** algún día.

la salida

la llegada

Online Workbook
CLASSZONE.COM

Preguntas personales

1. ¿Te gusta viajar o te gusta estar en tu casa?
2. ¿Adónde te gustaría ir de viaje?
3. ¿Prefieres llevar mucho o poco equipaje?
4. ¿Prefieres un asiento de ventanilla o de pasillo? ¿Por qué?
5. ¿Qué documentos necesitas? ¿Por qué?

Listen to audio or video texts

En vivo

VIDEO   DVD   AUDIO

DIÁLOGO

| Verónica | Francisco | Abuela | Tío Javier |

En Los Ángeles…

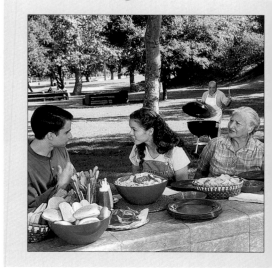

PARA ESCUCHAR • STRATEGY: LISTENING

Identify key words In these scenes, some events have already happened; others are happening now. Verb tenses **(fue, viajé)** and key expressions of time **(el verano pasado)** give valuable clues about when things take place. What events happened in the past? Can you hear other clues to past events?

1 ▶ Verónica: ¿Cómo fue que ganaste?
Francisco: Mandé mi material a la revista, y me llamaron. ¡Gané!
Verónica: Qué bien, viajar a Chicago, Puerto Rico y Costa Rica.

5 ▶ Verónica: Sabes, me gustaría ser auxiliar de vuelo algún día… o mejor, piloto.
Francisco: No sé… tantos pasajeros todos los días, llegadas y salidas a cada hora…

6 ▶ Francisco: Ya es hora. Mi vuelo sale a las cuatro. ¿A qué hora viene tu padre?
Verónica: Debe llegar pronto. Fue al banco primero, y después, a hacer unas compras.

7 ▶ Francisco: Tengo que presentarme en el mostrador, registrar mi equipaje y cambiar mi asiento. Tengo asiento de pasillo, y quiero asiento de ventanilla. Y tengo que pasar por seguridad.

34   treinta y cuatro
Unidad 1

2▶ Abuela: Yo viajé a Costa Rica el verano pasado. Fui con unas amigas. Fuimos al bosque tropical, acampamos en un parque y caminamos por San José. Fue un viaje inolvidable.

3▶ Francisco: ¿Qué más hiciste, abuela?

Abuela: Pues, hicimos mucho. Fuimos a la playa. Nadamos, tomamos el sol… Mi amiga Rocío esquió en el agua.

Verónica: Abuela, ¿y esquiaste tú?

Abuela: Ay, no. No me interesa.

4▶ Tío Javier: ¡Hola, Paco! Así que te vas mañana.

Francisco: Sí, tío Javier. El avión sale para Chicago a las cuatro.

Abuela: Mira, tu abuelo está quemando la carne. ¡Héctor!

8▶ Francisco: Aquí está la identificación… ¡Ay, no! ¿Qué hice con los boletos?

Verónica: ¿Dónde los dejaste?

Francisco: No sé… No sé.

9▶ Verónica: ¡Francisco! ¡Bobo! Los boletos están en tu bolsillo.

Francisco: En mi… ah. Bueno, vamos.

10▶ Verónica: ¿Qué tienes en esta maleta? ¿Rocas? Paquito, vas a tener exceso de equipaje.

En acción

Comprensión del diálogo

Francisco   Verónica   Tío Javier   Abuela

For Activities 1–2, refer to the dialog on pages 34–35.

1 ¿Qué pasa?

Escuchar Escoge la(s) respuesta(s) correcta(s), según el diálogo. ¡Ojo! Algunas oraciones tienen más de una respuesta correcta. *(Hint: Choose the correct answers.)*

1. Francisco gana un premio. Él va…
   a. a Chicago
   b. al parque
   c. a Costa Rica

2. El verano pasado en Costa Rica, la abuela de Francisco…
   a. fue al bosque tropical
   b. caminó por San José
   c. esquió en el agua

3. El abuelo de Francisco…
   a. se va a Costa Rica
   b. quema la carne
   c. es auxiliar de vuelo

4. La persona que quiere ser piloto es…
   a. Francisco
   b. abuela
   c. Verónica

5. En el aeropuerto, Francisco tiene que…
   a. comprar el boleto de avión
   b. registrar su equipaje
   c. pedir un asiento de ventanilla

6. Francisco deja los boletos de avión en…
   a. el equipaje
   b. el banco
   c. el bolsillo

2 ¿Quién habla?

Escuchar ¿Quién habla: Francisco, Verónica, el tío Javier o la abuela? *(Hint: Who speaks?)*

1. «Mandé mi material a la revista, y… ¡Gané!»

2. «Fue un viaje inolvidable.»

3. «Fuimos a la playa. Nadamos, tomamos el sol…»

4. «Así que te vas mañana.»

5. «Sabes, me gustaría ser auxiliar de vuelo algún día…»

6. «Mi vuelo sale a las cuatro.»

7. «Y tengo que pasar por seguridad.»

8. «¿Qué hice con los boletos?»

9. «Los boletos están en tu bolsillo.»

10. «¿Qué tienes en esta maleta?»

También se dice

Se usa **maleta** en todo el mundo hispano. En algunas regiones puedes oír

valija (Argentina)   **petaca** (México)

Pero si vas a hacer un viaje corto, llevas una **mochila** (*backpack*) o un **bolso** (*duffel bag*).

Objectives for Activities 3–4
• Comment on airplane travel

3 **Un viaje en avión**

Hablar Tu compañero(a) va a hacer su primer viaje en avión. Dile dónde debe hacer estas cosas. *(Hint: Tell where the following things are done.)*

modelo

Compañero(a): *¿Dónde paso por la aduana?*

Tú: *En el aeropuerto.*

la agencia de viajes

la casa

el mostrador

el aeropuerto

1. ¿Dónde hago las maletas *(pack)*?
2. ¿Dónde compro los boletos?
3. ¿Dónde miran mi pasaporte?
4. ¿Dónde registro mi equipaje?
5. ¿Dónde pido un asiento de ventanilla?
6. ¿Dónde hablo con un agente de viajes?
7. ¿Dónde miran mis documentos de identificación?
8. ¿Dónde me dan un pase de abordar?
9. ¿Dónde paso por seguridad?
10. ¿Dónde tienen información turística?

4 **¿Estás listo(a)?**

Hablar/Escribir Mañana viajas a San José, Costa Rica. ¿Tienes todo lo necesario?
(Hint: Are you ready to go to San José?)

modelo

Tengo la identificación.

1.

2.

3.

4.

5.

PARTE C

Práctica: gramática y vocabulario

Objectives for Activities 5–15

• Talk about where you went and what you did • Discuss leisure time • Comment on airplane travel

REPASO **Talk About the Past Using Regular Preterite Verbs**

▶ The **preterite tense** tells what happened or what you did. It is used when the action described has already been completed. Regular preterite verbs, like present tense verbs, are formed by adding **tense endings** to the stem.

	-ar hablar	**-er** comer	**-ir** vivir
yo	hablé	comí	viví
tú	hablaste	comiste	viviste
usted, él, ella	habló	comió	vivió
nosotros(as)	hablamos	comimos	vivimos
vosotros(as)	hablasteis	comisteis	vivisteis
ustedes, ellos, ellas	hablaron	comieron	vivieron

> Regular **-er** and **-ir** verbs take the same endings.

> The **nosotros** forms of **-ar** and **-ir** verbs are the same in the preterite and present tense.

▶ Look at the chart above. The **nosotros** forms of **-ar** and **-ir** verbs are the same in the preterite and in the present tense. But we can usually tell if someone is referring to the past or present from the context.

Abuela says:

—Yo **viajé** a Costa Rica el verano pasado. **Acampamos** en un parque y **caminamos** por San José.

*I **traveled** to Costa Rica last summer. We **camped** in a park and **walked** through San José.*

Even though Abuela uses the words **acampamos** and **caminamos**, we know that she is talking about an event that happened in the past because she used the word **viajé** in the previous sentence.

Practice: **Actividades** 5 6 7 8   **Más práctica** *cuaderno pp. 15–16* **Para hispanohablantes** *cuaderno pp. 13–14*

 Online Workbook CLASSZONE.COM

Activity 5: Understand and convey information about leisure activities

5 El verano pasado

Hablar/Escribir Explica lo que pasó el verano pasado. *(Hint: Tell what they did.)*

modelo

mi hermana / caminar con el perro

Mi hermana (no) caminó con el perro.

1. yo / alquilar un video
2. mi primo / bajar un río en canoa
3. los estudiantes / cantar en el coro
4. yo / comprar un juego de ajedrez
5. mis padres / disfrutar con los amigos
6. yo / tomar un curso de natación
7. mi mejor amigo(a) / estudiar las artes marciales
8. tú / acampar en las montañas
9. mi madre / escribir un poema
10. mis amigos / esquiar en el agua

Vocabulario

El tiempo libre

acampar en las montañas
    to camp in the mountains

bajar un río en canoa
    to go down a river by canoe

cantar en el coro
    to sing in the chorus

disfrutar con los amigos
    to enjoy time with friends

estudiar las artes marciales
    to study martial arts

jugar (u→ue) al ajedrez
    to play chess

tomar un curso de natación
    to take a swimming class

▶ ¿Qué te gusta hacer?

6 Saliendo de Los Ángeles

Escribir Antes de salir de Los Ángeles, Francisco le escribió esta tarjeta postal a su familia. Ayúdalo a completarla con el pretérito. *(Hint: Complete the postcard.)*

POST CARD

Querida familia:

Me gusta Los Ángeles. Mis abuelos y mis primos están muy bien. Verónica y yo __1__ (preparar) mi equipaje. Yo __2__ (perder) mi boleto. Pero finalmente lo __3__ (encontrar). En el aeropuerto __4__ (pedir) un asiento de ventanilla. Yo me __5__ (presentar) en el mostrador y __6__ (registrar) mi equipaje. Después, __7__ (comer) algo y __8__ (decidir) escribirles.

Ahora, voy a Chicago. ¡Saludos a todos!

Paco

Plaza Olvera - Los Ángeles, California-USA-
Fotografía: Juan Francisco A.

Editions Bestviews - Los Ángeles, California

Calle Olvera
Los Ángeles

Estados Unidos

Nota cultural

La calle Olvera es parte de un parque histórico que se llama El Pueblo de Los Ángeles. Muchas personas de México vivieron en El Pueblo hace más de cien años. Hoy en la calle Olvera hay muchos restaurantes mexicanos y tiendas que venden artesanías de Latinoamérica.

Activity 10: Understand and convey information about leisure activities

7 Las vacaciones

Hablar Pregúntales a tus compañeros(as) sobre sus actividades durante las vacaciones pasadas. *(Hint: Ask classmates about activities.)*

> **modelo**
>
> *acampar en las montañas*
>
> **Tú:** *¿Acampaste en las montañas?*
>
> **Compañero(a) 1:** *Sí, acampé en las montañas.*
>
> **Compañero(a) 2:** *No, no acampé en las montañas.*

1. comer en casa de un amigo
2. hablar con tus amigos por teléfono
3. caminar con el perro
4. tomar un curso
5. escribir una carta
6. volver a casa después de las once
7. beber limonada
8. nadar en la piscina

8 Ay, ¡qué verano!

Escuchar/Hablar Mariana disfrutó mucho las vacaciones de verano. Escucha lo que dice sobre las fotos. Luego, haz un resumen de lo que hizo. *(Hint: Listen to the audiotape and look at the pictures. Then summarize what happened.)*

REPASO **Talk About the Past Using the Preterite: -car, -gar, and -zar**

In the preterite, verbs that end in **-car, -gar,** and **-zar** are spelled differently in the **yo** form. The spelling changes in order to keep the pronunciation the same.

Compare the **yo** form with the **tú** form of these verbs:

	Tú Form	becomes	Yo Form
sacar	¿**Sac**aste fotos del aeropuerto? *Did you take photos of the airport?*	sac → saqu	Sí, **saqu**é fotos del aeropuerto. *Yes, I took photos of the airport.*
jugar	¿Con quién **jug**aste al fútbol? *With whom did you play soccer?*	jug → jugu	**Jugu**é con mi primo. *I played with my cousin.*
almorzar	¿Dónde **almorz**aste ayer? *Where did you eat lunch yesterday?*	almorz → almorc	**Almorc**é con mi familia en Griffith Park. *I ate lunch with my family in Griffith Park.*

Practice: **Actividades** 9 10 11

Más práctica *cuaderno pp. 17–18*
Para hispanohablantes *cuaderno pp. 15–16*

Online Workbook CLASSZONE.COM

9 El viaje de Francisco

Escribir Francisco pasó el verano en Los Ángeles con su familia. Según Francisco, ¿qué hicieron? *(Hint: Tell what they did last summer.)*

modelo

Yo / buscar unas maletas

Yo busqué unas maletas.

1. Verónica y yo / almorzar temprano
2. Mi tío / pagar mi boleto de avión
3. Yo / explicarle mis planes a mi tío
4. Tú / sacar libros de la biblioteca
5. Mi primo / jugar al baloncesto
6. Yo / practicar deportes
7. Mis abuelos / comenzar a hacer ejercicio
8. Yo / llegar tarde del cine
9. Verónica / tocar la guitarra
10. Yo / empezar mi artículo para la revista

Vocabulario

Verbs with -car, -gar, -zar Spelling Changes

c → qu	**explicar** *to explain*
z → c	**comenzar (e→ie)** *to start*

♻ **Ya sabes**

c → qu	**buscar** *to look for*
	practicar *to practice*
	tocar *to touch, to play (a musical instrument)*
g → gu	**llegar** *to arrive*
	pagar *to pay*
z → c	**empezar (e→ie)** *to begin*

▶ ¿Qué vas a hacer, buscar a tus amigos o practicar un deporte?

10 Unas actividades

Hablar/*Escribir* Pregúntales a cinco compañeros(as) de clase si participaron en estas actividades el verano pasado. Completa una tabla como la siguiente. *(Hint: Ask about activities and complete a chart.)*

modelo

Nombre	Actividad
1. René	tocó el piano
2.	
3.	
4.	
5.	

Tú: *¿Tocaste el piano?*

René: *Sí, toqué el piano.*

1. acampar en las montañas
2. recibir correspondencia
3. comer en un restaurante mexicano
4. buscar ropa nueva
5. practicar deportes
6. jugar al ajedrez
7. tomar un curso de artes marciales
8. almorzar en la cafetería
9. bajar un río en canoa
10. beber muchos refrescos
11. sacar fotos
12. viajar a otro estado o país

Activity 11: Use and understand questions when speaking and listening

11 El fin de semana pasado

Hablar Pregúntales a tus compañeros(as) qué hicieron durante el fin de semana.
(Hint: Ask your friends what they did.)

modelo

hablar (¿con quién?)

Tú: *¿Con quién hablaste durante el fin de semana?*

Compañero(a): *Hablé con un chico de mi clase de matemáticas.*

1. llamar por teléfono (¿a quiénes?)
2. visitar (¿a quiénes?)
3. encontrar (¿qué?)
4. jugar (¿a qué?)
5. almorzar (¿dónde?)
6. comprar (¿qué?)
7. bailar (¿dónde?)
8. buscar (¿qué?)
9. llegar a casa (¿a qué hora?)
10. practicar (¿qué?)

More Practice: **Más comunicación** *p. R2*

REPASO Irregular Preterite: **ir, ser, hacer, dar, ver**

¿RECUERDAS? *p. 38* You learned that the preterite is used to tell what happened or what you did. You also learned that regular preterite verbs attach specific preterite tense endings to the stem.

▶ The verbs **ir, ser,** and **hacer,** which are all frequently used, are irregular in the preterite.

ir	ser	hacer
fui	fui	hice
fuiste	fuiste	hiciste
fue	fue	hizo
fuimos	fuimos	hicimos
fuisteis	fuisteis	hicisteis
fueron	fueron	hicieron

ir and **ser** have the same irregular forms

Abuela says:

—Yo **viajé** a Costa Rica el verano pasado. **Fui** con unas amigas.
I traveled to Costa Rica last summer. I went with some friends.

The context makes it clear that **fui** means *I went.*

▶ The verbs **dar** and **ver** take regular **-er/-ir** past tense endings in the preterite but have no written accent marks.

dar	ver
di	vi
diste	viste
dio	vio
dimos	vimos
disteis	visteis
dieron	vieron

Practice: Actividades
12 13 14 15

Más práctica
cuaderno pp. 19–20
Para hispanohablantes
cuaderno pp. 17–18

 Online Workbook
CLASSZONE.COM

---

12 ¡Una fiesta!

Escribir Verónica celebró su cumpleaños el domingo. Para saber lo que pasó, completa el párrafo con la forma apropiada de **ir, ser, hacer, dar** o **ver.** *(Hint: Complete the paragraph.)*

Ayer yo __fui__ (ir) a la fiesta de Verónica. Yo __1__ (ver) a todos nuestros amigos. ¡La fiesta __2__ (ser) inolvidable! Nosotros __3__ (hacer) muchas cosas interesantes: bailar, escuchar música y comer. Los padres de Verónica le regalaron una computadora. El novio de Verónica __4__ (hacer) algo muy especial al final de la fiesta: le cantó una canción original. Después, él le __5__ (dar) unas flores muy bonitas. ¡Qué romántico! ¿Por qué no __6__ (ir) tú?

13 Unos viajes

Hablar Imagínate que tú, tu familia y tus amigos viajaron por todo el mundo. Habla con tu compañero(a) sobre el viaje. Usa el pretérito de **ir** y **hacer** y escoge una actividad. *(Hint: Tell where you went and what you did.)*

modelo

mi amigo: España → tomar un curso de español

Tú: *Mi amigo fue a España.*
Compañero(a): *¿Qué hizo allí?*
Tú: *Tomó un curso de español.*

1. mis padres: México
2. mis hermanos y yo: Puerto Rico
3. mi abuelo: Chicago
4. mi mamá: Ecuador
5. mis primos: Miami
6. yo: Nueva York

a. dar un paseo por la ciudad
b. ir a un concierto de la orquesta
c. acampar en las montañas
d. almorzar en un restaurante mexicano
e. buscar regalos para sus amigos
f. ver una película

Apoyo para estudiar

The Preterite

A good way to learn new verbs is to practice them with other students in a question-and-answer exercise. Replace the words in parentheses to create your own meaning.

¿Adónde fuiste? Fui (a la agencia de viajes).

¿Qué hiciste? Compré (un boleto de avión).

¿Qué / A quién viste? Vi (a la agente de viajes).

¿Adónde fueron ustedes? Fuimos (a Los Ángeles).

¿Qué hicieron? Visitamos (el parque).

Activity 17: Listen in social interactions

14 Un viaje estupendo

Leer/Escribir Imagínate que hiciste un viaje a Los Ángeles. Pon las oraciones en orden cronológico y escribe el pretérito de cada verbo entre paréntesis. *(Hint: Order sentences and conjugate verbs in the preterite.)*

a. En Los Ángeles mis nuevos amigos y yo (hacer) y (ver) muchas cosas interesantes.

b. Antes de salir, mi madre y yo (ir) a la agencia de viajes.

c. Yo (ir) a Hollywood, (ver) unos murales y (conocer) a unos nuevos amigos.

d. Todos nosotros (ir) al aeropuerto.

e. Yo (hacer) las maletas.

f. El agente de viajes (hacer) las reservaciones.

g. Yo (llegar) a Los Ángeles por la tarde.

15 ¿Cómo pasaron el verano?

Hablar/Escribir Pregúntales a unos(as) compañeros(as) con qué frecuencia hicieron estas actividades en el verano. *(Hint: How frequently were these activities done?)*

nunca — rara vez — a veces — mucho

modelo

descansar

Tú: *¿Descansaste durante el verano?*

Compañero(a) 1: *Sí, descansé mucho.*

Compañero(a) 2: *No, no descansé nunca.*

1. ir de compras
2. tomar un curso
3. practicar artes marciales
4. ir a fiestas con tus amigos
5. ver conciertos
6. hacer ejercicio
7. descansar
8. trabajar
9. tomar el sol
10. nadar

Nota cultural

Los murales Se puede aprender mucho de la historia y de la cultura de Los Ángeles a través de los murales que están pintados por toda la ciudad. Este mural que se encuentra en el este de la ciudad se llama *Tree of Knowledge* porque muestra la importancia de la lectura.

Activities **16–17** bring together all concepts presented.

16 ¡Puro juego en Los Ángeles!

Escuchar Escucha lo que hizo Francisco en Los Ángeles. Luego ordena las fotos según lo que escuchaste. *(Hint: Put photos in chronological order.)*

a.

b.

c.

d.

17 Para conocerte mejor

STRATEGY: SPEAKING

Encourage others It is easier to converse with someone who seems interested in what you say. Try these phrases to make positive, encouraging responses to your partner's answers:

- **¡Qué interesante / difícil / chévere!**
- **¡Cómo no!**
- **¡No me digas!**

Hablar Usa estas preguntas para charlar con un(a) compañero(a). Luego preséntale las respuestas a la clase. *(Hint: Ask these questions. Then share answers.)*

1. ¿Cómo te fue el verano pasado? ¿Por qué?
2. ¿Qué actividades interesantes hiciste? ¿Con quién?
3. ¿Trabajaste? ¿Dónde?
4. ¿Fuiste al cine? ¿Qué película te gustó más?
5. ¿Adónde fuiste para pasarlo bien? ¿Con quién?

More Practice: **Más comunicación** *p. R2*

Online Workbook
CLASSZONE.COM

Refrán

En la tierra a que fuiste, haz lo que viste.

Este refrán quiere decir que debes hacer las cosas como la gente del lugar donde estás. Por ejemplo, en Los Ángeles casi nadie camina por la ciudad; siempre van en carro. En grupos, presenten situaciones en que una persona tiene que adaptarse y hacer algo como los demás.

AUDIO

En voces

LECTURA

¿CUÁNTO SABES?

PARA LEER

STRATEGIES: READING

Read; don't translate Your goal is to read Spanish; it is not to turn Spanish into English. You have learned many reading strategies to help you attain that goal. Let's review some of them.

Use visuals and titles to predict the general idea After reading, decide whether you need to revise your prediction.

Scan for cognates Glance quickly to identify words you already know because of their similarity to English.

C

La ciudad de Los Ángeles tiene todo tipo de arte. Pero el arte que puedes encontrar en paredes de edificios y en carreteras tiene el nombre de
  a. murales.
  b. cerámica.
  c. estatuas.

B

¿Qué porcentaje de la población de Los Ángeles es de descendencia hispana?
  a. 21%
  b. 46%
  c. 63%

A

¿Cuál queda más cerca de Los Ángeles?
  a. el mar Caribe
  b. el océano Pacífico
  c. el río Grande

D

LA CIENEGA BLVD

Sepulveda, Ventura, La Cienega y Santa Monica son
  a. nombres de ciudades de España.
  b. nombres de los primeros exploradores.
  c. calles o avenidas de Los Ángeles.

REGRESA SALTA 3 REGRESA 5 6 PUNTOS NTOS PUNT 3

E

¿Cuáles de estos tipos de música puedes escuchar en los clubes de Los Ángeles?
- a. reggae
- b. salsa
- c. rock en español

F

En Hollywood hay muchas personas que quieren ser estrellas. De las siguientes actrices, ¿cuáles son latinas?
- a. Jennifer López
- b. Salma Hayek
- c. Rosie Pérez

G

La casa más vieja de Los Ángeles se llama Ávila Adobe. El ranchero mexicano Francisco Ávila vivió allí en los años 1800. Esta casa está en
- a. Olvera Street.
- b. Rodeo Drive.
- c. Sunset Boulevard.

H

¿Cuáles de estas comidas puedes comprar en Los Ángeles?
- a. chiles rellenos
- b. una hamburguesa y papas fritas
- c. un sándwich cubano

12 PUNTOS

5 PUNTOS

2 PUNTOS

REGRESA 3

Respuestas:
A. b   E. a, b, c
B. b   F. a, b, c
C. a   G. a
D. c   H. a, b, c

Online Workbook
CLASSZONE.COM

¿Comprendiste?
1. ¿Dónde queda Los Ángeles?
2. ¿Qué tipo de comida encuentras en Los Ángeles?
3. ¿Qué tipo de música se escucha allí?

¿Qué piensas?
Los Ángeles es una ciudad que tiene gente de varios países. ¿Cuáles crees que son las ventajas y desventajas (*advantages and disadvantages*) de vivir en una ciudad con gente de todas partes?

ETAPA 1

Activities 1–4: Show no significant pattern of error when understanding some ideas and familiar details

En uso
REPASO Y MÁS COMUNICACIÓN

OBJECTIVES

- Talk about where you went and what you did
- Discuss leisure time
- Comment on airplane travel

Now you can...

- talk about where you went and what you did.

To review

- regular preterite verbs, see p. 38.

1 Muchas actividades

Todos hablan del verano pasado. ¿Qué hicieron? *(Hint: Tell what they did.)*

modelo

Ana y Roberto / jugar al ajedrez

Ana y Roberto jugaron al ajedrez.

1. Manuel / disfrutar con los amigos
2. la profesora / escribir poemas
3. nosotros / tomar un curso de arte
4. yo / comer mucha pizza
5. mis hermanas / cantar en el coro
6. mis amigos y yo / aprender español
7. tú / viajar a México
8. Sarita y Homero / vender libros
9. yo / trabajar en un restaurante
10. tú / recibir muchas cartas

Now you can...

- discuss leisure time.

To review

- regular preterite verbs, see p. 38.

2 En el parque

Explica lo que hicieron estas personas en el parque el sábado pasado.
(Hint: Tell what people did.)

modelo

yo

Yo descansé.

1. mi mejor amiga y yo
2. tú
3. Jorge

4. yo
5. ustedes
6. Lilia

Now you can...

- comment on airplane travel.

To review

- regular preterite verbs, see pp. 38, 40.

3 ¡Qué viaje!

Ramón salió de viaje el viernes pasado. Para saber lo que pasó, completa el párrafo con la forma apropiada de los verbos indicados. *(Hint: Complete the paragraph.)*

El viernes pasado yo __1__ (jugar) al tenis hasta las once y __2__ (llegar) tarde al aeropuerto. Me __3__ (presentar) en el mostrador con mis cinco maletas y __4__ (empezar) a buscar mi boleto. Yo __5__ (buscar) en mi mochila y mi madre __6__ (buscar) en las maletas. Por fin, yo __7__ (sacar) mi identificación del bolsillo y __8__ (encontrar) el boleto. Entonces, __9__ (pagar) el exceso de equipaje y __10__ (correr) a abordar el avión. Esa tarde mis padres __11__ (almorzar) bistec en el restaurante del aeropuerto y yo __12__ (almorzar) un sándwich en el avión.

Now you can...

- talk about where you went and what you did.

To review

- some irregular preterite verbs, see p. 42.

4 ¿Qué hicieron?

Di lo que hicieron o no hicieron estas personas ayer. *(Hint: Tell what these people did or did not do.)*

modelo

Estela / ver a su mejor amiga (sí)

Estela vio a su mejor amiga.

1. ustedes / dar una fiesta (no)
2. Mariano / hacer unas enchiladas (sí)
3. Ernesto y yo / ver una película (sí)
4. él / ir a la escuela (no)
5. nosotros / hacer la tarea (sí)
6. Soledad y Raúl / hacer la tarea (no)
7. yo / dar un paseo (sí)
8. tú / ir de compras (no)
9. Mónica / hacer la cena (no)
10. mi hermano(a) / ver la televisión (no)
11. el maestro / dar un examen (sí)
12. mis abuelos / ir al supermercado (sí)

5 ¿Y tú?

STRATEGY: SPEAKING

Get more information How do you keep a conversation going? One way is to ask questions that cannot be answered with **sí** or **no**. Find out more from your partner by asking an additional question that uses **qué, cómo, cuándo, quién, cuál, dónde,** or **por qué.**

Pregúntale a tu compañero(a) de clase si participó en varias actividades el verano pasado. Completa una tabla como la siguiente. *(Hint: Ask your partner about activities and complete a chart.)*

modelo

Tú: *¿Trabajaste?*

Compañero(a): *Sí, trabajé en un restaurante.*

Tú: *¿Qué más? ¿Estudiaste?*

Compañero(a): *No, no estudié. Fui a Florida.*

Sí	No	Más información
1. Trabajó en un restaurante.	1. No estudió.	1. Fue a Florida.
2.	2.	2.
3.	3.	3.

6 El verano

Usando la información de la Actividad 5, conversen en grupos de cuatro sobre las actividades de los compañeros. Después, completen las oraciones con las actividades más interesantes del grupo. *(Hint: Discuss your partners' summer activities, and complete the sentences.)*

1. Una persona ___trabajó en un restaurante___.
2. Otra persona _____.
3. Dos personas _____.
4. Todos nosotros _____, _____ y _____.

7 *En tu propia voz*

ESCRITURA Imagínate que fuiste de viaje a otro país. Describe el viaje, contestando las preguntas. Luego escribe un párrafo. *(Hint: Describe an imaginary trip. Write a paragraph using your answers to the questions.)*

1. ¿Adónde fuiste?
2. ¿Qué hiciste en preparación para el viaje? ¿Hablaste con un agente de viajes?
3. ¿Qué pasó en el aeropuerto?
4. ¿Qué hiciste en el otro país?

TÚ EN LA COMUNIDAD

Francisco nació en la República Dominicana y ahora es estudiante en New Jersey. Él trabaja después de las clases y frecuentemente usa el español cuando tiene que ayudar a su jefe a conversar con clientes. También, en su trabajo de voluntario en un hospital, usó su español para ayudar a un paciente a comunicarse con los doctores. ¿Usas tu español para ayudar a los demás?

En resumen
REPASO DE VOCABULARIO

TALK ABOUT WHERE YOU WENT AND WHAT YOU DID

Ya sabes: Regular Preterite Verbs

comer	to eat
hablar	to speak, to talk
vivir	to live

The Preterite: -car, -gar, and -zar

comenzar (e→ie)	to start
explicar	to explain

Ya sabes

almorzar (o→ue)	to eat lunch
buscar	to look for
empezar (e→ie)	to begin
jugar (u→ue)	to play
llegar	to arrive
pagar	to pay
practicar	to practice
sacar	to take
tocar	to touch, to play (a musical instrument)

Ya sabes: Irregular Preterite Verbs

dar	to give
hacer	to make, to do
ir	to go
ser	to be
ver	to see

DISCUSS LEISURE TIME

acampar en las montañas	to camp in the mountains
bajar un río en canoa	to go down a river by canoe
cantar en el coro	to sing in the chorus
disfrutar con los amigos	to enjoy time with friends
estudiar las artes marciales	to study martial arts
jugar (u→ue) al ajedrez	to play chess
tomar un curso de natación	to take a swimming class

COMMENT ON AIRPLANE TRAVEL

abordar	to board
la aduana	customs
la aerolínea	airline
el (la) agente de viajes	travel agent
el asiento	seat
el (la) auxiliar de vuelo	flight attendant
el boleto	ticket
el equipaje	luggage
el exceso de equipaje	excess luggage
la identificación	identification
el letrero	sign
la llegada	arrival
la maleta	suitcase
el mostrador	counter
el (la) pasajero(a)	passenger
el pasaporte	passport
el pasillo	aisle
el piloto	pilot
la salida	departure
la seguridad	security
la ventanilla	window
el viaje	trip
el vuelo	flight

Juego

Pablo, Tania, Luis y Josefa hacen actividades diferentes. Usa las frases y la tabla para decidir a quién le gusta cantar en el coro, a quién le gusta jugar al ajedrez, a quién le gusta acampar y a quién le gusta practicar las artes marciales.

1. A Pablo no le gusta el ajedrez.
2. Luis tiene que cuidar su voz.
3. Josefa ganó un cinturón negro.
4. Una chica juega al ajedrez.

	coro	ajedrez	artes marciales	acampar
Pablo				
Tania				
Luis				
Josefa				

ETAPA

2

¿Qué prefieres?

OBJECTIVES

- Comment on food

- Talk about the past

- Express activity preferences

- Discuss fine art

¿Qué ves?

Mira la foto de la galería. ¿Qué ves?

1. Haz una lista de todo lo que ves en la foto.

2. ¿Dónde crees que están Francisco y las otras personas?

3. ¿Qué hacen allí?

EL ARTE LATINO

DE
CHICAGO

Use authentic materials when reading: short narratives

VIDEO   DVD   AUDIO

En contexto
VOCABULARIO

Francisco está en Chicago. Las ilustraciones y las palabras en **azul** te ayudan a comprender lo que dice y a responder a las preguntas personales.

En Chicago hay lugares muy modernos. Hay muchas cosas que ver y hacer. Y claro, ¡hay comida sabrosa!

la pintura

la escultura

GALERÍA

FOTOS

A En la galería de arte, puedes encontrar arte tradicional y arte que es un poco raro. **Los escultores, artistas** que hacen **esculturas**, son diferentes de **los pintores**. Los pintores hacen **retratos** y **pinturas**. ¡Qué talento!

el retrato

B Hay muchos restaurantes en Chicago. En los restaurantes puedes hablar con algunos artistas mientras tomas un café. Los meseros son muy simpáticos y te pueden **recomendar** algo rico.

¡Bienvenidos!
Especialidades del día

* Habichuelas coloradas
  red beans
* Tostones
  fried plantains
* Pollo asado
  barbecued chicken
* Batido de plátano
  banana milk shake
¡Sabroso!

las uvas

el melón

C Si **deseas** comer, aquí vas a encontrar **las especialidades de la casa:** arroz con **habichuelas coloradas, tostones** de **plátano verde** y **pollo asado.** Si tienes sed, tal vez te gustaría un **batido.** También puedes comer frutas como **melón** o **uvas.**

¡Me encanta Chicago! Lo debes visitar algún día.

CAFÉ SAN JUAN

RITA'S

Preguntas personales

1. A mucha gente le gustan los museos. ¿Hay un museo cerca de tu comunidad?
2. ¿Fuiste a un museo con tu escuela? ¿A cuál fuiste?
3. ¿Prefieres la escultura o la pintura? ¿Por qué?
4. A Francisco le gusta la comida de Puerto Rico. ¿A ti te gusta la comida puertorriqueña o la comida china?
5. ¿Cuál es tu comida favorita? ¿Qué postres te gustan?

VIDEO   DVD   AUDIO

DIÁLOGO

Pedro | Francisco | Señora Álvarez

En Chicago...

 PARA ESCUCHAR • STRATEGY: LISTENING

Identify the main idea Listening for the gist of a conversation is like skimming a reading to see what it's about. Try not to let the details distract you from the main idea. Listen for nouns and verbs as they carry the meaning. What task is Francisco getting ready for?

1► **Pedro:** Bienvenido a Chicago, Francisco. Viniste directamente de Los Ángeles, ¿no?

Francisco: Sí, estuve con mi familia. Vi a mis abuelos y mis tíos, y salí con mi prima Verónica.

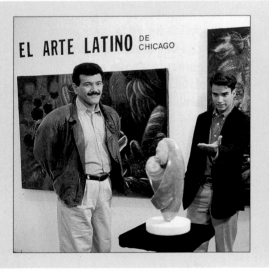

EL ARTE LATINO DE CHICAGO

5► **Francisco:** ¡Qué buena exposición! Hay pinturas, retratos, esculturas. Mira esta escultura. ¡Qué bella!

Pedro: Sí, es excelente. Pero no conozco al escultor.

6► **Señora Álvarez:** Buenas tardes.

Pedro: Gracias por su tiempo.

Señora Álvarez: Es un placer. ¿Así que tú eres Francisco García, y vas a entrevistar a Alejandro Romero? Vamos, y les cuento algo del pintor.

7► **Pedro:** ¿Trajiste tu cuaderno? Debes tomar apuntes.

Francisco: Sí, lo traje. Aquí está.

2 ▶ Pedro: ¿Estás listo para tu trabajo?

Francisco: Estoy un poco nervioso. ¿Cuándo empezamos?

Pedro: Esta tarde, en la galería de arte. Ahora, vamos a comer.

3 ▶ Pedro: ¿Qué deseas —comida puertorriqueña o comida china? No muy lejos de aquí encuentras las dos.

Francisco: Pues, prefiero el restaurante puertorriqueño.

4 ▶ Pedro: Perfecto. La última vez que estuve allí, me sirvieron un postre de uvas y melón delicioso. Y la especialidad de la casa es pollo asado con tostones, arroz y habichuelas coloradas. Lo recomiendo.

8 ▶ Señora Álvarez: Alejandro Romero es uno de nuestros artistas más famosos. Nació en México pero ahora vive en Chicago. Esta pintura es de él. Es una de mis favoritas.

9 ▶ Francisco: ¿Qué debo preguntarle a Alejandro Romero? ¡No sé! ¡No sé!

Pedro: Cálmate, Francisco. Pronto estamos en mi casa. ¿Por qué no duermes una hora? Después, podemos hablar de la entrevista.

10 ▶ Francisco: Sí, perfecto. A ver… Le puedo preguntar cuándo vino a Chicago, o le puedo preguntar si prefiere colores brillantes o colores suaves…

Activity 3: Understand and convey information about travel
Activity 4: Understand and convey information about school and campus life

En acción

For Activities 1–2, refer to the dialog on pages 56–57.

PARTE A

Comprensión del diálogo

Pedro

Señora Álvarez

Francisco

1 ¿Es cierto?

Escuchar Según el diálogo, ¿son las oraciones **ciertas** o **falsas**? *(Hint: Are these sentences true or false?)*

1. Antes de llegar a Chicago, Francisco visitó a su familia en Los Ángeles.
2. A Francisco le gusta la comida puertorriqueña.
3. A Francisco no le gusta la exposición.
4. La exposición sólo tiene retratos.
5. Francisco va a entrevistar a un artista que se llama Alejandro Romero.
6. La señora Álvarez no sabe nada sobre el artista.
7. Antes de la entrevista, Francisco está nervioso.
8. Francisco va a la casa de Pedro.

2 ¿Quién habla?

Escuchar ¿Quién habla: Pedro, Francisco o la señora Álvarez? *(Hint: Say who speaks.)*

1. «Bienvenido a Chicago.»
2. «Vi a mis abuelos y mis tíos...»
3. «¿Estás listo para tu trabajo?»
4. «Estoy un poco nervioso.»
5. «Y la especialidad de la casa es pollo asado con tostones...»
6. «¿Así que tú eres Francisco García...?»
7. «Vamos, y les cuento algo del pintor.»
8. «¿Trajiste tu cuaderno? Debes tomar apuntes.»
9. «¿Qué debo preguntarle a Alejandro Romero?»
10. «Después, podemos hablar de la entrevista.»

Estados Unidos

También se dice

En el diálogo, tal vez notaste que Pedro y la señora Álvarez usan la segunda persona, **tú.** Aparte de **tú, usted** y **ustedes,** en otros países puedes escuchar

- **vos,** una forma de la segunda persona singular que se usa en varios países de Centroamérica y Sudamérica
- **vosotros,** una forma de la segunda persona plural, que se usa en España

Práctica del vocabulario

Objectives for Activities 3–4
• Talk about the past • Comment on food

ANTES = Before
Despuese = AFTer

3 ¡A viajar! ♻

Hablar/*Escribir* Describe el viaje en avión que Francisco hizo a Chicago, usando estas palabras y las ilustraciones.
(Hint: Describe Francisco's trip to Chicago.)

abordar	**la aerolínea**	el asiento
el equipaje	*el pasajero*	la llegada
el viaje	**el mostrador**	la ventanilla

a.

b.   **c.**

d. **e.**

4 En la cafetería 👥

Hablar ¿Qué piensas de la cafetería de tu escuela? Habla con un(a) compañero(a) para ver si están de acuerdo. *(Hint: Do you and your partner agree?)*

modelo

En la cafetería venden comida buena.

Tú: *En la cafetería venden comida buena. ¿Estás de acuerdo?*

Compañero(a): *No, no (Sí,) estoy de acuerdo.*

> **Nota: Vocabulario**
>
> To explain whether or not you agree with someone or something, use **estar de acuerdo**.
>
> La comida está buena. **¿Estás de acuerdo?**
> *The food is good. **Do you agree?***
>
> Sí, **estoy de acuerdo** contigo.
> *Yes, **I agree** with you.*

1. Traigo mi almuerzo. Es mejor que comprarlo.

2. Tienen batidos deliciosos.

3. Generalmente, la especialidad de la casa es riquísima.

4. Por la mañana, deseo comprar el desayuno caliente en la cafetería.

5. A mí me gusta el pollo asado con fruta. Es sabroso.

Práctica: gramática y vocabulario

Objectives for Activities 5–16

• Express activity preferences • Comment on food • Talk about the past • Discuss fine art

 REPASO **Stem-Changing Verbs: e → i, u → ue**

♻ **¿RECUERDAS?** *p. 21* You've seen several stem-changing verbs in which the stem changes or alternates between **e** and **ie**, **o** and **ue** in the present tense.

recomendar *to recommend*

recomiendo	recomendamos
recomiendas	recomendáis
recomienda	recomiendan

mostrar *to show*

muestro	mostramos
muestras	mostráis
muestra	muestran

Other Spanish verbs have stems that alternate between **e** and **i**, such as **competir** *to compete*, **pedir** *to ask for*, **repetir** *to repeat*, and **servir** *to serve*.

servir *to serve*

sirvo	servimos
sirves	servís
sirve	sirven

Pedro says:

—**Sirven** un delicioso postre de uvas y melón.

They serve a delicious grape and melon dessert.

▶ **Jugar** *to play* has the stem change **u → ue** in the present tense.

jugar *to play*

yo juego	jugamos Nosotros
tú juegas	jugáis vosotros
el juega	juegan ellos

Practice:
Actividades
5 6 7

Más práctica
cuaderno pp. 25–26
Para hispanohablantes
cuaderno pp. 23–24

ⓘ **Online Workbook**
CLASSZONE.COM

---

5 **¡A pasarlo bien!**

Escribir ¿Qué hacen Francisco, Pedro y la familia de Pedro en Chicago? ¿Qué haces tú? *(Hint: What do they do?)*

modelo

la esposa de Pedro / pedir ropa por correo

La esposa de Pedro pide ropa por correo.

1. Francisco y Pedro / jugar al tenis con unos vecinos
2. yo / pedir direcciones para ir a un restaurante
3. Francisco / pedir ayuda con su entrevista
4. mi amigo(a) y yo / competir en un concurso de arte
5. Pedro y su esposa / mostrarle unas fotos a Francisco
6. Pedro y su hija / repetir las canciones del radio
7. tú / jugar al baloncesto con unos amigos
8. la esposa de Pedro / servir una cena deliciosa
9. Pedro / recomendar el restaurante puertorriqueño
10. Francisco / repetir sus preguntas para Alejandro Romero

6 ¿Lo hacen o no?

STRATEGY: SPEAKING

Use all you know The models in exercises are a guide to help you get started. It is better to say more than what is shown in the model. Take risks! Recombine what you have learned in fresh new ways. That is how you become a good speaker of Spanish.

Hablar Di lo que hacen y no hacen tú y varias personas que conoces, combinando frases de cada columna. *(Hint: Tell what you and others do.)*

modelo

yo: dormir tarde → los sábados

Yo (no) duermo tarde los sábados.

1. tú siempre: pedir
2. ellos: repetir
3. yo: competir
4. mis amigos y yo: practicar deportes
5. mi amiga: perder
6. mi tía: servir
7. ustedes: recomendar
8. mi hermano(a): entender

a. las clases de arte
b. mis problemas
c. las llaves del carro
d. al aire libre
e. las instrucciones del maestro
f. comidas deliciosas
g. en un partido el sábado
h. ayuda con la tarea

7 Las diversiones

Hablar Pregúntales a tus amigos(as) si juegan a los siguientes deportes y con quién. *(Hint: Do your friends play these sports?)*

modelo

Tú: *¿Juegas al voleibol?*

Tu amigo(a): *Sí, (No, no) juego al voleibol.*

Tú: *¿Con quién juegas?*

Tu amigo(a): *Juego con…*

1.

2.

3.

4.

5.

Activity 8: Understand and convey information about food and customs

8 A cada uno, su gusto

Hablar Pregúntales a tus compañeros(as) qué prefieren comprar en el supermercado. *(Hint: Ask classmates what they prefer to buy.)*

modelo

¿un sándwich de jamón o de atún?

Tú: *¿Prefieres un sándwich de jamón o de atún?*

Compañero(a): *Prefiero un sándwich de jamón (atún).*

1. ¿yogur con sabor a fresa o helado?
2. ¿cereal o huevos?
3. ¿atún o jamón?
4. ¿jugo o leche?
5. ¿galletas con sabor a chocolate o un sabroso pastel de crema?
6. ¿mantequilla de cacahuate o mantequilla?

9 En Chicago

Escuchar/*Escribir* Escucha la descripción de lo que hace Francisco en Chicago. Luego, contesta las preguntas. *(Hint: Listen to the description. Then answer the questions.)*

1. ¿Qué ve Francisco en el museo?
2. ¿Qué compra en las tiendas?
3. ¿Prefiere Francisco esculturas, retratos o pinturas? ¿Por qué?
4. ¿Adónde va después de ver el arte en la galería? ¿Con quién?
5. ¿Qué hacen allí?
6. ¿A Francisco qué le gusta comer?

More Practice: **Más comunicación** *p. R3*

Vocabulario

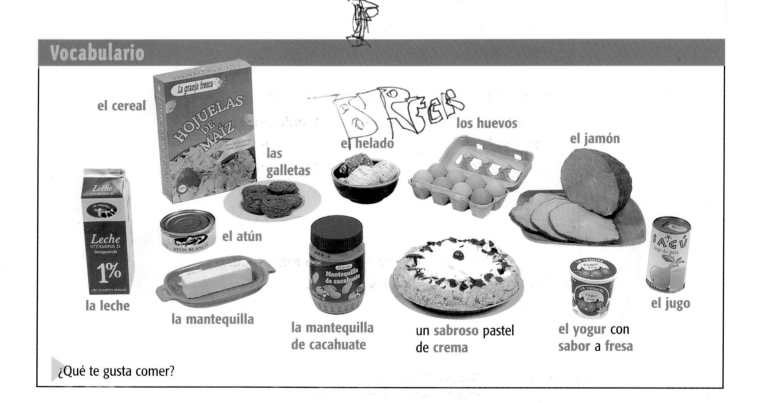

el cereal
las galletas
el helado
los huevos
el jamón
la leche
el atún
la mantequilla
la mantequilla de cacahuate
un **sabroso** pastel de **crema**
el **yogur** con **sabor** a fresa
el jugo

¿Qué te gusta comer?

GRAMÁTICA Talk About the Past Using Irregular Preterite Verbs

 ¿RECUERDAS? *p. 42* In **Etapa** 1, you reviewed five irregular verbs in the preterite: **ir, ser, dar, ver,** and **hacer.**

Like the verb **hacer**, the following verbs have irregular stems in the **preterite**. They take these **irregular preterite verb endings**.

—Viniste directamente de Los Ángeles, ¿no?

verb	stem	preterite endings
andar *to walk*	anduv-	-e
estar *to be*	estuv-	-iste
poder *to be able*	pud-	-o
poner *to put*	pus-	-imos
querer *to want, to love*	quis-	-isteis
saber *to know*	sup-	-ieron
tener *to have*	tuv-	
venir *to come*	vin-	

Verbs that have irregular stems in the **preterite** that end in **j** have the same endings as the verbs above but drop the **i** from the **ustedes/ellos/ellas** ending.

decir *to say, to tell*	di**j**	di**j**eron
traer *to bring*	tra**j**	tra**j**eron

Here are some other verbs that end in **-cir** that follow the same pattern as **decir**.

conducir *to drive*	condu**j**	condu**j**eron
producir *to produce*	produ**j**	produ**j**eron
traducir *to translate*	tradu**j**	tradu**j**eron

Traj**eron** un cuaderno para tomar apuntes.
They brought a notebook to take notes.

Practice: **Actividades** ⑩ ⑪ ⑫ ⑬   **Más práctica** *cuaderno pp. 27–30* **Para hispanohablantes** *cuaderno pp. 25–28*   **Online Workbook** CLASSZONE.COM

Activity 13: Understand and convey information about schedules, time

10 Excusas, excusas

Escribir La señora Álvarez organizó una fiesta para sus empleados, pero no vinieron. Haz una oración dando la excusa de cada uno. *(Hint: Explain why each person didn't come.)*

modelo

Carmen: tiene un accidente

Carmen no vino porque tuvo un accidente.

1. Fernando: tiene que ayudar a su tía
2. Inés: no puede encontrar la casa
3. yo: no sé de la fiesta
4. Enrique y Luis: están en el hospital
5. Susana y yo: estamos en México

11 ¿Qué pasó?

Hablar Pregúntales a tus compañeros(as) si hicieron las siguientes cosas la semana pasada. *(Hint: Ask classmates if they did these things.)*

modelo

estar en la escuela a tiempo

Tú: *¿Estuviste en la escuela a tiempo?*

Compañero(a): *Sí, (No, no) estuve en la escuela a tiempo.*

1. andar por las calles con tus amigos
2. hacer una fiesta
3. estar en casa de tus amigos
4. traer la ropa de la lavandería
5. poner la mesa

12 Un buen día

Hablar/*Escribir* Recibiste una carta de un(a) amigo(a) y quieres contarle a tu mamá lo que te dijo. Cambia los verbos y otras palabras según se necesite. *(Hint: Tell what your friend said.)*

modelo

Tuve un día maravilloso ayer.

Tuvo un día maravilloso ayer.

__Tuve__ un día maravilloso ayer. __Fui__ a la
1 cancha con mi raqueta y __vi__ al campeón
2 de tenis de mi ciudad. Luego, mi mejor amigo
y yo __estuvimos__ en un museo del barrio
3 Pilsen y __conocimos__ a una escultora
4 magnífica. __Vimos__ muchas pinturas muy
5 bonitas. Después, __fuimos__ a comer en un
6 restaurante de la ciudad. ¡Qué buen día!

Nota cultural

El Centro Museo de Bellas Artes Mexicanas de Chicago tiene las obras de muchos artistas. También ofrece clases y programas sobre la cultura mexicana. En el otoño el museo organiza excursiones a las panaderías mexicanas del barrio Pilsen.

13 El viernes pasado

Leer/Escribir Lee la agenda de Pedro del viernes pasado. Luego mira la lista de cosas que hizo. ¿Cuándo crees que las hizo? *(Hint: Say when Pedro did these things.)*

```
viernes   29

8:00   llegar a la oficina
9:00
10:00
11:00
12:00
1:00   almorzar en el restaurante San José
2:00
3:00   ir al club para nadar
4:00
5:00   la fiesta de María Elena
```

modelo

hacer un reporte en la computadora

Pedro probablemente hizo un reporte en la computadora después de las ocho.

1. estar en el restaurante San José
2. tomar un curso de natación
3. salir de la oficina
4. poner dinero en la mesa
5. traer un regalo a la fiesta
6. comer un pastel de chocolate
7. manejar su carro a la oficina
8. decirle «buenas noches» a su hija
9. darle un regalo a María Elena
10. venir a casa

14 ¿Cuántas veces?

Hablar/Escribir ¿Haces las siguientes actividades? Usa expresiones como **nunca, rara vez, de vez en cuando, casi siempre** o **siempre** en tus respuestas. *(Hint: Do you do these activities? Use expressions of frequency in your answers.)*

nunca   rara vez   de vez en cuando   casi siempre   siempre

modelo

visitar a los abuelos

De vez en cuando, visito a mis abuelos.

1. tomar cursos de natación
2. devolver los libros a la biblioteca
3. ser ganador(a) de un premio
4. dormir una siesta
5. competir en un partido de fútbol
6. jugar al ajedrez
7. ir al cine
8. participar en un concurso
9. ver la televisión
10. hablar por teléfono

Activity 15: Understand and express important ideas and some detail
Activity 18: Create simple paragraphs when writing

15 Tus opiniones

Hablar/Escribir Expresa lo que piensas de *Blue Chicago*, usando los elementos de las tres columnas y tus propias palabras también. *(Hint: Say what you think of the painting, using elements from all three columns.)*

modelo

La pintura es muy moderna y rara.

el (la) artista		antiguo(a)
las bellas artes	estar	enorme
la exposición	hacer	formal
la galería	pintar	lujoso(a)
la obra	ser	moderno(a)
la pintura	tener	raro(a)
el talento		tradicional

Blue Chicago, por Alejandro Nava

16 Una semana internacional

Escuchar/Escribir Para celebrar *La semana internacional de lenguas extranjeras*, muchos estudiantes hicieron cosas especiales. Escucha la descripción. Luego, escribe lo que hicieron las siguientes personas. *(Hint: Listen to the description. Then write down what each person did.)*

1. la señorita Martín
2. Sara
3. los estudiantes de francés
4. la clase de español
5. Rocío y Emilio
6. el director de la escuela
7. yo, la narradora
8. Y tú, ¿qué hiciste para celebrar?

Vocabulario

El arte

las bellas artes *fine arts*
la exposición *exhibit*
la galería *gallery*
la obra *work of art*
el talento *talent*

Unas descripciones

antiguo(a) *old*
enorme *enormous*
formal *formal*
lujoso(a) *luxurious*
moderno(a) *modern*
raro(a) *rare, strange*
tradicional *traditional*

▶ Cuando piensas en arte, ¿qué prefieres?

Activities **17–18** bring together all concepts presented.

Nota cultural

La cena En Estados Unidos, la mayoría de la gente cena alrededor de las seis de la tarde. Pero en muchos países hispanos, la gente cena más tarde —cerca de las diez de la noche. ¿La razón? Toman un descanso o **una siesta** durante el día y no terminan de trabajar hasta las siete u ocho de la noche.

17 Una obra

Hablar/Escribir Busca una obra de esta unidad del libro (excepto *Blue Chicago*) y descríbela. ¿Qué colores ves? *(Hint: Describe an artwork from this unit of your textbook.)*

modelo

Hay un mural en la página 44 del libro. Se llama Tree of Knowledge *porque muestra la importancia de la lectura. Hay doce personas en el mural. Una mujer con pelo verde es parte del árbol...*

18 Tu restaurante favorito

Escribir Escribe un párrafo sobre tu restaurante favorito. ¿Qué comidas y bebidas sirven? ¿Cuál es la especialidad de la casa? ¿Qué pides cuando vas a este restaurante? ¿Qué pasó la última vez que fuiste al restaurante? *(Hint: Write about your favorite restaurant.)*

modelo

En mi restaurante favorito sirven pizza. La especialidad de la casa es una pizza vegetariana con queso y muchas verduras. También hay ensaladas en el menú. Puedes beber agua, refrescos o limonada. No sirven postre. Yo siempre pido una pizza con jamón. La última vez que fui al restaurante...

More Practice: **Más comunicación** *p. R3*

Online Workbook
CLASSZONE.COM

Refrán

Muchas manos en un plato siempre causan arrebato.

Este refrán quiere decir que si muchas personas desean participar en una cosa al mismo tiempo, todo se puede echar a perder (*get ruined*). Con un(a) compañero(a), presenta una situación en que pase algo así.

VIDEO   DVD

En colores

CULTURA Y COMPARACIONES

El arte latino de Chicago

1. _____   1. _____   1. _____
2. _____   2. _____   2. _____
3. _____   3. _____   3. _____

MURAL   LOS DOS   GRAFFITI

*D*espués de su visita a
Chicago y su entrevista
con Alejandro Romero y
su hermano Oscar,
Francisco escribe
un artículo para
Onda Internacional.

Unas estudiantes de Madonna
High School pintan un mural.

*¡M*e encantó Chicago —por su arte e historia!
Tiene una gran diversidad de cultura que se ve
cuando caminas por sus calles. Venden todo
tipo de comida y tienen arte que representa
muchas culturas distintas.

Entrevisté a dos artistas latinos, Alejandro
y Oscar Romero. Son hermanos y desde niños
pintaron y dibujaron juntos. Ellos llevan el
estilo del arte mexicano a la comunidad.

A los dos les gusta pintar murales porque
«puedes pintar un mural en tu casa, o en
una pared del campo».

"Nuestra Sagrada Familia" Aurelio Díaz

A Oscar y Alejandro les encanta trabajar con gente joven. Alejandro y unos jóvenes de Chicago pintaron un mural muy grande. Oscar ayudó a las estudiantes de Madonna High School a pintar un mural. Según él, para decidir el tema uno tiene que imaginar que está «poniendo un mensaje en una botella y lanzándola al mar».

Alejandro y Oscar enseñan a los jóvenes a expresarse por medio del arte. «Todos tienen acceso a la pintura», dice Oscar. «Nadie te detiene las manos.»

More About Latinos
CLASSZONE.COM

¿Comprendiste?

1. ¿Cuándo empezaron los hermanos Romero a pintar?
2. ¿Por qué les gusta pintar murales?
3. ¿Qué hicieron Alejandro y Oscar para ayudar a los jóvenes de Chicago?

¿Qué piensas?

1. Ya sabes más sobre los murales. Repasa tu diagrama de Venn. ¿Quieres añadir algo? ¿Quieres cambiar algo?
2. ¿Por qué crees que Oscar piensa que el tema de un mural es como «un mensaje en una botella»? ¿Qué tienen en común una botella en el mar y un mural?

Hazlo tú

Con unos(as) compañeros(as) escojan un tema para un mural. Luego hagan un dibujo de lo que quieren expresar. Después pinten el mural y pónganlo en una pared de la escuela.

Activities 1–5: Show no significant pattern of error when understanding some ideas and familiar details

OBJECTIVES
- Comment on food
- Talk about the past
- Express activity preferences
- Discuss fine art

En uso
REPASO Y MÁS **COMUNICACIÓN**

Now you can...

- comment on food.

To review

- present-tense stem-changing verbs, see p. 60.

① **Un nuevo café**

Gabriel describe un nuevo café que le gusta mucho. ¿Qué dice?
(*Hint:* Complete the paragraph.)

Yo __1__ (recomendar) el Café Caribeño. Ellos __2__ (servir) comida excelente. Yo casi siempre __3__ (pedir) la especialidad de la casa: el arroz con pollo. Mis padres __4__ (preferir) el jamón. Mi hermana Mariela siempre __5__ (pedir) un plato nuevo. Ella nunca __6__ (repetir). Mariela __7__ (decir) que todos los platos son muy sabrosos. ¿Y tú? ¿Dónde __8__ (preferir) comer? ¿Cuál es tu restaurante favorito?

Now you can...

- express activity preferences.

To review

- present-tense stem-changing verbs, see p. 60.

② **¡A jugar!**

Describe los pasatiempos favoritos de estas personas. (*Hint:* Tell people's hobbies.)

modelo

Sancho

Sancho juega al ajedrez.

I. Soledad

4. yo

2. tú

5. ustedes

3. Rubén y Leticia

6. mis amigos y yo

Now you can...

• discuss fine art.

To review

• art vocabulary, see pp. 54–55, 66.

3 En la galería

Tu clase va a la galería de la señora Álvarez. ¿Qué les dice?
(Hint: What does Señora Álvarez say?)

Bienvenidos a mi ___1___ (pintura / galería). Este mes hay una ___2___ (exposición / escultura) del arte latino de Chicago. Uno de los ___3___ (artistas / obras) es Alejandro Romero. Él tiene mucho ___4___ (retrato / talento). Romero pinta ___5___ (esculturas / retratos) y otras ___6___ (pinturas / artistas). También hay ___7___ (obras / pintoras) de otros latinos. Quiero mostrarles unas ___8___ (escultoras / esculturas). Son ___9___ (enormes / sabrosos), ¿no? La ___10___ (pintora / escultora) está aquí y puede contestar sus preguntas.

Now you can...

• talk about the past.

To review

• irregular preterite verbs, see p. 63.

4 Un día terrible

Ayer fue un día terrible para Horacio. Para saber por qué, cambia los verbos al pretérito. *(Hint: Change the underlined verbs to the preterite.)*

La galería de arte de la ciudad <u>pone</u> nuevas pinturas de una
　　　　　　　　　　　　　　　　　　1
famosa artista hoy. Horacio <u>quiere</u> ir a las tres de la tarde.
　　　　　　　　　　　　　　　2
Él <u>va</u> caminando. <u>Anda</u> lentamente y no <u>está</u> cuando <u>abre</u>
　　3　　　　　　　4　　　　　　　　　　5　　　　　6
la galería. Cuando <u>llega</u>, no <u>puede</u> abrir la puerta. Horacio no
　　　　　　　　7　　　　8
<u>dice</u> nada; sólo <u>vuelve</u> a casa.
9　　　　　　10

Now you can...

• talk about the past.

To review

• irregular preterite verbs, see p. 63.

5 ¡Una gran fiesta!

Adela hizo una fiesta el viernes pasado y todos participaron. ¿Qué hicieron? *(Hint: Tell how people participated in Adela's party.)*

1. Rigo y yo / venir muy temprano para ayudar
2. Adela / poner la mesa
3. tú / traer los platos a la mesa
4. Andrea / querer tocar la guitarra
5. nosotros / estar presentes a las seis
6. tú / hacer los sándwiches de atún

Activity 6: Show no significant pattern of error when engaging in conversations

6 Preferencias

STRATEGY: SPEAKING

Give reasons why When presented with a choice, give more than just a brief answer. Be inventive when explaining your choices in this activity. Perhaps there is a certain quality, a personal liking, or a personal skill that you can use in your response. Scan the previous activities to get ideas for reasons.

Habla con tu compañero(a) sobre sus preferencias. ¿Por qué prefieren estas cosas? *(Hint: Find out what your partner prefers and why.)*

el pollo asado

el pollo frito

una ensalada

un sándwich

las pinturas antiguas

el voleibol   las pinturas modernas

el ajedrez

la comida china

la comida italiana

modelo

Tú: *¿Prefieres la comida china o la comida italiana?*

Compañero(a): *Prefiero la comida china porque es más sabrosa y porque me encanta el arroz.*

7 ¿Cierto o falso?

Conversando en grupos, adivinen cuáles de los otros estudiantes participaron en estas actividades la semana pasada. Escriban cinco oraciones. *(Hint: Discuss who in your class might have done these activities. Write five sentences with your guesses.)*

modelo

ir a un partido
José y Elena fueron a un partido.

1. comer una pizza
2. hablar español en casa
3. venir a la escuela el sábado
4. manejar un carro nuevo
5. ganar un premio
6. participar en un concurso

8 En tu propia voz

ESCRITURA Describe un festival internacional (real o imaginario) que tuvo lugar en tu escuela. Incluye la siguiente información. *(Hint: Describe a real or imaginary international festival.)*

- cuándo y dónde celebraron el festival
- quiénes participaron
- qué cosas trajeron
- qué hicieron todos

CONEXIONES

El arte ¿De dónde viene la inspiración de los artistas? Algunos dicen que viene de la naturaleza. Otros dicen que viene de personas o lugares. Hay muchos artistas estadounidenses y cada uno tiene su propio estilo. Selecciona un artista que te guste y haz una investigación sobre sus inspiraciones. Explícales a tus compañeros(as) de clase qué inspira a este artista y muéstrales ejemplos de su arte.

En resumen
REPASO DE VOCABULARIO

COMMENT ON FOOD

Types of Foods

el atún	*tuna*
el batido	*milk shake*
el cereal	*cereal*
la crema	*cream*
la fresa	*strawberry*
las galletas	*cookies*
~~las habichuelas~~ *frijoles*	*red beans*
~~coloradas~~ *rojos*	
el helado	*ice cream*
los huevos	*eggs*
el jamón	*ham*
el jugo	*juice*
la leche	*milk*
la mantequilla	*butter*
la mantequilla	*peanut butter*
de cacahuate	
el melón	~~melon~~ *cantaloupe*
el plátano verde	*plantain*
el pollo asado	*roast chicken*
los tostones	*fried plantains*
las uvas	*grapes*
el yogur	*yogurt*

Talk About Food

desear	*to desire*
la especialidad	*specialty of*
de la casa	*the house*
estar de acuerdo	*to be in agreement*
el sabor	*taste, flavor*
sabroso(a)	*tasty*

DISCUSS FINE ART

Art

el (la) artista	*artist*
las bellas artes	*fine arts*
el (la) escultor(a)	*sculptor*
la escultura	*sculpture*
la exposición	*exhibit*
la galería	*gallery*
la obra	*work of art*
el (la) pintor(a)	*painter*
la pintura	*painting*
el retrato	*portrait*
el talento	*talent*

Describing Art

antiguo(a)	*old*
enorme	*enormous*
formal	*formal*
lujoso(a)	*luxurious*
moderno(a)	*modern*
raro(a)	*rare, strange*
tradicional	*traditional*

TALK ABOUT THE PAST

Irregular Preterite Verbs

andar	*to walk*
conducir	*to drive*
producir	*to produce*
traducir	*to translate*

♻ **Ya sabes**

decir	*to say, to tell*
estar	*to be*
poder (o→ue)	*to be able*
poner	*to put*
querer (e→ie)	*to want, to love*
saber	*to know*
tener	*to have*
traer	*to bring*
venir	*to come*

EXPRESS ACTIVITY PREFERENCES

Present Tense Stem-Changing Verbs

competir (e→i)	*to compete*
mostrar (o→ue)	*to show*
recomendar (e→ie)	*to recommend*
repetir (e→i)	*to repeat*

♻ **Ya sabes**

jugar (u→ue)	*to play*
pedir (e→i)	*to ask for, to order*
servir (e→i)	*to serve*

Juego

El pato pintó un retrato del gato.
O, ¿el gato pintó un retrato del pato?

ETAPA

3

¿Viste las noticias?

OBJECTIVES

- Discuss ways to communicate

- React to news

- Ask for and give information

- Talk about things and people you know

¿Qué ves?

Mira la foto del canal y contesta las preguntas.

1. ¿Cuántas personas hay en la foto? ¿Qué hacen?

2. ¿Conoces a algunas personas de la foto? ¿Quiénes son?

3. ¿Qué programa quieres ver?

PROGRAMACIÓN DE 7 A.M. A MEDIANOCHE

LO MEJOR PARA HOY

7:00 p.m.
(GALA)
La Tocada
Emmanuel es el invitado en el programa de entrevistas y música conducido por Verónica Castro.

Emmanuel

9:00 p.m. [17] **Swellegant Elegance** Harvey Fierstein y la leyenda del jazz Diane Schuur se unen al Seattle's Men's Choir en un homenaje al compositor Cole Porter.

[17] The Big Comfy Couch (cc)
[51] CINE
(FSA) Noticias
(GALA) ECO Noticiero
(GEMS) El Rosa y el Azul
(HBO) MOVIE *Once Upon a Forest* ★★ G (1:15) ESP
(OLETV) El Cuerpo Humano
(SHO) The Busy World of Richard Scarry (cc)
(SHO) (8:25) The Busy World of Richard Scarry

8:30 AM
[2] Arthur (cc)
[17] Zoobilee Zoo (cc)
(CINE) (8:45) MOVIE *Meatballs* ★ PG (1:45)
(OLETV) El Cerebro: Un Cosmo Misterioso

[4] The Price is Right (cc)
[6] News (cc)
[7] Hawaii Five-0
[10] Sally Jessy Raphael
[17] HealthWeek (cc)
[23] Agujetas de Color de Rosa
[40] Vídeos, Vídeos
[51] Las Juanas
(FSA) Noticias
(GALA) Home Shopping Network: En Español
(GEMS) Menú del Día
(HBO) MOVIE *Dominick and Eugene* ★★★ PG-13 (2:00)
(OLETV) Reporte Medicinal
(SHO) (11:20) The Busy World of Richard Scarry
(SUR) El Noticiero Venezuela- 2da Edición

11:30 AM
[2] Reading Rainbow (cc)
[13][40] Programa pagado
[17] Breakthrough: Television's Journal of Science and Medicine
(GEMS) La Otra Familia
(OLETV) El Cerebro: Un Cosmo Misterioso
(SHO) (11:45) MOVIE *The Mugger* ★ (1:15)

Mediodía
[2] America's Historic Trails With Tom Bodett
[4] News (cc)
[6] Another World
[7][10] News (cc)
[13] En una Hora
[17] Jenkins' Art Workshop
[40] Espejo Público
[51] CINE *Carrera Contra la Muerte*
(CINE) (12:15) MOVIE *The Evening Star* ★★ PG-13 (2:15) ESP
(FSA) Programa pagado
(GEMS) Sabor Latino
(OLETV) Caminos Hacia al Arte
(SUR) Noticiero P.A.T. Bolivia

12:30 PM
[2] Cooking...

Use authentic materials when reading:
short narratives, media

En contexto

VIDEO DVD AUDIO

VOCABULARIO

Mira las ilustraciones de periódico y del canal de televisión en Miami. Te ayudan a comprender las palabras en **azul** y a responder a las preguntas personales.

A ¿Por qué lees el periódico? Lees el periódico para saber lo que pasa en la ciudad y en el mundo. Muchos periódicos publican **críticas** de películas y **las noticias** en diferentes **ediciones**. Algunos tienen una edición por la mañana y otra por la tarde. **El titular** de este periódico reporta sobre **un ladrón** que **robó** pinturas y esculturas. **El robo** es una noticia importante de la primera página.

| 5B Noticias internacionales | 1D Anuncios clasificados | 6A Crítica | 8B Noticias locales | 1C Diversiones |

El Universo

Primera edición

Primera edición

Robo en el museo, ladrón atrapado

¡Rescate dramático! Héroe local rescata a niño

B También los periódicos reportan de personas que son **héroes** o **heroínas** porque **rescatan** a otras. Si **de repente** una persona necesita ayuda, el héroe está preparado. En este **rescate,** los señores ayudan a otras personas.

C Las noticias **locales** te dicen lo que pasa en tu ciudad. Por ejemplo, te dicen los resultados de juegos locales. Las noticias **internacionales** tienen **reportajes** sobre otros países, incluyendo noticias de deportes de todo el mundo.

D **Los canales** de televisión transmiten diferentes tipos de programas. Hay programas históricos y cómicos. Hay programas de deportes y programas de noticias, como **los noticieros**. En este noticiero, **el reportero** cuenta las noticias más importantes del día. Muchos **televidentes** miran el noticiero todos los días.

el reportero

los televidentes

el anuncio

E Los canales también tienen muchos **anuncios**. Los anuncios te hablan de cosas para comprar, lugares adonde ir, comida, otros programas... ¡todo lo que ves en la vida diaria!

Online Workbook
CLASSZONE.COM

Preguntas personales

1. ¿Cuál es tu programa de televisión favorito?
2. Nombra una noticia importante del noticiero de esta semana.
3. ¿Cuál es la noticia en la primera página del periódico de hoy?
4. Nombra dos productos que ves en los anuncios de la televisión.
5. ¿Qué anuncios te gustan más? ¿Por qué?

Listen to audio
or video texts

En Miami...

VIDEO   DVD   AUDIO

En vivo
DIÁLOGO

Francisco

Alma

Señor Campos

PARA ESCUCHAR • STRATEGY: LISTENING

Listen with a purpose Listening for a specific piece of information is like scanning a reading. Try listening for one idea: how does Alma get Francisco's attention? Do you think she is **seria** or **cómica**? Explain.

1 ▶ Francisco: ¿Aló?
Alma: Hola, Francisco. Soy yo. Estoy leyendo el periódico. ¿Lo leíste?
Francisco: No; estoy trabajando en mi artículo. ¿Por qué?

5 ▶ Señor Campos: Aquí preparamos los noticieros; trabajamos en estas computadoras. A veces usamos Internet en el proceso de investigar los reportajes.

6 ▶ Señor Campos: Nuestra programación incluye noticias internacionales y locales. Los televidentes saben lo que está pasando en el mundo.
Alma: Vi su noticiero sobre los cubanoamericanos. Fue interesante.

7 ▶ Alma: Ésa es la reportera que dio el reportaje anoche. Es famosa.
Señor Campos: ¿Les gustaría conocerla?
Francisco: Sí, nos encantaría. Muchísimas gracias.

78 setenta y ocho
Unidad 1

2 ▶ Alma: Hay un titular que dice «Hubo rescate ayer. Francisco García es héroe porque rescató un gato.»

Francisco: ¡Alma!

Alma: No es verdad.

3 ▶ Alma: ¿Cómo va tu artículo?

Francisco: Bien. Pidieron un artículo sobre un canal de televisión en Miami. Mañana voy a ir al estudio.

Alma: ¿Puedo ir contigo?

Francisco: Sí, claro. Salimos a las tres.

4 ▶ Francisco: Hay varios canales de televisión en español que transmiten desde Miami. Las transmisiones llegan a toda Latinoamérica. Los países reciben los canales a través de los satélites y el cable.

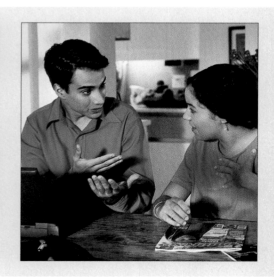

8 ▶ Alma: Francisco, ¿escribiste tú este poema?

Francisco: ¡Alma! Dame ese cuaderno. Eso es personal.

Alma: ¿Qué cuaderno? ¿Éste? ¡Vamos! Léeme el poema.

9 ▶ Francisco: Bueno, ¿por qué no? «Nos conocimos esa tarde tranquila Yo, una puerta cerrada, la llave perdida. Llamaste, tocaste y fue tu sonrisa Que abrió lo cerrado y entró una amiga.»

10 ▶ Alma: ¡Qué bonito! ¿Y quién es la amiga?

Francisco: ¿Quién es? ¡Boba! Eres tú.

Alma: ¿Yo? Gracias, Paco. Es la primera vez que alguien me escribe un poema.

En acción

Comprensión del diálogo

Alma   Señor Campos   Francisco

For Activities 1–2, refer to the dialog on pages 78–79.

1 Todo parejo

Escuchar Empareja las dos columnas de acuerdo con el diálogo. *(Hint: Match columns.)*

1. «Hay varios canales de televisión en español

2. «Los televidentes saben

3. «Francisco García es héroe

4. «Es la primera vez que

5. «¿Y quién es la amiga?»

6. «Los países reciben los canales

a. «¿Quién es? ¡Boba! Eres tú.»

b. porque rescató un gato.»

c. lo que está pasando en el mundo.»

d. alguien me escribe un poema.»

e. a través de los satélites y el cable.»

f. que transmiten desde Miami.»

2 ¿Quién lo hizo?

Escuchar ¿Quién hizo las siguientes actividades: Alma, Francisco o el señor Campos? *(Hint: Who did these things?)*

1. Llamó a Francisco por teléfono.

2. Inventó un titular de un rescate espectacular.

3. Fue con Alma al estudio donde transmiten noticieros.

4. Dijo que el estudio usa Internet para preparar reportajes.

5. Les presentó una reportera a los jóvenes.

6. Escribió un poema romántico.

También se dice

Cuando el señor Campos habla de las telecomunicaciones, él usa la palabra **Internet**. En los países hispanos, también se usa **la red** para referirse al ciberespacio.

Práctica del vocabulario

Objectives for Activities 3–8
• Discuss ways to communicate • Ask for and give information • Talk about things and people you know

3 **¡Qué reunión!**

Hablar/Escribir La familia de Francisco hizo una reunión de bienvenida para él. ¿Por qué salió mal? *(Hint: Why did the party turn out badly?)*

modelo

Alma / no traer los refrescos

Alma no trajo los refrescos.

1. La mamá de Francisco / no saber de la fiesta
2. La comida / estar malísima
3. Los amigos de Francisco / venir tarde
4. Alma / no poner la música
5. Los invitados / no querer bailar
6. El papá de Francisco / no poder encontrar la casa
7. Francisco / tener que escribir su artículo
8. Muchos invitados / ver la televisión
9. El hermano de Francisco / perder el regalo
10. Francisco / no decir «gracias»

Nota cultural

A la fiesta Cuando te invitan a una fiesta en Estados Unidos, es muy común ver en las invitaciones la hora que empieza y la hora que termina la fiesta. Pero, en muchos países hispanos, la misma invitación solamente te dice a qué hora empieza la diversión.

4 **¿Están bien informados?**

Hablar En parejas, decidan si las siguientes personas están bien informadas. *(Hint: Are they well informed?)*

Nota: Vocabulario

When you want to talk about knowing something well, use **estar bien informado(a)**.

Francisco **está bien informado** sobre Internet.
*Francisco **is well informed** about the Internet.*

modelo

los televidentes (los rescates)

Tú: *¿Están bien informados los televidentes sobre los rescates?*

Compañero(a): *Sí, (No, no) están bien informados.*

1. los reporteros (los eventos de la escuela)
2. los profesores (las noticias internacionales)
3. tu vecino(a) (la música popular)
4. el (la) crítico(a) de películas (los gustos de los jóvenes)
5. tú y tus amigos (Internet)
6. tú (las noticias locales)
7. tus amigos (la ropa popular)
8. tus padres (los eventos de la comunidad)
9. la policía (los robos)
10. los agentes de viajes (los vuelos)

Activity 6: Understand and convey information about geography
Activity 7: Understand and convey information about family

5 **¿De dónde?**

Hablar/*Escribir* Francisco tiene amigos de todas partes. ¿Cuál es la nacionalidad de cada uno? *(Hint: What are their nationalities?)*

modelo

Bob: Estados Unidos   *Bob es estadounidense.*

> **Nota: Gramática**
>
> Adjectives of nationality agree in gender and number with the noun they modify.
>
> Juan es **peruano**. *Juan is **Peruvian**.*
>
> María y Ana son **peruanas**. *María and Ana are **Peruvian**.*

1. Gerardo: México
2. Yanitzia: Cuba
3. Rick: China
4. Teresa: Ecuador
5. los hermanos Vázquez: Bolivia
6. José: España

6 **¿De qué país?**

Hablar Tu amigo(a) no sabe las nacionalidades de sus compañeros(as) en español. Explícale de qué país son. *(Hint: Where are they from?)*

modelo

Carlos: Buenos Aires

Amigo(a): *Carlos es de Buenos Aires, ¿no?*

Tú: *Sí. Carlos es argentino.*

1. Jane: Londres
2. Rubén: Lima
3. Pablo: Barcelona
4. Mónica: Bogotá
5. Peter: Nueva York

Algunas nacionalidades

guatemalteco(a)
cubano(a)
dominicano(a)
puertorriqueño(a)
nicaragüense
salvadoreño(a)
colombiano(a)
venezolano(a)
hondureño(a)
costarricense
panameño(a)
ecuatoriano(a)
peruano(a)
boliviano(a)
paraguayo(a)
uruguayo(a)
chileno(a)
argentino(a)

mexicano(a)   canadiense   inglés(esa)   japonés(esa)
estadounidense   francés(esa)   italiano(a)
español(a)   alemán(ana)   chino(a)

7 ¿De dónde vino tu familia?

Hablar/*Escribir* ¿De qué país es tu familia? ¿De qué países son las familias de tus compañeros? Habla con tus compañeros y haz una tabla con los resultados.

(Hint: Talk about nationalities. Then make a chart.)

modelo

Tú: *Mi familia es de España. Es española.*

Compañero(a): *Mi familia es de Italia. Es italiana.*

Nombre	País	Nacionalidad de familia
María	España	española
Javier	México	mexicana
Collette	Francia	francesa

Juego

Un inglés, un francés y un mexicano fueron a un restaurante internacional y pidieron pan francés, arroz mexicano y un sándwich cubano. El que vive en Francia no comió nada de Europa. Y alguien comió algo de su propio país. ¿Qué comió cada persona?

8 ¡Socorro!

Leer/*Escribir* Francisco recibió esta postal, pero su hermanito borró (*erased*) algunas palabras. Ayuda a Francisco a leerla. Usa **saber** o **conocer** en los espacios en blanco.

(Hint: Complete the postcard.)

Nota: Gramática

Saber and **conocer** both mean *to know.* Use **saber** with facts, information, and when telling how to do something. Use **conocer** to express being familiar or acquainted with a person, place, or thing.

¿Saben quién es esa reportera? *Do **you know** who that reporter is?*

Yo la **conozco.** ¿Les gustaría **conocerla**? *I **know** her. Would you like **to meet her**?*

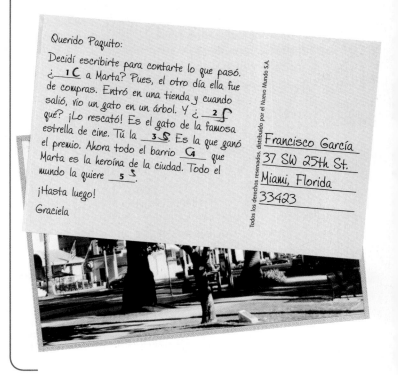

Querido Paquito:

Decidí escribirte para contarte lo que pasó. ¿ __1 C__ a Marta? Pues, el otro día ella fue de compras. Entró en una tienda y cuando salió, vio un gato en un árbol. Y ¿ __2 S__ qué? ¡Lo rescató! Es el gato de la famosa estrella de cine. Tú la __3 S.__ Es la que ganó el premio. Ahora todo el barrio __C 4__ que Marta es la heroína de la ciudad. Todo el mundo la quiere __5 S.__

¡Hasta luego!

Graciela

Francisco García
37 SW 25th St.
Miami, Florida
33423

More Practice: **Más comunicación** *p. R4*

Objectives for Activities 9–16
• Discuss ways to communicate • React to news • Ask for and give information

GRAMÁTICA | **Express Position Using Demonstrative Adjectives and Pronouns**

As you know, there are three kinds of demonstratives in Spanish:

• one that points out someone or something **near** the speaker
• one that points out someone or something **farther away**
• one that points out someone or something **at a great distance**

Demonstrative Adjectives

	near		farther away		at a great distance	
	m.	**f.**	**m.**	**f.**	**m.**	**f.**
Singular	este	esta	ese	esa	aquel	aquella
Plural	estos	estas	esos	esas	aquellos	aquellas

Demonstrative adjectives agree in number and gender with the **noun** they modify, and they usually go before the noun.

Francisco, ¿escribiste tú **este** poema?
*Francisco, did you write **this** poem?*

¡Dame **ese** cuaderno!
*Give me **that** notebook!*

Aquella reportera es del canal dos.
That reporter is from Channel 2.

Demonstratives can also be pronouns that take the place of **nouns.** They have the same number and gender as the **noun** they replace and have a written accent. (When there is no ambiguity in the sentence, the accent may be omitted.)

becomes

¿Saben quién es **ese** señor?
*Do you know who **that** man is?*

¿**Ése**? Sí, es el reportero.
That one? Yes, he's the reporter.

becomes

Aquella reportera es del canal dos.
That reporter is from Channel 2.

Aquélla es del canal cinco.
That one is from Channel 5.

Practice: **Actividades** 9 10

Más práctica *cuaderno pp. 37–38*
Para hispanohablantes *cuaderno pp. 35–36*

 Online Workbook CLASSZONE.COM

Activity 10: Understand and convey information about professions and work

9 Problemas del periódico

Escribir Cambia el artículo definido a la forma correcta del adjetivo demostrativo para hablar de los problemas del periódico. Escribe cada oración de tres maneras. *(Hint: Write sentences with demonstratives.)*

modelo

___El___ artículo sobre los ladrones está mal escrito.

Este artículo sobre los ladrones está mal escrito.

Ese artículo sobre los ladrones está mal escrito.

Aquel artículo sobre los ladrones está mal escrito.

1. ___La___ cámara no sirve.
2. ___Las___ tiras cómicas no tienen color.
3. El escritor no investigó ___los___ detalles.
4. Los hechos ___del___ artículo no son correctos.
5. ___Las___ noticias no son muy interesantes.
6. ___El___ autor no estudió periodismo.
7. No funciona el programa en ___la___ computadora.
8. ___La___ editora duerme durante el día de trabajo.
9. ___Los___ titulares no llaman la atención.
10. ___El___ fotógrafo no sacó fotos del rescate.

10 La oficina de periodismo

Hablar/*Escribir* Tú trabajas en una oficina de periodismo. Explícales a unos amigos lo que hacen el periodista, la editora y la fotógrafa. Usa **éste(a), ése(a)** o **aquél(la)** en tus respuestas. *(Hint: Tell what each person does.)*

el periodista   la editora   la fotógrafa

modelo

investiga los hechos y las causas y escribe detalles

Éste es el periodista. Él investiga los hechos y las causas y escribe detalles.

1. habla por teléfono
2. busca errores en los artículos
3. tiene una cámara
4. tiene un periódico y una computadora
5. lee las tiras cómicas

Vocabulario

Las telecomunicaciones

el artículo *article*
el (la) autor(a) *author*
la cámara *camera*
la causa *cause*
el detalle *detail*
el (la) editor(a) *editor*
el (la) escritor(a) *writer*

el (la) fotógrafo(a) *photographer*
el hecho *fact*
el periodismo *journalism*
el (la) periodista *journalist*
el programa *program*
la tira cómica *comic strip*

▶ Cuando piensas en las telecomunicaciones, ¿en qué piensas?

Activity 14: Understand and convey information about months

11 ¿Dónde hubo...?

Escuchar/Hablar Escucha este noticiero internacional. Usa la lista de países para ayudarte a contestar las preguntas. Luego haz un resumen de lo que escuchaste. *(Hint: Answer the questions and summarize the tape.)*

Nota: Vocabulario

To express "there was" or "there were," you may use **hubo,** the preterite of **hay.**

Hubo dos personas que ganaron.
There were *two people who won.*

Chile
Cuba
España
Estados Unidos
Paraguay
Honduras
Bolivia

---

1. ¿Dónde hubo un huracán?

2. ¿Dónde hubo un rescate?

3. ¿Dónde hubo un señor que tuvo millones?

4. ¿Dónde hubo un anuncio sobre el precio de los plátanos?

GRAMÁTICA Stem-Changing Verbs in the Preterite

 ¿RECUERDAS? *pp. 21, 60* Remember that many Spanish verbs have stem changes in the present tense. These changes take place in the **singular** and in the **ellos/ellas/ustedes** forms.

For example, the verb **pedir** *to ask for* alternates between **e** and **i** in the present tense.

pedir *to ask for*

pido	**ped**imos
pides	**ped**ís
pide	**pid**en

Stem-changing **-ir** verbs change vowels in the **preterite** too. However, the change only occurs in the **él/ella/usted** and the **ellos/ellas/ustedes** forms.

e → i

pedir *to ask for*

pedí	**ped**imos
pediste	**ped**isteis
pidió	**pid**ieron

o → u

dormir *to sleep*

dormí	**dorm**imos
dormiste	**dorm**isteis
durmió	**durm**ieron

—¿Qué **pidió** Onda Internacional?
*What **did** Onda Internacional **ask for**?*

—**Pidieron** un artículo sobre un canal de televisión.
They asked for *an article about a television station.*

Vocabulario

Preterite Stem-Changing Verbs

Ya sabes e→i

competir *to compete*
preferir *to prefer*
repetir *to repeat*
servir *to serve*

o→u

morir *to die*

Additional stem-changing -ir verbs are listed on p. R31.

▶ ¿Repetiste el vocabulario nuevo?

Practice:

12 13 14
15 16

Más práctica
cuaderno pp. 39–40
Para hispanohablantes
cuaderno pp. 37–38

 Online Workbook
CLASSZONE.COM

12 ¿Qué hicieron?

Escribir ¿Qué hicieron las personas en las siguientes situaciones? Completa las oraciones con el pretérito del verbo indicado. *(Hint: Complete the sentences.)*

1. La editora les _____ (pedir) muchos más detalles a los escritores.

2. Los escritores no _____ (repetir) el titular en la segunda edición.

3. Yo _____ (preferir) el artículo sobre el héroe que rescató al niño.

4. Los amigos de la reportera _____ (competir) en un concurso de baile.

5. Los televidentes _____ (dormir) durante el noticiero.

6. Los fotógrafos _____ (pedir) unas cámaras nuevas.

7. La reportera mexicana _____ (preferir) escribir en español.

8. La periodista guatemalteca escribió un artículo sobre unas plantas que _____ (morir).

9. Mi padre _____ (dormir) durante el programa.

10. La cafetería del canal _____ (servir) mucho café antes del noticiero.

13 En clase

Hablar/*Escribir* Describe lo que hicieron o no hicieron estas personas en la clase de español ayer. *(Hint: Tell what these people did.)*

modelo

(La profesora / Yo) / (no) escribir en el pizarrón

La profesora escribió en el pizarrón. / Yo no escribí en el pizarrón.

> **Nota: Gramática**
>
> Verbs such as **leer** *to read,* **creer** *to believe,* and **oír** *to hear* change the **i** to **y** in the **él/ella/usted** and in the **ellos/ellas/ustedes** forms of the preterite.
>
> Alma **leyó** el poema. *Alma **read** the poem.*
>
> Mis hermanos **no creyeron** las noticias. *My brothers **didn't believe** the news.*
>
> The other forms of the preterite have an accent on the **i**.
>
> ¿**Oíste** las noticias? ***Did you hear** the news?*

1. (Mi amigo(a) / Yo) / (no) oír las palabras

2. (La profesora / Los estudiantes) / (no) leer un artículo

3. (Mi hermano / Tu hermana) / (no) pedir ayuda

4. (Tú / Yo) / (no) preferir escribir poemas

5. (María y yo / Ana) / (no) servir los helados

14 ¿Es cierto?

Escuchar/*Escribir* Escucha lo que dice Víctor, un estudiante de Paraguay. Luego, contesta **cierto** o **falso** a las preguntas. Si son falsas, explica por qué. *(Hint: Answer true or false. Then correct false answers.)*

1. Vino a Miami en diciembre.

2. Víctor le pidió a su mamá norteamericana una hamburguesa con queso y papas fritas.

3. No hizo nada durante las vacaciones.

4. Víctor no está muy contento.

5. El artículo sobre Víctor va a salir en el periódico escolar.

Activity 15: Use and understand learned expressions when speaking and listening

Activity 17: Demonstrate culturally appropriate behavior when understanding and expressing important ideas and some detail

15 ¿Qué hacen?

Hablar Margarita durmió en la casa de una amiga. Habla con un(a) compañero(a) y di qué hicieron o no hicieron otras personas. Luego, responde a tu compañero(a). *(Hint: Talk about what others did.)*

modelo

Margarita: dormir en la casa de una amiga (sí)

Tú: *¿Durmió Margarita en la casa de una amiga?*

Compañero(a): *Sí, Margarita durmió en la casa de una amiga.*

Tú: *Yo dormí en la casa de una amiga también.*

Compañero(a): *¡No me digas!*

1. Geraldo: leer un libro (sí)
2. Graciela y Alegra: escribir una carta (no)
3. ustedes: dormir en clase (sí)
4. tú: pedirle más tarea al maestro (sí)
5. la profesora: creer las noticias (no)
6. Vicente: preferir estudiar a bailar (sí)

Vocabulario

Cuando hablas...

¿De veras? *Really?*

¡No me digas! *Don't tell me!*

¿Tú crees? *Do you think so?*

¡Ya lo sé! *I already know!*

▶ ¿Con qué palabras te gusta responder?

---

16 Ay, ¡qué cansados!

STRATEGY: SPEAKING

Present findings When reporting information that is summarized on a chart, reading aloud may not be an effective way of reporting. You may want to report general information **(en general, por lo general).** You can compare two groups **(los adultos durmieron más/menos que los jóvenes).** You can report exceptional behavior **(lo más/menos que durmió una persona fue…).** Finally you can summarize whether people got enough sleep **(en resumen).**

Hablar/Escribir A veces hay personas que no duermen lo suficiente. Habla con tus compañeros(as) para ver cuántas horas ellos(as) y sus familias durmieron anoche. Luego haz una tabla con las respuestas y preséntale los resultados a la clase. *(Hint: Make a chart.)*

¿Quién?	¿Cuánto?	¿Fue suficiente?
Yo dormí	ocho horas	Fue suficiente.
Mi hermano durmió	seis horas	No fue suficiente.
Mis padres…		
Susana…		

Nota cultural

Periódicos por computadora Hay una gran variedad de periódicos en español en Internet. *ABC* y *El País,* de España, *El Diario Clarín,* de Argentina, y muchos otros tienen ediciones digitales.

Activity 17 brings together all concepts presented.

17 Las noticias

Hablar/Leer El periódico siempre tiene noticias de todo tipo. En parejas, lean estos titulares y reaccionen a cada uno. *(Hint: Read and react to headlines.)*

Presidente quiere 11 meses de escuela

Anoche en el noticiero del canal 28, el Presid

EL INFORMANTE MATUTINO

Chicos rescatan a un bebé

Rigoberto Centeno, Daniel Araiza y Melissa Rojas, tres estudiantes del Colegio Santa Rosa, escucharon un bebé que estuvo llorando. Resulta que el bebé,

contra viento y m
lo cierto es que si
siempre sucede co

Señora con 20 gatos busca casa

¿Vives en
tiene que
los gatos
número de
al final de

More Practice: Más comunicación *p. R4*

Online Workbook
CLASSZONE.COM

¿Qué...?
¿Cómo es...?
¿Cree Ud....?

Refrán

**Antes de hablar
es bueno pensar.**

Lo que quiere decir este refrán es muy claro: debes pensar en lo que vas a decir antes de decirlo, o puedes tener problemas. En parejas, hablen de situaciones en que hablaron sin pensar. ¿Es cierto lo que dice el refrán?

AUDIO

En voces
LECTURA

¿Leíste el periódico hoy?

¿**Q**ué sección del
periódico te gusta más?
¿Los deportes? ¿Los
editoriales? Si visitas
Miami, puedes leer tu
sección favorita del periódico en español. *El
Nuevo Herald,* una edición del *Miami Herald,*
es el periódico en español más grande de
Estados Unidos.

Además de las secciones que tienen todos
los periódicos, *El Nuevo Herald* ofrece secciones
especiales sobre lo que pasa en diversos países
latinoamericanos. También publica artículos sobre
las noticias locales de interés para las personas de
origen hispano que viven en Miami.

¿Qué pasa si quieres leer *El Nuevo Herald* y
no estás en Miami? Con una computadora puedes
leerlo sin levantarte[1] de tu silla porque *El Nuevo
Herald* está en Internet todos los días.

---

[1] getting out

«La Voz» de los estudiantes

¿Te gustaría saber tu horóscopo, leer las noticias y practicar tu español al mismo tiempo? *La Voz Mundial*, una publicación de los estudiantes de Miami Springs Senior High School, te da esta

oportunidad. El periódico es completamente en español y contiene noticias del mundo, poesía estudiantil y mucho más.

Es popular no sólo[2] entre hispanohablantes[3] sino también[4] entre los que aprenden el español y los que tienen interés en las lenguas y culturas del mundo.

---

[2] not only   [3] speakers of Spanish   [4] but also

Online Workbook
CLASSZONE.COM

¿Comprendiste?

1. ¿Qué es *El Nuevo Herald*?
2. ¿Una persona que no vive en Miami puede leer este periódico? ¿Cómo?
3. ¿Quién publica *La Voz Mundial*?
4. ¿En qué es diferente *La Voz Mundial* de otros periódicos escolares?

¿Qué piensas?

¿Son los periódicos, la televisión y la radio partes importantes de nuestra sociedad? ¿Por qué? Habla con tus compañeros(as) de clase y compartan sus ideas.

Understand and convey information
about places and events

En colores

CULTURA Y COMPARACIONES

PARA CONOCERNOS

STRATEGY: CONNECTING CULTURES

Identify characteristics of neighborhoods Neighborhoods
contribute to the unique flavor of a town. Does your
town have different neighborhoods? How can you
identify them? By name? By the people? Choose two
neighborhoods and use a chart to compare them.

Miami

Puerta de las Américas

Sin título, *Carolina Zuniga*

Miami es un imán[1] para
viajeros[2] de todas partes del mundo.
Vienen para tomar el sol en las
playas blancas, nadar en el océano
azul y visitar los hoteles lujosos. Pero
muchas otras personas vienen
a Miami para vivir.

---

[1] magnet   [2] travelers

Florida está cerca de la isla[3] de Cuba —solamente a 90 millas— y tiene un clima parecido[4].

En los años 60 muchos cubanos emigraron a la ciudad de Miami. Después de los cubanos vinieron personas de Colombia, Nicaragua y otros países hispanoamericanos.

Estos emigrantes convirtieron a Miami en una ciudad bilingüe y un lugar donde se unen[5] culturas diferentes. En la Pequeña Habana, el barrio cubano más grande de Miami, se puede comprar helado de guayaba y bailar la música salsa al aire libre en la Calle Ocho.

Miami también es un lugar de comercio internacional y un gran centro financiero. Muchos barcos extranjeros, sobre todo barcos de Latinoamérica, paran[6] en Miami porque esta ciudad tiene conexiones con todos los países de las Américas.

[3]island   [4]similar   [5]unite

[6]stop

More About Latinos
CLASSZONE.COM

El cantante y compositor Jon Secada nació en Cuba y vino a Miami con su familia cuando era niño. Estudió la música vocal de jazz y participó en el grupo Miami Sound Machine.

¿Comprendiste?

1. ¿Para qué vienen los turistas a Miami?
2. ¿Cómo ayudaron los hispanoamericanos a transformar la ciudad de Miami?
3. ¿Qué es la Pequeña Habana?
4. ¿En qué aspectos de la vida comercial tiene Miami una importancia internacional?

¿Qué piensas?

1. ¿Es importante saber español en Miami? ¿Por qué?
2. ¿Algunas personas de tu comunidad vinieron de otros países? ¿Qué sabes de sus culturas?

Hazlo tú

En grupos pequeños, hablen de los diferentes vecindarios de tu comunidad. ¿Qué tienen en común? Luego, compartan tus resultados.

En uso
REPASO Y MÁS COMUNICACIÓN

OBJECTIVES

- Discuss ways to communicate
- React to news
- Ask for and give information
- Talk about things and people you know

Now you can...

- talk about things and people you know.

To review

- demonstrative adjectives, see p. 84.

1 ¿De dónde son?

Di las personas que conoces y de dónde son. *(Hint: Tell the people you know.)*

Japan

German

Japón   Alemania   Nicaragua   Argentina

Francia   Puerto Rico   México   Italia

modelo

(aquel) señoras→   **Perú**

Conozco a aquellas señoras peruanas.

1. (este) señores
2. (ese) chica
3. (aquel) muchacho
4. (este) niñas

5. (ese) hombres
6. (aquel) señora
7. (este) niño
8. (aquel) chicos

Now you can...

- talk about things and people you know.

To review

- demonstrative pronouns, see p. 84.

2 En la tienda

Tú y un(a) amigo(a) están en una tienda. Ustedes hablan de sus preferencias. ¿Qué dicen? *(Hint: Discuss preferences.)*

modelo

un libro

Tú: *¿Prefieres este libro o éste?*

Amigo(a): *Prefiero aquél.*

1. la pluma
2. un sándwich
3. una bebida
4. una revista

5. una computadora
6. un juego
7. un sombrero
8. una videograbadora

Now you can...

- talk about things and people you know.

To review

- **saber** and **conocer**, see p. 83.

---

3 **Un sabelotodo**

¿Eres un «sabelotodo»? Para saberlo, escribe oraciones con **sé** o **conozco.** *(Hint: Complete the sentences.)*

> **modelo**
>
> *el presidente*   *Sí, (No, no) conozco al presidente.*

1. qué hora es
2. los compañeros de clase
3. hablar italiano

4. la Casa Blanca
5. nadar bien
6. un buen restaurante francés

Now you can...

- discuss ways to communicate.
- react to news.

To review

- verbs with preterite spelling changes (i → y), see p. 87.

---

4 **¿Crees en las noticias?**

Todos leyeron el periódico esta mañana pero no creyeron nada. Explica lo que leyeron. *(Hint: Tell who read what in the newspaper.)*

> **modelo**
>
> *María: los anuncios*   *María leyó los anuncios pero no creyó nada.*

1. yo: los editoriales
2. Samuel: los anuncios clasificados
3. mis padres: las noticias locales

4. tú: las noticias internacionales
5. nosotros: los titulares
6. ustedes: todo el periódico

Now you can...

- ask for and give information.

To review

- stem-changing preterite verbs, see p. 86.

---

5 **¿Y tú?**

¿Qué hicieron tú, tus amigos y tu familia? Habla con un(a) compañero(a) sobre lo que hicieron. *(Hint: What did you do?)*

> **modelo**
>
> *tú: repetir la lección*
> **Compañero(a):** *¿Repetiste la lección?*
> **Tú:** *Sí, (No, no) repetí la lección.*

1. tus amigos: pedir comida china
2. tu hermano: dormir en casa de un amigo
3. tu tío: preferir ver la televisión en el sofá
4. tu vecino(a): competir en un concurso
5. mis amigos y yo: servir una comida deliciosa

6 ¿Cuál prefieres?

STRATEGY: SPEAKING

Provide additional information Sometimes you have certain preferences because something is missing: **Prefiero … porque no es aburrido / porque no me gusta(n) / porque no tengo / porque no puedo…** Try using these phrases in your response.

Habla con tu compañero(a) sobre las cosas que ven en la clase. ¿Qué ven? ¿Qué cosas prefieren? ¿Por qué? *(Hint: What does your partner prefer?)*

modelo

Tú: *¿Prefieres este libro o ése?*

Compañero(a): *Prefiero éste porque no es aburrido.*

Tú: *¿Prefieres esa falda o aquélla?*

Compañero(a): *Prefiero ésa porque no es de cuadros.*

7 Un tour

Hagan un tour imaginario de un estudio de televisión y expliquen lo que ven. Una persona va a servir de guía y las otras van a hacerle preguntas. *(Hint: Conduct an imaginary tour.)*

modelo

Estudiante: *¿Quién es esa señora?*

Guía: *Ella es una reportera muy famosa.*

8 En tu propia voz

ESCRITURA Combina las siguientes frases para describir las experiencias de Francisco. Usa palabras como **por eso** *(that's why)*, **y, entonces, luego, después** y **finalmente.** Puedes añadir otros detalles. *(Hint: Describe Francisco's experiences.)*

* ganar el concurso de una revista
* viajar a Chicago
* regresar a Miami
* visitar un estudio de televisión con su amiga Alma
* conocer a una reportera famosa
* leerle un poema a Alma

CONEXIONES

Las matemáticas Háblales a tus amigos para saber lo siguiente sobre las telecomunicaciones. Luego, haz un gráfico de las respuestas, calculando los porcentajes de la gente que tiene respuestas en común.

* ¿Cuál es tu anuncio favorito?
* ¿Qué canal ves más?
* ¿Qué noticiero ves más?
* ¿Qué tipo de programación no te gusta?

En resumen
REPASO DE VOCABULARIO

TALK ABOUT THINGS AND PEOPLE YOU KNOW

Stem-Changing Preterite Verbs

morir (o→ue, u)	to die

♻ **Ya sabes**

competir (e→i, i)	to compete
dormir (o→ue, u)	to sleep
pedir (e→i, i)	to ask for, to order
preferir (e→ie, i)	to prefer
repetir (e→i, i)	to repeat
servir (e→i, i)	to serve

♻ **Spelling Changes in the Preterite (i → y)**

creer	to believe
leer	to read
oír	to hear

♻ **Ya sabes**

conocer	to know, to meet
saber	to know

DISCUSS WAYS TO COMMUNICATE

Newspapers

el artículo	article
el (la) autor(a)	author
la crítica	criticism, review
la edición	edition
el (la) editor(a)	editor
el (la) escritor(a)	writer
el (la) fotógrafo(a)	photographer
el periodismo	journalism
el (la) periodista	journalist
la tira cómica	comic strip
el titular	headline

Television

el anuncio	commercial
la cámara	camera
el canal	channel, station
el noticiero	news program
el programa	program
el reportaje	report
el (la) reportero(a)	reporter
el (la) televidente	viewer

REACT TO NEWS

¿De veras?	Really?
¡No me digas!	Don't tell me!
¿Tú crees?	Do you think so?
¡Ya lo sé!	I already know!

ASK FOR AND GIVE INFORMATION

la causa	cause
de repente	suddenly
el detalle	detail
estar bien informado(a)	to be well informed
el hecho	fact
el héroe	hero
la heroína	heroine
hubo	there was, there were
internacional	international
el (la) ladrón(ona)	thief
local	local
las noticias	news
rescatar	to rescue
el rescate	rescue
robar	to steal
el robo	robbery

Juego

Yo no soy un editor,
ni un televidente.

Tampoco soy un escritor;
si me ves, es evidente.

Siempre te cuento las
noticias con mucho coraje[1].
¿Sabes quién soy, quizás?
¡Te doy el reportaje!

[1] courage

Write short guided compositions; Understand and convey information about places and events

En tu propia voz

ESCRITURA

¿Qué hicieron?

Next month's *Onda Internacional* will feature Spanish students from around the world. One segment will highlight school break activities. Write a one-paragraph description of an event that took place during a recent school break to submit to the magazine.

Function: Describe an event that took place during school break
Context: Informing magazine readers
Content: Description of school break event
Text type: Descriptive paragraph

PARA ESCRIBIR • STRATEGY: WRITING

Bring your event to life Describing an event or personal experience means more than giving out a few facts. Share how you feel about what is happening—about the people, places, and objects that make the event memorable. Bring your subject to life by using sensory details in your writing.

Modelo del estudiante

The writer introduces the main idea of her paragraph.

The writer adds sensory details, including **taste**, to bring the event to life.

The writer uses references to the **sounds** of the party to make readers feel as if they were there.

Una fiesta sensacional

● Dimos una fiesta muy buena durante el verano pasado. Mi hermana y yo invitamos a unos amigos. Pero llegó mucha gente, ¡como cincuenta personas!

● La comida quedó muy rica. Mi hermana y yo hicimos nachos y papas fritas y pedimos unas pizzas. Mucha gente trajo comida, como pasteles y sándwiches, y bebidas. Una chica hizo un pastel de vainilla con piezas de chocolate. Quedó delicioso. También bailamos.

● Pusimos la música muy fuerte. Después no oí nada. Sé bailar pero aprendí algunas cosas nuevas también. Dormí muchas horas después de la fiesta. Lo pasé ● muy bien. ¡Todos dijeron que fue una fiesta sensacional!

The writer concludes by describing her feelings about the event.

Language Arts
Writing Standard 1.2
Use precise language, action verbs, sensory details, appropriate modifiers,
and the active rather than the passive voice

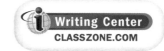

Writing Center
CLASSZONE.COM

Estrategias para escribir

Antes de escribir...

Begin by freewriting about your recent school break experience. Remember that when freewriting, you write down everything you can think of, and select from it later. Be sure to include people you met, things you saw and did, details about actions and events, and why it was a meaningful experience.

After selecting an event, create an idea tree like this one to organize the sensory details of your experience.

Revisiones

Share your draft with a partner. Then ask:

- *How does the first sentence attract your attention?*
- *What else would you like to know?*
- *Did the paragraph hold your attention? What could be added to better hold your attention?*

You may want to make revisions based on your partner's answers to these questions.

La versión final

Before you create the final draft of your paragraph, use proofreading symbols to mark any errors in grammar, usage, spelling, and punctuation. As you check your work, keep the following question in mind:

- *Did I use correct preterite verb forms?*

Try this: Circle every past-tense verb and identify its subject. Have the correct preterite forms been used?

MI FIESTA

mucha gente
decoraciones
vista (sight)

música fuerte
salsa
rock
oído (sound)

nachos
papas fritas
pasteles
gusto/olfato (taste/smell)

bailar
poco espacio
tacto (touch)

nuevos amigos
cansada
contenta
sentimientos (feelings)

PROOFREADING SYMBOLS

∧ Add letters, words, or punctuation marks.

≡ Capitalize a letter.

/ Make a capital letter lowercase.

~ Switch the position of letters or words.

↶ Take out letters or words.

La Oportunidad de mi vida

En agosto tuvo la oportunidad de mi vida. En mi escuela, me recomendaron para un internacional equipo de «All-Stars» porque jugo muy bien Y jugué con el equipo por en seis estados del sur. Conocí a muchos jugadores fantásticos de latinoamérica. Todos conocen saben mucho del deporte de el fútbol y me enseñaron mucho.

STANDARDS

Communication
- Describing childhood experiences
- Expressing personal reactions
- Discussing family relationships and celebrations
- Narrating in the past
- Talking about activities in progress
- Ordering and paying in a restaurant
- Talking about things to do in the city

Cultures
- The history of Mexico City and its surroundings
- Pre-Columbian civilizations in Mexico
- Traditional Mexican foods and eating customs
- City life in Mexico City

Connections
- Social Studies: Learning about the Aztec calendar
- Art: Murals in Mexico

Comparisons
- Children's activities in Mexico and the U.S.
- Holidays/celebrations
- Restaurants and eating customs

Communities
- Using Spanish for personal interest in restaurants
- Using Spanish in the workplace

INTERNET Preview
CLASSZONE.COM

- More About Mexico
- Webquest
- Self-Check Quizzes
- Flashcards
- Writing Center
- Online Workbook
- eEdition Plus Online

CIUDAD DE MÉXICO
MÉXICO

AYER Y HOY

ESTADOS UNIDOS
CIUDAD JUÁREZ
CHIHUAHUA
BAJA CALIFORNIA
GOLFO DE CALIFORNIA
GOLFO DE MÉXICO
MONTERREY
MÉXICO
OCÉANO PACÍFICO
BAHÍA DE CAMPECHE
PENÍNSULA DE YUCATÁN
GUADALAJARA
★ MÉXICO, D.F.
BELICE
OAXACA
HONDURAS
GUATEMALA
EL SALVADOR
NICARAGUA

LA PIÑATA Donde hay una piñata, hay fiesta. ¿Qué puedes encontrar en una piñata?

LOS TAMALES Hace más de mil años, los indios de México los hacían de maíz, y así se hacen hoy día. ¿Conoces otras comidas de origen indígena?

ALMANAQUE CULTURAL

POBLACIÓN: 8.591.309

ALTURA: 2.309 metros (7.575 pies)

CLIMA: 19°C (66°F), diciembre; 26°C (79°F), mayo

MONEDA: el peso

COMIDA TÍPICA: pozole, natillas, tamales

GENTE FAMOSA DE MÉXICO: Cristian Castro (cantante), Frida Kahlo (pintora), Octavio Paz (escritor), Diego Rivera (pintor)

¿VAS A LA CIUDAD DE MÉXICO? Hay muchos jóvenes en México. ¿Sabes que el 50% de la población tiene menos de 18 años?

More About Mexico
CLASSZONE.COM

El Popocatépetl

HOY NO CIRCULA Para mantener más limpio el aire de la ciudad, el gobierno empezó un programa para reducir el número de conductores diarios. Cada conductor puede circular su carro seis días por semana, basado en el último número de su placa (*license plate*). ¿Qué hace tu ciudad para mantenerse limpia?

EL POPOCATÉPETL es un volcán activo cerca de la Ciudad de México. Una leyenda azteca cuenta que Popocatépetl era un guerrero (*warrior*). ¿Por qué crees que los aztecas le dieron el nombre de un guerrero a un volcán?

CRISTIAN CASTRO es un cantante popular de la Ciudad de México. Su estilo de música se llama «balada». Por su segundo álbum Castro ganó el premio Lo Nuestro de música latina. ¿Qué tipo de música prefieres?

PADRE MIGUEL HIDALGO Y COSTILLA (1753–1811) fue un líder del movimiento mexicano para ganar la independencia. ¿Por qué piensas que en el Día de la Independencia todavía es posible oír sus palabras famosas, «Mexicanos, ¡Viva México!»?

FRIDA KAHLO (1907–1954) pintó muchos autorretratos, o pinturas sobre ella misma y su vida. En esta pintura, *Frida y Diego Rivera* (1931), Kahlo aparece con su esposo, Diego Rivera, un muralista importante. ¿Qué piensas de Kahlo y Rivera al mirar la pintura?

101

2

AYER Y HOY

- Comunicación

- Culturas

- Conexiones

- Comparaciones

- Comunidades

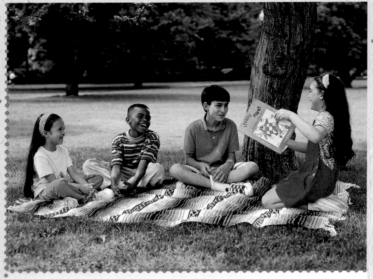

Comunicación en acción Estos niños están jugando en un parque de México. ¿Dónde juegan los niños de tu vecindario?

Comunicación

En esta unidad vas a tener la oportunidad de hablar y escribir en español sobre tu niñez. Imagínate ser niño(a) otra vez. ¿Eres muy diferente ahora?

Cuando tengas la oportunidad, habla español en tu comunidad. No hay que hablar perfectamente para comunicarse bien.

Comunidades

A veces hay oportunidades para usar tu español en la comunidad. Vas a aprender todo lo que necesitas para pedir comida en un restaurante. La próxima vez que tengas un(a) mesero(a) hispanohablante, ¡háblale en español!

Los bailes tradicionales de México expresan las culturas de varias regiones.

Conexiones

Vas a leer y escuchar información que hace conexión con los estudios sociales. Puedes aprender mucho sobre la gente mexicana a través de sus museos, teatros, parques y celebraciones.

Culturas

Los juegos y los juguetes de niños no siempre son iguales en otras partes del mundo. La vida de los niños es una parte importante de cualquier cultura. Vas a ver cómo juegan y celebran los niños en México.

Las piñatas son tradicionales en las fiestas de cumpleaños en México. Ahora son parte de las fiestas que se celebran en Estados Unidos también.

Compara lo que ves en esta foto de una boda con una boda a la que asististe. ¿Qué tienen en común?

Comparaciones

Vas a ver semejanzas y diferencias entre tu cultura y lengua y otras. Por ejemplo, en México pasar tiempo con la familia es muy importante. Casi todos los días toda la familia se sienta a la mesa para comer juntos. ¿Es igual o diferente en tu casa?

Fíjate 💡

Cada oración de abajo corresponde a una o más de las categorías de arriba (Comunicación, Culturas, Conexiones, Comparaciones, Comunidades). ¿A cuál crees que corresponde cada una?

1. Practiqué hablar español en mi restaurante favorito esta tarde.
2. Voy a ir al Museo Nacional de Antropología para ver arte azteca.
3. Cuando yo era niño, trepaba a muchos árboles.
4. Los domingos, mi familia come en la casa de mis abuelos con todos mis tíos y primos.
5. La marioneta es un juguete típico para los niños mexicanos.

UNIDAD 2

ETAPA 1

De pequeño

OBJECTIVES

- Describe childhood experiences

- Express personal reactions

- Discuss family relationships

¿Qué ves?

Mira la foto y contesta las preguntas.

1. ¿Cuántas personas hay en la foto?

2. ¿Qué hacen?

3. ¿Dónde crees que están?

4. Mira el folleto. ¿Qué hora es?

Parque Hundido

Ciudad de México

104

En contexto

 Use authentic materials when reading: short narratives

 VIDEO

VOCABULARIO

 DVD

Mira las fotos y las ilustraciones de lo que hacía Isabel cuando era niña.

 AUDIO

A A los niños les gusta jugar con **juguetes,** como **muñecas, marionetas** y **muñecos de peluche.** A muchas niñas les gusta jugar a la casita con las muñecas como **bebés.**

los muñecos de peluche

la muñeca

la marioneta

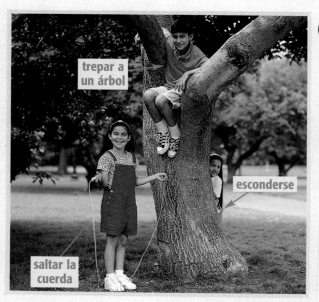

trepar a un árbol

esconderse

saltar la cuerda

B

Los niños **se esconden** en los árboles cuando juegan a las escondidas. También suben o **trepan a los árboles.** Muchos niños **saltan la cuerda. A veces** cuando no están contentos… **se pelean.**

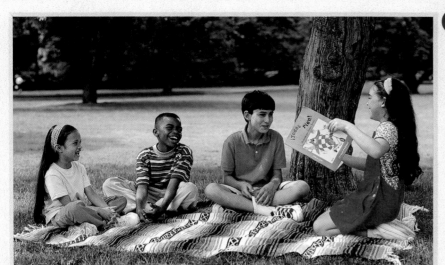

C

Pero es mejor **contar chistes** y **sonreírse** que pelearse. Por eso, los niños **se sientan** y **se ríen** al oír cuentos que dan **risa**.

D **Cuando era niña,** me gustaba **dibujar** igual que a mi **bisabuelo,** el papá de mi abuelo, **un pariente** que no conocí. Todavía me gusta dibujar. Algún día quiero **construir** edificios. ¿Qué quieres hacer tú?

el bisabuelo

Preguntas personales

1. De niño(a), ¿te gustaba jugar con muñecas, marionetas o muñecos de peluche?
2. ¿Te gustaba saltar la cuerda o trepar a los árboles?
3. ¿Cuál era tu juguete favorito?
4. ¿Qué hacen los niños?
5. ¿Qué te gusta hacer ahora?

Listen to audio
or video texts

VIDEO   DVD   AUDIO

En vivo

DIÁLOGO

Buenas noticias

Isabel   Ricardo   Laura   Don Miguel

PARA ESCUCHAR • STRATEGY: LISTENING

Listen for related details First get the general idea about a conversation. Then listen for details that explain that idea. Here Isabel asks Don Miguel about his childhood. After he says, **"Cuando yo era niño,"** he relates many details. He includes childhood activities that you have just learned. How many can you name? If the action words (verbs) sound different, that is because he is talking about the past.

1▶ Isabel: Me llamaron por teléfono. ¡Gané!

Ricardo: ¡Qué suerte!

Isabel: Mi primer proyecto es aquí en la Ciudad de México.

(Suena el teléfono.)

5▶ Isabel: ¿Y su familia es grande?

Don Miguel: No, pero mi nieta tiene un bebé, así que soy bisabuelo.

Ricardo: ¿Es usted de la Ciudad de México?

6▶ Don Miguel: Sí. Todos mis parientes son de aquí también.

Isabel: ¿Cómo era la Ciudad de México cuando usted era niño?

Don Miguel: Diferente, y en aquellos tiempos hacíamos cosas diferentes.

7▶ Don Miguel: Los niños tienen tantos juguetes electrónicos hoy. Cuando yo era niño, no había videojuegos. Pasábamos más tiempo afuera. A veces trepábamos a los árboles o nos escondíamos.

2▶ Laura: Tengo malas noticias. No voy a llegar a México hoy.

Isabel: ¡Tenemos una entrevista con don Miguel esta tarde!

Laura: Estoy segura que tú lo puedes hacer sin mí.

3▶ *(En el parque)*

Don Miguel: Y después de ese día, todo cambió. Antes los dos amigos se portaban mal y se peleaban mucho. Ahora se portan bien. Bueno, niños, es todo por hoy. ¡Hasta mañana!

4▶ Isabel: ¿Viene todos los días al parque con sus marionetas?

Don Miguel: No, estoy aquí cuatro días por semana. Me siento bien cuando los niños se sonríen y cuando escucho sus risas.

8▶ Isabel: Yo saltaba la cuerda cuando era niña. Y jugaba con mis muñecos de peluche.

Don Miguel: Además yo dibujaba. Y mi hermano construía edificios con bloques.

9▶ Ricardo: Yo todavía construyo casas con bloques.

Isabel: Pero los tuyos son bloques especiales, ¿no?

Ricardo: Sí, los míos son para arquitectos. Son de mi padre.

10▶ Ricardo: Don Miguel, ¿qué más hacían ustedes en aquellos días?

Don Miguel: Hablábamos mucho… y mi bisabuelo contaba chistes. Me acuerdo que me reía mucho. Bueno, hijos, pronto estamos en mi casa.

En acción

Comprensión del diálogo

Isabel   Ricardo   Laura   Don Miguel

For Activities 1–2, refer to the dialog on pages 108–109.

1 ¿Qué pasó?

Escuchar/Escribir Completa las oraciones según el diálogo. *(Hint: Complete the sentences.)*

1. _____ (Isabel / Ricardo) ganó el concurso de la revista *Onda Internacional*.

2. Su primer proyecto tiene lugar en _____ (Madrid / la Ciudad de México).

3. _____ (Ricardo / Laura) va a la entrevista con Isabel.

4. Don Miguel usa _____ (marionetas / muñecos de peluche).

5. Los parientes de don Miguel son _____ (de la Ciudad de México / de Quito).

6. Cuando don Miguel era joven, _____ (veía mucha televisión / trepaba a los árboles).

7. Cuando era niña, Isabel _____ (contaba chistes / saltaba la cuerda).

8. _____ (Ricardo / El nieto de don Miguel) todavía construye casas con bloques.

2 ¿Lo sabes?

Escuchar/Escribir Indica si las oraciones son **ciertas** o **falsas.** Si son falsas, explica por qué. *(Hint: True or false? If false, explain why.)*

1. Laura tiene buenas noticias.

2. Isabel tiene una entrevista con don Miguel.

3. Laura puede ayudar con la entrevista.

4. Don Miguel va al parque todos los días.

5. La nieta de don Miguel tiene un bebé.

6. No había videojuegos cuando don Miguel era niño.

7. A veces don Miguel y sus hermanos se peleaban.

8. Cuando era niña, Isabel trepaba a los árboles.

9. Ricardo jugaba con muñecos de peluche.

10. Cuando era niño, don Miguel no se reía mucho.

México

También se dice

Muchos mexicanos dicen **D.F.** o **México** en vez de **la Ciudad de México.** Estas expresiones se refieren a la ciudad capital. Se usan las letras **D.F.** para hablar del Distrito Federal del país. Desde el piso cuarenta y dos de la Torre Latinoamericana hay una vista panorámica de la ciudad entera.

Objectives for Activities 3–4
• Describe childhood experiences

3 **¡Los conoce!**

Hablar/Escribir Isabel conoce a gente de muchos países. ¿A quiénes conoce y de dónde son? (*Hint: Give the nationalities of people Isabel knows.*)

modelo

México: Margarita

Isabel conoce a una chica mexicana que se llama Margarita.

1. Guatemala: Lupita
2. El Salvador: Pablo
3. Honduras: Carlota y Marta
4. Nicaragua: Enrique
5. Costa Rica: Luz María
6. Panamá: Tomás y Andrés
7. Cuba: Carina
8. la República Dominicana: Ana Paula y Manuel
9. Francia: Michel
10. Estados Unidos: Andrew y Brian
11. Venezuela: María y Érica
12. China: Sue
13. Argentina: Norma
14. Colombia: Octavio
15. Perú: Tania y Jaime

4 **De niño**

Hablar/Escribir ¿Qué hacen los niños? Usando estas expresiones y tus propias ideas, haz varias oraciones sobre cada dibujo. (*Hint: Write sentences about the illustrations.*)

los muñecos de peluche   saltar la cuerda

construir con bloques   los juguetes   trepar a los árboles

las muñecas   disfrutar con los amigos   jugar al béisbol

1.

2.

3.

4.

5.

Objectives for Activities 5–15
• Describe childhood experiences • Express personal reactions • Discuss family relationships

GRAMÁTICA **Possessive Adjectives and Pronouns**

▶ As you know, **possessive** adjectives show personal relationships or possession. All **possessive** adjectives—including **mi(s)**, **tu(s)**, **su(s)**, **nuestro(a/os/as)**, and **vuestro(a/os/as)**—agree in gender and number with the nouns they describe.

▶ Possessive adjectives also have a long form. It is more expressive. You use it, for example, when talking of a special friend.

un amigo **mío**
*a friend **of mine***

> Unlike the regular (or short) form, the long form follows the noun.

Comemos con unos amigos **nuestros**.
*We are eating with some friends **of ours**.*

Possessives Long Form = Singular	
mío(a)	nuestro(a)
tuyo(a)	vuestro(a)
suyo(a)	suyo(a)

Possessives Long Form = Plural	
míos(as)	nuestros(as)
tuyos(as)	vuestros(as)
suyos(as)	suyos(as)

▶ **Possessive pronouns** also show personal relationships. To form a possessive pronoun,

1. Use the long form of the possessive adjective.

2. Add **el, la, los, las** according to the gender and number of the noun it replaces.

—Sus viajes son a diferentes lugares.
*His **trips** are to different places.*

—Y **los** tuyos, ¿adónde son?
*And **yours**, where are they to?*

Practice:
Actividades
5 **6** **7**

Más práctica
cuaderno p. 45
Para hispanohablantes
cuaderno p. 43

Online Workbook
CLASSZONE.COM

5 **¿Qué trajiste?**

Hablar/Escribir Todos trajeron objetos de su niñez para una presentación en la escuela. ¿Qué trajeron? Haz oraciones con **mi(s)**, **tu(s)**, **su(s)**, **nuestro(a/os/as)**. *(Hint: Tell what people brought.)*

> **modelo**
> *Silvia trajo una cuerda.*
> *Silvia trajo su cuerda.*

1. Yo traje un video de «Plaza Sésamo».
2. Ustedes trajeron unas fotos.
3. Alex trajo unas marionetas.
4. Tú trajiste libros de chistes.
5. Tavo e Irene trajeron una marioneta.
6. María y yo trajimos muñecas.

México

Nota cultural
Las marionetas, como las de don Miguel, son juguetes muy comunes en México. Se manipulan con cuerdas.

6 Durante las vacaciones

Hablar/*Escribir* Estas personas van a visitar a varios amigos y parientes durante las vacaciones. Sigue el modelo para decir a quiénes van a visitar. *(Hint: Say whom they're visiting.)*

modelo

don Miguel (una nieta)

Don Miguel va a visitar a una nieta suya.

1. nosotros (el padrastro)
2. tú (la madrastra)
3. Ricardo (una novia)
4. el tío (un sobrino)
5. usted (una hermanastra)
6. Isabel (una compañera)
7. mi tía (unos amigos)
8. ustedes (un cuñado)
9. yo (unos compañeros)
10. los abuelos (unos nietos)

Vocabulario

Familia, amigos, amigas

la amistad *friendship, acquaintance*

el (la) compañero(a) *classmate, companion*

el (la) cuñado(a) *brother-in-law, sister-in-law*

los (las) gemelos(as) *twins*

el (la) hermanastro(a) *stepbrother, stepsister*

la madrastra *stepmother*

el (la) novio(a) *boyfriend, girlfriend; groom, bride*

el padrastro *stepfather*

el (la) sobrino(a) *nephew, niece*

▶ ¿Quién eres tú?

7 ¿Puedo...?

Hablar No tienes estas cosas. Pregúntale a tu compañero(a) si puedes usar las suyas. *(Hint: Ask for items.)*

modelo

Tú: *No tengo calculadora. ¿Puedo usar la tuya?*

Compañero(a): *Claro, (No, no) puedes usar la mía.*

1.

2.

3.

4.

5.

Activity 8: Use and understand expressions indicating emotion

Reflexive Pronouns and Verbs

You've already learned that you can use direct object pronouns (me, te, lo, la, nos, os, los, las) with verbs. For example, in this photograph the girl is hiding a doll behind a tree. She says,

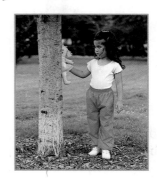

different

La escondo.
I'm hiding it.

Notice that the subject (yo) and the direct object (la) are **different.**

Reflexive verbs take a special pronoun called a reflexive pronoun. While the usual direct object is different from the subject, a reflexive pronoun is the same person, place, or thing as the subject.

same

Me escondo.
I'm hiding (myself).

The subject (yo) and the direct object (me) are the same person; you call this object reflexive.

Vocabulario

Reflexive Verbs

aburrirse *to get bored*
asustarse de *to be scared of*
caerse *to fall down*
cansarse *to get tired*
darse cuenta de *to realize*
despedirse (e→i, i) de *to say goodbye to*
disculparse *to apologize*
divertirse (e→ie, i) *to enjoy oneself*
enojarse con *to get angry with*
portarse bien/mal *to behave well/badly*
preocuparse por *to be worried about*
reunirse *to get together*
sentirse (e→ie, i) *to feel*

¿Cuándo te diviertes y te aburres en la escuela?

Reflexive Pronouns

same	same
me escondo	nos escondemos
te escondes	os escondéis
se esconde	se esconden

A verb used reflexively tells you that *only* the subject of the verb is involved in the action. When using a reflexive verb in the infinitive form, attach the pronoun to the **infinitive.**

Vamos a **pelearnos** por el cuaderno.
We are going to fight over the notebook.

Practice: **Actividades** 8 9 10

Más práctica *cuaderno p. 46*
Para hispanohablantes *cuaderno p. 44*

Online Workbook
CLASSZONE.COM

8 Amigos y familia

Hablar/Escribir A Margarita le gusta hablar de su familia y de sus amigos. ¡También le gusta hablar de sí misma (*herself*)! Completa sus oraciones para saber lo que dice. *(Hint: What does Margarita say?)*

1. Mi familia y yo (asustarse) de las películas de terror.
2. Yo (aburrirse) con mis amigos en el centro comercial.
3. Tú (sonreírse) cuando ves a tus compañeros.
4. Mis abuelos (divertirse) cuando (reunirse) con los jóvenes.
5. Yo (disculparse) cuando (portarse) mal.
6. Mi hermano (enojarse) con su prima.
7. Mis amigos (preocuparse) por la clase de ciencias.
8. Mi hermanito (caerse) al trepar a un árbol.
9. Después de un día de compras, yo (cansarse).
10. Mi mamá (preocuparse) cuando salimos de noche.

9 En el parque

Hablar/Escribir Antonio y sus amigos están en el parque. ¿Qué hacen? Usa estas expresiones en tus respuestas. *(Hint: Tell what everyone is doing.)*

divertirse   reunirse   sonreírse

sentarse   caerse

despedirse   portarse bien   cansarse

Activity 10: Understand and convey information about family

10 ¿Bien o mal?

Escuchar/Escribir Escucha lo que dicen los hijos de la familia Villarreal. ¿Quién se porta mejor, Rubén o sus hermanas? En tu casa, ¿se portan bien los chicos? Explica tu respuesta.
(Hint: Who behaves better?)

More Practice: Más comunicación *p. R5*

Juego

¿Qué dices?

Escribe la forma correcta de cada verbo. Luego usa las letras de colores para formar tu respuesta.

1. (Paco / sonreírse)

   __ __   __ __ __ — __

2. (yo / divertirse)

   __ __ — __ __ __ __ __ __

3. (Raúl y Silvia /aburrirse)

   __ __   __ __ __ __ __ __

4. (tú / caerse)

   __ __ — __ __ __

5. (María / enojarse)

   __ __   __ __ __ __ __

¿Qué es lo que haces cuando un amigo te cuenta un chiste divertido?

___

GRAMÁTICA   Talk About the Past Using the Imperfect

¿RECUERDAS? *p. 38* You've already learned to use the preterite tense to speak about completed actions in the past. Now you'll find out about another past tense, called the **imperfect**.

You can use the **imperfect** in the following ways:

- to speak about background events in a story
- to talk about something you used to do as a matter of habit
- to speak about how old someone was
- to say what time it was

The following chart shows you how to form the **imperfect** of regular verbs.

Note that -ar verb endings include -aba/-ába.

Note that -er and -ir verb endings include -ía.

	-ar cantar	-er tener	-ir salir
	cantaba	tenía	salía
	cantabas	tenías	salías
	cantaba	tenía	salía
	cantábamos	teníamos	salíamos
	cantabais	teníais	salíais
	cantaban	tenían	salían

The following examples use the **imperfect** because they describe continuing actions in the past.

Don Miguel **trabajaba** en el banco todos los días.
*Don Miguel **worked** in the bank every day.*

—Mi abuelo siempre **decía** chistes muy divertidos.
*My grandfather always **told** very funny jokes.*

Here are the only verbs that don't follow the regular pattern.

Eran las tres.
It was three o'clock.

ser	ir	ver
era	iba	veía
eras	ibas	veías
era	iba	veía
éramos	íbamos	veíamos
erais	ibais	veíais
eran	iban	veían

Practice: Actividades 11 12 13 14 15

Más práctica cuaderno pp. 47–48
Para hispanohablantes cuaderno pp. 45–46

Online Workbook CLASSZONE.COM

11 Todos cambiamos

Hablar/Escribir ¿Qué cosas hacían estas personas en el pasado que no hacen ahora? *(Hint: Tell what these people used to do.)*

modelo

No hablo en situaciones nuevas.

Antes, hablaba en situaciones nuevas.

1. Mi abuela no trepa a los árboles.
2. Mis hermanos y yo no nos peleamos.
3. Mi tía no juega con muñecos de peluche.
4. Ustedes no tienen una muñeca favorita.
5. Tú no ves los dibujos animados.
6. Yo no me porto mal.
7. Mi padre no va al cine los sábados.
8. Mi madre no salta la cuerda.
9. Mis amigos no construyen casas con bloques.
10. Mi hermano menor no se cae mucho.

12 Un perrito para ti

Hablar/Escribir Tu vecino(a) te regala su perrito porque no puede cuidarlo. Para saber más sobre el animal, pregúntale a tu vecino(a) dónde hacía el perrito ciertas cosas. Cambien de papel. *(Hint: Ask about a puppy.)*

modelo

comer

Tú: ¿Dónde comía?

Vecino(a): Comía fuera de la casa.

> **Nota: Vocabulario**
>
> You can use **dentro de** *inside* and **fuera de** *outside* just as you do in English.
>
> Yo estoy **dentro de** mi cuarto. *I am **inside** my room.*
>
> Él dejó su carro **fuera de** la casa. *He left his car **outside** the house.*

1. tomar agua
2. jugar
3. dormir
4. tomar la siesta
5. divertirse con la pelota
6. caminar

13 En el Bosque de Chapultepec

Escuchar/Hablar Escucha lo que hizo Isabel en el bosque. Luego haz un resumen de lo que escuchaste. *(Hint: Tell what Isabel did.)*

México

Nota cultural

El Bosque de Chapultepec Mucha gente va al Bosque de Chapultepec para disfrutar del aire libre. Camina con el perro, anda en bicicleta, corre y descansa. Este parque famoso tiene lagos, un jardín botánico, restaurantes y museos, incluyendo el Museo Nacional de Antropología.

Activity 15: Understand and convey information about family
Activity 17: Use and understand sentences and strings of sentences when speaking and listening

14 ¿Qué tenías?

STRATEGY: SPEAKING

Tell when you were always or never (im)perfect
What can you say about yourself with **tener** expressions?

• **Siempre tenía cuidado cuando mi padre se enojaba.**

• **Nunca tenía envidia cuando mis amigos sacaban buenas notas.**

Hablar/Leer Tu amigo(a) te cuenta todo lo que le pasaba. Reacciona a lo que te dice, usando una expresión con **tener**. *(Hint: Talk to a friend, using tener expressions.)*

modelo

Amigo(a): *Me sentía mal porque yo no ayudaba a mis padres.*

Tú: *¿Tenías vergüenza?*

Amigo(a): *Sí, yo tenía vergüenza.*

> **Nota: Vocabulario**
>
> In Spanish, instead of saying "to be hungry" or "to be thirsty," you say **tener hambre** and **tener sed**. Here are some other ways to use **tener**:
>
> **tener cuidado** to be careful
> **tener envidia** to be envious
> **tener éxito** to be successful
> **tener vergüenza** to be ashamed

1. Me portaba mal en la escuela y mi padre estaba enojado.

2. Yo tenía catorce años cuando era el campeón (*champion*) de matemáticas.

3. Tomábamos mucho jugo después de clases.

4. Mi madre le daba mucha atención al bebé.

5. Yo estaba muy contenta porque mi mejor amiga ganó el concurso.

6. No queríamos comer mucho.

15 Háblame de tu familia

Hablar/*Escribir* Pregúntales a tus compañeros(as) cómo eran sus parientes. Luego escribe las respuestas en otra hoja de papel. ¡Ojo con las formas de los adjetivos!
(Hint: Ask classmates about their families and write the responses.)

modelo

abuelos

Tú: *¿Cómo eran tus abuelos cuando eran jóvenes?*

Compañero(a): *Mis abuelos eran trabajadores.*

Tú

madre/madrastra
hermano(a)
hermanastro(a)
primos(as)
novio(a)
cuñado(a)
¿?

Compañero

amable
animado(a)
divertido(a)
impaciente
sociable
¿?

> **Vocabulario**
>
> ### Las características
>
> **amable** *nice*
> **animado(a)** *lively, animated*
> **divertido(a)** *entertaining, fun*
> **impaciente** *impatient*
> **obediente** *obedient*
>
> **pobre** *poor*
> **rico(a)** *rich*
> **sociable** *sociable*
> **tímido(a)** *shy*
>
> ▸¿Cómo te describes?

Activities **16–17** bring together all concepts presented.

16 Tu niñez

Hablar/Escribir ¿Qué les vas a decir a tus hijos, nietos o sobrinos de tu niñez? Contesta las preguntas y comparte tus respuestas con tus compañeros(as). Si no sabes qué decir, habla sobre la niñez de un(a) amigo(a). *(Hint: Answer questions about your childhood or the childhood of a friend.)*

Nota: Gramática

When you want to say what there used to be, use **había,** the imperfect form of **haber (hay). Había** is only used in the singular form.

No había videojuegos.
There were no video games.

Cuando eras niño(a)…

1. ¿Dónde vivías?

2. ¿Con quién(es) vivías?

3. ¿Qué juguetes tenías?

4. ¿A qué jugabas? ¿Con quién(es) jugabas?

5. ¿Qué había en tu cuarto?

6. ¿Te gustaba ver la televisión?

17 Había una vez en la Ciudad de México

Hablar Mira la foto de una celebración que tuvo lugar el año pasado en la Ciudad de México. Túrnense para hacer oraciones sobre lo que pasaba en esta foto. ¡Ojo! Cada persona tiene que repetir las oraciones de los demás. *(Hint: Take turns making sentences about the photo, repeating the sentences of the others in your group.)*

modelo

Tú: *La gente caminaba por las calles.*

Compañero(a) 1: *La gente caminaba por las calles y…*

More Practice: **Más comunicación** *p. R5*

Online Workbook
CLASSZONE.COM

Refrán

No sabes en qué palo te trepas.

Este refrán quiere decir que no sabes lo que va a pasar cuando haces algo. Con un(a) compañero(a), habla de una situación en la que este refrán sea apropiado. Luego presenten la situación en clase.

AUDIO

LECTURA

PARA LEER • **STRATEGY: READING**

Analyze folkloric traditions Among the oral traditions of ancient people are mythic legends about important origins in their culture. In these stories gods or semidivine heroes bring important gifts to the people through supernatural means. What aspects of **«El monte de nuestro alimento** *(nourishment)*» reflect these characteristics?

• **Personajes sobrenaturales**
• **Sucesos sobrenaturales**
• **El regalo a la gente**

What other stories like this do you know?

El monte de nuestro alimento
Una leyenda náhuatl de México

Antes de la llegada de Colón ya había poblaciones indígenas que tenían sus propias culturas, idiomas y religiones. Entre ellas estaban los aztecas, los mayas y los incas. Esta leyenda viene del náhuatl, el idioma de los aztecas.

Un día, Quetzalcóatl[1] vio una hormiga[2] en la ciudad de Teotihuacán. La hormiga tenía un grano de maíz.

—Señora hormiga, ¿dónde encontró ese maíz? —preguntó Quetzalcóatl.

—En el monte de nuestro alimento —respondió la hormiga y lo invitó a seguirla.

[1] an Aztec god   [2] ant

 Understand important ideas and some details in highly contextualized authentic texts when reading

Quetzalcóatl siguió a la hormiga hasta el monte pero el dios era demasiado grande para entrar con las hormigas. Entonces se transformó en hormiga y así entró.

Al entrar Quetzalcóatl vio muchísimo maíz. —Toma —dijo la hormiga. Y le dio suficiente para compartir con los otros dioses. Quetzalcóatl le dijo «gracias» a la hormiga y se despidieron. Llevó su maíz y se lo dio a los otros dioses. Luego ellos le dieron de comer a la humanidad.

Algún tiempo después los dioses necesitaron más maíz. Pero era muy difícil para Quetzalcóatl transformarse en hormiga y sacar los granos poco a poco. Entonces trató de llevar el monte entero pero no pudo.

Los dioses le pidieron ayuda al sabio[3] Oxomo. —Con un rayo de Nanáhuatl, el dios del sol, el monte se puede abrir —les dijo.

---

[3] sage, wise man

Al otro día pidieron la ayuda del dios del sol. Cuando Nanáhuatl lanzaba[4] su rayo, el monte se abrió y cayeron los granos de nuestro alimento, el maíz y el frijol. Los dioses tomaron los granos para la humanidad.

Todavía hoy en México, el maíz y los frijoles son alimentos básicos de la dieta mexicana.

---

[4] cast

¿Comprendiste?

1. ¿De qué grupo indígena es el cuento?
2. ¿Qué llevaba la hormiga?
3. ¿Qué hizo Quetzalcóatl con el maíz?
4. ¿Por qué pidieron ayuda los dioses?
5. ¿Qué pasó cuando Nanáhuatl lanzó su rayo?

¿Qué piensas?

¿Conoces otros cuentos parecidos a esta leyenda que expliquen algún suceso u objeto en la naturaleza? ¿Cómo crees que pasaron de una generación a otra? ¿Es importante conservarlos para generaciones futuras?

En uso

Activity 3: Communicate effectively with some pattern of error, which may interfere slightly with full comprehension when using and understanding expressions indicating emotion

OBJECTIVES

- Describe childhood experiences
- Express personal reactions
- Discuss family relationships

REPASO Y MÁS COMUNICACIÓN

Now you can...

- discuss family relationships.

To review

- possessive adjectives and pronouns, see p. 112.

1 **¿Cómo son?**

Todos se encuentran con sus parientes en la reunión familiar. ¿Cómo son las personas que ven? *(Hint: Who is at the reunion and what are the people like?)*

modelo

Rosalía: una prima (bonito)

Rosalía ve a una prima suya. Su prima es bonita.

1. ustedes: los cuñados (amable)
2. tú: la novia (sociable)
3. nosotros: unos compañeros (divertido)
4. yo: la madrastra (rico)
5. el bebé: los bisabuelos (animado)
6. Horacio y Anita: el padrastro (pobre)
7. tú: unos sobrinos (tímido)
8. las gemelas: un primo (impaciente)

Now you can...

- describe childhood experiences.

To review

- possessive adjectives and pronouns, see p. 112.

2 **¿Es tuyo?**

¿De quién es cada juguete? Contesta las preguntas. *(Hint: Whose toys are these?)*

modelo

Tú: *Los bloques, ¿son de Rosa? (pequeño)*

Compañero(a): *No, no son suyos. Los suyos son más pequeños.*

1. La pelota, ¿es de Jorge? (grande)
2. La muñeca, ¿es de Dolores? (bonito)
3. Las marionetas, ¿son de ustedes? (alto)
4. El bate, ¿es tuyo? (viejo)
5. El muñeco de peluche, ¿es de Miguel? (gordo)
6. La cuerda de saltar, ¿es de ellas? (nuevo)

Now you can...

• express personal reactions.

To review

• reflexives, see p. 114.

3 Un nuevo director de la escuela

¿Cómo reaccionan estas personas cuando llega el nuevo director?
(*Hint: How do people react to the new principal?*)

modelo

los profesores / sonreírse / porque están contentos

Los profesores se sonríen porque están contentos.

1. Andrés / preocuparse / porque el director es amigo de su padrastro
2. mis amigos y yo / sentirse / contentos porque él es divertido
3. tú / darse cuenta / de que no lo conoces
4. Elena / aburrirse / porque no tiene interés en esas cosas
5. Ramón y Susana / asustarse / porque siempre se portan mal en las clases
6. nadie / enojarse / porque el director es amable

Now you can...

• describe childhood experiences.

To review

• the imperfect tense, see p. 116.

4 En mi época...

La señora Pérez te habla de su niñez. Para saber lo que dice, completa los párrafos con la forma apropiada de los verbos indicados. Usa el imperfecto.
(*Hint: Find out about her childhood.*)

Cuando yo ___1___ (ser) niña, mi familia ___2___ (vivir) en un apartamento pequeño en el centro de la ciudad. Mis hermanos y yo ___3___ (asistir) a una escuela en otra parte de la ciudad. Nosotros ___4___ (tener) que ir en autobús porque la escuela ___5___ (estar) bastante lejos de nuestro apartamento.

Después de las clases, mis hermanos y yo ___6___ (ir) a la casa de los abuelos para jugar un rato. Yo siempre ___7___ (jugar) con unos muñecos de peluche y ___8___ (salir) para saltar la cuerda. Mis hermanos ___9___ (construir) cosas con bloques o ___10___ (trepar) a los árboles.

¿Qué ___11___ (hacer) tú cuando ___12___ (ser) más joven? ¿También ___13___ (ver) mucho a tus abuelos? ¿Con qué juguetes ___14___ (jugar)?

5 En mi niñez

STRATEGY: SPEAKING

Add variety to your conversation To add interest to a conversation, you can

- tell how often: **siempre, mucho, a veces, de vez en cuando, poco, rara vez, nunca.**
- give reasons: **Era difícil/fácil/peligroso/ divertido/sociable. Prefería… (No) me gustaba…**

Tú y tu compañero(a) hablan de su niñez. Háganse preguntas sobre lo que hacían para divertirse cuando eran niños(as). *(Hint: What did you do when you were small? Did your friend do the same things?)*

modelo

Tú: *¿Jugabas con muñecos de peluche?*

Compañero(a): *No, no jugaba mucho con muñecos de peluche. ¿Y tú?*

Tú: *Sí, siempre jugaba con muñecos de peluche.*

Compañero(a): *¿Contabas chistes a veces?*

Tú: *No, no contaba chistes porque era tímido(a). ¿Y tú?*

Compañero(a): *Sí, contaba muchos chistes. También jugaba a la pelota. ¿Qué hacías tú?*

6 Una reunión familiar

Imagínate que estás en una reunión familiar. Dibuja la situación si quieres. Incluye un mínimo de cinco parientes. Entonces, háblales a tus compañeros(as) de tus parientes. *(Hint: Draw a picture of a family reunion and tell your classmates about your relatives.)*

modelo

En la reunión hay muchos parientes míos. Esta chica es una prima mía. Ella es muy amable, pero su hermano Daniel es impaciente.

7 En tu propia voz

ESCRITURA Entrevista a un(a) pariente(a) o a un(a) amigo(a) sobre su niñez. Luego escribe un párrafo con la información de la entrevista. Escribe sobre su familia, sus actividades y su experiencia en la escuela primaria. *(Hint: Interview someone you know about his or her childhood, and write what the person said.)*

modelo

Mi tío era un niño muy inteligente. No le gustaba la escuela porque se aburría mucho. Después de las clases, se reunía con sus amigos en el parque. Ellos jugaban a la pelota o trepaban a los árboles. A veces…

CONEXIONES

Los estudios sociales Los aztecas hicieron su propio calendario, usando muchas ideas del calendario maya. Basaron el calendario en el Sol, la Luna y las estrellas. Su calendario tenía 365 días. Cada 52 años empezaban un calendario nuevo para hacer las correcciones. En la biblioteca o por Internet busca información sobre el calendario azteca. Luego escribe un reportaje sobre el calendario. Comparte información de tu reportaje con tus compañeros(as) de clase.

En resumen
REPASO DE VOCABULARIO

DESCRIBE CHILDHOOD EXPERIENCES

Toys and Games

el juguete	*toy*
la marioneta	*marionette*
la muñeca	*doll*
el muñeco de peluche	*stuffed animal*

Activities

caerse	*to fall down*
construir	*to construct*
contar (o→ue) chistes	*to tell jokes*
dibujar	*to draw*
esconderse	*to hide*
pelearse	*to fight*
saltar la cuerda	*to jump rope*
trepar a los árboles	*to climb trees*

Descriptions and Expressions

a veces	*sometimes*
amable	*nice*
animado(a)	*lively, animated*
cuando era niño(a)	*when I/he/she was young*
dentro de	*inside*
divertido(a)	*entertaining, fun*
fuera de	*outside*
impaciente	*impatient*
obediente	*obedient*
la risa	*laugh, laughter*
sociable	*sociable*
tímido(a)	*shy*

EXPRESS PERSONAL REACTIONS

aburrirse	*to get bored*
asustarse de	*to be scared of*
cansarse	*to get tired*
darse cuenta de	*to realize*
disculparse	*to apologize*
divertirse (e→ie, i)	*to enjoy oneself*
enojarse con	*to get angry with*
portarse bien/mal	*to behave well/badly*
preocuparse por	*to be worried about*
reírse (e→i, i)	*to laugh*
sentirse (e→ie, i)	*to feel*
sonreírse (e→i, i)	*to smile*

DISCUSS FAMILY RELATIONSHIPS

la amistad	*friendship, acquaintance*
el bebé	*baby*
el (la) bisabuelo(a)	*great-grandfather/grandmother*
el (la) compañero(a)	*classmate, companion*
el (la) cuñado(a)	*brother-in-law, sister-in-law*
los (las) gemelos(as)	*twins*
el (la) hermanastro(a)	*stepbrother, stepsister*
la madrastra	*stepmother*
el (la) novio(a)	*boyfriend, girlfriend; groom, bride*
el padrastro	*stepfather*
el (la) pariente(a)	*relative*
pobre	*poor*
rico(a)	*rich*
el (la) sobrino(a)	*nephew, niece*

OTHER WORDS AND PHRASES

despedirse (e→i, i) de	*to say goodbye to*
había	*there was, there were*
reunirse	*to get together*
sentarse (e→ie)	*to sit down*
tener cuidado	*to be careful*
tener envidia	*to be envious*
tener éxito	*to be successful*
tener vergüenza	*to be ashamed*

Juego

Oso te digo que soy,
con camisa y pantalón.
Amigo de niños también,
me quieren un montón.
¿Quién soy?

UNIDAD 2

ETAPA

2

Había una vez...

OBJECTIVES

- Narrate in the past

- Discuss family celebrations

- Talk about activities in progress

¿Qué ves?

Mira la foto y contesta las preguntas.

1. ¿Puedes identificar las personas de esta foto? ¿Quiénes son?

2. ¿Dónde están?

3. ¿Qué hacen?

4. ¿Te gusta recibir tarjetas de cumpleaños?

VIDEO DVD AUDIO

En contexto
VOCABULARIO

Mira las fotos que cuentan una historia de amor.

Una historia de amor

A En esta **historia** de **amor**, la chica (Isabel) y el chico (Ricardo) **se llevan bien**.

B Por eso **se enamoraron. Se casaron** y celebraron **una boda de maravilla** con mucha **felicidad**.

C Pasaron los años y celebraron… ¡su quinto **aniversario**!

la vela

los globos

F Por suerte y como es **común** después de una pelea, se dieron **un abrazo**…

E Fue **una reunión** muy divertida. Pero después de la fiesta **ocurrió** una pelea por **una mentira** que dijo alguien. Fue **una tristeza**.

D Hicieron una gran **fiesta** de aniversario. Mandaron **invitaciones** y vinieron muchas personas. También pusieron muchos **adornos**, como **globos** y **velas**, pero no piñatas. Sólo en los cumpleaños se **rompe la piñata**, no en una fiesta de aniversario.

G …y se dieron **un beso**. **¡Así fue que** terminó una verdadera historia de amor!

Online Workbook
CLASSZONE.COM

Preguntas personales

1. ¿Lees historias de amor o de risa?
2. ¿Qué historias de amor conoces?
3. ¿Fuiste a una fiesta de aniversario alguna vez?
4. ¿Qué adornos tenían?
5. ¿Qué tipos de fiestas celebras?

Listen to audio
or video texts

VIDEO   DVD   AUDIO

En vivo
DIÁLOGO

| Don Miguel | Doña Regina | Isabel | Ricardo |

En la casa...

PARA ESCUCHAR • STRATEGY: LISTENING

Listen for a series of events Enjoying a story depends on understanding what happened when. Don Miguel's story about the earthquake uses words to indicate time and sequence, and the preterite tense to tell the order of events. What expressions do you hear that help you keep track of the story's chronology?

1 ▶ Don Miguel: Isabel, Ricardo, les presento a mi esposa, Regina.
Doña Regina: Es un placer.
Isabel: Igualmente, señora.
Doña Regina: Les sirvo unas limonadas, ¿no?

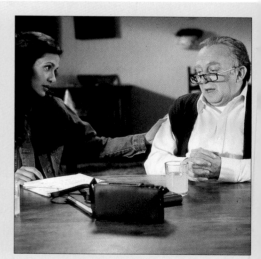

5 ▶ Don Miguel: ¿Dónde estaba?
Isabel: Nos contaba de la noche antes de ocurrir el temblor.
Don Miguel: Ah, sí, es verdad.

6 ▶ Don Miguel: Así fue que estuvimos juntos hasta muy tarde, y después fuimos a la casa. El temblor ocurrió a las siete y diecinueve de la mañana. Era temprano. Regina y yo estábamos durmiendo.

7 ▶ Don Miguel: De repente, me desperté. ¡La tierra temblaba! Un compañero mío murió.
Isabel: Qué tristeza. Mi familia también tiene una historia. Una prima de mi madre murió.

2▶ Don Miguel: Tengo prisa porque esta noche estamos celebrando el cumpleaños de mi nieta. ¿Por qué no comenzamos la entrevista?

3▶ Isabel: Bueno, usted vivía en la Ciudad de México en el año de 1985, cuando ocurrió el temblor. ¿Me puede contar qué pasó?
Don Miguel: El día antes del temblor fue nuestro aniversario de boda. Esa noche nos reunimos con unos amigos.

4▶ Doña Regina: Nos llevábamos muy bien en esos días, y todavía nos llevamos bien. Tenemos mucho en común. Ricardo, ¿me haces el favor de ayudarme con los adornos?
Ricardo: Sí, cómo no, señora.

8▶ Don Miguel: Pero después ocurrió algo increíble, algo maravilloso. Todo el mundo respondió a la emergencia con acciones positivas. Todos ayudaban a sus vecinos.

9▶ Isabel: Voy a escribir sobre eso, sobre la solidaridad de la gente y su participación en la reconstrucción de la ciudad. Gracias, don Miguel. Creo que tengo suficiente información para empezar.

10▶ Doña Regina: ¿Nos ayudan? Estamos poniendo estos adornos. Aquí tienen los globos. Estas velas son para el pastel. Y vamos a romper una piñata.
Isabel: ¡Qué divertido! Va a ser una fiesta de maravilla.

ciento treinta y uno
Ciudad de México Etapa 2 131

Activity 3:
Express needs

En acción

PARTE A

Comprensión del diálogo

Don Miguel   Doña Regina   Isabel   Ricardo

For Activities 1–2, refer to the dialog on pages 130–131.

1 Todo parejo

Escuchar Empareja las dos columnas de acuerdo con el diálogo. *(Hint: Match the columns.)*

1. Don Miguel les presentó
2. Doña Regina sirvió
3. Están celebrando
4. El día antes del temblor fue
5. Don Miguel vivía en la Ciudad de México cuando
6. El temblor ocurrió

a. un cumpleaños.
b. a su esposa, Regina.
c. el aniversario de don Miguel y su esposa.
d. a las siete y diecinueve de la mañana.
e. unas limonadas.
f. ocurrió el temblor.

2 ¿Cierto o falso?

Escuchar/Escribir Según el diálogo, ¿son las oraciones **ciertas** o **falsas**? Si son falsas, explica por qué. *(Hint: True or false? If false, explain why.)*

1. En la casa de don Miguel celebran el aniversario de su hija.
2. Don Miguel y doña Regina se llevan bien.
3. Ricardo ayuda a doña Regina a preparar la fiesta.
4. El temblor ocurrió a las siete de la tarde.
5. Don Miguel dice que todo el mundo ayudó a sus vecinos a recuperarse del temblor.
6. Don Miguel y su esposa estaban afuera cuando la tierra temblaba.
7. Una tía de la madre de Isabel murió en el temblor.
8. Isabel va a escribir sobre una boda.
9. Isabel no tiene suficiente información para empezar su artículo.
10. En la fiesta, van a tener una piñata, unos globos y un pastel.

México

También se dice

¿Qué palabra usas para hablar de lo que pasa cuando la tierra tiembla? La palabra más común es **temblor**, pero en muchos países también se usa **terremoto** o, a veces, **sismo**.

Objectives for Activities 3–6
• Narrate in the past • Discuss family celebrations

3 Una fiesta

Hablar Para la fiesta de su nieta, doña Regina no tiene todo lo necesario. Mira su lista y mira la foto. Luego habla con un(a) compañero(a) de lo que doña Regina necesita todavía.
(Hint: Tell what she still needs.)

modelo

regalos

Tú: *¿Necesita regalos?*

Compañero(a):
No, ya tiene regalos.

Para la fiesta...
~~regalos~~
1. helado
2. adornos
3. globos
4. invitaciones
5. una piñata
6. el pastel

4 Una reunión escolar

Hablar/*Escribir* Tú y tus compañeros(as) de la escuela se reúnen después de no verse por mucho tiempo. Contesta las preguntas que se hacen en la reunión.
(Hint: Answer these questions.)

modelo

Tú: *Oye, Demetrio, ¿todavía eres miembro del club de deportes?*

Compañero: *Antes era miembro, pero ya no.*

1. Oye, Dolores, ¿todavía sales con Salvador?

2. Oye, Juan Manuel, ¿todavía vives en la calle 18?

3. Oye, Ernesto, ¿todavía te gusta la comida mexicana?

4. Oye, Adriana, ¿todavía vas de vacaciones a Valle del Bravo?

5. Oye, Claudia, ¿todavía practicas deportes?

6. Oye, Jorge, ¿todavía vas a clases de artes marciales?

7. Oye, Daniel, ¿todavía estudias en el colegio americano?

8. Oye, Mónica, ¿todavía das clases de inglés?

9. Oye, Víctor, ¿todavía cuentas chistes?

10. Oye, Patricia, ¿todavía escribes poesía?

Activity 5: Use and understand expressions indicating emotion

5 Reacciones

Hablar En grupos, hablen de cómo respondiste en las siguientes situaciones. *(Hint: Tell how you responded.)*

modelo

…sacaste una mala nota?

Compañero(a): *¿Cómo respondiste la última vez que sacaste una mala nota?*

Tú: *Me sentí mal.*

reírse   sentirse

aburrirse

esconderse

divertirse

¿Cómo respondiste la última vez que…

1. …viste una película en el cine?
2. …leíste las tiras cómicas?
3. …tu equipo favorito perdió un partido?
4. …fuiste a una fiesta?
5. …hiciste mucha tarea?
6. …ganaste un juego?
7. …sacaste una buena nota?
8. …escuchaste música?
9. …pasaste un rato con los amigos?
10. …alguien te dijo una mentira?

6 ¡Sorpresa!

STRATEGY: SPEAKING

Brainstorm to get ideas In your group, brainstorm to get lots of ideas about what you might do for a surprise party. See how long a list you can make. You can be serious or silly; just be in Spanish! Then take turns saying what your tasks will be.

Hablar Tú y un grupo de compañeros(as) quieren sorprender a un(a) amigo(a) el día de su cumpleaños. Usen expresiones como **velas, piñata, invitaciones, pastel** y **adornos** para explicar qué van a hacer. *(Hint: What will you do?)*

> **Nota: Vocabulario**
>
> To talk about a surprise, use the noun **la sorpresa** and the verb **sorprender.**

modelo

Compañero(a): *Voy a escribir las invitaciones.*

Tú: *Voy a comprar los adornos…*

 México

Nota cultural

La piñata

*No quiero oro
ni quiero plata,
yo lo que quiero,
es romper la piñata.*

La historia de la piñata es muy antigua —¡algunos dicen que Marco Polo la trajo desde China! Luego los españoles la trajeron a México. Una cosa sí es segura: donde hay una piñata, hay fiesta. Antes, la gente hacía las piñatas cubriendo una olla de barro *(clay)*. Hoy en día, las hacen de cartón. Adentro, les ponen dulces y sorpresas.

PARTE C

Práctica: gramática y vocabulario

Objectives for Activities 7–17
• Talk about activities in progress • Narrate in the past • Discuss family celebrations

---

GRAMÁTICA **The Progressive Tenses**

▶ Remember that you form the **present progressive** by using the **present tense of estar** + **-ando**, **-iendo**/**-yendo** forms.

▶ To make these forms, drop the ending of the infinitive and add **-ando** or **-iendo**/**-yendo**.

becomes

hablar	**hablando**
comer	**comiendo**
escribir	**escribiendo**
le er	**le yendo**

▶ Remember that some **-ir** stem-changing verbs have a stem vowel change.

When the stem of an **-er** or **-ir** verb ends in a **vowel**, there is a spelling change in the ending.

p**e**dir ➡ p**i**d**iendo**

d**o**rmir ➡ d**u**rm**iendo**

▶ The progressive can also be used in the past. To form the **past progressive**, use the **imperfect tense of estar** + **-ando**, **-iendo**/**-yendo** forms.

▶ When do you use the progressive tenses? You only use them for an action that is actually going on at the time of the sentence.

Present Progressive

Isabel **está hablando** con don Miguel.
Isabel is talking with Don Miguel.

Past Progressive

Isabel **estaba escribiendo** un artículo sobre el temblor.
Isabel was writing an article about the earthquake.

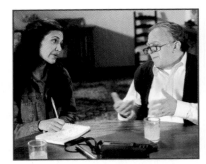

Practice: Actividades
7 8 9 10

Más práctica
cuaderno pp. 53–54
Para hispanohablantes
cuaderno pp. 51–52

Online Workbook
CLASSZONE.COM

---

7 Un reportaje del temblor

Hablar/*Escribir* Un reportero hizo un reportaje de radio durante el temblor de 1985. Completa su descripción con el presente progresivo.
(Hint: Complete the report using the present progressive.)

modelo
la policía / ayudar a la gente
La policía está ayudando a la gente.

1. yo / recibir los detalles todavía

2. los oficiales / investigar los efectos del temblor

3. la gente / buscar a sus parientes y amigos

4. otros / limpiar la devastación

5. nosotros / reportar que hubo un temblor en la capital

6. tú / escuchar las noticias de la estación 710

Apoyo para estudiar

The Progressive Tenses

These verb tenses are similar in English. Remember to use the form of **estar** that fits the subject plus the **-ando** or **-iendo**/**-yendo** form of the verb. If you want to use **no**, where does it go? Place it before **estar**.

Activity 9: Use and understand expressions indicating emotion
Activity 10: Understand and convey information about schedules, time

8 Muchos años después

Hablar/Escribir Ahora, muchos años después, el mismo reportero describe aquella noche. Completa su descripción con el imperfecto progresivo. (*Hint: Complete the report using the past progressive.*)

modelo

la mayoría de las familias / dormir

La mayoría de las familias estaba durmiendo.

1. la tierra / temblar
2. para empezar, no sabíamos qué / pasar
3. nosotros / salir de las casas
4. aunque tenían miedo, muchos valientes / rescatar a gente atrapada
5. yo / escribir el reportaje para informar a todo el mundo
6. las víctimas / pedir ayuda

Vocabulario

Cuando charlas...

aunque *even though*

exclamar *to exclaim*

la mayoría *majority*

mientras *while*

para empezar *to begin with*

todo el mundo *everyone*

▶ ¿Cuáles de estas palabras usas en tus conversaciones?

9 Muchas emociones

Escuchar/Escribir Escucha estas seis descripciones del temblor de 1985. Decide si la persona expresa tristeza o felicidad. Luego escribe sobre un momento de tristeza o de felicidad en tu vida. (*Hint: Is each person sad or happy? What about you?*)

10 Un sábado típico

Hablar/Escribir Roberto tiene la misma rutina casi todos los sábados. Mira los dibujos y el reloj para decir qué está haciendo a cada hora. Exprésate usando el presente progresivo. Luego escribe lo que tú estabas haciendo a esas horas el sábado pasado. Usa el imperfecto progresivo. (*Hint: Tell what Roberto was doing. What were you doing?*)

modelo

Son las siete de la mañana. Roberto está durmiendo. El sábado pasado a las siete de la mañana, yo estaba...

1. **9:00** de la mañana

2. **10:00**

3. **11:00**

4. **2:00**

5. **5:00**

6. **9:30** de la noche

More Practice: **Más comunicación** *p. R6*

¿RECUERDAS? *pp. 38, 116* Now you know the two verb forms used for the past tense—the **preterite** and the **imperfect.** Let's look at how each is used.

The **preterite** tells you about an action that started and ended at a definite time.

- **Ocurrió** un temblor.
  *An earthquake **took place.***

- El temblor **ocurrió** a las 7:19 de la mañana.
  *The earthquake **took place** at 7:19 in the morning.*

- Muchos edificios **se cayeron.**
  *Many buildings **fell down.***

> The earthquake started and ended.

The **imperfect** tells about past actions without saying when they begin or end.

- Todo el mundo **dormía.**
  *Everybody **was sleeping.***

- La tierra **temblaba.**
  *The earth **was shaking.***

- **Había** gente por todas partes.
  ***There were** people everywhere.*

> The sentences don't tell you when the action started and ended.

You use both tenses to talk about something that happened (preterite) while something else was going on (imperfect).

Nos enamoramos.   Éramos jóvenes.
We fell in love.   *We were young.*

Nos enamoramos cuando éramos jóvenes.
We fell in love when we were young.

Practice: **Actividades**   **Más práctica** *cuaderno pp. 55–56*   **Online Workbook**
11 12 13 14 15   **Para hispanohablantes** *cuaderno pp. 53–54*   CLASSZONE.COM

ciento treinta y siete
Ciudad de México Etapa 2   **137**

Activity 13: Use and understand expressions indicating emotion
Activity 14: Create simple paragraphs when writing

11 Durante las vacaciones

Escribir Escribe lo que pasó durante unas vacaciones en la Ciudad de México. Usa el pretérito, el imperfecto y la palabra **mientras.** *(Hint: Write what happened.)*

modelo

tú: caminar → encontrarse con unos amigos

Mientras caminabas, te encontraste con unos amigos.

1. yo: almorzar → terminar un libro
2. Emilia: ir de compras → comer un taco
3. ustedes: caminar → ver un pájaro bonito
4. nosotros: leer revistas → oír el teléfono
5. tú: comer → haber un accidente
6. las niñas: almorzar → empezar a llover
7. yo: pasear → sacar fotos
8. Samuel: esperar el metro → comprar un periódico
9. los chicos: andar en bicicleta → mandar cartas
10. Mariela: visitar el museo → buscar la Piedra del Sol

12 Las actividades

Hablar Las actividades de Isabel y sus amigos cambian de un día para otro. Explica lo que hacían antes y lo que hicieron ayer. *(Hint: Tell what they used to do and what they did yesterday.)*

modelo

Ricardo: pasar mucho tiempo en Internet

Compañero(a): ¿Qué hacía Ricardo antes?

Tú: *Pasaba mucho tiempo en Internet.*

Compañero(a): ¿Qué hizo ayer?

Tú: *Ayer no pasó mucho tiempo en Internet.*

1. tú: olvidar la tarea
2. Isabel y tú: visitar el Museo Nacional de Antropología
3. Juana: no decir la verdad
4. tú: contar chistes malos
5. mi prima: dormir hasta muy tarde
6. ustedes: ir a clases

Nota cultural

El Museo Nacional de Antropología en el Bosque de Chapultepec contiene miles de artefactos de las culturas indígenas de México. Uno de los objetos más conocidos del museo es la Piedra del Sol, un enorme calendario azteca.

13 Un mes ocupado

Hablar/Leer Isabel escribió cinco actividades en su calendario. Habla de dónde fue y adivina cómo se sentía allí. *(Hint: Talk about where Isabel was and how she probably felt.)*

modelo

Tú: *¿Qué hizo el lunes?*

Compañero(a): *Fue al dentista.*

Tú: *¿Cómo se sentía?*

Compañero(a): *Probablemente se sentía nerviosa.*

alegre

nerviosa

cansada

emocionada

triste

contenta

preocupada

septiembre

7 lunes	10 jueves
el dentista 3:30	examen de cálculo

8 martes	11 viernes
aniversario de mis abuelos	

9 miércoles	12 sábado	13 domingo
reunión en la escuela 7:00	boda de Carlos y Victoria	

14 Una fiesta memorable

Escribir ¿Diste una fiesta memorable alguna vez? Escribe un párrafo sobre una fiesta (real o imaginaria) en tu casa. *(Hint: Write a paragraph about a party you gave.)*

modelo

Mi amigos Ramón y Victoria llegaron a las seis para ayudarme. Pusimos los adornos y preparamos la comida. Los adornos eran muy bonitos. Los demás llegaron a las ocho. En seguida, todo el mundo empezó a bailar...

Vocabulario

Tus ideas

al contrario *on the contrary*

casi *almost*

diario(a) *daily*

en seguida *at once*

los demás *the rest of the people*

por fin *finally*

siguiente *next, following*

▶ ¿Cuáles de estas palabras usas para contar una historia?

Activity 16: Understand and convey information about numbers **Activity 18:** Understand and convey information about schedules, days, time; Show no significant pattern of error when providing information

15 Unas celebraciones

Escuchar/Hablar Tres personas fueron a varias celebraciones. Escucha sus descripciones. Luego di a qué celebración asistió cada persona. Después describele a un grupo de compañeros(as) tuyos(as) una celebración a la que tú asististe. *(Hint: Decide which type of celebration these people attended. Then talk about a celebration that you attended.)*

> una fiesta de graduación
> una fiesta de cumpleaños
> una boda
> una reunión del décimo aniversario de graduación
> una fiesta de Navidad
> una reunión familiar

Vocabulario

Números ordinales

primero(a) *first*

segundo(a) *second*

tercero(a) *third*

cuarto(a) *fourth*

quinto(a) *fifth*

sexto(a) *sixth*

séptimo(a) *seventh*

octavo(a) *eighth*

noveno(a) *ninth*

décimo(a) *tenth*

► ¿Cuál es tu primera clase? ¿segunda?…

16 ¡A celebrar!

Hablar/*Escribir* La familia de Ricardo tiene mucho que celebrar. Di el número ordinal para cada oración sobre las celebraciones. *(Hint: Give the correct ordinal numbers.)*

> ### Nota: Gramática
>
> Ordinals are placed before nouns and agree with the nouns in gender and number.
>
> el **quinto** año   la **segunda** semana
>
> **Primero** and **tercero** drop the **o** before a masculine singular noun.
>
> el **primer** día

1. El cumpleaños de Ricardo es en marzo, el _____ mes del año.
2. Ricardo escribió siete invitaciones para la fiesta; tiene que escribir la _____ ahora.
3. Después de cinco años de matrimonio, su primo Octavio y Elena celebraron su _____ aniversario con una fiesta.
4. En la boda de su hermana Tania, los novios se dieron su _____ beso como esposos.
5. Su tía Paulina tuvo su _____ bebé; ya tiene una hija de cuatro años.
6. Después de diez años, Octavio ve a sus compañeros en la _____ reunión de su clase de la escuela secundaria.
7. Hoy es el _____ cumpleaños de Vicente, el hermano menor de Ricardo; tiene nueve años.
8. Cinco amigos de Vicente intentan romper la piñata pero no pueden; el _____ la rompe.
9. Vicente ya abrió seis regalos; aquí está el _____ .
10. Es la _____ boda para la familia Rivera; la novia es la hija mayor.

Activity 18 brings together all concepts presented.

17 Dibujos

Hablar Haz cuatro dibujos de algo que te pasó durante algunos de estos períodos de tiempo: el año pasado, anteayer, ayer y anoche. Luego muéstrale los dibujos a un grupo de compañeros(as) y descríbeselos usando el pretérito y el imperfecto. *(Hint: Make and describe four simple drawings.)*

modelo

Tú: *Anoche, mientras trabajaba en un restaurante de comida rápida, mis amigos me hicieron una visita y pidieron batidos.*

Vocabulario

El pasado

anoche *last night*

anteayer *day before yesterday*

el año pasado *last year*

ayer *yesterday*

▶ ¿Cuándo tuviste mucha tarea?

18 Tu mejor amigo(a)

Hablar/Escribir Tu amigo(a) se fue de vacaciones por una semana. Ahora le tienes que decir exactamente lo que tú hiciste durante esa semana. Haz una lista de todo lo que hiciste, siguiendo el modelo. Luego comparte los detalles de tu semana con tu amigo(a), usando las palabras útiles cuando sea necesario. *(Hint: Make a list of everything you did this week. Then share it with a friend.)*

de repente   en seguida   al contrario

así fue que   exclamar   de maravilla

para empezar   ocurrir   por fin

lunes	martes	miércoles	jueves
8:00 a.m. ir a la escuela	8:00 a.m. ir a la escuela	9:00 a.m. llegar tarde a la escuela	8:00 a.m.
4:00 p.m. dar clases de natación	4:00 p.m. dar clases de natación	4:00 p.m. dar clases de natación	
6:00 p.m. cenar en casa de Bobby	6:00 p.m. cenar con mis papás	7:00 p.m. salir a una reunión del club	
	7:00 p.m. ir al cine		

More Practice:
Más comunicación p. R6

Online Workbook
CLASSZONE.COM

Refrán

Colorín, colorado, este cuento se ha acabado.

Este refrán se usa al final de un cuento para decir «El cuento se termina». Haz un cuento y preséntaselo a tus compañeros(as) de clase. Al final, usa el refrán.

En colores

CULTURA Y COMPARACIONES

¡Temblor!

PARA CONOCERNOS

STRATEGY: CONNECTING CULTURES

Observe and generalize Think of a disaster that you have seen or heard about. How do you think people generally behave at such a time? Make a chart like the one below to show what you have personally observed or what you have read about the actions of people in a particular disaster.

Desastre	Buenas acciones	Malas acciones
Temblor de 1985	La gente se ayuda.	
	solidaridad	

El 19 de septiembre de 1985, a las 7:19 de la mañana el suelo tembló por un minuto y medio en la Ciudad de México. Así fue que en ese instante mientras unos se levantaban y otros dormían, los edificios de la Ciudad de México cayeron encima de sus habitantes. En el sector más afectado, el centro de la ciudad, más del cincuenta por ciento (50%) de los edificios destruidos fueron casas y apartamentos.

Al día siguiente hubo otro temblor casi tan intenso. En total, murieron más de 9.500 personas. Al principio todo el mundo

Después del temblor, el gobierno de México cambió las reglas de construcción.

En el rescate los vecinos se ayudaron entre sí.

estaba paralizado. Pero poco a poco la gente se dio cuenta de la magnitud de la destrucción y se organizaron brigadas de auxilio. El pánico y el horror del primer momento fueron reemplazados por la solidaridad de la gente que sobrevivió.

Algunos se dedicaron a recolectar ropa, comida y dinero para la gente que sufría la destrucción. Esta ayuda entre vecinos (de lejos y cerca) continuó por varias semanas.

More About Mexico
CLASSZONE.COM

¿Comprendiste?

1. ¿Cuándo ocurrió el temblor en la Ciudad de México?
2. ¿Qué hacían los habitantes cuando empezó el temblor?
3. ¿Cómo reaccionó la gente al temblor y a los efectos?

¿Qué piensas?

1. ¿Sentiste los efectos de un temblor alguna vez? ¿Fueron suaves o fuertes los movimientos del terreno?
2. ¿Hubo algún desastre causado por la naturaleza en tu comunidad? ¿Qué pasó? ¿Cómo reaccionó la gente?

Hazlo tú

Muchas personas necesitaban ayuda durante el temblor de 1985. En grupos pequeños, presenten una situación en que unas personas necesitan la ayuda de otras personas que no conocen. ¿Qué pasó? ¿Qué van a hacer?

En uso

REPASO Y MÁS COMUNICACIÓN

OBJECTIVES

- Narrate in the past
- Discuss family celebrations
- Talk about activities in progress

Now you can...

- talk about activities in progress.

To review

- the progressive tenses, see p. 135.

1 La fiesta de sorpresa

Todos están ayudando a Silvia a prepararle una fiesta de sorpresa a su hermanita Pepita. ¿Qué están haciendo? *(Hint: How is everyone preparing?)*

modelo

los vecinos: sacar

Los vecinos están sacando la basura.

1. Arturo: hacer

2. tú: poner

3. Cecilia: buscar

4. todos nosotros: comprar

5. su madre: preparar

Now you can...

- talk about activities in progress.

To review

- the progressive tenses, see p. 135.

2 ¡Un temblor!

¿Qué estaban haciendo estas personas cuando ocurrió el temblor? *(Hint: What were they doing?)*

modelo

la señora Guzmán / desayunar

La señora Guzmán estaba desayunando.

1. nosotros / salir de la casa

2. el señor Arenas / comer

3. yo / limpiar la casa

4. Berta y José / dormir en casa

5. la vecina / bañarse

6. Eduardo / correr por el parque

Now you can...

• discuss family celebrations.

• narrate in the past.

To review

• the preterite and the imperfect, see p. 137.

3 **Una boda de maravilla**

Rosa y Felipe se casaron anoche. Describe su boda usando el imperfecto y el pretérito en cada oración. *(Hint: Describe the wedding.)*

> **modelo**
>
> *El organista tocaba música bonita cuando Rosa entró.*

1. Cuando Rosa (llegar) al altar, Felipe ya (estar) esperándola.
2. Él (sonreírse) cuando ella le (dar) su anillo.
3. En el salón de recepción algunas personas (saludar) a los novios mientras los demás (comer).
4. Tú (hablar) con Rosa cuando (llegar) su bisabuelo.
5. Mientras los novios (bailar), yo (sacar) muchas fotos.
6. Todo el mundo (exclamar), «¡Felicidades!» mientras los novios (salir) para Cancún en su carro.

Now you can...

• narrate in the past.

To review

• the preterite and the imperfect, see p. 137.

4 **Me enamoré de Antonia**

Un abuelo le cuenta a su nieta cómo él conoció a su esposa. Completa la descripción con el pretérito o el imperfecto. *(Hint: Tell how a grandfather met his wife.)*

Cuando tu abuela y yo __1__ (ser) niños, nuestras familias __2__ (vivir) en el mismo pueblo. Tu abuela __3__ (asistir) a una escuela para niñas con mi hermana Beatriz. Yo, al contrario, __4__ (ir) a una escuela sólo para niños.

Un día __5__ (ocurrir) algo muy especial. Para empezar, Beatriz __6__ (decidir) invitar a su amiga Antonia a su fiesta de cumpleaños. Cuando Antonia __7__ (llegar), yo __8__ (estar) en la cocina ayudando a mi madre. Por fin, mamá y yo __9__ (salir) a servir la limonada. Fue entonces cuando yo __10__ (ver) a tu abuela por primera vez. Ella __11__ (ser) una muchacha alta, delgada y muy bonita. En seguida yo me __12__ (presentar) y nosotros __13__ (empezar) a hablar. Al día siguiente __14__ (ir) al teatro. Pronto nos __15__ (dar) cuenta de que __16__ (tener) mucho en común.

Así fue que tu abuela y yo nos __17__ (conocer) y nos __18__ (enamorar). ¿Qué te parece?

5 ¡Una fiesta!

Mira el dibujo y conversa con tu compañero(a) sobre las actividades de las personas. *(Hint: What are they doing?)*

modelo

Alguien le está dando un regalo al chico.

6 ¡A celebrar!

STRATEGY: SPEAKING

Interact by expressing approval, disapproval, or astonishment React to your classmates' statements. Here are some ideas:

- **¡Qué fiesta/felicidad/lástima/maravilla/ sorpresa/tristeza/vergüenza!**
- **¡Qué amable/bueno/cómico/divertido/ horrible/loco/malo/maravilloso/serio/raro!**
- **¡No me digas! ¡No lo creo!**

Imagínate que es el fin del año escolar. Tú y tus compañeros(as) están en una fiesta en la casa de su profesor(a) de español. ¿Qué están haciendo? *(Hint: Tell what is happening at your teacher's party.)*

modelo

Raúl está bailando sobre la mesa.

7 En tu propia voz

ESCRITURA Imagínate que le escribes a tu amigo que vive en México. Escríbele una carta sobre lo que pasó en una fiesta de tu escuela. *(Hint: Write a letter about what happened at a party.)*

CONEXIONES

El arte El muralista Diego Rivera vivió en la Ciudad de México y pintó murales por toda la ciudad. ¿Qué murales pintó y dónde están? Escríbele una carta a un consulado mexicano o una agencia de viajes, pidiéndoles un mapa de la Ciudad de México e información sobre dónde se encuentra el arte de Diego Rivera. Luego usa el mapa para localizar todos los lugares donde se encuentran los famosos murales: el Parque Alameda, el Palacio Nacional, etc.

En resumen
REPASO DE VOCABULARIO

Flashcards
CLASSZONE.COM

NARRATE IN THE PAST

The Past

anoche	*last night*
anteayer	*day before yesterday*
el año pasado	*last year*
ayer	*yesterday*

Transitional Words

al contrario	*on the contrary*
así fue que	*and so it was that*
aunque	*even though*
casi	*almost*
de maravilla	*marvelous*
en seguida	*at once*
exclamar	*to exclaim*
los demás	*the rest of the people*
la mayoría	*majority*
mientras	*while*
ocurrir	*to occur*
para empezar	*to begin with*
por fin	*finally*
siguiente	*next, following*
todo el mundo	*everyone*

Ordinal Numbers

primero(a)	*first*
segundo(a)	*second*
tercero(a)	*third*
cuarto(a)	*fourth*
quinto(a)	*fifth*
sexto(a)	*sixth*
séptimo(a)	*seventh*
octavo(a)	*eighth*
noveno(a)	*ninth*
décimo(a)	*tenth*

DISCUSS FAMILY CELEBRATIONS

los adornos	*decorations*
el aniversario	*anniversary*
la boda	*wedding*
la fiesta	*party*
los globos	*balloons*
la invitación	*invitation*
la reunión	*gathering*
romper la piñata	*to break the piñata*
sorprender	*to surprise*
la sorpresa	*surprise*
las velas	*candles*

OTHER WORDS AND PHRASES

el abrazo	*hug*
el amor	*love*
el beso	*kiss*
casarse (con)	*to get married (to)*
común	*common*
diario(a)	*daily*
enamorarse (de)	*to fall in love (with)*
la felicidad	*happiness*
la historia	*story*
llevarse bien	*to get along well*
la mentira	*lie*
la tristeza	*sadness*

Juego

Si Julia cambia de lugar con José y José cambia con Javier y Jorge cambia con Julia, ¿quién es el primero?, ¿el cuarto?, ¿el tercero?, ¿el segundo?

JULIA · JAVIER · JORGE · JOSÉ

ETAPA

3

Hoy en la ciudad

OBJECTIVES

- Order in a restaurant

- Ask for and pay a restaurant bill

- Talk about things to do in the city

¿Qué ves?

Mira la foto y contesta las preguntas.

1. ¿Dónde están Isabel y Laura?

2. ¿Qué cosas están en la mesa?

3. ¿Qué trae el mesero?

4. ¿Te gustaría alguna de las especialidades de la casa?

Especialidades de la casa

Tamales de mole

Chilaquiles al horno

Sopa azteca

Pollo en salsa verde

Flan

En contexto

VIDEO   DVD   AUDIO

VOCABULARIO

Mira las ilustraciones de Laura e Isabel en la Ciudad de México.

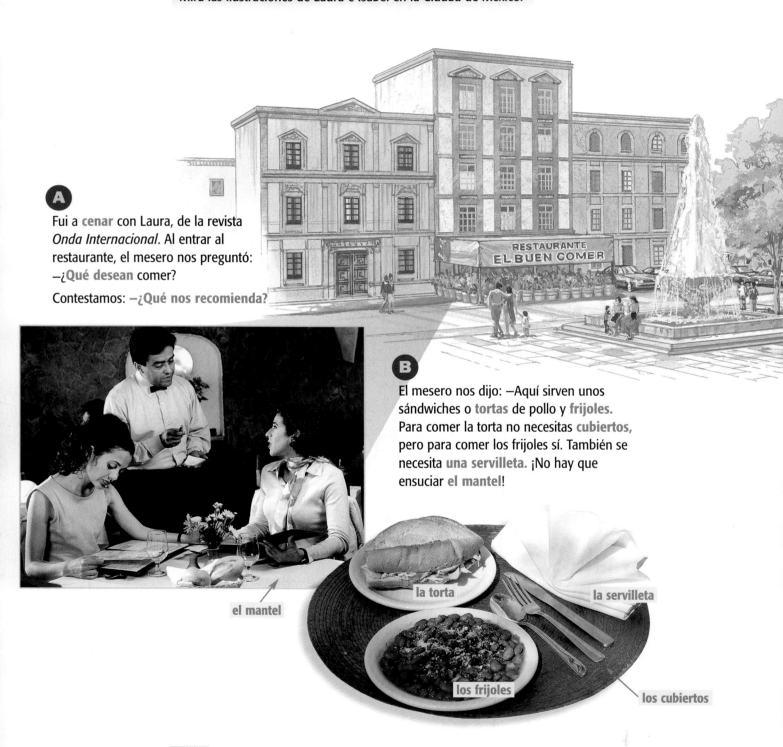

A

Fui a **cenar** con Laura, de la revista *Onda Internacional*. Al entrar al restaurante, el mesero nos preguntó: —¿Qué **desean** comer?

Contestamos: —¿**Qué nos recomienda?**

B

El mesero nos dijo: —Aquí sirven unos sándwiches o **tortas** de pollo y **frijoles**. Para comer la torta no necesitas **cubiertos**, pero para comer los frijoles sí. También se necesita **una servilleta**. ¡No hay que ensuciar **el mantel**!

el mantel

la torta

la servilleta

los frijoles

los cubiertos

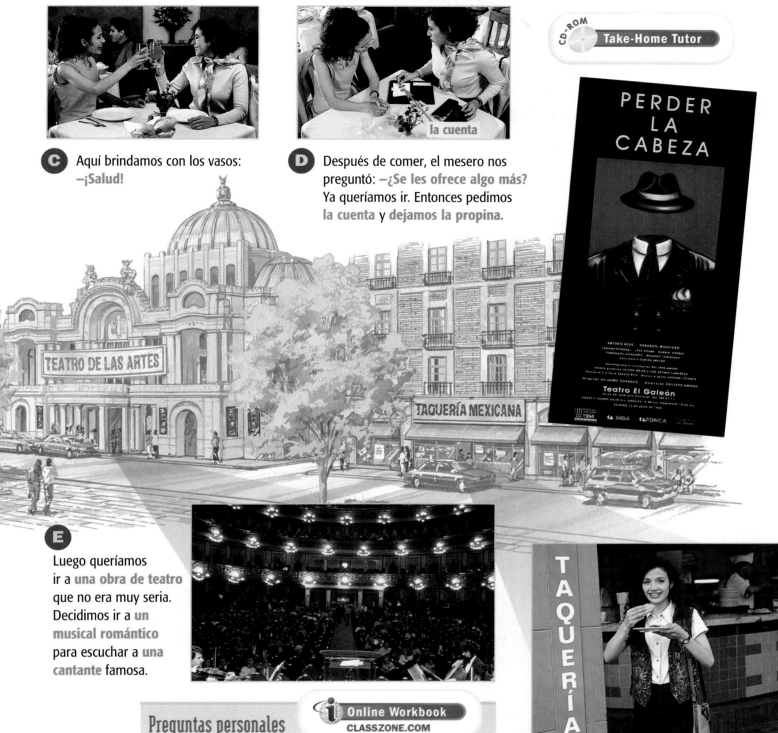

C Aquí brindamos con los vasos:
—¡Salud!

D Después de comer, el mesero nos preguntó: —¿Se les ofrece algo más? Ya queríamos ir. Entonces pedimos **la cuenta** y **dejamos la propina.**

la cuenta

PERDER LA CABEZA

TEATRO DE LAS ARTES

TAQUERÍA MEXICANA

ARTURO RIOS   GERARDO MOSCOSO
FABIANA PEREDA   JOSÉ CATAÑO   GABRIEL PORRAS
TOMINIKZI FELMONNTE   RICARDO LODRIEGAS
Escenista CARLOS BRITON
Escenografía e iluminación PHILIPPE AMAND
Diseño producción ENZEPH HELAB y LUIS ARTURO CAMARENA
Vestuario y vídeo SERGIO RUIZ   Música original ANTONIO LECUONA
Original de JAIME CHABAUD   Dirección PHILIPPE AMAND

Teatro El Galeón

JUEVES Y VIERNES 20:00 HRS.   SÁBADOS 19:00 HRS.   DOMINGOS 18:00 HRS.
ESTRENO 15 DE JULIO DE 1995

1994   CA ENBA   CFONCA

E

Luego queríamos ir a **una obra de teatro** que no era muy seria. Decidimos ir a **un musical romántico** para escuchar a **una cantante** famosa.

TAQUERÍA

Preguntas personales

1. ¿Te gusta salir a comer en restaurantes?
2. Cuando sales a comer, ¿qué comida te gusta?
3. ¿Alguna vez comiste tacos? ¿Te gustan?
4. ¿Vas al cine o al teatro? ¿Te gusta?
5. ¿Qué obras de teatro conoces?
6. ¿Qué cantantes famosos conoces?

F Pero… ¡todavía teníamos hambre! Fuimos a **una taquería** a comer **tacos…** Ay, ¡qué sabrosos!

Listen to audio
or video texts

VIDEO DVD AUDIO

En vivo
DIÁLOGO

En un restaurante...

Laura

Isabel

Mesero

PARA ESCUCHAR • **STRATEGY: LISTENING**

Listen for useful expressions When traveling in another country, observe the local customs of politeness. What expressions can you borrow from Isabel and Laura when you are in a restaurant?

1► **Laura:** Me encanta la comida mexicana, pero hay algunos platillos en el menú que no conozco.
Isabel: ¿Como qué? Yo te explico.
Laura: ¿Qué son los chilaquiles?

5► **Mesero:** ¿Qué les traigo de tomar?
Laura: Un agua de sandía, por favor.
Isabel: Una botella de agua, gracias. Y señor, me faltan unos cubiertos y una servilleta.

6► **Laura:** Sentí mucho no estar contigo para la entrevista con don Miguel. ¿Cómo estuvo?
Isabel: Todo salió muy bien. Creo que vas a estar muy contenta.

7► *(después de comer)*
Mesero: ¿Se les ofrece algo más?
Isabel: No, gracias, nada más. Nos trae la cuenta, por favor.
Mesero: Sí, cómo no. Se la traigo en seguida.

2 ▶ Isabel: Los chilaquiles… aquí los preparan con tortillas, salsa verde, queso, pollo…

Laura: No tengo mucha hambre. Prefiero una torta o unos tacos.

3 ▶ Isabel: Si quieres tacos, vamos mañana a una taquería.

Mesero: ¿Qué desean comer?

Laura: Para mí, una torta de pollo con guacamole. Y también me trae frijoles. Gracias.

4 ▶ Isabel: ¿Qué me recomienda hoy?

Mesero: Los tamales de mole están deliciosos. Se los recomiendo.

Isabel: Muy bien, entonces, ¿me los trae, por favor?

8 ▶ Isabel: ¿Qué te interesa hacer?

Laura: Podemos ir a una obra de teatro.

Isabel: Hay una nueva obra musical. La cantante que tiene el papel principal es extraordinaria.

9 ▶ Mesero: Aquí tienen la cuenta. Muchas gracias.

Laura: Yo voy a pagarla.

Isabel: Muchísimas gracias, Laura.

Laura: De nada. Gracias a ti por hacer la entrevista ayer.

10 ▶ Laura: Oye, quiero dejarle una buena propina. El mesero fue muy amable. ¿Cuánto dejo?

Isabel: A ver… ¿cuánto fue?

En acción

PARTE A

Comprensión del diálogo

For Activities 1–2, refer to the dialog on pages 152–153.

Laura

Isabel

Mesero

1 ¿Quién?

Escuchar ¿A quién se refiere cada oración: a Isabel, a Laura o al mesero? *(Hint: Whom are these sentences about?)*

1. Hay platos en el menú que no conoce.
2. Prefiere una torta.
3. Recomienda los tamales.
4. Quiere tomar una botella de agua.
5. Le faltan cubiertos.
6. Sintió mucho no estar en la entrevista.
7. Le gustaría ver el nuevo musical.
8. Les trae la cuenta en seguida.
9. Paga la cuenta.
10. Quiere dejar una buena propina.

2 Palabras perdidas

Escuchar/Escribir Usa estas palabras para completar la descripción del diálogo. *(Hint: Complete each description.)*

una taquería   hambre

la cuenta   una obra de teatro

unos cubiertos   propina

1. Laura no tiene mucha _____.
2. Mañana Isabel y Laura van a ir a _____ para comer.
3. No había ni una servilleta ni _____ en la mesa.
4. Isabel y Laura sólo querían _____.
5. Ellas pensaron ir a _____ para divertirse.
6. Laura quería dejar una buena _____ porque el mesero fue amable.

Objectives for Activities 3–5
• Order in a restaurant • Talk about things to do in the city

3 ¡A divertirse en la ciudad! ♻

Escribir Laura habla de su primer día en la Ciudad de México. Termina su historia con el pretérito o el imperfecto. *(Hint: Complete the story with the preterite or the imperfect.)*

El primer día que __1__ (estar) en México, __2__ (ir) al Bosque de Chapultepec. __3__ (Hacer) mucho sol. __4__ (Haber) mucha gente en el parque. Los niños __5__ (estar) trepando a los árboles. Mientras __6__ (caminar) por el parque, __7__ (ver) el Árbol de Moctezuma y el Castillo de Chapultepec. __8__ (Llegar) al Museo Nacional de Antropología y __9__ (entrar). __10__ (Andar) de salón a salón. Luego __11__ (ir) a ver unos bailarines folklóricos. ¡ __12__ (Pasar) un día maravilloso!

4 ¿A qué corresponde?

Hablar/Leer ¿A qué corresponde cada oración: al restaurante o al teatro? *(Hint: Say which: the restaurant or the theater?)*

1. Leí que la cantante es extraordinaria.
2. Vamos a cenar a las nueve.
3. ¿Qué desea beber?
4. ¿Qué me recomienda para tomar?
5. ¿Se les ofrece algo más?
6. Dicen que la obra es muy romántica.
7. El musical abre mañana.
8. Cuando hay buen servicio, siempre dejo una buena propina.
9. Los cantantes tienen mucho talento.
10. La cuenta, por favor.

México

Nota cultural

El baile folklórico de México varía mucho entre las regiones del país. Hay bailarines en los centros culturales de los diferentes estados. Pero una cosa es cierta —los trajes de los bailarines siempre son elegantes y de muchos colores.

Objectives for Activities 6–15
• Order in a restaurant • Ask for and pay a restaurant bill
• Talk about things to do in the city

5 Adivínala

Hablar Escoge una palabra o frase de la lista. Luego ayuda a un(a) compañero(a) a adivinar tu palabra. *(Hint: Give clues to help your partner guess each word.)*

modelo

una obra de teatro

Tú: *Es algo con actores y actrices que ves en el teatro.*

Compañero(a): *Es una obra de teatro.*

una obra de teatro
una taquería
una servilleta
una torta
un(a) cantante
unos cubiertos
un musical

REPASO Direct Object Pronouns

Remember that you use **direct object pronouns** when you don't want to keep repeating the **direct object nouns**.

becomes

Comemos **tamales.** → **Los** comemos.
We eat **tamales.** We eat **them.**

becomes

Llamamos al **mesero.** → **Lo** llamamos.
We called the **waiter.** We called **him.**

> Note that the direct object **mesero** is a person. That is why it takes a personal **a.**

Direct Object Pronouns

me	nos
te	os
lo/la	los/las

Direct object pronouns are usually placed before **conjugated verbs**. They may follow **infinitives** and **-ndo forms**.

> When you put the pronoun after the **infinitive** or **-ndo** form, it attaches to the verb.

Lo llamamos.
We called **him.**

Lo vamos a llamar. ↔ Vamos a **llamarlo.** *attaches*
We're going to call **him.**

Lo estamos llamando. ↔ Estamos **llamándolo.** *attaches*
We're calling **him.**

becomes

La mesera puso la **mesa.** → **La puso.**
The waitress set the **table.** She set **it.**

Practice: Actividades 6 7 **Más práctica** cuaderno p. 61 **Para hispanohablantes** cuaderno p. 59   **Online Workbook** CLASSZONE.COM

6 ¿Lo comió?

Hablar Pregúntale a un(a) compañero(a) si comió o tomó lo siguiente durante la semana pasada. *(Hint: Ask a classmate the following.)*

modelo

comer frijoles

Tú: ¿Comiste frijoles?

Compañero(a): *Sí, (No, no) los comí.*

1. tomar un batido de chocolate
2. comer una zanahoria
3. comer arroz
4. comer unas salchichas
5. tomar jugo de manzana
6. comer pan con mantequilla
7. comer pescado
8. tomar leche
9. comer pasta
10. comer tacos

7 La sopa del día

Hablar Imagínate que preparas una sopa riquísima. Pregúntale a un(a) compañero(a) si quiere poner estos ingredientes en la sopa.
(Hint: Does your friend like these ingredients?)

modelo

el queso

Tú: ¿Quieres poner el queso en la sopa?

Compañero(a): *Sí, (No, no) lo quiero poner en la sopa. (Sí, [No, no] quiero ponerlo en la sopa.)*

1. las papas
2. el aceite
3. las verduras
4. la carne de res
5. el azúcar
6. la sal y la pimienta
7. las cerezas
8. los tomates
9. las cebollas
10. la pasta
11. la harina
12. el pescado

Vocabulario Unas comidas

el aceite

la carne de res

las cebollas

las cerezas

la harina

las manzanas

el pan

las papas

la pasta

las peras

el pescado

la pimienta

la sal

las salchichas

los tomates

las verduras

las zanahorias

¿Cuál es tu comida preferida?

Activity 8: Understand and convey information about food and customs

8 ¡A comer!

Escuchar/Hablar Escucha lo que dicen Isabel y Laura de la comida de este menú. Luego contesta las preguntas. *(Hint: Listen to the audiotape. Then answer the questions.)*

1. ¿Qué va a pedir Laura?
2. ¿Qué va a pedir Isabel?
3. ¿Qué trae el mesero?
4. ¿Qué toma Isabel?
5. ¿Qué toma Laura?

Especialidades del día

Tamales de mole
56 pesos

Torta de pollo con guacamole
40 pesos

Frijoles
30 pesos

Chilaquiles
38 pesos

Agua de sandía
7 pesos

Tacos de carne
56 pesos

Flan
22 pesos

REPASO   Indirect Object Pronouns

Remember that you use **indirect object pronouns** to replace or accompany **indirect object nouns**.

		indirect object	
direct object	**indirect object noun**	**pronoun**	**direct object**

Les compró **regalos** a sus **amigos**. ➞ **Les** compró **regalos**.
*She bought **presents** for her **friends**.*   *She bought **presents** for them.*

> If there's an indirect object, there's usually also a direct object.

The first and second person indirect object pronouns are the same as the direct object pronouns: **me, te, nos,** and **os.**

Indirect Object Pronouns

me	nos
te	os
le	les

....

Like direct object pronouns, **indirect object pronouns** are usually placed before **conjugated verbs**, and may be attached to **infinitives** and **-ndo forms**.

becomes

El mesero **dio** la **cuenta** a **Laura**.   El mesero **le dio** la **cuenta**.
*The waiter **gave Laura** the bill.*   *The waiter **gave her** the bill.*

attaches

El mesero va a **dar**le la **cuenta**.
*The waiter is going **to give her** the bill.*

attaches

El mesero está **dándo**le la **cuenta**.
*The waiter is **giving her** the bill.*

Practice: Actividades
9 10 11 12

Más práctica
cuaderno p. 62
Para hispanohablantes
cuaderno p. 60

 Online Workbook
CLASSZONE.COM

9 ¿A quién?

Escribir Isabel fue al centro ayer. Completa las oraciones sobre su visita usando **me, te, le, nos** o **les.** (*Hint: Complete the sentences.*)

modelo

La mesera trajo las bebidas.
(a nosotras)

La mesera nos trajo las bebidas.

1. La mesera sirvió los tamales. (a nosotros)
2. La vendedora dijo el precio de la camisa. (a mí)
3. Tú diste flores. (a ella)
4. La señorita ofreció los boletos a un buen precio. (a ustedes)
5. Recomendamos el musical. (a nuestros amigos)
6. Mandé una tarjeta postal. (a ti)
7. Yo dejé una propina. (al mesero)
8. Un señor preguntó la hora. (a usted)
9. Usted dijo la hora. (al señor)
10. Los meseros mostraron las especialidades de la casa. (a nosotras)

10 En la ciudad

Leer/Escribir Lee las descripciones de estas situaciones en la ciudad y completa las oraciones. (*Hint: Read the descriptions and complete the sentences.*)

modelo

Vas a la galería de arte todas las semanas. (fascinar el arte)

Te fascina el arte.

Nota: Gramática

Remember that with **gustar,** the subject (the thing liked) follows the verb, and the indirect object (**me, te, le, nos, os, les**) comes before the verb.

Me gusta el pescado, pero **no me gustan** las salchichas. *I like fish, but I don't like hot dogs.*

Note that you use **gusta** with singular nouns like **pescado** and **gustan** with plural nouns like **salchichas.** Other verbs that follow the same rule are listed in the vocabulary box.

1. La señora Rojas admira mucho a su cantante favorito. (encantar los musicales)
2. En el restaurante, ustedes piden sopa y sólo tienen un tenedor. (faltar una cuchara)
3. Voy al teatro todos los viernes. (fascinar las obras de teatro)
4. Tomamos el autobús. (importar los precios de los taxis)
5. Catalina siempre compra un periódico. (interesar las noticias)
6. Queremos ver el nuevo musical, pero los boletos son caros. (faltar dinero)

Vocabulario

Verbs Similar to gustar

encantar *to delight*

faltar *to lack*

fascinar *to fascinate, to love (sports, food, etc.)*

importar *to be important to, to matter*

interesar *to interest*

molestar *to bother*

▶ *¿Te fascina el cine?*

Práctica: gramática y vocabulario continuación

 Activity 11: Converse in face-to-face social interactions; Understand and convey information about likes and dislikes

11 ¡Opiniones!

STRATEGY: SPEAKING

Personalize responses Perhaps you see a great many films and even some plays. You've probably also read or seen reviews of these productions. Do you usually agree with the critics? Here's a chance for you to express your own personal preferences and feelings about show business.

Hablar Habla con un(a) compañero(a) de las opiniones de las siguientes personas sobre el mundo del espectáculo. *(Hint: Talk with a classmate about opinions related to show business.)*

modelo

Tú: *¿A tus amigos les fascinan las series de ciencia ficción?*

Compañero(a): *No, no (Sí,) les fascinan.*

a ti	me	encantar	el actor/la actriz (*nombre*)
a tu mejor amigo(a)	te	fascinar	las películas de aventuras
a tu madre/padre	le	gustar	las series de ciencia ficción
a tu profesor(a) de [clase]	nos	importar	el (la) comediante (*nombre*)
a tus amigos(as)	os	interesar	las escenas de horror y violencia
a tu hermano(a)	les	molestar	el estreno (*nombre de la película*)
a ti y tus amigos(as)			las telenovelas
¿?			la obra de teatro *Les Misérables*

Nota cultural

Las telenovelas ¿Te gusta ver la tele? Entonces debes saber que en el mundo hispano a mucha gente le gusta ver las telenovelas. Son diferentes porque sólo duran unos meses en contraste con las de Estados Unidos, que duran décadas.

Vocabulario

El mundo del espectáculo

el actor/la actriz *actor, actress*
las aventuras *adventures*
la ciencia ficción *science fiction*
la comedia *comedy*
▶ ¿Cuáles te encantan?

el (la) comediante *comedian*
la escena *scene*
el estreno *new release*
el horror *horror*

el papel *role*
la serie *series*
la telenovela *soap opera*
el tema *theme, subject*

160 ciento sesenta
Unidad 2

12 ¿Qué te interesa?

Hablar Usa las palabras útiles para charlar con unos(as) compañeros(as) sobre lo que les interesa hacer en la ciudad.
(Hint: Talk about interests.)

modelo

Tú: *Cuando das una vuelta, ¿qué te interesa hacer?*

Compañero(a): *Me interesa ir a los museos. ¿Y a ti?*

Nota: Vocabulario

When you are in the city, you could take a stroll **(dar una vuelta).**

Podemos también **dar una vuelta** *por la ciudad, ¿no?*

We can also **take a stroll** *around the city, right?*

> el parque
> el cine
> el centro comercial
> los museos
> el teatro
> el restaurante

More Practice: Más comunicación *p. R7*

GRAMÁTICA — Double Object Pronouns

¿RECUERDAS? *pp. 156, 158* You have learned about both **direct** and **indirect** object pronouns. They both go before the **conjugated verb**.

What happens if you want to have both **direct** and **indirect** object pronouns in the same sentence? The **indirect** object goes **first**.

indirect object → *direct object* →
Te los compramos.
We bought **them for you.**

indirect object → *direct object* →
El mesero me los dio.
The waiter gave **them to me.**

Remember that when a **conjugated verb** appears with an **infinitive** or an **-ndo form,** you have two choices. You can put the pronouns before the **conjugated verb**, or you can attach them to the **infinitive** or **-ndo form.** Either way, the sentences mean the same thing:

indirect object → *direct object* →
Me los vas a comprar.
You are going to buy them for me.

indirect object → *direct object* →
Vas a comprármelos.
You are going to buy them for me.

Me los estás comprando.
You are buying them for me.

Estás comprándomelos.
You are buying them for me.

There is a special rule for verbs with two pronouns when both are **third person:** change the **indirect** object pronoun to **se.**

Le pedí una servilleta al mesero.
I asked the **waiter** *for a* **napkin.**

indirect object → *direct object* →
Se la pedí.
I asked **him** *for* **it.**

Practice: Actividades 13 14

Más práctica *cuaderno pp. 63–64*
Para hispanohablantes *cuaderno pp. 61–62*

 Online Workbook CLASSZONE.COM

Activity 15: Create simple paragraphs when writing
Activity 17: Listen in social interactions

13 A dar una vuelta

Escribir Isabel da una vuelta por la ciudad y oye lo que dicen varias personas. Escribe lo que dicen sustituyendo los objetos directos e indirectos con pronombres. *(Hint: Use double object pronouns to condense the sentences.)*

modelo

La mesera les sirve los tacos a las señoras.
La mesera se los sirve.

1. Tú les das dinero a los pobres.
2. ¿Me vas a escribir muchas cartas?
3. Mis nietos me dan muchos abrazos a mí.
4. Siempre me dicen la verdad.
5. Le estoy explicando la información a la señora.
6. Compramos boletos para nuestros amigos.
7. Ese chavo compra una bolsa para su novia.
8. El cine vende boletos más baratos para estudiantes.
9. Voy a pedirle la cuenta al mesero.
10. Mi amigo me recomienda el pollo asado.

También se dice

En México se usa la palabra **chavo(a)** para referirse a **un(a) chico(a)** o **un(a) muchacho(a).** Si ves la tele en español tal vez escuchaste la palabra antes porque hay un programa famoso para niños que se llama «El chavo del ocho».

14 Muchos favores

Leer/*Escribir* Hoy todo el mundo te pide favores. ¿Qué te pide? *(Hint: What favors does everyone want from you? Match the columns.)*

modelo

Nosotros queremos más postre.
¿Nos lo pasas, por favor?

> **Nota: Vocabulario**
>
> The verb **ofrecer** *to offer* is often used with an indirect object pronoun.
>
> Le **ofrecieron** un trabajo. *They **offered** him a job.*

1. No entiendo el tema de la obra de teatro.
2. Me gustaría comer unas enchiladas.
3. Tu hermanito necesita zapatos nuevos.
4. Tu amigo perdió los boletos para el concierto.
5. Tu mamá quiere otra taza de café.
6. No recordamos el nombre de una nueva comediante.
7. No entiendo la lección de español.
8. Tu primito quiere tus muñecos de peluche.

a. ¿Se los buscas?
b. ¿Me lo explicas?
c. ¿Me las preparas?
d. ¿Nos lo dices?
e. ¿Se la ofreces?
f. ¿Se los das?
g. ¿Se los compras?
h. ¿Me la traduces?

Activities **16–17** bring together all concepts presented.

15 Un restaurante terrible

Escribir ¿Fuiste a un restaurante terrible alguna vez? Escribe un párrafo sobre tu experiencia (real o imaginaria) en un restaurante terrible. *(Hint: Write about a terrible restaurant.)*

modelo

Fui a un restaurante terrible con mis padres el mes pasado. La mesa estaba mojada cuando nos sentamos. Nos faltaban cubiertos y servilletas. Pedimos agua, pero el mesero no llenó los vasos y los dejó vacíos...

Vocabulario

En el restaurante

bastante *enough*

demasiado(a) *too much*

llenar *to fill*

lleno(a) *full*

mojado(a) *wet*

seco(a) *dry*

vacío(a) *empty*

▶ ¿Sirven demasiada comida en los restaurantes?

16 Las recomendaciones

Escuchar/*Escribir* Escucha las siguientes descripciones de varios programas y decide si las personas que hablan se los recomiendan a sus amigos(as) o no. *(Hint: Do the speakers recommend the performances?)*

modelo

el tema

No se lo recomienda.

1. el estreno
2. las aventuras
3. la obra de teatro
4. los comediantes
5. el drama

17 En un restaurante elegante

Hablar Con dos compañeros(as), presenta una escena en un restaurante elegante. Sé creativo(a). *(Hint: Present a creative restaurant scene.)*

More Practice: **Más comunicación** *p. R7*

Online Workbook
CLASSZONE.COM

Refrán

Se me hace la boca agua.

Este refrán quiere decir que unas comidas son tan deliciosas que cuando las vemos nos dan hambre. Con un(a) compañero(a), hagan una lista de las comidas que les den hambre.

En voces

VIDEO DVD AUDIO

LECTURA

PARA LEER • STRATEGY: READING

Identify gaps in knowledge Careful writing is clear about what is known and what is speculation or a guess. As you read about Teotihuacán, jot down what is known and not known about this **ciudad misteriosa.** Make a chart like the one started here.

Teotihuacán	
conocido	desconocido
el plan maestro	origen

Los artefactos de Teotihuacán incluyen joyas, máscaras, ollas y estatuas.

Teotihuacán: Ciudad misteriosa

En el siglo XIV los aztecas descubrieron una ciudad gigante pero abandonada en un valle. La llamaron Teotihuacán o la Ciudad de los Dioses. Hay un misterio sobre el origen de la gente que construyó las pirámides y templos de esta ciudad. Por las esculturas y cerámicas que dejaron parece que ellos fueron una gente pacífica[1].

Parece que Teotihuacán fue diseñada por un plan maestro[2]. Tiene una avenida central, la Avenida de los Muertos. Aquí están las pirámides principales. Desde la avenida las calles secundarias salen en forma cuadriculada[3]. Alrededor de la avenida central hay ruinas de casas lujosas y en los sectores exteriores, casas más sencillas.

En un lado de la Avenida de los Muertos hay un sector grande que probablemente fue un mercado. Los arqueólogos piensan que aquí

---

[1] peaceful   [2] master plan   [3] square

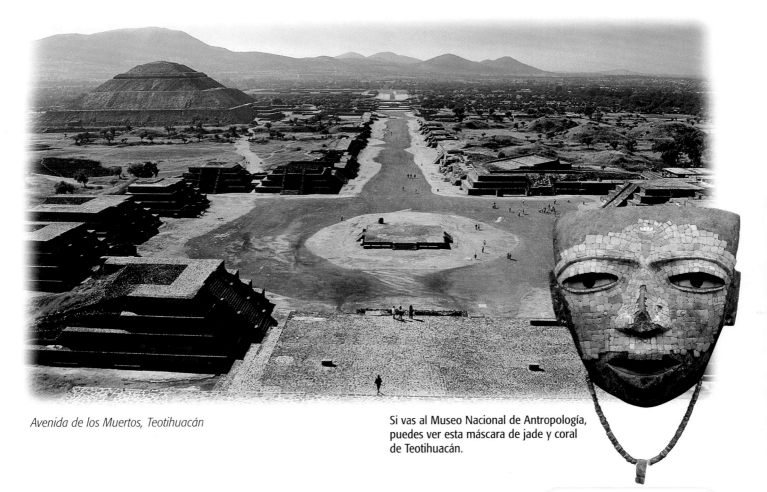

Avenida de los Muertos, Teotihuacán

Si vas al Museo Nacional de Antropología, puedes ver esta máscara de jade y coral de Teotihuacán.

llegaron negociantes de otras partes de México a comprar la obsidiana[4] y la cerámica fabricada en Teotihuacán, y a vender sus propios productos.

Teotihuacán fue el centro urbano más grande e importante en el Valle Central de México durante la época precolombina. Llegó a tener una población de más de 150.000 personas alrededor del siglo III o IV[5]. Pero aproximadamente en el año 750, por razones desconocidas hasta hoy, la ciudad fue quemada o destruida[6] y, al final, abandonada.

[4] hard, black, volcanic rock
[5] third or fourth century
[6] burned or destroyed

Online Workbook
CLASSZONE.COM

¿Comprendiste?

1. ¿De dónde viene el nombre Teotihuacán?
2. ¿Por qué parece que Teotihuacán fue diseñada por un plan maestro?
3. ¿Qué productos estaban en venta en el mercado?
4. ¿Sabemos exactamente por qué la civilización desapareció? Explica tu respuesta.

¿Qué piensas?

1. ¿Puedes hacer unas comparaciones entre Teotihuacán y tu ciudad?
2. ¿Tienen las calles de tu ciudad un plano regular o irregular? ¿Cuáles son los edificios importantes? ¿Cómo son las casas? ¿Dónde están con relación al centro?

En colores

CULTURA Y COMPARACIONES

La cochinita pibil, puerco asado en una hoja de plátano y servido en tacos o tamales, es típico del sur de México.

PARA CONOCERNOS

STRATEGY: CONNECTING CULTURES

Compare meals and mealtimes Interview three people of different ages or backgrounds to find out at what time of day they eat their main meal and the name for that meal. Make a chart like the one here and then compare your answers.

Nombre	Edad	Comida principal	Hora
Adriana	15	almuerzo	1:00 p.m.

El flan es un postre que se ve por todo el país. Los ingredientes varían un poco según la región.

¡BUEN PROVECHO!
LA COMIDA MEXICANA

La cocina[1] mexicana es una de las más variadas del mundo. La mayor parte de platos mexicanos tienen su origen en el mundo precolombino, pero hay otros que son variantes de platos españoles. En Estados Unidos se comen algunos platos mexicanos típicos como los tacos, las enchiladas, el guacamole y la salsa picante.

La cocina mexicana es a base de maíz[2]. De la harina de maíz se hacen las tortillas, el

---

[1] cuisine   [2] corn

Los chiles rellenos *de este tipo se venden mucho en Veracruz, una ciudad en el centro de México.*

Las flautas *A estos tacos fritos se les llaman «flautas» porque tienen la forma del instrumento musical. Los sirven por todo México.*

El mole negro *Puedes pedir mole negro, un platillo que incluye una salsa con más de 20 ingredientes, cuando visitas Oaxaca, una ciudad en el sur del país.*

More About Mexico
CLASSZONE.COM

¿Comprendiste?

1. ¿Qué orígenes tiene la comida mexicana?
2. ¿Qué platos mexicanos se comen en Estados Unidos?
3. ¿Cuál es el alimento básico en México?
4. Describe las tres comidas del día en México.

¿Qué piensas?

1. ¿Cuáles son los alimentos que se usan en más de un plato?
2. ¿Por qué crees que algunos platos mexicanos son de origen precolombino y otros de origen español?

Hazlo tú

Con unos(as) compañeros(as), busquen unas recetas mexicanas. Estúdienlas para ver cuáles pueden hacer en Estados Unidos. Escojan una, háganla y preséntensela a la clase. Sírvanles el plato a sus compañeros(as), contándoles de qué región viene y cómo se hace. ¡Buen provecho!

equivalente mexicano del pan. Las tortillas son un elemento importante en muchas recetas. Otros alimentos importantes en México son el arroz, los frijoles, el chocolate, los chiles y los tomates.

En cuanto a [3] las costumbres de comida, lo que es tradicional en México es un desayuno y, generalmente alrededor de las dos de la tarde, un almuerzo fuerte (la comida principal del día) que se llama *la comida*. Típicamente, la cena es ligera [4], como un yogur o un sándwich.

---

[3] as for   [4] light

Activity 2: Show no significant pattern of
error when expressing likes and dislikes

OBJECTIVES

- Order in a
  restaurant
- Ask for and pay
  a restaurant bill
- Talk about things
  to do in the city

En uso
REPASO Y MÁS COMUNICACIÓN

Now you can...

- order in a
  restaurant.

To review

- direct object
  pronouns,
  see p. 156.

1 ¿Me ayudas?

Estás comiendo en un restaurante con un niño pequeño. Explícale
cómo comer las siguientes cosas. *(Hint: Tell a child how to eat the different foods.)*

modelo

¿Cerezas o tomate?

¿Los tacos? Puedes comerlos con tomate.

1. ¿El cuchillo o
la cuchara?

4. ¿Las manos o
el tenedor?

2. ¿Sal o azúcar?

5. ¿Mantequilla o
mantequilla
de cacahuate?

3. ¿La cuchara o
las manos?

6. ¿Aceite o harina?

Now you can...

- talk about things
  to do in the city.

To review

- indirect object
  pronouns,
  see p. 158.
- verbs similar to
  gustar, see p. 159.

2 ¡Vamos al centro!

Todos están hablando de actividades en la ciudad. ¿Qué dicen?
(Hint: Tell people's opinions of city activities.)

modelo

Juan y yo (interesar) visitar los museos

A Juan y a mí nos interesa visitar los museos.

1. mis padres (encantar)
las galerías de arte

4. nosotros (molestar) pagar los precios
de los boletos

2. yo (gustar) los actores
mexicanos

5. Tomás y Berta (fascinar) las obras
de teatro

3. tú (importar) ver los estrenos

6. ustedes (faltar) dinero para salir

3 **¿Qué nos recomienda?**

Raúl y sus amigos piden la comida en un restaurante mexicano. ¿Qué les recomiendan los meseros? ¿Cómo se lo van a servir? *(Hint: Tell what the waiters recommend and how it will be served.)*

modelo

María: la sopa (una torta)

Le recomiendan la sopa. Van a servírsela con una torta.

1. nosotros: los tacos (salsa picante)
2. yo: el pescado (cebolla)
3. Gabriel: las verduras (sal y pimienta)
4. Salvador y yo: el melón (azúcar)
5. tú: el pollo (tortillas)
6. ustedes: la carne de res (frijoles)
7. yo: las papas asadas (mantequilla)
8. Alex y Sandra: la pasta (queso)

Now you can...

- order in a restaurant.

To review

- indirect object pronouns, see p. 158.
- double object pronouns, see p. 161.

---

4 **¿Qué desean?**

Imagínate que trabajas en un restaurante como mesero(a). Contesta que sí a las preguntas de los clientes. *(Hint: You are a waiter or waitress at a restaurant. Answer yes to the customers' questions.)*

modelo

¿Me trae unos cubiertos, por favor?

Sí, se los traigo.

1. ¿Me trae el menú, por favor?
2. ¿Nos trae unas servilletas?
3. ¿Nos recomienda las enchiladas?
4. ¿Le sirve un café a mi esposa, por favor?
5. ¿Nos trae más pan, por favor?
6. ¿Les sirve más limonada a mis hijos, por favor?
7. ¿Nos muestra los postres?
8. ¿Me trae la cuenta, por favor?
9. ¿Le doy la tarjeta de crédito a usted?
10. ¿Le dejo la propina en la mesa?

Now you can...

- order in a restaurant.
- ask for and pay a restaurant bill.

To review

- double object pronouns, see p. 161.

5 ¿Me pasas...?

STRATEGY: SPEAKING

Resolve misconceptions Your partner may ask for something you don't have. To resolve the misunderstanding, offer what you do have:
No tengo X, pero puedo pasarte Y.

Estás comiendo en un restaurante con tu amigo(a). Dibuja cuatro cosas, comidas o cubiertos, en papeles separados. Entonces, pídeselas a tu amigo(a). *(Hint: You and a partner draw restaurant items and ask each other for them.)*

modelo

Tú: *Las cerezas… ¿me las pasas, por favor?*

Amigo(a): *¡Cómo no! Te las paso en seguida.*

6 ¡Problemas!

Tú y dos compañeros(as) están en un restaurante. Una persona hace el papel del (de la) mesero(a) y las otras hacen el papel de los clientes. El (La) pobre mesero(a) tiene problemas porque un cliente lo critica todo y el otro le hace muchas preguntas. *(Hint: A server is trying to please two difficult customers. Act out the scene.)*

7 En tu propia voz

ESCRITURA Imagínate que estás de vacaciones con tu familia. Escríbele una tarjeta postal a un(a) amigo(a). Incluye las reacciones de varios miembros de la familia a cinco actividades que hicieron durante el viaje. *(Hint: Write a postcard describing a vacation.)*

Querida Sonia:

Me gusta mucho México. Me fascinan los museos pero a mamá no le gusta visitarlos. Prefiere ir al teatro. Le encantan las obras musicales. Los cantantes mexicanos son muy buenos.

¡Saludos!   —Catarina

Sonia Díaz
2 Main St.
Rye, NY 01580
U.S.A.

TÚ EN LA COMUNIDAD

Sharon es una estudiante de Massachusetts. Cuando estaba trabajando de consejera (*counselor*) en un campamento, hablaba español con algunos niños que no podían expresarse en inglés. También habla español con parientes, amigos y gente de la comunidad. ¿Con quién practicas el español?

En resumen
REPASO DE VOCABULARIO

ORDER IN A RESTAURANT

At the Restaurant

el aceite	oil
la carne de res	beef
las cebollas	onions
las cerezas	cherries
los cubiertos	silverware
los frijoles	beans
la harina	flour
el mantel	tablecloth
las manzanas	apples
el pan	bread
las papas	potatoes
la pasta	pasta
las peras	pears
el pescado	fish
la pimienta	pepper
la sal	salt
las salchichas	hot dogs, sausages
la servilleta	napkin
el taco	taco
la taquería	taco restaurant
los tomates	tomatoes
la torta	sandwich
las verduras	vegetables
las zanahorias	carrots

Common Expressions

¿Qué desea(n)?	What would you like?
¿Qué me (nos) recomienda?	What do you recommend?
¡Salud!	Cheers!
¿Se le(s) ofrece algo más?	May I offer you anything more?

ASK FOR/PAY A RESTAURANT BILL

la cuenta	bill
dejar la propina	to leave the tip

THINGS TO DO IN THE CITY

People

el actor	actor
la actriz	actress
el (la) cantante	singer
el (la) comediante	comedian

Activities and Events

las aventuras	adventures
la ciencia ficción	science fiction
la comedia	comedy
dar una vuelta	to take a walk, stroll, or ride
la escena	scene
el estreno	new release
el horror	horror
el musical	musical
la obra de teatro	theatrical production
romántico(a)	romantic
la serie	series
la telenovela	soap opera
el tema	theme, subject

OTHER WORDS AND PHRASES

bastante	enough
cenar	to eat dinner
demasiado(a)	too much
llenar	to fill
lleno(a)	full
mojado(a)	wet
ofrecer	to offer
el papel	role
seco(a)	dry
vacío(a)	empty

Verbs Similar to *gustar*

encantar	to delight
faltar	to lack
fascinar	to fascinate, to love (sports, food, etc.)
importar	to be important to, to matter
interesar	to interest
molestar	to bother

Juego

¿Qué soy yo?

Puedo ser feliz o triste, y tal vez romántica. Te puedo llevar a muchos lugares. Alguien me escribió y otros me presentan. Tengo personas que se ven, personas que no se ven y personas que ven. Tal vez necesitas boletos para verme. ¿Qué soy yo?

Write short guided compositions

En tu propia voz

ESCRITURA

Escribe un cuento

The Spanish classes at your school were invited to write and illustrate children's picture books in Spanish for local elementary schools. Write a short story that would appeal to young children.

Function: Provide books in Spanish for local children
Context: Entertaining elementary schoolchildren
Content: Story writing
Text type: Picture book

PARA ESCRIBIR • STRATEGY: WRITING

Develop your story An interesting, well-planned story will hold your reader's attention. Remember to thoroughly develop your ideas for characters and plot.

Modelo del estudiante

The writer tells where the story takes place.

● Había una vez una granja pequeña en México. En la granja vivía un cerdito pequeño, Quique. Quique era muy amable: obediente, sociable y animado. ● Le gustaba contar chistes y jugar con los otros animales.

The writer describes the main character of the story.

El día de su cumpleaños empezó muy mal para Quique. Se levantó tarde por la mañana y no había más desayuno. —No hay problema —dijo Quique—. Voy a celebrar con mis amigos.

The story contains a series of events that make up the plot.

● Entonces, salió del corral en busca de los otros animales, pero no había nadie por ninguna parte. El pobre cerdito estaba muy triste.

Quique regresó al corral, solito. De repente, todos sus amigos saltaron de los rincones del corral y gritaron: —¡Feliz cumpleaños, Quiquito!

—¡Qué sorpresa! —exclamó Quique alegremente. Luego todos los animales celebraron con una fiesta magnífica y Quique rompió la piñata. ●

The story has a happy ending.

Language Arts Writing Standard 2.1a
Write stories: Relate a sequence of events

Estrategias para escribir

Antes de escribir...

A good children's story contains a setting (time, place), a few characters, and a basic plot (series of events). The action of the story moves along quickly, usually toward a happy ending. Before you write, create a story map like this one to plan and organize your ideas.

Personaje central:	un pato tímido
Lugar:	un río de Nueva York
Situación:	El pato no sabía nadar. No podía ir de vacaciones con la familia.
Lo que pasa:	1. Consultó con otros.
	2. Miraba a sus hermanos.
	3. Practicaba cada mañana.
	4.
	5.
Fin:	Aprendió a nadar.

Revisiones

Share your draft with a partner. Then ask:

- *Do the characters' words and actions make sense?*
- *Is there a real problem or situation that moves the story along?*
- *Does the story come to a natural or interesting stopping point?*

Revise your draft based on your partner's answers.

La versión final

Before you create the final draft of your story, check your writing and use proofreading symbols (p. 99) to correct any errors you find. Look over your work with the following questions in mind:

- *Did I use the preterite in the right places?*

Try this: Find each preterite form and make sure it refers to a completed action in the past. If not, change to the imperfect.

- *Did I use the imperfect correctly?*

Try this: Locate each imperfect form. Does each refer to an ongoing action or description in the past? If not, change to the preterite.

Cerca de un río de Nueva York vivía un pato tímido con su familia. Todos los días el pato Danilo miraba las nubes o corrió de un lugar a otro. Sus ía hermanos siempre jugaron en ban el río, pero Danilo no.

Un día los padres llamo aron a sus hijos y les dicieron j sus planes para ir de vacaciones.

UNIDAD

3

STANDARDS

Communication
- Talking about fitness, health, and illness
- Making suggestions
- Talking about daily routine, personal care, and chores
- Telling someone what to do
- Saying if something has already been done
- Discussing beach activities
- Describing time periods
- Giving advice

Cultures
- The geography and political status of Puerto Rico
- Baseball in Puerto Rico
- The music and dance of Puerto Rico
- The **jíbaros** of Puerto Rico

Connections
- Science: Investigating Puerto Rico's **Bahía Fosforescente**
- History: Learning about the history of pirates

Comparisons
- Places in Puerto Rico and the continental U.S.
- Health and illness
- Sports and fitness

Communities
- Using Spanish at the doctor's office
- Using Spanish for personal enjoyment

INTERNET Preview
CLASSZONE.COM
- More About Puerto Rico
- Webquest
- Self-Check Quizzes
- Flashcards
- Writing Center
- Online Workbook
- eEdition Plus Online

SAN JUAN
PUERTO RICO

SOL Y SOMBRA

EL CARIBE

Estados Unidos
Islas Bahamas
Cuba
Jamaica   Haití
República Dominicana
Puerto Rico
Antillas Menores
OCÉANO ATLÁNTICO

ARECIBO   SAN JUAN ★
PUERTO RICO   EL YUNQUE   CULEBRA
MAYAGÜEZ   HUMACAO   VIEQUES
PONCE   GUAYAMA
MAR CARIBE

LOS PASTELES Estos deliciosos tamales se hacen de plátanos verdes o yautías (un vegetal parecido a la papa) y carne. Son una comida típica de Puerto Rico. ¿Conoces otro plato como éste?

POBLACIÓN: 3.808.610

ALTURA: nivel del mar

CLIMA: 23°C (73°F), enero; 27°C (81°F), julio

MONEDA: el dólar

COMIDA TÍPICA: pasta de guayaba, arroz con gandules, pernil, pasteles

GENTE FAMOSA DE PUERTO RICO: Gigi Fernández (deportista), Luis Muñoz Marín (político), Francisco Oller (pintor), Luis Rafael Sánchez (escritor)

¿VAS A PUERTO RICO? Si eres estadounidense y viajas a Puerto Rico, no necesitas tu pasaporte. Puerto Rico es parte de Estados Unidos.

More About Puerto Rico
CLASSZONE.COM

MARC ANTHONY
Tal vez lo viste en películas como *Hackers*. Marc Anthony, cantante y actor puertorriqueño, es uno de los cantantes de salsa más importantes. ¿Qué otros actores o cantantes latinos conoces?

LA CEIBA DE PONCE es uno de los árboles más antiguos de Puerto Rico. Está en la ciudad de Ponce, llamada así por Ponce de León. Aquí ves una pintura del árbol. La pintó Francisco Oller, uno de los pintores puertorriqueños más famosos. ¿Qué otros pintores conoces?

EL YUNQUE, un magnífico bosque tropical, es el único en Estados Unidos. Allí caen más de 200 pulgadas (*inches*) de lluvia al año. Toda esta lluvia contribuye a la vida de los animales y plantas que viven allí. ¿Qué clase de animales y plantas crees que puedes encontrar en El Yunque?

PIRATAS Realmente existían los piratas y fueron un peligro para los barcos españoles que navegaban en el Atlántico. Para defenderse contra los piratas, el gobierno español construyó un fuerte masivo en San Juan. ¿Qué otra información sabes sobre los piratas?

EL OBSERVATORIO DE ARECIBO

EL OBSERVATORIO DE ARECIBO Puedes encontrar el radiotelescopio más grande del mundo en Arecibo, Puerto Rico. ¿Qué se puede estudiar desde un observatorio?

175

- Comunicación

- **Culturas**

- Conexiones

- Comparaciones

- Comunidades

SOL Y SOMBRA

Culturas

Vas a conocer Puerto Rico. Con sus playas, lugares históricos y naturaleza, hay algo especial para todos. ¿Qué te gustaría ver en Puerto Rico?

Culturas en acción Los edificios del Viejo San Juan tienen un estilo colonial español. ¿Por qué hay una influencia española en Puerto Rico?

Comunicación

En esta unidad vas a hablar de actividades relajantes como las de la playa y no tan relajantes como los quehaceres y el ejercicio. También, vas a aprender nuevas maneras para describir cómo te sientes.

Comparaciones

Los deportes son una gran parte de la cultura en
Estados Unidos y Puerto Rico. El béisbol es el deporte
más popular de Puerto Rico. ¿Qué deporte es el más
popular donde vives tú?

Comunidades

En muchas
comunidades en
Estados Unidos es
recomendado y
casi necesario que
las personas con
carreras en medicina
hablen español. En esta unidad vas a
poder hablar de enfermedades, y dar
consejos. ¿Piensas ser enfermero(a) o
doctor(a) algún día?

Conexiones

¿Haces ejercicio? ¿Estás en forma?
La información en esta unidad
hace conexión con la educación
física y la salud. Vas a describir el
cuerpo, la rutina diaria, la dieta
y el ejercicio.

Fíjate

Haz una tabla para describir lo que ya sabes y las preguntas que todavía tienes
en cada categoría de arriba. Al fin de esta unidad, lee la lista de preguntas otra vez.
¿Puedes contestarlas?

	Sé...	Quiero aprender...
Culturas	El Morro está en Puerto Rico.	¿Por qué existe El Morro?
Comunicación	Puedo decir que estoy enfermo(a).	¿Cómo doy más información sobre la salud?
Comparaciones		
Comunidades		
Conexiones		

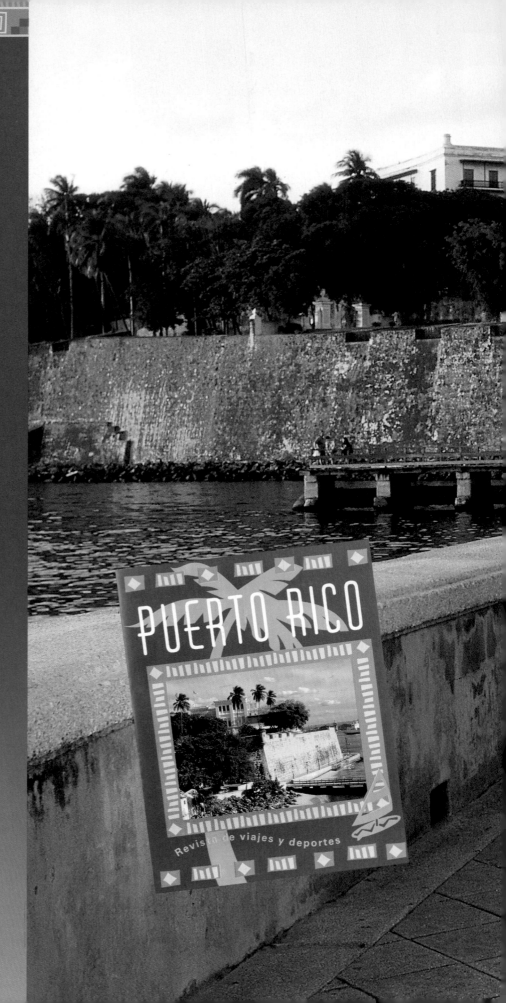

ETAPA

1

¿Estás en forma?

OBJECTIVES

- Discuss ways to stay fit and healthy

- Make suggestions

- Talk about daily routine and personal care

¿Qué ves?

Mira la foto del Viejo San Juan. Luego contesta las preguntas.

1. ¿Quiénes son las personas de esta foto?

2. ¿Qué hacen?

3. ¿Dónde puedes leer de actividades para hacer en San Juan?

PUERTO RICO

Revista de viajes y deportes

178

VIDEO DVD AUDIO

En contexto
VOCABULARIO

Lee lo que dice Francisco sobre cómo mantenerse saludable.

¡Hola! Si quieres **mantenerte sano,** sigue mis **consejos.**

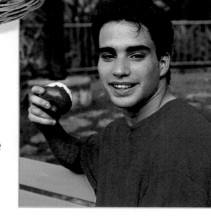

Consejos para mantenerse sano

Dieta balanceada

A Para tener mucha **energía** y estar **saludable,** te **aconsejo** seguir **una dieta balanceada.**

B En tu **alimentación,** come comidas o **alimentos** de **calorías nutritivas,** sin mucho azúcar.

Take-Home Tutor

Consejos para mantenerse sano

Ejercicio

ENTRENARSE

ESTIRARSE Y RELAJARSE

ATLETISMO

D

A veces **me entreno** con mis amigos, pero a veces me entreno solo. Siempre **sudo** mucho.

E

Después de entrenarte, es importante **estirarte** para **relajarte…** como yo estoy haciendo.

Así vas a lograr tu **bienestar** y **crecer** fuerte y sano, sin tener **estrés**.

Online Workbook
CLASSZONE.COM

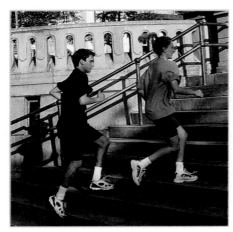

C El ejercicio también es importante. Tal vez te gusta **el atletismo.**

Preguntas personales

1. ¿Qué te gusta comer cada día? ¿Es balanceada tu dieta?
2. ¿Haces ejercicio? ¿Qué tipo?
3. ¿Prefieres entrenarte solo(a) o con tus amigos(as)? ¿Por qué?
4. ¿Cómo te sientes cuando haces ejercicio? Explica tu respuesta.

Listen to audio
or video texts

VIDEO DVD AUDIO

En vivo

DIÁLOGO

En San Juan...

Francisco

Elena

Juana

Miguel

PARA ESCUCHAR • **STRATEGY: LISTENING**

Listen and sort details Elena's **consejos** (advice) are in three categories: **ejercicio** (exercise), **dieta** (diet), and **actitudes** (attitudes). Listen for these three categories. What words do you hear?

1 ▶ Francisco: Elena Suárez es la estrella de un programa de televisión de ejercicio y salud. La voy a entrevistar. Vamos a correr un poco y luego hablar de la entrevista.

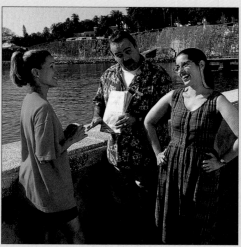

5 ▶ Miguel: Entonces veo su programa. Estábamos mirándolo el sábado pasado cuando usted habló de la dieta y el estrés. Sus consejos nos ayudaron mucho.

Elena: Muchas gracias, muy amable.

6 ▶ Miguel: Ahora tratamos de comer más alimentos sanos.

Juana: Sí, y estamos tratando de eliminar el estrés. Y los ejercicios ayudan mucho. Los hago todos los días.

Elena: Me alegra oírlo, señora.

7 ▶ Miguel: Por favor, señorita Suárez, dénos su autógrafo. Ponga, por favor, «a Miguel y Juana, de su amiga Elena Suárez».

Juana: Por favor, diga la frase con la que usted cierra su programa.

182 ciento ochenta y dos
Unidad 3

2 ▶ Francisco: Y tu programa de televisión es muy popular aquí, ¿no?

Elena: Sí, súper popular. Lo pasan en el canal siete todos los sábados.

3 ▶ Juana: Con permiso… ¿Es usted Elena Suárez? ¿La del programa de televisión?

Elena: Sí, soy yo.

Juana: ¡Ay, me encanta su programa! Venga, por favor, a conocer a mi esposo.

4 ▶ Miguel: Sabe, su programa es maravilloso. Lo veo todos los sábados. Los sábados por la mañana, me levanto temprano y me lavo la boca. Luego…

Juana: ¡Miguel! A la señorita Suárez no le interesa tu rutina.

8 ▶ Elena: «Adiós, queridos televidentes, y acuérdense —para mantenerse sanos, lleven una dieta balanceada y nutritiva, no fumen nunca, y ¡hagan ejercicio!»

9 ▶ Elena: Bueno, Francisco. Vas a venir a ver la producción de mi programa, ¿no? ¿Y estás con tu familia aquí?

Francisco: Sí, con mis tíos y mi prima.

Elena: Ellos también pueden venir. Ustedes pueden participar.

10 ▶ Francisco: ¿Qué tenemos que hacer?

Elena: Primero, nos estiramos un poco, después hacemos los ejercicios. Y hay una parte sobre la dieta y la alimentación, el bienestar y la vida saludable. Pónganse ropa ligera.

En acción

PARTE A

Comprensión del diálogo

Francisco   Elena   Juana   Miguel

For Activities 1–2, refer to the dialog on pages 182–183.

1 ¿Quién habla?

Escuchar Según el diálogo, ¿quién habla?
(Hint: Say who speaks.)

1. «Vamos a correr un poco y luego hablar de la entrevista.»
2. «¡Ay, me encanta su programa!»
3. «Los sábados por la mañana, me levanto temprano y me lavo la boca.»
4. «A la señorita Suárez no le interesa tu rutina.»
5. «Sus consejos nos ayudaron mucho.»
6. «Por favor, diga la frase con la que usted cierra su programa.»
7. «Adiós, queridos televidentes, y acuérdense…»
8. «¿Y estás con tu familia aquí?»
9. «¿Qué tenemos que hacer?»
10. «Pónganse ropa ligera.»

2 No es cierto

Escuchar/Escribir Todos estas oraciones son falsas. Escribe la verdad según el diálogo.
(Hint: Change these false sentences to true ones.)

1. El programa de Elena Suárez está en la televisión los jueves.
2. Inmediatamente después de levantarse, Miguel ve el programa.
3. Juana sólo hace ejercicios los sábados.
4. Según Elena, no es importante comer alimentos nutritivos.
5. En el autógrafo, Miguel quiere poner el nombre de su esposa primero.
6. Después del autógrafo, Miguel y Juana le piden unos consejos a Elena.
7. El programa de Elena es a las dos de la tarde.
8. Elena dice que la familia de Francisco no puede venir a ver el programa.

También se dice

En Puerto Rico, mucha gente usa la palabra **súper** en lugar de **muy**. Por ejemplo, Elena dice «súper popular». Pero si quieres decir que algo es muy bueno, puedes usar las palabras **chévere, fenomenal, genial, fantástico, maravilloso** o **buenísimo**.

Objectives for Activities 3–4
• Discuss ways to stay fit and healthy

[handwritten notes]
DeBer
DeBo   DeBen
DeBes
DeBe
DeBemos

[handwritten notes]
✳ negative statement
Place the "no" in front
of conjugated verb

3 Consejos

Hablar/*Escribir* Tu compañero(a) necesita consejos sobre cómo mantenerse sano(a). Dale unos buenos consejos. *(Hint: Give advice.)*

modelo

dormir más de siete horas cada noche

Debes dormir más de siete horas cada noche. (No debes dormir más de siete horas cada noche.)

Nota: Gramática

The verb **deber** is used with an infinitive to say that someone should or ought to do something.

Debes tomar apuntes.
*You **should** take notes.*

1. comer alimentos nutritivos
2. sudar mucho cuando haces ejercicio
3. comer muchos dulces y comida rápida
4. estirarte antes y después de hacer ejercicio
5. vivir una vida balanceada
6. participar en el atletismo
7. entrenarte todos los días
8. pensar sobre la alimentación en tu dieta
9. usar comida para bajar el estrés
10. relajarte un poco todos los días

4 ¿Siempre o nunca?

Hablar/*Escribir* Tu compañero(a) quiere saber con qué frecuencia haces estas cosas. ¿Qué le dices? *(Hint: How often do you do these activities?)*

modelo

darle regalos a tu hermano

Compañero(a): *¿Con qué frecuencia le das regalos a tu hermano?*

Tú: *Siempre se los doy.*

nunca   rara vez   de vez en cuando   a veces   siempre

1. dejarle una buena propina al (a la) mesero(a)
2. contarle chistes a tu hermano(a) en un restaurante
3. comprar un refresco para mí
4. darles servilletas a los miembros de tu familia
5. pagarles la cuenta a tus amigos
6. recomendarle un plato a un(a) compañero(a)
7. pedirles dinero a tus padres para cenar en un restaurante
8. preparar comida para tu familia
9. servirle la cena a tu familia
10. ofrecerle una merienda a un(a) amigo(a)

Objectives for Activities 5–16
• Discuss ways to stay fit and healthy • Make suggestions • Talk about daily routine and personal care

REPASO   Pronoun Placement

▸ Where do you put **direct** or **indirect object pronouns**? Sometimes they are placed **before** the verb, and sometimes they **attach** to the verb.

▸ Is the verb **conjugated**? You put the pronoun **before** the verb.

> Sus consejos **nos ayudaron** mucho.
> *Your advice **helped us** a lot.*

▸ Are there two verbs? You put the pronoun **before** the **conjugated** verb or **attach** it to the **infinitive/-ndo** form.

> **La** voy a **entrevistar**.
> *I am going **to interview her**.*

> Estábamos **mirándo**lo   **attached**
> el sábado pasado.
> *We were **watching it** last Saturday.*

> Remember that a written accent is often needed to retain correct pronunciation.

Practice:
Actividades
5 **6** **7**

Más práctica
cuaderno pp. 69–70
Para hispanohablantes
cuaderno pp. 67–68

🛈 **Online Workbook**
CLASSZONE.COM

---

5 No dejes para mañana...

Escribir Tu profesor(a) de educación física te pregunta qué vas a hacer hoy para estar en forma, pero siempre le dices que vas a hacerlo mañana. *(Hint: Say what you'll do.)*

> **modelo**
> *¿Haces ejercicio hoy?*
> *No, voy a hacerlo mañana.*
> *(No, lo voy a hacer mañana.)*

1. ¿Comes alimentos saludables?
2. ¿Te entrenas hoy?
3. ¿Comes comidas con pocas calorías?
4. ¿Saltas la cuerda hoy?
5. ¿Practicas el atletismo hoy?
6. ¿Te estiras hoy?
7. ¿Bajas el estrés?
8. ¿Te relajas un poco hoy?
9. ¿Levantas pesas?
10. ¿Bebes suficiente agua hoy?

Puerto Rico

Nota cultural

El béisbol es el deporte más popular de Puerto Rico. Cuando la temporada profesional termina en Estados Unidos, comienza la liga del invierno en Puerto Rico, que dura desde finales de octubre hasta principios de febrero.

6 Primero

Hablar Pregúntale a tu compañero(a) en qué orden estas personas van a hacer las actividades mañana. *(Hint: Tell in what order these people will do these activities tomorrow.)*

modelo

tú: lavarse los dientes / ponerse la ropa

Compañero(a): *¿Qué vas a hacer primero mañana, lavarte los dientes o ponerte la ropa?*

Tú: *Voy a lavarme los dientes primero.
(Me voy a lavar los dientes primero.)*

1. nosotros: despertarse / levantarse
2. tu hermano(a): cepillarse el pelo / lavarse el pelo
3. ustedes: acostarse / quitarse la ropa
4. unos amigos: secarse / bañarse
5. tu padre: ponerse la ropa /afeitarse
6. tú: peinarse / secarse el pelo
7. tú: arreglarse / acostarse
8. tu madre: levantarse / maquillarse
9. tú: ducharse / ponerse la ropa
10. tus padres: lavarse los dientes / despertarse

Vocabulario

Las preparaciones

acostarse (o → ue) *to lie down, to go to bed*

afeitarse *to shave oneself*

arreglarse *to get ready*

bañarse *to take a bath*

cepillarse el pelo *to brush one's hair*

despertarse (e → ie) *to wake up*

ducharse *to take a shower*

lavarse *to wash oneself*

lavarse los dientes *to brush one's teeth*

levantarse *to get up*

maquillarse *to put on makeup*

peinarse *to comb one's hair*

ponerse la ropa *to get dressed*

quitarse la ropa *to take off one's clothes*

secarse *to dry oneself*

▶ ¿Qué actividad haces primero?

7 El día de deportes

Hablar Tú y tus amigos están planeando un día de deportes en el parque. Pregúntale a tu padre qué necesitan ustedes. Luego cambien de papel. *(Hint: What do you need for your sports day?)*

modelo

Hijo(a): *¿Traigo los patines?*

Padre: *No, no necesitas traerlos. (No los necesitas traer.)*

1.

2.

3.

4.

5.

6.

Activities 9–11:
Make requests

8 ¿Lógico o no?

Escuchar/*Escribir* Escucha las descripciones dos veces. La segunda vez, indica si son lógicas o ilógicas. *(Hint: Are the descriptions logical?)*

1. _____   5. _____
2. _____   6. _____
3. _____   7. _____
4. _____   8. _____

More Practice: Más comunicación *p. R8*

Juego

Tu tío Tito te dio tu trompeta y te dijo: —La vas a tocar todos los días con tu tía Tania.

¿De quién es la trompeta?

GRAMÁTICA   **Give Formal Commands Using usted/ustedes**

For regular **affirmative tú commands,** you know that you use the third person singular form of the verb in the present tense. But what do you use for usted commands?

- For -ar verbs, take the yo form of the verb and change the ending to -e.

  becomes
  siento → siente

  No sient**e** al niño delante de la televisión.
  *Don't **sit** the child in front of the television.*

- For -er and -ir verbs, take the yo form of the verb and change the ending to -a.

  becomes
  como → coma

  Com**a** comidas nutritivas.
  ***Eat** nutritious foods.*

For ustedes commands, use plural endings.

becomes
hablo → hablen

Habl**en** español, por favor.
***Speak** Spanish, please.*

becomes
escribo → escriban

Escrib**an** las respuestas.
***Write** the answers.*

Some common verbs have irregular usted commands:

	dar	estar	ir	saber	ser
usted	dé	esté	vaya	sepa	sea
ustedes	den	estén	vayan	sepan	sean

Elena dice:
—Por favor, vayan a hacer ejercicio hoy, no mañana.

*Please, **go** exercise today, not tomorrow.*

Verbs ending in **-car, -gar,** and **-zar** have a spelling change to preserve pronunciation:
empe**z**ar → empie**c**e

Practice: Actividades 9 10 11

Más práctica *cuaderno p. 71*
Para hispanohablantes *cuaderno p. 69*

 Online Workbook CLASSZONE.COM

---

9 ¡Mejore su clase!

Escribir Imagínate que le aconsejas a un(a) profesor(a) cómo mejorar su clase. Escribe mandatos afirmativos o negativos. *(Hint: Write affirmative or negative commands.)*

modelo

cantar (más / menos) en clase
Cante más en clase.
(No cante más en clase.)

1. hablar (más/menos)
2. escuchar a los estudiantes
3. dar (más/menos) tarea
4. leer (más/menos) en clase
5. escribir (más/menos) en el pizarrón
6. traer comida para los estudiantes
7. tocar música en clase
8. llegar a tiempo todos los días
9. explicar todo
10. ser paciente
11. hacer (más/menos) preguntas
12. repetir las instrucciones
13. contestar todas las preguntas
14. usar la computadora (más/menos)
15. contar chistes

10 Para su bienestar

Hablar/*Escribir* Imagínate que trabajas en un club y un señor te pide consejos. ¿Qué le dices? *(Hint: Give advice.)*

modelo

¿Cuántas horas debo dormir? (ocho o nueve horas)
Señor: *¿Cuántas horas debo dormir?*
Tú: *Duerma ocho o nueve horas cada noche.*

1. ¿Hago ejercicios aeróbicos? (casi todos los días)
2. ¿Qué como? (alimentos nutritivos)
3. ¿Bebo café? (muy poco)
4. ¿Voy al club? (con frecuencia)
5. ¿Practico el atletismo? (para aliviar el estrés)
6. ¿Juego al béisbol? (después de estirarse)

11 Los diez consejos

Hablar/*Escribir* En un grupo, escriban una lista de diez consejos en orden de importancia para los adultos. Léanle la lista al resto de la clase, empezando con el último consejo. *(Hint: Write a "top ten" list of advice for adults, and read it backwards to the class.)*

modelo

1. Compren un carro nuevo.
2. Tengan paciencia.
3. Denles mucho dinero a sus hijos.

Activities 12–13:
Make requests

GRAMÁTICA   Commands and Pronoun Placement

▶ There are easy rules for pronoun placement in sentences with **commands**.

• In **affirmative** commands, the **pronoun follows** the **verb** and is attached to it.

• In **negative** commands, the **pronoun** goes **before** the **verb**.

Usted command:

attached

Por favor, señorita Elena, **escríbanos** aquí su autógrafo.
*Please, Elena, **write** your autograph **for us** here.*

before

No, **no nos escriba** su autógrafo con esa pluma.
*No, **don't write** your autograph **for us** with that pen.*

Remember to add written **accents** to maintain stress on the correct syllable.

Tú command:

Háblame antes del programa.
***Talk to me** before the show.*

No me hables antes del programa.
***Don't talk to me** before the show.*

Practice: **Actividades** 12 13 14 15   **Más práctica** *cuaderno p. 72*
Para hispanohablantes *cuaderno p. 70*

Online Workbook CLASSZONE.COM

---

12 ¡Salud!

Hablar/Escribir Elena sabe mucho sobre cómo mantenerse saludable. Tomó unos apuntes de lo que piensa aconsejarle a la gente. Cambia cada apunte del infinitivo al imperativo. *(Hint: Give commands.)*

modelo

mantenerse sanos con comida nutritiva (sí)

Manténganse sanos con comida nutritiva.

1. divertirse con una rutina de ejercicio (sí)
2. levantarse muy tarde (no)
3. lavarse los dientes (sí)
4. relajarse (sí)
5. acostarse muy tarde (no)
6. ponerse ropa ligera (sí)
7. preocuparse por todo (no)
8. estirarse antes de correr (sí)
9. pelearse (no)
10. reírse mucho (sí)

13 ¿Qué deben comprar?

Leer/*Escribir* ¿Deben las siguientes personas comprar el artículo mencionado? Usa mandatos afirmativos y negativos para hacerles recomendaciones. *(Hint: Should these people buy these items?)*

modelo

Tenemos pelo sucio. (el perfume)

No lo compren.

1. En la mañana el sabor en la boca es feo. (la pasta de dientes)

2. Corro y levanto pesas. (el desodorante)

3. Tenemos las manos bastante secas. (el maquillaje)

4. Tenemos el pelo muy sucio. (el champú)

5. Queremos tener pelo más rizado. (los cepillos de dientes)

6. Necesito un regalo para una señorita elegante. (el perfume)

7. Tengo que afeitarme. (la loción)

8. Quiero secarme el pelo rápidamente. (el jabón)

Apoyo para estudiar

Pronoun Placement with Affirmative Commands

When you attach any object pronoun (direct, indirect, or reflexive) to an affirmative command of two or more syllables, add a written accent to the stressed syllable of the verb. Examples: **Escríbalo. Tráigame. Siéntese. Póngase la gorra. Acuéstese.** But... **Hazlo. Ponlos.**

Vocabulario

¡Ponte bien!

la loción

el perfume

el desodorante

el jabón

el maquillaje

la pasta de dientes

el cepillo de dientes

el champú

el secador de pelo

el cepillo

el peine

pelo **rizado**

pelo **lacio**

¿Qué productos usas tú?

Activity 16: Use and understand polite commands when speaking and listening

Activity 17: Show no significant pattern of error when providing information

14 ¿Qué venden?

Escuchar Escucha los seis anuncios del radio. ¿Qué producto quieren vender en cada anuncio? *(Hint: Tell what product is being advertised.)*

los cepillos

los cepillos de dientes

el jabón   el peine

la pasta de dientes

el champú

el desodorante

el maquillaje

la loción

el secador de pelo

15 Consejos locos

Hablar/*Escribir* Con otros(as) compañeros(as), usa el imperativo de los verbos reflexivos para escribir frases creativas que se puedan representar en clase. *(Hint: Give commands with reflexive verbs for classmates to act out.)*

modelo
ducharse
Dúchense con agua fría.

1. lavarse los dientes
2. maquillarse
3. lavarse el pelo
4. secarse el pelo
5. entrenarse
6. acostarse
7. levantarse
8. estirarse
9. peinarse
10. esconderse

Nota cultural

El Viejo San Juan Puerto Rico recibe mucha influencia de Estados Unidos, sobre todo en sus productos. Pero también tiene influencia de otros lugares. Esto se puede ver en los edificios del Viejo San Juan, que tienen un estilo colonial español que llegó con Ponce de León en el siglo XVI.

16 ¡Háganlo!

Hablar Tú y tu compañero(a) de clase van a enseñarles a unos niños de la escuela primaria a mantenerse sanos. Decidan qué les van a enseñar usando las ideas de abajo. Luego practíquenlo con sus compañeros(as) de clase. *(Hint: Teach children to be healthy.)*

hacer ejercicio

lavarse los dientes   bailar

comer una dieta balanceada

preparar comidas nutritivas

Activities 17–18 bring together all concepts presented.

17 Tu rutina

Hablar Con un grupo de compañeros(as), habla de tu rutina diaria. (*Hint: Talk about your daily routine.*)

1. ¿A qué hora te levantas? ¿A qué hora te acuestas?
2. ¿Qué haces después de levantarte?
3. ¿Qué comes y bebes por la mañana? ¿por la noche?
4. ¿Cómo te mantienes sano(a)?
5. ¿Cómo te relajas?

18 Los anuncios

Hablar/Escribir Con un(a) compañero(a), haz un anuncio (póster, video o presentación) para un producto de arreglo personal. Acuérdate de incluir lo siguiente. (*Hint: Create an ad for a personal care product.*)

- un mandato negativo (**usted** o **ustedes**)
- dos mandatos afirmativos (**usted** o **ustedes**)

- dos verbos reflexivos
- persuasión
- creatividad
- calidad

Champú El brillo
Cabello de lujo a bajo precio

¿Paga usted mucho por los productos para el pelo sin ver efectos positivos? No pierda más tiempo con su champú caro. ¡Haga un experimento!

Lávese el pelo todos los días con *Champú El brillo.*
¡Acuérdese! Si usted quiere tener cabello de lujo a bajo precio, **use Champú El brillo.**

More Practice: **Más comunicación** *p. R8*

 Online Workbook CLASSZONE.COM

Refrán

El ejercicio hace al maestro.

Este refrán quiere decir que si sigues intentando, un día lo vas a lograr. En grupos pequeños, inventen un juego para la clase donde los otros estudiantes tienen que intentar algo muchas veces antes de completar la actividad con éxito.

PARA LEER

STRATEGY: READING

Observe organization of ideas In a short reading, the number of paragraphs is often a clue to the number of key ideas. First, read the entire article quickly to get a general overview. Then reread each paragraph. On a copy of the chart below, give a title to each one.

Párrafo	Título
#1	
#2	
#3	
#4	
#5	
#6	

Puerto Rico: Lugar maravilloso

Puerto Rico es un lugar maravilloso para pasar las vacaciones porque tiene de todo. Tiene paisaje[1], deportes e historia. Y como es una isla pequeña puedes hacerlo todo en pocos días.

Si te gusta la naturaleza[2], no hay mejor lugar. En el interior de la isla hay varias reservas forestales y unas cuevas[3] muy importantes donde viven murciélagos[4] y donde se encuentran paredes de cristal.

Con el océano Atlántico al norte y el mar Caribe al sur, Puerto Rico tiene muchas playas. Algunas de las más famosas están cerca de San Juan en la costa atlántica, como Isla Verde, Luquillo y Condado. Para la gente que prefiere los deportes acuáticos, es posible hacer surfing o bucear[5]. Se puede explorar la isla por mar en un barco o a caballo en las playas y las montañas. Y si no te interesa ninguno de esos deportes, el béisbol también es muy popular en Puerto Rico.

[1] landscape   [2] nature   [3] caves   [4] bats   [5] scuba diving

Después de disfrutar las maravillas naturales de la isla, es hora de conocer San Juan. El centro de la capital, el Viejo San Juan, es un barrio de mucho ambiente [6] con casas, iglesias y edificios de la época colonial española. Hay muchas cosas que ver, como la catedral, la fortaleza San Felipe del Morro y los excelentes museos.

En el San Juan moderno está el Jardín Botánico de la Universidad de Puerto Rico. Aquí puedes ver todo tipo de flora puertorriqueña, hasta plantas exóticas y especies en peligro de extinción.

Si acaso después de ver tantas atracciones tienes hambre, puedes comer un plato típico de la isla como el asopao o el arroz con habichuelas. ¡Buen provecho!

[6] atmosphere

EL MORRO

CAMINE POR LAS MURALLAS DE UNA FORTALEZA DEL SIGLO XVI

Jardín Botánico
UPR Universidad de Puerto Rico

el asopao

Online Workbook
CLASSZONE.COM

¿Comprendiste?

1. ¿Por qué es Puerto Rico un buen lugar para pasar las vacaciones?
2. ¿Qué hay en el interior de la isla?
3. ¿Qué puedes hacer en la isla si te gusta el mar?
4. ¿Qué puedes ver en el Viejo San Juan?
5. ¿Qué lugar puedes visitar en el San Juan moderno?

¿Qué piensas?

1. Repasa tus apuntes sobre la organización del artículo. ¿De qué se trata cada párrafo?
2. ¿Por qué crees que el béisbol y el surfing son pasatiempos populares en Puerto Rico?
3. Tienes una semana en Puerto Rico. ¿Cómo vas a pasar tu tiempo? ¿Qué te gustaría hacer? ¿Por qué?

ETAPA 1

En uso

REPASO Y MÁS COMUNICACIÓN

SLIM
OBJECTIVES

- Discuss ways to stay fit and healthy
- Make suggestions
- Talk about daily routine and personal care

Now you can...

- talk about daily routine and personal care.

To review

- pronoun placement, see p. 186.

1 ¡No lo encuentro!

Una señora está arreglándose y no puede encontrar muchas cosas. ¿Qué dice? *(Hint: Tell what she says when she can't find what she needs.)*

modelo

¿Dónde está mi cepillo? ¡No lo encuentro y tengo que usarlo!

Now you can...

- talk about daily routine and personal care.

To review

- pronoun placement, see p. 186.

2 Un momento...

Francisco está arreglándose para la entrevista. ¿Qué le dice a su prima cuando toca a la puerta del baño? *(Hint: Tell what Francisco says when his cousin knocks on the bathroom door.)*

modelo

bañarse

Un momento. Me estoy bañando. (Estoy bañándome.)

1. lavarse el pelo

2. secarse

3. afeitarse

4. peinarse

5. ponerse la ropa

6. cepillarse el pelo

Now you can...
- discuss ways to stay fit and healthy.
- make suggestions.

To review
- formal **usted/ustedes** commands, see p. 188.

3 **¡Manténganse sanos!**

Elena les da consejos a sus admiradores. ¿Qué les dice?
(*Hint: Tell what advice Elena gives to her fans.*)

modelo

hacer ejercicio para bajar el estrés
Hagan ejercicio para bajar el estrés.

1. participar en varios deportes
2. correr para quemar calorías
3. caminar en el parque para relajarse
4. llevar una dieta balanceada
5. tomar suficiente agua
6. dormir ocho horas
7. vivir una vida saludable
8. estirarse para relajarse

Now you can...
- discuss ways to stay fit and healthy.
- make suggestions.

To review
- commands and pronoun placement, see p. 190.

4 **Unas respuestas**

Elena contesta las preguntas de sus admiradores. ¿Qué dice?
(*Hint: Tell how Elena answers her fans' questions.*)

modelo

¿Debo comer papas fritas? No, no las coma.
¿Debo mantenerme sano? Sí, manténgase sano.

1. ¿Debo comer frutas?
2. ¿Debo entrenarme todos los días?
3. ¿Debo beber mucho café?
4. ¿Debo estirarme antes de correr?
5. ¿Debo tomar muchos refrescos?
6. ¿Debo comer muchos dulces?
7. ¿Debo practicar deportes?
8. ¿Debo hacer ejercicio con frecuencia?
9. ¿Debo acostarme muy tarde?
10. ¿Debo tomar mucha agua?
11. ¿Debo relajarme después de correr?
12. ¿Debo levantar pesas?

Activity 6: Communicate effectively with some pattern of error, which may interfere slightly with full comprehension when making requests

5 Nuestras rutinas

STRATEGY: SPEAKING

React to daily routines As you compare daily routines, you will find similarities and differences. You often signal your general response before specifically telling how alike or different your schedules are.

To do this, use expressions like **yo también / ni yo tampoco / yo no / lo mismo para mí / no, al contrario / ¿de veras? / ¡no me digas!**

Haz una tabla con siete actividades y las horas correspondientes. Luego, en parejas, háganse preguntas para comparar sus rutinas. *(Hint: Make a chart and compare routines.)*

modelo

Tú: *Me despierto a las seis. ¿Y tú?*

Compañero(a): *Yo también, pero no me levanto hasta las seis y cinco. ¿A qué hora te levantas?*

Rutina diaria		
Hora	Actividad	Horario de mi compañero(a)
6:00	me despierto	6:00
6:15	me levanto	6:05
6:20	me baño	6:10

6 ¡Hagan ejercicio!

Tú eres maestro(a) de ejercicios aeróbicos. Dales consejos a tus clientes y contesta sus preguntas sobre la salud. *(Hint: Give advice.)*

modelo

Tú: *Relájense después de hacer ejercicio. Caminen en el parque.*

Compañero(a): *¿Debemos hacer ejercicio todos los días?*

Tú: *Sí, háganlo todos los días para mantenerse fuertes y sanos.*

7 En tu propia voz

ESCRITURA Imagínate que trabajas para un programa de salud y un señor te pide consejos. Hazle una lista de consejos apropiados. Incluye tres mandatos afirmativos y tres mandatos negativos. *(Hint: Give health advice.)*

modelo

1. Haga ejercicio todos los días.

2. No coma…

CONEXIONES

Las ciencias En Puerto Rico, hay un pueblo que se llama La Parguera al pie de la Bahía Fosforescente. Hay una luminosidad (*glow*) que viene del agua. ¿Qué significa **fosforescente**? ¿Por qué se ilumina el agua de esta bahía? ¿Bajo qué circunstancias puedes ver esta luminosidad? Investiga estas preguntas y comparte las respuestas con la clase.

En resumen
REPASO DE VOCABULARIO

Slim Slim Slim

DISCUSS WAYS TO STAY FIT AND HEALTHY

Diet and Exercise

el bienestar	well-being
crecer	to grow
la energía	energy
mantenerse sano(a)	to be healthy
relajarse	to relax
saludable	healthy

Diet

la alimentación	nourishment
el alimento	food
balanceado(a)	balanced
la caloría	calorie
la dieta	diet
nutritivo(a)	nutritious

Exercise

el atletismo	athletics
entrenarse	to train
estirarse	to stretch
el estrés	stress
sudar	to sweat

MAKE SUGGESTIONS

aconsejar	to advise
el (los) consejo(s)	advice
deber	should, ought to

TALK ABOUT DAILY ROUTINE AND PERSONAL CARE

Daily Routine

acostarse (o → ue)	to lie down, to go to bed
afeitarse	to shave oneself
arreglarse	to get ready
bañarse	to take a bath
cepillarse el pelo	to brush one's hair
despertarse (e → ie)	to wake up
ducharse	to take a shower
lavarse	to wash oneself
lavarse los dientes	to brush one's teeth
levantarse	to get up
maquillarse	to put on makeup
peinarse	to comb one's hair
ponerse la ropa	to get dressed
quitarse la ropa	to take off one's clothes
secarse	to dry oneself

Personal Care

el cepillo	hairbrush
el cepillo de dientes	toothbrush
el champú	shampoo
el desodorante	deodorant
el jabón	soap
lacio	straight (hair)
la loción	after-shave lotion
el maquillaje	makeup
la pasta de dientes	toothpaste
el peine	comb
el perfume	perfume
rizado	curly (hair)
el secador de pelo	hair dryer

Juego

Lee las pistas y di qué necesitan Marta, Antonio y Beatriz.

Marta se lavó el pelo.

Antonio debe levantarse.

Beatriz quiere ducharse.

ETAPA

2

Preparaciones

OBJECTIVES

- Discuss beach activities

- Tell someone what to do

- Talk about chores

- Say if something has already been done

Para la playa...
✓ toalla
✓ Sombrilla de playa
✓ sandalias
✓ loción protectora
✓ neverita

¿Qué ves?

Mira la foto de la playa y contesta las preguntas.

1. ¿Conoces a algunas personas de la foto? ¿A quién(es)?

2. ¿Qué hacen estas personas?

3. ¿Por qué crees que están allí?

4. ¿Qué puedes llevar a la playa?

Use authentic materials when reading: short narratives

En contexto

VIDEO DVD AUDIO

VOCABULARIO

Aquí Francisco y Susana se divierten en una de las hermosas playas de Puerto Rico.

A En este día hermoso, Susana y Francisco están en **la orilla** del **océano** Atlántico. ¡Están preparados!

Susana llevó **la sombrilla de playa** y **la loción protectora** para **proteger la piel** de quemaduras. Si no usan loción protectora, el sol los puede **quemar** porque es muy fuerte.

Francisco llevó **una toalla** para sentarse en **la arena**. Como la arena está muy caliente, tienen **sandalias**.

Francisco y Susana también llevaron **una neverita** con refrescos y piensan encontrar **caracoles** para tener de recuerdo.

las olas

una quemadura

la sombrilla de playa

el océano

la orilla

las sandalias

la toalla

la arena

la neverita

un caracol

la palma

el agua de coco

el palmar

B **El agua de coco** es deliciosa y quita la sed que da el sol. El coco crece en **la palma.** En Puerto Rico, Susana y Francisco ven muchos **palmares,** o grupos de palmas.

el pescador

el bote

C

También ellos ven a **un pescador** que disfruta de **las olas** en su **bote** mientras pesca.

Online Workbook
CLASSZONE.COM

Preguntas personales

1. ¿Te gusta ir a la playa? ¿Cuál es tu playa favorita?
2. ¿Hay una playa cerca de donde vives?
3. Cuando vas a la playa, ¿qué llevas?
4. Cuando estás en la playa, ¿prefieres nadar o buscar caracoles? ¿Por qué?

VIDEO DVD AUDIO

En vivo

DIÁLOGO

La casa de los tíos

Tía Julia   Tío Rodrigo   Susana   Francisco

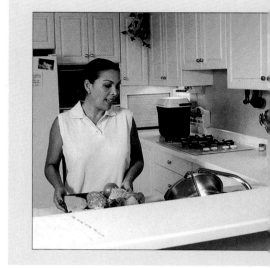

PARA ESCUCHAR • STRATEGY: LISTENING

Listen and categorize information Categorizing information often helps provide a framework for examining a subject. Tía Julia is trying to get everyone to share certain responsibilities. Listen and think of two categories into which these tasks would fit. What did you come up with?

1▶ Tía Julia: ¿Dónde están todos? Ya estamos atrasados. ¡Rodrigo!
Tío Rodrigo: ¿Sí, mi amor?
Tía Julia: No me dejes los platos sucios. Lavar los platos es tu quehacer, no el mío.

5▶ Tío Rodrigo: Aquí está la cartera. Y acabo de lavar los platos.
Tía Julia: Gracias, Rodrigo. Bien. Tenemos loción protectora, toallas, gafas de sol, sandalias.

6▶ Tío Rodrigo: ¿Qué más hago, Julia?
Tía Julia: A ver… ah, ¡sí! Pon la neverita con los sándwiches y el agua en el carro. Y la sombrilla de playa también.

7▶ Tía Julia: Tenemos todo lo que necesitamos para ir a la playa. Tenemos el almuerzo. La casa está limpia…
Tío Rodrigo: ¡Julia! Vamos, no queremos llegar tarde. ¡Date prisa!

2 ► **Tío Rodrigo:** Sí, ya lo sé, y me encanta lavarlos.

Tía Julia: Rodrigo, ¡lava los platos antes de salir de esta casa!

Tío Rodrigo: Sí. Claro, claro.

3 ► **Susana:** ¡Voy a ser una estrella!

Tía Julia: Susana, por favor, no corras por la casa. ¿Ya hiciste la cama?

Susana: No, no la hice.

Tía Julia: Vete y haz la cama inmediatamente. ¡Y limpia tu cuarto!

4 ► **Francisco:** Buenos días. ¿Ya estás lista?

Tía Julia: Ay, no. ¡Qué revolú hay en esta casa!

Francisco: ¿Cómo te ayudo?

Tía Julia: Por favor, pasa la aspiradora en la sala y saca la basura.

8 ► **Francisco:** ¡Qué precioso está el mar! Y la arena es tan suave.

Tío Rodrigo: Sí, tenemos playas bien lindas aquí. Con la arena suave, las olas y las palmas, es un paraíso tropical.

9 ► **Susana:** ¡Mira el caracol, papi! ¿No es bonito? Lo encontré en la orilla.

Tío Rodrigo: Sí, es muy bonito. Susana, por favor, ponte la loción protectora.

10 ► **Susana:** ¡Miren! ¡Allí está Elena Suárez y su equipo de televisión! Voy a ser estrella. Voy a ser estrella…

doscientos cinco
San Juan Etapa 2
205

En acción

Comprensión del diálogo

| Tía Julia | Tío Rodrigo | Susana | Francisco |

For Activities 1–2, refer to the dialog on pages 204–205.

1 Frases revueltas

Escuchar Combina frases de las dos columnas para describir el diálogo.
(Hint: Match phrases to describe the dialog.)

I. Tío Rodrigo debe

2. Susana quiere

3. Susana necesita

4. Tía Julia dice que tío Rodrigo debe

5. Tía Julia dice que Francisco puede

6. Susana debe

a. lavar los platos.

b. ponerse loción protectora en la piel.

c. ser una estrella.

d. pasar la aspiradora.

e. hacer la cama.

f. poner la neverita en el carro.

2 ¿Ocurrió?

Escuchar/Leer Lee las oraciones e indica cuál no ocurrió en el diálogo.
(Hint: Which didn't occur?)

I. Tío Rodrigo no…
   a. le trae la cartera a su esposa
   b. prepara los sándwiches
   c. ayuda en casa
   d. lava los platos

2. Susana no…
   a. está contenta porque va a salir en la televisión
   b. tiene que pasar la aspiradora
   c. corre en la casa
   d. tiene que hacer la cama

3. Francisco no…
   a. le ofrece ayuda a tía Julia
   b. saca la basura
   c. pone la neverita en el carro
   d. admira la playa

4. Tía Julia no…
   a. organiza el viaje a la playa
   b. necesita lavar los platos
   c. dice que no está lista para ir a la playa
   d. prepara el almuerzo

5. Francisco y su familia no…
   a. limpian la casa
   b. hacen los quehaceres
   c. van a la playa
   d. comen una cena grande

También se dice

Tía Julia usa la frase **¡Qué revolú!** para hablar de la falta de organización de su casa. Esta frase, que es popular en Puerto Rico, viene de la palabra **revolución.** Quiere decir que un lugar está muy sucio o desordenado.

Objectives for Activities 3–4
• Discuss beach activities

3 **Por la mañana**

Hablar ¿Qué hace Chela, la amiga de Francisco? Compara su rutina con la tuya. *(Hint: Describe her routine and compare it with yours.)*

6:00

modelo

Tú: *Chela se despierta a las seis. ¿A qué hora te despiertas?*

Compañero(a): *Me despierto a las siete. ¿Y tú?*

Tú: *Me despierto a las cinco y media.*

1.

6:15

2.

6:45

3.

7:00

4.

7:15

5.

7:30

6.

7:45

4 **¿Qué prefieres?**

Hablar Imagínate que tú y un(a) compañero(a) van a la playa. ¿Qué dicen? *(Hint: Talk about beach preferences.)*

modelo

sentarse en la sombra / sentarse al sol

Tú: *¿Prefieres sentarte en la sombra o sentarte al sol?*

Compañero(a): *Prefiero sentarme al sol.*

1. ir a una playa de rocas / ir a una playa de arena
2. nadar / tomar el sol
3. usar una sombrilla de playa para proteger la piel / usar loción protectora
4. nadar en olas grandes / nadar en olas pequeñas
5. llevar una toalla bonita / llevar una toalla grande
6. buscar caracoles / nadar
7. llevar comida en una neverita / comprar comida en un café
8. caminar a orillas del mar / andar en bote por el océano
9. beber agua de coco / beber refrescos
10. nadar / jugar al voleibol

Práctica: gramática y vocabulario

Objectives for Activities 5–15
• Tell someone what to do • Discuss beach activities • Talk about chores • Say if something has already been done

REPASO Affirmative **tú** Commands

 ¿RECUERDAS? *p. 190* You have already reviewed pronoun placement with commands. Remember, to form **affirmative tú commands,** all you do is use the third person singular **(él/ella/usted)** form of the verb in the present tense.

third person, present tense   **tú command**

Rodrigo **pasa** la aspiradora los sábados, pero nunca **saca** la basura.
*Rodrigo **vacuums** on Saturdays, but he never **takes out** the trash.*

Por favor, **pasa** la aspiradora en la sala, y después **saca** la basura.
*Please **vacuum** in the living room, and then **take out** the trash.*

▶ Remember that **hacer, ser,** and **ir** are irregular in the **tú command** form.

hacer

Vete, hija, y **haz** la cama inmediatamente.
*Go, daughter, and **make** the bed right away.*

ser, ir

Sé bueno. **Ve** a mi cuarto y **tráeme** mis sandalias.
***Be** good. **Go** to my room and **bring me** my sandals.*

Remember that object pronouns attach to **affirmative commands.**

▶ These five verbs have **tú command** forms that are also irregular. For each, take the present tense of the **yo** form and drop the **-go** ending.

	yo form	tú command
decir	di**go**	di
poner	pon**go**	pon
salir	sal**go**	sal
tener	ten**go**	ten
venir	ven**go**	ven

Practice:
Actividades
5 6 7

Más práctica
cuaderno p. 77
Para hispanohablantes
cuaderno p. 75

 Online Workbook
CLASSZONE.COM

5 ¡A la playa!

Escribir Tu hermana menor va a la playa con sus amigos. Escríbele una lista de cosas que debe hacer. *(Hint: Write affirmative commands.)*

modelo
traer bastante agua
Trae bastante agua.

1. despedirse de papá
2. proteger la piel
3. ponerse loción protectora
4. tener cuidado
5. escuchar la radio
6. llegar a casa a las siete
7. traer un almuerzo saludable
8. salir con los amigos
9. usar las sandalias
10. terminar la tarea
11. ir a la playa más bonita
12. ser buena
13. buscar caracoles
14. jugar al voleibol
15. sacar fotos

6 La casa sucia

Hablar Después de una fiesta, tu hermano(a) te ayuda a limpiar la casa. ¿Qué le dices? *(Hint: Give the commands.)*

modelo

lavar los platos

Hermano(a): *¿Lavo los platos?*

Tú: *Sí, lávalos.*

1. barrer el piso
2. hacer la limpieza
3. pasar la aspiradora
4. limpiar el cuarto
5. cortar el césped
6. preparar la comida
7. quitar el polvo
8. sacar la basura
9. planchar la ropa
10. hacer la cama

Vocabulario

Los quehaceres

barrer el piso *to sweep the floor*
cortar el césped *to cut the grass*
hacer la limpieza *to do the cleaning*
lavar los platos *to wash the dishes*
limpiar el cuarto *to clean the room*
limpio(a) *clean*
pasar la aspiradora *to vacuum*
planchar *to iron*
los quehaceres *chores*
quitar el polvo *to dust*
sacar la basura *to take out the trash*
sucio(a) *dirty*

▶ ¿Qué haces en tu casa para ayudar?

7 Los quehaceres

Escuchar/Hablar Escucha estos seis mandatos de tu mamá y mira el dibujo. Luego dile a tu mamá si tienes todo lo que necesitas para hacer lo que ella quiere. *(Hint: Do you have the necessary items?)*

Nota cultural

Después de las clases ¿Tienes que hacer los quehaceres de la casa antes de salir con tus amigos? Como en Estados Unidos, en los países hispanos los jóvenes hacen varias actividades después de las clases. Muchos practican deportes o salen con amigos al parque o a un café. Otros regresan a la casa para ayudar con los quehaceres. ¡Y todos tienen que hacer la tarea para la escuela!

REPASO   Negative **tú** Commands

¿RECUERDAS? *p. 208* You already know how to form affirmative **tú commands.** However, when you're telling someone not to do something you use another form, a negative **tú command.**

▶ To form the negative **tú command,** you take the **yo form** of the verb in the present tense and:

• Change the ending to **-es** for **-ar** verbs.

dejar   **dej**o   ¡**No** me **dejes** los platos sucios!
Don't leave me the dirty dishes!

> Remember that in **negative commands,** the pronoun is placed before the verb.

• Change the ending to **-as** for **-er** and **-ir** verbs.

creer   **cre**o   Rodrigo, **no crees** que voy a olvidar los platos.
Rodrigo, ***don't think*** *I'm going to forget the dishes.*

> Remember that some verbs will require spelling changes to keep pronunciation consistent:
> **lleg**o → **llegu**es

▶ These verbs have **negative tú commands** that are irregular.

	negative tú command
dar	no d**es**
estar	no est**és**
ir	no vay**as**
saber	no sep**as**
ser	no se**as**

Practice: Actividades

8 9 10

Más práctica
cuaderno pp. 78–79
Para hispanohablantes
cuaderno pp. 76–77

Online Workbook
CLASSZONE.COM

8 ¡No te preocupes!

Hablar/Escribir La abuela de Francisco se preocupa mucho. ¿Qué le aconsejó a Francisco antes de su viaje? Usa el mandato negativo de **tú.** *(Hint: Write negative commands.)*

modelo
beber el agua
No bebas el agua.

1. nadar en el mar por la noche
2. llevar mucho equipaje
3. ser malo
4. comer mucho azúcar
5. ir con personas que no conoces
6. estar nervioso
7. acostarse tarde todas las noches
8. darles tu dinero a los demás
9. hablar con personas que no conoces
10. perder las maletas

9 Una solución

STRATEGY: SPEAKING

Improvise Develop spontaneity when speaking Spanish. Here you can practice speaking "on impulse" by giving an unexpected or illogical solution (**¿Corto el césped?**) to the problem (**Mi cuarto está sucio.**).

Hablar/Leer Con un(a) compañero(a) lee los problemas y las soluciones. Usa el mandato negativo para decir que las soluciones son ilógicas. Luego da una mejor solución.
(Hint: Read the problems, and then solve them correctly.)

modelo

Mi cuarto está sucio. (cortar el césped)

Compañero(a): *Mi cuarto está sucio. ¿Corto el césped?*

Tú: *No, no cortes el césped. Limpia tu cuarto.*

En la casa...

1. Mi casa es un desastre. (planchar la ropa)
2. El piso no está limpio. (quitar el polvo)
3. La basura está llena. (hacer la cama)

En la playa...

4. No quiero una quemadura. (hacer un castillo de arena)
5. Quiero tomar el sol. (sentarse debajo de una palma)
6. La arena me está quemando los pies. (ponerse un traje de baño)

10 ¿Qué hago?

Hablar Tú tienes muchos problemas y hablas con el (la) consejero(a) de tu escuela. ¿Qué te dice? *(Hint: Discuss problems.)*

modelo

estar aburrido(a)

Tú: *Estoy aburrido(a).*

Consejero(a): *Lee un libro interesante.*

Tú	Consejero(a)
sacar malas notas	leer un libro interesante
no poder dormir	buscar un trabajo
estar aburrido(a)	no ver la televisión
no tener dinero	no escuchar la radio
no hacer la tarea	
estar triste	participar en más actividades
nunca ir a la escuela	no trabajar tanto
no tener suficientes amigos	poner música tranquila
	levantarse temprano
	ir a la escuela
	cambiar de horario

More Practice: **Más comunicación** *p. R9*

Activities 12–13: Use and understand
questions when speaking and listening

Remember that some adverbs tell you how an action takes place: *quickly, slowly, reluctantly.*
In English adverbs often end in **-ly.** In Spanish they often end in **-mente.**

> Caminó **lenta**mente.
> *He walked **slowly.***

To make adverbs of this type, add -mente to the **feminine**
form of the **adjective.**

From **desafortunado/desafortunada:**

> ¿Estás lista para la playa?
> **Desafortunada**mente, no.
> *Are you ready for the beach? **Unfortunately,** no.*

If the adjective doesn't have masculine and feminine forms,
but just a **single** form, add -mente to the **single** form.

From **frecuente:**

> Hablo en clase **frecuente**mente.
> *I **frequently** speak in class.*

And don't forget the accents! They go where they would
if there were no -mente.

> *Since feliz has
> no accent, felizmente
> doesn't either.*

> **Feliz**mente, los adverbios se hacen
> muy **fácil**mente.
> ***Happily,** adverbs are made **easily.***

> *But since fácil
> has an accent,
> fácilmente **does too.***

Vocabulario

Adverbs Ending in -mente

especialmente *especially*

inmediatamente *immediately*

normalmente *normally*

rápidamente *quickly*

recientemente *recently*

típicamente *typically*

tranquilamente *calmly*

> ¿Cómo haces las cosas?

Practice: **Actividades**   **Más práctica** *cuaderno p. 80*   **Online Workbook**
11 12 13   **Para hispanohablantes** *cuaderno p. 78*   CLASSZONE.COM

11 En Puerto Rico

Leer/*Escribir* Completa las observaciones de Francisco en Puerto Rico con adverbios que terminen en **-mente**. Usa un adverbio diferente para cada oración. *(Hint: Complete Francisco's observations.)*

típicamente·	frecuentemente
normalmente·	especialmente·
tranquilamente	lentamente·
desafortunadamente·	inmediatamente·

modelo

Mi familia _____ va a la playa los fines de semana.

Mi familia normalmente va a la playa los fines de semana.

1. En el Viejo San Juan, los edificios son _____ antiguos.

2. A mis parientes les gusta nadar en el océano Atlántico, _____ cuando hace mucho calor.

3. Tío Rodrigo _____ va a un partido de béisbol.

4. Por las tardes, muchas personas caminan _____ por la orilla del océano.

5. La economía de algunos países _____ tiene problemas.

6. Los puertorriqueños _____ hablan español e inglés.

7. Tengo que salir _____ para mi entrevista con Elena Suárez.

8. Cuando tiene mucho tiempo, tía Julia hace la limpieza _____ .

12 ¿Cómo lo haces?

Hablar Habla con un(a) compañero(a) de la manera en que haces las siguientes actividades, usando adverbios con **-mente**. *(Hint: Talk with a classmate.)*

modelo

hablar español (fácil / difícil)

Compañero(a): *¿Cómo hablas español?*

Tú: *Hablo español fácilmente.*

1. dormir (profundo / ligero)
2. correr (rápido / lento)
3. viajar (frecuente / raro)
4. esperar (paciente / impaciente)
5. aprender las matemáticas (fácil / difícil)
6. levantarse por la mañana (rápido / lento)

13 Unas actividades

Hablar/*Escribir* Describe cómo haces cinco actividades, utilizando una palabra que termine en **-mente**. Después pregúntales a cinco compañeros(as) si lo hacen así también. Luego haz una tabla con los resultados. *(Hint: Describe doing activities and poll classmates. Chart results.)*

Actividades	Yo	Pablo
esquiar	Esquío rápidamente.	
bailar	Bailo locamente.	
hablar	Hablo en clase frecuentemente.	
llevar	Llevo sandalias normalmente.	
cortar	Me corté el pelo recientemente.	

Activity 17: Use and understand sentences and strings of sentences when speaking and listening

14 En la playa

Hablar Estás en la playa con tus parientes y tus amigos. Ellos acaban de hacer estas actividades. Díselo a tu compañero(a). *(Hint: Tell your classmate about the following people.)*

modelo

tú / ponerse loción protectora

Compañero(a): *¿Ya te pusiste loción protectora?*

Tú: *Sí, acabo de ponerme loción protectora. (Sí, acabo de ponérmela.)*

Nota: Gramática

When saying what you have already done, use **ya.** To say what you have just done, use **acabar de** + an infinitive.

¿Ya hiciste la cama? *Did you **already** make your bed?*

Sí, acabo de hacerla. *Yes, I (have) **just** made it.*

1. tú / abrir la sombrilla de playa
2. tu madre / buscar caracoles
3. tus compañeros(as) / hablar con un pescador
4. ustedes / proteger la piel
5. yo / contarte un chiste
6. tu amigo(a) / salir en bote
7. tus amigos(as) / beber agua de coco
8. tú / sacar un refresco de la neverita
9. ustedes / jugar al voleibol
10. tu padre / secarse con la toalla

15 ¿Ya?

Escuchar/Hablar Escucha las siguientes conversaciones e indica si la segunda persona ya hizo el favor o si va a hacerlo. *(Hint: Tell whether the second person already completed the task or is going to.)*

Acaba de hacerlo.

Va a hacerlo.

modelo

Susana

Sí, Susana acaba de hacerlo.

1. Francisco
2. Francisco
3. Susana
4. tío Rodrigo
5. tía Julia
6. Susana

Nota cultural

El manatí ¿Sirenas (*mermaids*) en Puerto Rico? Hace muchos años, los marineros vieron por primera vez el manatí y pensaron que era una mujer con cola de pez. Y así continúa el mito de la sirenita.

Activities 16–17 bring together all concepts presented.

16 Unas sugerencias

Hablar/Escribir Con un(a) compañero(a), escriban una lista de sugerencias para un(a) estudiante que va a tomar la clase de español el año que viene. Léele la lista a la clase. (*Hint: Write suggestions for a student who will be taking Spanish next year.*)

- Llega a clase a tiempo.
- No hables inglés en clase.
- Escucha mucha música latina.
- Trata de hablar mucho español. (No es necesario hablar perfectamente.)
- No duermas en clase.

17 Una playa de Puerto Rico

Hablar Mira la foto de una playa de Puerto Rico. Túrnense para hacer oraciones sobre lo que pasa. ¡Ojo! Cada persona tiene que repetir las oraciones de los demás. (*Hint: Take turns making sentences about the photo, repeating the sentences of others in your group.*)

modelo

Hay arena.

Hay arena y un palmar.

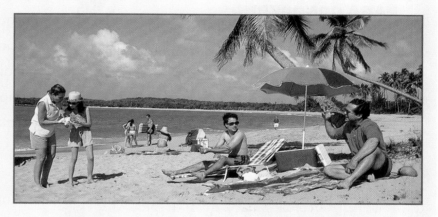

More Practice: Más comunicación *p. R9*

Online Workbook
CLASSZONE.COM

Refrán

No dejes para mañana lo que puedes hacer hoy.

En grupos pequeños, hagan una lista de cosas que deben hacer hoy en lugar de mañana. Luego comparen su lista con la lista de otro grupo.

En colores

VIDEO DVD

CULTURA Y COMPARACIONES

El Yunque

PARA CONOCERNOS

STRATEGY: CONNECTING CULTURES

Recognize unique natural wonders **El Yunque** is the only tropical rain forest (**bosque tropical**) that is part of the U.S. National Forest Service. From your reading and your own knowledge, define the major characteristics of a tropical rain forest.

Características de un bosque tropical
Clima:
Animales:
Plantas:

What other U.S. national parks can you name?

Esta guía te cuenta de El Yunque.

Bienvenidos a El Yunque, el único bosque tropical del Servicio Forestal Nacional de Estados Unidos. El parque queda a 25 millas de San Juan. Hoy vamos a conocerlo. Este maravilloso parque te va a sorprender.

¡Hay tantas cosas interesantes en El Yunque! Hay una variedad tremenda de plantas. En el parque encuentras 240 clases de árboles y varias clases de plantas y flores. Saca fotos de los magníficos cedros [1], el bambú y los helechos [2]. Trepa a un árbol. Y nota el perfume tan agradable de las flores. Es el perfume de las pequeñas orquídeas que crecen por todas partes. Escucha bien

---

[1] cedars   [2] ferns

Bosque Nacional

el canto de los pájaros. El Yunque es un refugio de aves [3] donde puedes ver el casi extinto loro [4] puertorriqueño. No hagas ruido y vas a oír el coquí, la rana indígena que recibió su nombre del sonido que hace, «coquí-coquí-coquí».

Ahora vamos a caminar por un sendero [5] y subir hasta El Toro. A unos 3.530 pies de altura, El Toro es el pico más elevado del parque. ¡No te canses! Después seguimos hasta las cataratas [6]. ¡Ten cuidado! ¡No te caigas al agua!

---

[3] bird sanctuary   [4] parrot   [5] path   [6] waterfalls

No te preocupes si empieza a llover durante tu visita. En el parque hay muchos lugares de recreo y centros de información donde puedes buscar refugio. No te vayas de El Yunque sin ir al Centro Forestal tropical, El Portal, para ver exhibiciones y una película sobre El Yunque. Siéntate en el patio y disfruta el panorama de este paraíso tropical.

More About Puerto Rico
CLASSZONE.COM

¿Comprendiste?

1. ¿Qué es El Yunque? ¿Dónde está?
2. ¿Qué árboles y plantas puedes ver en El Yunque?
3. ¿Qué animales viven en El Yunque?
4. ¿A qué lugares te llevan los senderos?
5. ¿Qué haces si empieza a llover?

¿Qué piensas?

Compara otro parque nacional en Estados Unidos con El Yunque.

Hazlo tú

Ya hiciste una excursión por El Yunque. Ahora, piensa en alguna parte de tu escuela y prepara una excursión por este lugar.

Activities 1–2: Show no significant pattern of error when making requests

En uso
REPASO Y MÁS COMUNICACIÓN

OBJECTIVES

- Discuss beach activities
- Tell someone what to do
- Talk about chores
- Say if something has already been done

Now you can...
- talk about chores.

To review
- affirmative **tú** commands, see p. 208.

1 Responsabilidades

Francisco tiene algunas responsabilidades en la casa de sus tíos. ¿Qué le dice su tía? Usa cada verbo una vez. *(Hint: Tell what Francisco's aunt wants him to do.)*

modelo

_____ *la cena.*

Prepara la cena.

| ser | tener | secar | preparar |
| hacer | | ir | poner | barrer |

1. _____ responsable.
2. _____ paciencia con tu prima.
3. _____ al supermercado para comprar leche.
4. _____ la mesa.

5. _____ la limpieza.
6. _____ el piso.
7. _____ los platos.
8. _____ el desayuno.

Now you can...
- tell someone what to do.

To review
- affirmative **tú** commands, see p. 208.
- negative **tú** commands, see p. 210.

2 ¡Mira los caracoles!

Susana quiere ir a la playa. ¿Qué le dice Francisco? *(Hint: Tell what Francisco says to Susana.)*

modelo

llevar toallas

Lleva toallas. (No lleves toallas.)

1. tomar mucho sol
2. proteger la piel
3. ponerse loción protectora
4. jugar en las olas grandes
5. ir sola

6. usar gorra
7. nadar después de comer
8. hacer castillos de arena
9. sentarse debajo de una sombrilla de playa
10. mirar al pescador

Now you can...
- discuss beach activities.

To review
- adverbs ending in **-mente,** see p. 212.

3 Una postal

Francisco les escribe una postal a sus abuelos. ¿Qué dice? (*Hint: Complete Francisco's postcard.*)

modelo

(Reciente) fui a la playa con mis tíos.

Recientemente fui a la playa con mis tíos.

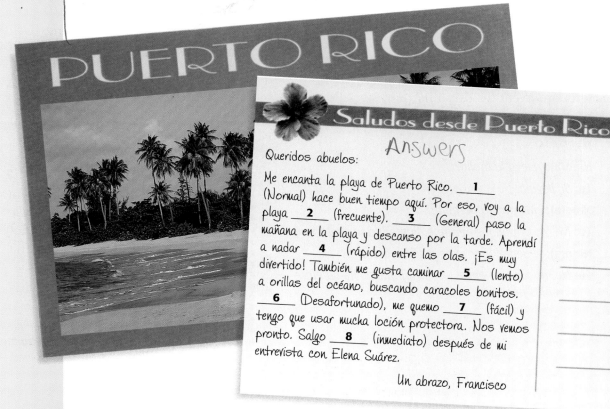

PUERTO RICO

Saludos desde Puerto Rico

Answers

Queridos abuelos:

Me encanta la playa de Puerto Rico. ___1___ (Normal) hace buen tiempo aquí. Por eso, voy a la playa ___2___ (frecuente). ___3___ (General) paso la mañana en la playa y descanso por la tarde. Aprendí a nadar ___4___ (rápido) entre las olas. ¡Es muy divertido! También me gusta caminar ___5___ (lento) a orillas del océano, buscando caracoles bonitos. ___6___ (Desafortunado), me quemo ___7___ (fácil) y tengo que usar mucha loción protectora. Nos vemos pronto. Salgo ___8___ (inmediato) después de mi entrevista con Elena Suárez.

Un abrazo, Francisco

Now you can...
- say if something has already been done.

To review
- **ya** and **acabar de,** see p. 214.

4 ¿Más quehaceres?

Hay una fiesta en tu casa mañana y ayudas a tu mamá con la limpieza. Contesta sus preguntas. (*Hint: Answer your mother's questions.*)

modelo

¿Ya sacaste la basura? (sí)   *Sí, acabo de sacarla.*

1. ¿Ya pasaste la aspiradora? (sí)
2. ¿Ya pusiste la mesa? (no)
3. ¿Ya quitaste el polvo? (sí)
4. ¿Ya lavaste los platos? (no)
5. ¿Ya limpiaste el baño? (no)
6. ¿Ya cortaste el césped? (sí)

Activities 5–6: Show no significant pattern of error when engaging in conversations;
Demonstrate culturally appropriate behavior when making requests

5 ¡A la playa!

STRATEGY: SPEAKING

Encourage or discourage certain behaviors With your partner, brainstorm typical ways children act. Then decide in your role-play which ones you will encourage and which ones you will discourage. How can you make good choices more appealing? The model gives you some ideas.

Vas a llevar a un(a) niño(a) a la playa. ¿Qué dicen ustedes antes de salir? *(Hint: Role-play a conversation between you and a child you are taking to the beach.)*

modelo

Niño(a): *¿Llevo la toalla?*

Tú: *Sí, llévala.*

Niño(a): *¿Me pongo perfume?*

Tú: *No, no te pongas perfume. Ponte loción protectora.*

Niño(a): *¿Puedo jugar entre las olas grandes?*

Tú: *No, no juegues entre las olas grandes. Juega entre las olas pequeñas.*

6 ¡Qué desastre!

Tú y tus amigos tuvieron una fiesta anoche y dejaron la casa muy sucia. Esta noche tus padres tienen una fiesta. ¿Qué dicen todos? Cambien de papel. *(Hint: Role-play a conversation between you and your parents about cleaning the house for a party.)*

modelo

Mamá: *¡Lava los platos inmediatamente!*

Tú: *Está bien, mamá. Voy a lavarlos ahora.*

Papá: *¿Ya limpiaste el baño?*

Tú: *Sí, papá. Acabo de limpiarlo.*

7 *En tu propia voz*

ESCRITURA Un(a) amigo(a) tuyo(a) va a hacer un viaje a Puerto Rico. Escríbele una carta que incluya una descripción de la playa y varias recomendaciones. *(Hint: Write a letter to a friend who plans to visit Puerto Rico.)*

modelo

Querida Linda:

Puerto Rico es muy bonito, especialmente la playa. En la playa hay… Si vas a la playa, lleva…

San Juan tiene muchos edificios antiguos. Visita…

TÚ EN LA COMUNIDAD

Tom tiene diecisiete años y es estudiante en Washington. Ahora aprende español en la escuela. Algunas veces habla español en casa con sus primos y hermanitos. Por la tarde trabaja en una heladería. Cuando los clientes hispanos que no hablan inglés van a la heladería, Tom trata de ayudarlos y les habla en español. ¿Usas tu español cuando quieres ayudar a la gente hispana que no entiende bien el inglés?

En resumen
REPASO DE VOCABULARIO

TELL SOMEONE WHAT TO DO

barrer el piso	to sweep the floor
cortar el césped	to cut the grass
hacer la limpieza	to do the cleaning
lavar los platos	to wash the dishes
limpiar el cuarto	to clean the room
pasar la aspiradora	to vacuum
planchar	to iron
quitar el polvo	to dust
sacar la basura	to take out the trash

TALK ABOUT CHORES

limpio(a)	clean
los quehaceres	chores
sucio(a)	dirty

SAY IF SOMETHING HAS ALREADY BEEN DONE

acabar de	to have just
ya	already

DISCUSS BEACH ACTIVITIES

What You See

la arena	sand
el bote	boat
el caracol	shell
el océano	ocean
las olas	waves
la orilla	edge, shore
la palma	palm tree
el palmar	palm tree grove
el (la) pescador(a)	fisherman

At the Beach

el agua de coco	coconut milk
la loción protectora	sunscreen
la neverita	cooler
la piel	skin
proteger	to protect
la quemadura	burn
quemar	to burn
las sandalias	sandals
la sombrilla de playa	beach umbrella
la toalla	towel

ADVERBS ENDING IN -MENTE

desafortunadamente	unfortunately
especialmente	especially
fácilmente	easily
frecuentemente	frequently
inmediatamente	immediately
lentamente	slowly
normalmente	normally
rápidamente	quickly
recientemente	recently
típicamente	typically
tranquilamente	calmly

Juego

Francisco le escribe por correo electrónico a su amigo y le gusta jugar con letras. ¿Qué escribió Francisco?

> Enviar | Citar | Adjuntar | Dirección | Finalizar
>
> Vamos a la playa y vamos a jugar al voleibol en la **anare.** Para **tenpororesg** del sol, tenemos mucha **nóloci ratotecrop.**

UNIDAD 3

¿Cómo te sientes?

OBJECTIVES

- Describe time periods

- Talk about health and illness

- Give advice

EL SHOW DE ELENA SUÁREZ

	Escena	Toma
Película	PR23D4	7
8		
Director	MIGUEL MARRÓN	
Cámara	JAIME TOMÁS	
Fecha	3-18	

¿Qué ves?

Mira la foto. ¿Qué ves?

1. Haz una lista de todo lo que ves.
2. ¿Dónde están estas personas?
3. ¿Qué hacen?
4. ¿Cómo se llama el programa?

222

EL SHOW DE ELENA SUAREZ

Pelicula	Escena	Toma 7
8	PR 23 D 4	
Director	Miguel Marrón	
Cámara	Jaime Tomâs	
Fecha	3-18	

VIDEO DVD AUDIO

En contexto
VOCABULARIO

Mira las fotos y las ilustraciones para ver lo que le pasó a Francisco.

A **¡Socorro!** Francisco tiene que ir al doctor. Y, ¿sabes qué? El doctor tiene que hacerle **una radiografía** porque no sabe qué **enfermedad** tiene. Se ve en **la cara** que le **duele** alguna parte de su **cuerpo.** Tal vez comió demasiados dulces y tiene dolor de **estómago** o le duele **la cabeza.** Quizás le duele **el codo** o **la mano** porque estaba jugando al tenis. ¿Quién sabe? Le puede doler **la rodilla, la pierna, el tobillo** o **el pie** porque corre mucho.

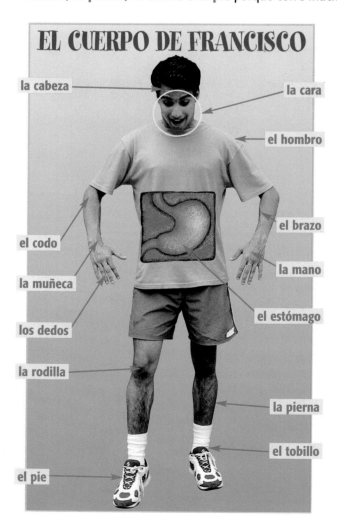

EL CUERPO DE FRANCISCO

la cabeza

la cara

el hombro

el codo

el brazo

la muñeca

la mano

los dedos

el estómago

la rodilla

la pierna

el tobillo

el pie

B El doctor lo revisa y Francisco no tiene problemas en **los ojos** para ver, ni en **la nariz** para **respirar,** ni en **las orejas** ni en **el oído** para escuchar. La boca y **los dientes** están bien. Quiere decir que no comió demasiados dulces. No le duele ni **la garganta** ni **el cuello** tampoco.

el oído

los ojos

la nariz

la oreja

la boca

los dientes

la receta

el cuello

la garganta

las pastillas

C ¡Ay! Cuando el doctor le toca **el brazo,** le duele mucho. Parece que le duelen **el hombro, la muñeca** y **los dedos** porque se cayó mientras jugaba al tenis. Así que en **el consultorio** le ponen **un yeso.**

D También le dan **una receta** para mejorarse más rápido. Pero pobre Francisco, ¡no le gusta tomar **las pastillas!**

Online Workbook
CLASSZONE.COM

el yeso

Preguntas personales

1. ¿Alguna vez te sacaron una radiografía? ¿De qué parte del cuerpo?
2. ¿Alguna vez te pusieron un yeso? ¿Por qué?
3. ¿Qué haces si te duele la garganta?
4. ¿Cómo puedes ayudar a alguien que tiene un yeso en el brazo?
5. ¿Recuerdas alguna vez que gritaste «socorro»? Explica.

Listen to audio
or video texts

VIDEO DVD AUDIO

 DIÁLOGO

El día del show

 Elena   Francisco   Tía Julia   Tío Rodrigo   Susana

PARA ESCUCHAR • STRATEGY: LISTENING

Listen sympathetically Listening sympathetically is an important part of being a good listener. Because of an accident in this scene, you can hear many ways of expressing pain or concern—your own or someone else's. What expressions for pain or concern do you hear?

1 ▶ Elena: ¡Bienvenidos!
Francisco: Gracias. Te presento a mi familia.
Tía Julia: Encantada.
Tío Rodrigo: Mucho gusto.
Susana: Hola.

5 ▶ Elena: ¡Ahí! Me duele ahí.
Tío Rodrigo: Elena, es necesario que te examine el tobillo.
Elena: Ay, ¡qué pena! Hace cuatro años que grabamos este programa, y ni un accidente.

6 ▶ *(En el consultorio)*
Tío Rodrigo: Elena, tienes una fractura de tobillo. Se ve muy claro en la radiografía.
Elena: ¿Una fractura? ¿Qué voy a hacer?
Tío Rodrigo: Voy a ponerte un yeso. Es necesario que el tobillo se recupere.

7 ▶ Tío Rodrigo: El tobillo te va a doler mucho hoy y mañana. Esta receta es para unas pastillas. Son para el dolor. Y es importante que no camines por unos días.

 226 doscientos veintiséis
Unidad 3

2 ▶ *(Comienza el show.)*

Elena: Gracias por venir a participar. Vengan, les explico todo. Es importante que ustedes entiendan lo que van a hacer.

3 ▶ **Elena:** ¡Bienvenidos al Show de Elena Suárez! ¿Están todos listos? ¡Muy bien! Primero, vamos a estirar el cuerpo. Comenzamos con el cuello. Ahora los hombros. Las piernas. Estiren las manos hacia el pie derecho. Respiren.

4 ▶ *(Elena se cae.)*

Tío Rodrigo: Déjame ver. Soy doctor.

Elena: Ay, me duele mucho.

Tío Rodrigo: A ver. ¿Dónde? ¿Es la rodilla o el tobillo?

Elena: Es el tobillo.

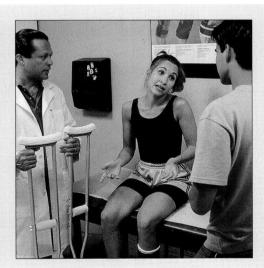

8 ▶ *(Alguien toca a la puerta.)*

Tío Rodrigo: Pasa, Francisco.

Francisco: Estamos todos en la sala de espera. Estamos muy preocupados. ¿Cómo estás?

Elena: No muy bien. Me lastimé.

9 ▶ **Elena:** Francisco, lo siento mucho. Es una pena que no puedas participar en mi programa. Pero podemos hacer la entrevista por teléfono mañana.

Francisco: Sí. Muchas gracias. Pero Susana está triste. Ella quería ser estrella.

10 ▶ **Elena:** No hay problema. Después de recuperarme voy a seguir con mi programa. Susana y toda la familia pueden participar.

Tío Rodrigo: Gracias, Elena.

Francisco: Bueno, nos hablamos mañana.

En acción

PARTE A

Comprensión del diálogo

Elena   Francisco   Tía Julia   Tío Rodrigo   Susana

For Activities 1–2, refer to the dialog on pages 226–227.

1 ¿Cómo lo sabes?

Escuchar/Escribir Todas estas oraciones son ciertas. Busca las líneas del diálogo que lo demuestren. *(Hint: Find the lines of the dialog that prove these sentences are true.)*

modelo

A Elena le gusta que la familia de Francisco vaya a participar en el programa.

«Gracias por venir a participar.»

1. Elena tiene un problema.
2. Tío Rodrigo ayuda a Elena.
3. A Elena no le ocurren muchos accidentes en su programa.
4. La radiografía confirma las malas noticias.
5. Tío Rodrigo le da algo para el dolor.
6. Elena tiene una solución para el problema de Susana.

2 ¿Quién?

Escuchar/Hablar Francisco, Elena y la familia de Francisco están charlando. Según lo que ya sabes de ellos, decide quién hace cada comentario. *(Hint: Who would say this?)*

1. «Fuimos al consultorio de mi tío.»
2. «¿Puedo hablar con Elena Suárez, por favor? Habla…»
3. «Voy a recetarte una medicina para el dolor.»
4. «Voy a salir en la tele.»
5. «Me duele un montón.»
6. «Ay mi'ja, no corras por la playa.»
7. «No puedo hacer el show por alrededor de un mes.»
8. «Primo, ¿ya hablaste con la estrella?»
9. «No uses el tobillo.»
10. «No me gusta este yeso.»

PUERTO RICO

Nota cultural

Los huracanes Por la situación geográfica de la isla de Puerto Rico, hay muchos huracanes allí. Después del huracán Georges, llegó ayuda de muchas partes —incluyendo la Cruz Roja y la Guardia Nacional de Estados Unidos.

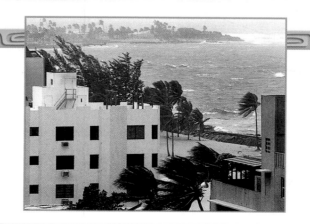

Objectives for Activities 3–4
• Talk about health and illness

❸ Los quehaceres en tu casa

Hablar Con un(a) compañero(a), habla de quién hace los quehaceres en tu casa. *(Hint: Talk about who does these chores.)*

modelo

Compañero(a): ¿Quién plancha la ropa?

Tú: *Yo plancho la ropa. (Toda la familia plancha la ropa.)*

1.

2.

3.

4.

5.

6.

❹ ¿Qué te duele?

Hablar Imagínate que algo le duele a tu compañero(a) a causa de las siguientes actividades. Descríbele lo que le duele. *(Hint: Describe what hurts.)*

modelo

Corrí diez kilómetros ayer.

Compañero(a): *Corrí diez kilómetros ayer.*

Tú: *Te duelen las piernas.*

Nota: Gramática

When you want to describe what hurts, use **doler** (o → ue). This is another verb like **gustar. Doler** is always used with the indirect object pronouns **me, te, le, nos,** and **les,** to tell who is hurting.

¿Te **duele** mucho? *Does it **hurt** (you) a lot?*

Sí, me **duele** el tobillo. *Yes, my ankle **hurts** (me).*

1. Caminé en la arena caliente sin zapatos.

2. Acabo de leer un libro largo.

3. Me caí de la bicicleta.

4. Yo escuchaba la radio muy alto.

5. Escribí en la computadora por muchas horas ayer.

6. Comí demasiado anoche.

7. No me puse loción protectora y hacía mucho sol.

8. Tuve un accidente cuando estaba jugando al fútbol.

9. Bajé un río en canoa ayer.

10. Acabo de tocar la guitarra por tres horas.

Práctica: gramática y vocabulario

Objectives for Activities 5–15
• Describe time periods • Talk about health and illness • Give advice

GRAMÁTICA **Hacer with Expressions of Time**

In Spanish, if someone asks, "How long has this been going on?" or "How long has it been?" you answer with the verb **hacer**:

hace + **the period of time** + **que** + **the present tense**

Ay, Elena, **hace cuatro años que** quiero venir a tu programa.
*Oh, Elena, **I've been wanting** to come to your program **for four years**.*

Ay, doctor, **hace una hora que** lo espero.
*Oh, doctor, **I've been waiting** for you **for an hour**.*

If you're the one doing the asking, do the same thing, but use **cuánto tiempo** in your sentence.

¿Cuánto tiempo + **hace** + **que** + **the present tense?**

¿Cuánto tiempo hace **que** quieres venir al programa?
***How long have you been wanting** to come to the program?*

If you are talking about the **past,** use the **preterite** and **hace** to say *ago*.

hace + **the period of time** + **que** + **the preterite**

Hace un año que fui a Puerto Rico.
***I went** to Puerto Rico **a year ago**.*

To say *ago,* you can also put the verb first. When the verb comes first, you do not need **que**. Use

the preterite + **hace** + **the period of time**

La **conocí hace tres meses**.
***I met** her **three months ago**.*

Practice: Actividades
5 6 7

Más práctica
cuaderno p. 85
Para hispanohablantes
cuaderno p. 83

 Online Workbook
CLASSZONE.COM

5 ¿Cuánto tiempo hace...?

Hablar/*Escribir* ¿Cuánto tiempo hace que las siguientes personas hacen estas actividades? *(Hint: Tell how long these people have been doing these activities.)*

modelo

Susana: saber leer (dos años)

Hace dos años que Susana sabe leer.

1. Francisco: estar en Puerto Rico (dos semanas)

2. nosotros: vivir aquí (cinco meses)

3. tú: estudiar español (más de un año)

4. Elena Suárez: grabar el programa sin accidentes (cuatro años)

5. yo: estar en clase (diez minutos)

6. la familia de Francisco: mirar el programa de Elena (tres años)

7. ustedes: hablar por teléfono (cuarenta minutos)

8. yo: conocer a Javier (cuatro años)

9. tío Rodrigo: ser doctor (quince años)

10. tía Julia: relajarse (veinte minutos)

6 ¿Cuándo lo hiciste?

Hablar Habla con un(a) compañero(a) sobre cuándo hiciste las siguientes actividades. Usa **hace** y el pretérito para contestar.
(Hint: Tell how long ago you did the following.)

> **modelo**
>
> *comer pizza*
>
> **Compañero(a):** *¿Cuánto tiempo hace que comiste pizza? (¿Hace cuánto tiempo que comiste pizza?)*
>
> **Tú:** *Hace tres días que comí pizza. (Comí pizza hace tres días.)*

1. bailar
2. comprar un regalo
3. hacer la tarea
4. comer comida china
5. ver una buena película
6. ayudar a alguien
7. limpiar tu cuarto
8. ir a una fiesta
9. practicar un deporte
10. estar en el consultorio

7 En el consultorio

Escuchar/*Escribir* Escucha lo que dicen los pacientes y su doctora. ¿Hace cuánto tiempo que tienen el problema y qué parte(s) del cuerpo les afecta? *(Hint: Tell how long these people have had the problem and which body part is affected.)*

1. _____
   _____

2. _____
   _____

3. _____
   _____

4. _____
   _____

un día	el estómago
dos días	los dientes
tres días	los oídos y la cabeza
cinco días	la muñeca
una semana	la pierna

Nota cultural

La celebración de Carnaval Los viernes por la noche, la gente en San Juan disfruta de la vida nocturna. Además, San Juan se conoce por su famosa celebración de Carnaval. Como parte de esta tradición de la cultura española y africana, mucha gente se pone máscaras.

Activities 8–10:
Express needs

GRAMÁTICA The Subjunctive with Impersonal Expressions

♻ **¿RECUERDAS?** *p. 188* You already know how to form usted commands. You form the subjunctive the same way. For -ar verbs, take the **yo** form, drop the **o,** and add endings with -e. For -er and -ir verbs, take the **yo** form, drop the **o,** and add endings with -a.

▶ You use the indicative to make a plain statement of fact. You use the subjunctive after verbs and expressions that involve uncertainty.

Indicative:

Haces ejercicio.
You do exercise.

Subjunctive:

Es necesario que hagas ejercicio.
It is necessary that you do exercise.

▶ In the second example, a person needs to exercise, but it is uncertain that the person will. **Impersonal expressions** such as **es necesario que** are often followed by the subjunctive because they create uncertainty about what will happen.

The present subjunctive of regular verbs

	-ar **habl**ar	-er **com**er	-ir **escrib**ir
yo	**habl**e	**com**a	**escrib**a
tú	**habl**es	**com**as	**escrib**as
él, ella, usted	**habl**e	**com**a	**escrib**a
nosotros(as)	**habl**emos	**com**amos	**escrib**amos
vosotros(as)	**habl**éis	**com**áis	**escrib**áis
ellos, ellas, ustedes	**habl**en	**com**an	**escrib**an

▶ Remember that, as with usted commands, you have to change the spelling for some verbs to keep the pronunciation the same.

lleg**ar** → **lle**gu**e**   **bus**c**ar** → **bus**qu**e**   **cru**z**ar** → **cru**c**e**

Practice:
⑧ ⑨ ⑩ ⑪
⑫ ⑬ ⑭

Más práctica
cuaderno pp. 86–88
Para hispanohablantes
cuaderno pp. 84–86

 Online Workbook
CLASSZONE.COM

⑧ ¿Es necesario?

Hablar/Escribir Presenta tu opinión, haciendo oraciones afirmativas o negativas con **es necesario que** y el subjuntivo. *(Hint: Give your opinion.)*

modelo

yo: cocinar bien

Es necesario que (yo) cocine bien.
(No es necesario que yo cocine bien.)

1. los profesores: hacer la clase divertida
2. los hijos: ayudar en casa
3. yo: ganar mucho dinero
4. mi doctor(a): tener buena personalidad
5. los estudiantes: estudiar mucho
6. nosotros: trabajar
7. tu amigo(a) (*nombre*): asistir a la escuela regularmente
8. yo: tener muchos(as) amigos(as)
9. los padres: escuchar a sus hijos
10. los estudiantes: sacar buenas notas

9 ¿Qué le recomiendas?

Hablar/Leer Tu compañero(a) te cuenta un problema. ¿Qué le recomiendas? Usa **es necesario que** y el subjuntivo en tu respuesta. *(Hint: Give advice.)*

> **modelo**
>
> **Compañero(a):** *Me lastimé el brazo. (tomarte una radiografía / respirar profundamente)*
>
> **Tú:** *Es necesario que te tomes una radiografía.*

1. Me duele la cabeza. (ponerte un yeso / tomar pastillas)
2. Tengo tos y fiebre. (estirarte para estar más cómodo(a) / tomar medicina)
3. Tengo una infección. (tomar jugo / tomar medicina)
4. ¡Socorro! Me corté el dedo y me lastimé. (ponerte presión / tomar vitaminas)
5. Estoy resfriado(a). (tomar sopa de pollo / hacer mucho ejercicio)
6. Tengo gripe y me van a dar una inyección. (gritar / no llorar)

Vocabulario

Las enfermedades

el dolor de cabeza *headache*

estar resfriado(a) *to have a cold*

la fiebre *fever*

la gripe *flu*

la infección *infection*

la tos *cough*

Para mejorarse

la aspirina *aspirin*

la inyección *injection*

la medicina *medicine*

¿Cómo te sientes?

cómodo(a) *comfortable*

cortarse *to cut oneself*

gritar *to scream*

lastimarse *to hurt oneself*

llorar *to cry*

▶ ¿Qué tienes y cómo te vas a mejorar?

10 Para mantenerse sanos

Hablar/Escribir En grupos pequeños, hagan un póster con diez oraciones sobre lo que tú y tus amigos(as) necesitan hacer para **no** ir al consultorio.

(Hint: List what you need to do to avoid going to the doctor's office.)

More Practice: Más comunicación *p. R10*

Activity 13: Use and understand learned expressions when speaking and listening

11 Opiniones

Hablar/Escribir ¿Qué opinas? Usa una expresión impersonal y el subjuntivo para dar tus opiniones sobre lo siguiente.
(Hint: Give your opinion.)

modelo

los estudiantes / usar Internet en sus estudios

Es importante que los estudiantes usen Internet en sus estudios.

Nota: Gramática

Remember that the subjunctive is used after many **impersonal expressions** like **es necesario que.** These expressions (below) come in handy to tell people about what you think is necessary, good, or important. See the difference between the **present indicative** and the **present subjunctive:**

Indicative   Ellos **viven** aquí en Puerto Rico. *They live here in Puerto Rico.*

Subjunctive   **Es bueno que** ellos **vivan** aquí en Puerto Rico. *It's good that they live here in Puerto Rico.*

1. yo / preparar para los exámenes
2. tú / escuchar a la profesora
3. nosotros / comer en clase
4. ustedes / gritar en clase
5. los jóvenes / recibir dinero al sacar buenas notas
6. yo / hablar español bien
7. mi amiga / limpiar su cuarto
8. mis amigos / tener su propio teléfono

12 ¿Qué te importa?

Hablar/Escribir ¿Qué es importante en tu vida y las vidas de tus amigos(as)? Completa las siguientes frases con unas opiniones personales.
(Hint: Complete the phrases.)

1. Es necesario que…
2. Es malo que…
3. Es una lástima que…
4. Es bueno que…
5. Es mejor que…
6. Es posible que…
7. Es ridículo que…
8. Es peligroso que…
9. Es triste que…
10. Es raro que…

Vocabulario

Expresa tu opinión

Es bueno que… *It's good that…*

Es importante que… *It's important that…*

Es lógico que… *It's logical that…*

Es malo que… *It's bad that…*

Es mejor que… *It's better that…*

Es peligroso que… *It's dangerous that…*

Es posible que… *It's possible that…*

Es probable que… *It's probable that…*

Es raro que… *It's rare (strange) that…*

Es ridículo que… *It's ridiculous that…*

Es triste que… *It's sad that…*

Es una lástima que… *It's a pity that…*

▶ ¿Qué dices para expresar tu opinión?

13 Recomendaciones

Hablar/Leer Tienes un problema. Explícaselo a tu compañero(a).
¿Qué te recomienda? *(Hint: Give recommendations.)*

modelo

Mi infección está peor.

Tú: *Mi infección está peor.*

Compañero(a): *Es lógico que escuches el consejo de la enfermera.*

Tú

Mi infección está peor.

Tengo tos.

Me corté el dedo. Hay mucha sangre.

Me rompí la pierna.

Tengo dolor de cabeza.

Estoy resfriado(a).

Sufrí un accidente.

Compañero(a)

Es necesario que (comprar) .

Es probable que te la (tratar) con .

Es mejor que (llamar) .

No es necesario que (pasar) por .

Es ridículo que (recibir) .

Es posible que te (ayudar).

Es lógico que (escuchar) el consejo de .

Vocabulario

El hospital

la ambulancia *ambulance*

la consulta *consultation*

el (la) enfermero(a) *nurse*

recuperarse *to get better*

la sala de emergencia *emergency room*

la sangre *blood*

tratar *to treat*

▶ ¿Qué haces cuando vas al hospital?

Activity 16: Converse in face-to-face social interactions
Activity 17: Listen in social interactions

14 ¿Es buen doctor?

Escuchar/Escribir Escucha estas cuatro conversaciones entre los doctores y sus pacientes en Puerto Rico. Usa una expresión impersonal diferente cada vez para recomendar o no recomendar al doctor. *(Hint: Recommend or don't recommend the doctor.)*

modelo

Es mejor que…

Es mejor que busques a otro doctor.

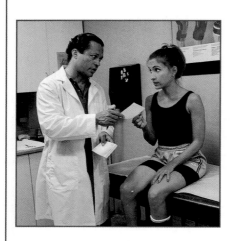

15 Una línea cronológica

Hablar/Escribir Haz una línea cronológica con cinco o más eventos importantes de tu vida. Túrnate con tus compañeros(as) para decir cuánto tiempo hace que ocurrieron los eventos que anotaste. *(Hint: Make a time line. Then talk to your classmates.)*

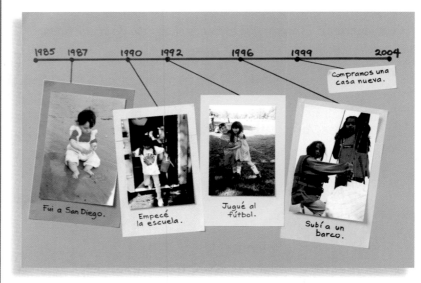

1985 1987 1990 1992 1996 1999 2004

Compramos una casa nueva.

Fui a San Diego.

Empecé la escuela.

Jugué al fútbol.

Subí a un barco.

modelo

Tú: *Hace quince años que fui a San Diego.*

Compañero(a) 1: *Hace dos años que manejé.*

Compañero(a) 2: *Hace ocho años que esquié.*

Puerto Rico

También se dice

En Puerto Rico la gente usa la palabra **montón** para decir **mucho.** Dicen, por ejemplo, «Me duele un montón», o «Tengo un montón de cosas que hacer». En otros países hispanos, puedes oír **un chorro, un toco, una barbaridad** o **un pedazo.**

Activities **16–17** bring together all concepts presented.

16 ¡Vamos a Puerto Rico!

STRATEGY: SPEAKING

Give feedback Ask for and give feedback when practicing with a partner. When you hear yourself make an error, correct it. Seek information from your partner about errors you might not have noticed. Making mistakes is something we all do. What is important is learning from them.

Hablar Estás planeando un viaje a Puerto Rico. Usa las fotos para hablar con un(a) compañero(a) sobre lo que vas a hacer allí. ¿Qué te recomienda tu compañero(a)? *(Hint: Use the pictures to talk about a trip to Puerto Rico.)*

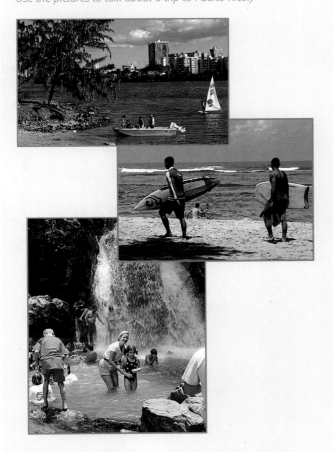

17 ¿Cómo te sientes?

Hablar Habla con un grupo de compañeros(as) sobre cómo te sientes hoy y la última vez que te sentías mal. *(Hint: Talk about how you feel today and the last time you felt ill.)*

modelo

Tú: *Hoy me siento bien, pero la semana pasada tenía dolor de garganta…*

More Practice:
Más comunicación *p. R10*

🌐 **Online Workbook**
CLASSZONE.COM

Refrán

Sana, sana, colita de rana, si no sanas hoy sanarás mañana.

Muchos niños hispanohablantes escuchan este refrán cuando se lastiman o se cortan. ¿Significa algo para ti? ¿Puedes pensar en algún refrán parecido en inglés? Con un(a) compañero(a), inventa otro refrán en español que los adultos puedan decirles a los niños cuando se lastiman.

En voces

AUDIO

LECTURA

El estatus político
de Puerto Rico

PARA LEER
STRATEGY: READING

Activate associated knowledge In social studies classes, you have heard political terms like **colony, territory, commonwealth, state, nation, republic.** Look up the definitions of these words. As you read this article and refer to the time line, decide which term describes Puerto Rico during each period of its history.

Sila Calderón, la primera gobernadora de Puerto Rico

1917
Los puertorriqueños obtienen nacionalidad estadounidense.

1898
España cede Puerto Rico a Estados Unidos.

1952
Puerto Rico se convierte en un Estado Libre Asociado.

1948
Luis Muñoz Marín, jefe del Partido Popular Democrático, gana la primera elección para gobernador de Puerto Rico.

1993
En un referéndum sobre el estatus político, los puertorriqueños votan por continuar la situación actual.

Luis Muñoz Marín, jefe del Partido Popular Democrático

La situación política de Puerto Rico ha tenido[1] dos etapas formativas. La primera fue el período del gobierno español, que comenzó en 1493 y duró hasta 1898, cuando hubo un conflicto entre España y Estados Unidos. Después, España tuvo que ceder Puerto Rico a Estados Unidos.

Como puedes ver en la cronología, el siglo[2] XX fue de cambios y negociaciones sobre el estatus político de Puerto Rico. Luis Muñoz Marín, el líder del Partido Popular Democrático (PPD), negoció[3] el Estado Libre

---

[1] has had   [2] century   [3] negotiated

Asociado en 1952. El PPD quiere una asociación con Estados Unidos, pero manteniendo el idioma y la autonomía[4] local del gobierno. Hay otros dos partidos[5]: el Partido Nuevo Progresista (PNP) y el Partido Independentista Puertorriqueño (PIP). El PNP quiere la estadidad[6] para Puerto Rico, mientras que el PIP está a favor de la independencia.

Hoy en día, aunque los puertorriqueños son estadounidenses y tienen un representante en el Congreso (el Comisionado Residente), no pueden votar en elecciones presidenciales. Por eso y otras razones, el debate sigue sobre la cuestión del estatus político de Puerto Rico. Queda por ver lo que pasa.

---

[4] autonomy, freedom   [5] political parties   [6] statehood

Ahora...

Los partidos políticos siguen el debate sobre el estatus político de Puerto Rico.

Online Workbook
CLASSZONE.COM

¿Comprendiste?

1. ¿Qué país conquistó a la gente indígena de Puerto Rico?
2. ¿Quién es Luis Muñoz Marín?
3. ¿Qué nacionalidad tienen los puertorriqueños?
4. ¿Cuál es el estatus político actual de Puerto Rico?
5. ¿Cuál fue el resultado del referéndum de 1993?

¿Qué piensas?

Imagínate que eres puertorriqueño(a) y vas a votar en el referéndum. ¿A favor de qué estatus político vas a votar? ¿Por qué?

En colores
CULTURA Y COMPARACIONES

Este hombre hace canastas (baskets), una artesanía indígena.

PARA CONOCERNOS

STRATEGY: CONNECTING CULTURES

Discover many cultures inside one country

Expressions like *the American culture, the Hispanic culture,* or *the Puerto Rican culture* oversimplify by ignoring the diversity a culture contains. As you read «**Una voz de la tierra**» (*A voice from the land*) you will see that in one country there are many cultures different in dress, music, customs, and language. Use this chart to identify a cultural group within the U.S. that you know.

Nombre:
Lugar:
Tradiciones:

How do diverse cultural traditions enrich our national life?

Una voz de la *tierra*

Monumento al jíbaro puertorriqueño

Nota cultural

La cultura de los jíbaros se expresa principalmente a través de la música. Además de bailar, estos campesinos usan instrumentos españoles y africanos en su música. Hasta crearon el cuatro, un tipo de guitarra especial.

AL JÍBARO PUERTORRIQUEÑO
HOMENAJE DE UN PUEBLO AGRADECIDO

Manuel A. Alonso escribió *El Gíbaro* (1849) que honra[1] a los campesinos de Puerto Rico. Desde entonces el jíbaro, un trabajador del campo, se ha convertido[2] en uno de los símbolos folklóricos de Puerto Rico.

El jíbaro representa a los campesinos que vivieron en la Cordillera Central durante el siglo[3] XIX y principios del XX. Allí desarrollaron[4] una cultura que tiene como temas centrales el trabajo en la tierra, la naturaleza y la alegría de compartir con los demás.

Una canción muy famosa, «El jibarito», por Rafael Hernández fue escrita[5] durante una fuerte depresión en los años treinta. En esta época, muchos campesinos tuvieron que abandonar sus fincas para trabajar en ciudades. A partir de los cincuenta, muy pocas personas cultivaron la tierra.

Hoy, el jíbaro es un símbolo popular. Ninguna fiesta navideña está completa sin una décima[7] o un cuatro templado[8]. Si viajas a Puerto Rico y oyes una canción que empieza, «Ay, le lolai, le lo lé…», escuchas una voz de la tierra, la voz del jíbaro.

---

[1] that honors [3] century [5] was written
[2] has become [4] developed

---

[7] ballad [8] a tuned cuatro (type of guitar)

More About Puerto Rico
CLASSZONE.COM

¿Comprendiste?

1. ¿Qué es el jíbaro?
2. ¿Qué temas son los temas centrales de la cultura campesina?
3. ¿Cómo se expresó esta cultura?
4. ¿En qué época se escribió «El jibarito»? ¿De qué crees que habla? ¿Por qué?

¿Qué piensas?

¿Te parece que en Estados Unidos muchas personas abandonan el campo para trabajar en ciudades? ¿Por qué?

Hazlo tú

En grupos pequeños, piensen en símbolos folklóricos de Estados Unidos. Escojan un símbolo folklórico e investíguenlo. ¿Está relacionado con una región? ¿Expresa una cultura? ¿Cuál es su manera de expresión? Preparen un informe pequeño y compártanlo con la clase.

Activities 1–4: Show no significant pattern of error when understanding some ideas and familiar details

En uso

REPASO Y MÁS COMUNICACIÓN

OBJECTIVES

• Describe time periods
• Talk about health and illness
• Give advice

Now you can...

• describe time periods.

• talk about health and illness.

To review

• **hacer** with expressions of time, see p. 230.

1 ¡Nos duele todo!

Estás en el consultorio del tío Rodrigo. ¿Qué comentarios oyes?
(Hint: Tell what you hear in the doctor's office.)

modelo

José: dos semanas

Hace dos semanas que le duele el pie.

I.

tú: cinco horas

2.

mi madre: cuatro días

3.

Clara y Pablo: quince horas

4.

yo: una semana

5.

tú: veinte horas

6.

Rita: diez horas

Now you can...

• describe time periods.

• talk about health and illness.

To review

• **hacer** with expressions of time, see p. 230.

2 Hace tres días que...

Tú y tus compañeros(as) están hablando de los accidentes y de las enfermedades. ¿Cuánto tiempo hace que estas cosas pasaron?
(Hint: Tell how long ago these things happened.)

modelo

el (la) doctor(a): ponerme una inyección

Hace dos semanas que el (la) doctor(a) me puso una inyección.

I. yo: cortarme el dedo

2. la doctora: ponerme un yeso

3. mis vecinos: ir a la sala de emergencia

4. mi abuelo: recuperarse

5. la doctora: darme una receta

6. un enfermero: hacerme una radiografía

7. mis amigos y yo: lastimarnos

8. yo: tomar una medicina

Now you can...

• give advice.

To review

• the subjunctive with impersonal expressions, see pp. 232, 234.

3 Me siento mal

Tu amigo(a) tiene gripe. ¿Qué le dices? *(Hint: Give advice.)*

modelo

tomar sopa de pollo (¿triste o mejor?)

Es mejor que tomes sopa de pollo.

1. correr mucho (¿bueno o malo?)

2. tomar medicina (¿peligroso o importante?)

3. salir de la casa (¿malo o probable?)

4. hacer mucho ejercicio (¿mejor o peligroso?)

5. beber jugo (¿bueno o raro?)

6. descansar mucho (¿ridículo o lógico?)

7. visitar al doctor (¿necesario o posible?)

8. tener fiebre (¿importante o una lástima?)

Now you can...

• talk about health and illness.

To review

• the subjunctive with impersonal expressions, see pp. 232, 234.

4 ¡Es interesante!

Tú y tus compañeros(as) están hablando de la salud. ¿Qué dicen? Usa las expresiones de la lista. *(Hint: Tell what you and your friends say.)*

Es bueno que	**Es probable que**
Es malo que	**Es raro que**
Es peligroso que	**Es triste que**

modelo

los doctores: ponerles un yeso a las personas con fracturas

Es probable que los doctores les pongan un yeso a las personas con fracturas.

1. yo: tener dolor de cabeza

2. los enfermeros: escribir las recetas

3. la ambulancia: llegar tarde

4. los niños: gritar en el consultorio

5. tú: lastimarte muy poco

6. los pacientes: llorar en la sala de emergencia

7. el doctor: ver sangre todos los días

8. nosotros: esperar mucho en el consultorio

5 Me duele...

STRATEGY: SPEAKING

Use language for problem-solving When you begin this role-play, observe the stages of effective problem-solving: (1) Patient gives information about the symptoms; (2) Doctor asks clarifying questions; patient answers; (3) Doctor proposes solution; (4) Patient asks clarifying questions; (5) Doctor advises patient on best course of action; (6) Patient seeks a second opinion by repeating the above process. You can treat this role-play seriously or humorously.

Selecciona un problema de abajo y explícaselo a tu compañero(a). Tu compañero(a) te puede dar consejos y una receta. Después busca una segunda opinión de otro(a) doctor(a). *(Hint: Role-play one of the situations on the list.)*

una fractura de tobillo

dolor de cabeza

dolor de estómago

dolor de garganta y mucha tos

fiebre y dolor en todo el cuerpo

la gripe

6 ¿Cierto o falso?

Completa la tabla con seis actividades ciertas y falsas. Léelas para que tus compañeros(as) adivinen cuáles son ciertas y cuáles son falsas. *(Hint: Complete the chart with six activities. Read them aloud for your classmates to guess if they are true or false.)*

modelo

Actividades del presente	Actividades del pasado
1. Toco el piano.	1. Fui al consultorio del doctor.
2.	2.
3.	3.

Tú: *Hace cinco años que toco el piano.*

Estudiante 1: *Cierto.*

Estudiante 2: *Falso.*

Tú: *Cierto. Hace cinco años que toco el piano. Lo toco muy bien.*

7 En tu propia voz

ESCRITURA Imagínate que eres doctor(a). Otro(a) doctor(a) pide tu opinión sobre un caso y acabas de examinar el (la) paciente. Escríbele una carta al (a la) otro(a) doctor(a) que incluya una descripción del problema y tus recomendaciones. *(Hint: Write a letter about a patient's problem and include your recommendations.)*

CONEXIONES

La historia ¿Qué significa realmente la palabra *pirata*? ¿Qué hacían los piratas y por qué? ¿Qué hacían con estas monedas? Haz una investigación de la historia de los piratas. Luego comprueba lo que saben tus compañeros(as), haciéndoles preguntas sobre la información que encontraste.

Estos doblones son de la época de Carlos III.

En resumen
REPASO DE VOCABULARIO

DESCRIBE TIME PERIODS

¿Cuánto tiempo hace que…?	How long has it been since…?
hace … que	ago

GIVE ADVICE

Es bueno que…	It's good that…
Es importante que…	It's important that…
Es lógico que…	It's logical that…
Es malo que…	It's bad that…
Es mejor que…	It's better that…
Es necesario que…	It's necessary that…
Es peligroso que…	It's dangerous that…
Es posible que…	It's possible that…
Es probable que…	It's probable that…
Es raro que…	It's rare (strange) that…
Es ridículo que…	It's ridiculous that…
Es triste que…	It's sad that…
Es una lástima que…	It's a pity that…

TALK ABOUT HEALTH AND ILLNESS

The Body

la boca	mouth
el brazo	arm
la cabeza	head
la cara	face
el codo	elbow
el cuello	neck
el cuerpo	body
los dedos	fingers
los dientes	teeth
el estómago	stomach
la garganta	throat
el hombro	shoulder
la mano	hand
la muñeca	wrist
la nariz	nose
el oído	inner ear
los ojos	eyes
la oreja	ear
el pie	foot
la pierna	leg
la rodilla	knee
la sangre	blood
el tobillo	ankle

Health Problems and Solutions

la ambulancia	ambulance
la aspirina	aspirin
cómodo(a)	comfortable
la consulta	consultation
el consultorio	office (doctor's)
cortarse	to cut oneself
doler (o→ue)	to hurt
el dolor de cabeza	headache
la enfermedad	sickness
el (la) enfermero(a)	nurse
estar resfriado(a)	to have a cold
la fiebre	fever
la gripe	flu
gritar	to scream
la infección	infection
la inyección	injection
lastimarse	to hurt oneself
llorar	to cry
la medicina	medicine
las pastillas	pills
la radiografía	x-ray
la receta	prescription
recuperarse	to get better
respirar	to breathe
la sala de emergencia	emergency room
¡Socorro!	Help!
la tos	cough
tratar	to treat
el yeso	cast

Juego

Estas tres personas están en un consultorio. A Ernesto le duele el estómago, a Javier le duelen las piernas. ¿Qué le duele a Andrea? Usa el dibujo para decir qué le duele.

Javier

Andrea

Ernesto

Write letters;
Describe and compare

En tu propia voz

ESCRITURA

¡Qué contraste!

Your class will be corresponding with a class in Puerto Rico. Tell your new pen pal about your state by comparing and contrasting a place near you with a place in Puerto Rico.

Function: Compare Puerto Rican and local places
Context: Writing to Puerto Rican pen pal
Content: Comparison of two different places
Text type: Friendly letter

PARA ESCRIBIR · STRATEGY: WRITING

Compare and contrast to make strong descriptions A well-written description will provide your reader with a strong mental image. Compare and contrast the location you present with one that is familiar to the reader.

Modelo del estudiante

12310 E. Lester St
Fresno, CA 93720
17 de enero

Querido Mario:

The writer introduces the two subjects, Yosemite National Park and El Yunque.

Quiero contarte un poco sobre el lugar donde vivo. Me encanta ir al Parque Nacional Yosemite, no muy lejos de mi casa. Yosemite es un poco similar al Bosque Nacional El Yunque, en Puerto Rico. Pero sé que lo que ves en los dos lugares es muy diferente.

The author provides information about El Yunque.

En El Yunque, la gente puede caminar mucho y ver la naturaleza. Hay plantas y animales tropicales. El tiempo no cambia mucho durante el año. Es un lugar muy bonito.

The author gives a detailed description of Yosemite, the place that is more familiar.

En Yosemite, como en El Yunque, la gente camina y ve la naturaleza. Las plantas y animales son diferentes, porque hay cuatro estaciones allí. Hay árboles muy altos, como pinos y otros que tienen hojas que cambian de color y se caen en el otoño. En el invierno hay nieve. Si hay mucha nieve, hay más agua para correr sobre las piedras. Todo el año la gente viene a ver las rocas enormes, las cataratas, que forman el valle de Yosemite. ¡Es magnífico!

The writer refers to details to compare and contrast the two places.

Yosemite y El Yunque son básicamente similares. Los dos lugares protegen la naturaleza, y la gente que los visita puede caminar mucho y ver las plantas y lo animal... tiempo es diferente en cada lugar, pues las plantas y los animal...

**Language Arts
Writing Standard 2.3b**
Write expository
compositions: Convey
information and ideas
from primary and
secondary sources
accurately and coherently

Estrategias para escribir

Antes de escribir...

Remember that the purpose of this
friendly letter is to provide your pen pal
with information about a place in your
state. Choose a place you know well that
has something in common with a place in
Puerto Rico that you've learned about.
Then brainstorm similarities and
differences, using a Venn diagram to
record your ideas.

Write your first draft freely and naturally.
Write as if you were face to face with your
pen pal, sharing the information. Be sure to cover all the ideas
listed on your Venn diagram.

Revisiones

Share your draft with a partner. Then ask:

- *Is the subject clearly stated?*
- *What details could I add?*
- *After reading the letter, would you want to visit this spot?*

Make revisions to your draft based on your partner's
answers to these questions.

La versión final

Before completing the final draft of your friendly letter,
correct any errors using the proofreading symbols (p. 99).
Keep the following question in mind:

- *Did I put pronouns in the right places?*

Try this: Are you sure that reflexive, indirect object, and
direct object pronouns are placed correctly? Circle these
pronouns and then review the rules for proper placement.

Me gusta mucho ir a la playa.
Pero creo que una playa de las
Puerto Rico sea más bonita son
que la playa de mi pueblo de
Nueva Inglaterra. Tienen mucho en
común pero son muy diferentes.

En el verano la playa de mi
pueblo es bonita. El agua refleja
el cielo y la arena te invita a
relajarse. Pero pronto ves que te
encima de la arena hay muchísimas
piedras...

UNIDAD 4

STANDARDS

Communication
- Talking about travel plans
- Describing rooms
- Describing your city or town
- Making suggestions, comparisons
- Asking for and giving directions
- Talking about shopping for clothes
- Asking for/giving opinions; persuading
- Discussing saving/spending money

Cultures
- Lodging options and different housing situations in Spain
- Places to shop in Spain
- Spanish artists

Connections
- Art: Finding out about artists of the Spanish School
- Technology: Creating a Web page for your community

Comparisons
- Cities and towns in Spain and the U.S.
- Shopping customs

Communities
- Using Spanish in the workplace
- Using Spanish for personal interest

INTERNET Preview
CLASSZONE.COM
- More About Spain
- Webquest
- Self-Check Quizzes
- Flashcards
- Writing Center
- Online Workbook
- eEdition Plus Online

248

MADRID ESPAÑA

UN VIAJE

DON QUIJOTE es la figura central de una novela que cuenta sus aventuras grandiosas y sus fantasías. En inglés hay una palabra que tiene origen en su nombre. ¿Sabes cuál es?

POBLACIÓN: 2.938.723

ALTURA: 656 metros (2.150 pies)

CLIMA: 5°C (41°F), diciembre; 24°C (76°F), julio

MONEDA: el euro

COMIDA TÍPICA: paella, cocido madrileño, horchata, churros con chocolate

GENTE FAMOSA DE ESPAÑA: Severiano Ballesteros (golfista), Antonio Banderas (actor), Felipe II (rey), Miguel de Cervantes (escritor), Francisco de Goya (artista), Ana María Matute (escritora), Joaquín Sabina (cantante), Diego Velázquez (artista)

¿VAS A MADRID? Si un madrileño te pregunta si hablas «castellano», debes decirle que sí. Español y castellano son lo mismo.

EL REY Y LA REINA DE ESPAÑA Además de formar parte del gobierno español, el rey Juan Carlos y la reina Sofía participan en varios aspectos de la vida de su país. ¿Cuáles piensas que son algunos de éstos?

EL GRECO (1541–1614) nació en Grecia y estudió arte en Italia, pero completó la mayoría de su obra en España. Se lo considera uno de los artistas más importantes del mundo. Este cuadro, *Vista de Toledo,* muestra la ciudad española en la que vivió por 37 años. ¿Qué te parece?

LA GUITARRA acústica tiene más de 2.000 años. Se cree que los egipcios la inventaron y que los árabes la trajeron a España. ¿Cuándo crees que se inventó la guitarra eléctrica?

PAELLA Este plato de mariscos, pollo, chorizo y arroz tiene muchas variaciones a través de España. Para cocinarla, tienes que usar una olla especial que se llama una paellera. ¿Alguna vez probaste paella? ¿Te gustó?

EL PRADO En 1818, el rey Fernando VII y la reina María Isabel de Braganza quisieron redecorar el Palacio Real y decidieron mover sus enormes pinturas al vacante Palacio del Prado. Y así empezó el famoso Museo del Prado. ¿Qué otros museos conoces?

249

Plano de los transportes del Centro de Madrid

2

UN VIAJE

Conexiones

España tiene una gran tradición artística. En esta unidad vas a ver obras de varios pintores españoles, como El Greco, Velázquez y Picasso. Vas a buscar información sobre un artista de la escuela española y explicar dos pinturas de ese artista.

Conexiones en acción **Mira esta pintura de Velázquez.**
Descríbela. ¿Te gusta?

Comunicación

¡Qué divertido es viajar! Vas a usar el español para ir de un lugar a otro en una ciudad. Es importante saber dar y pedir direcciones para encontrar los lugares que uno busca en una ciudad nueva.

Comparaciones

Ir de compras no es igual en todas partes. Vas a aprender sobre algunas de las semejanzas y diferencias entre tus costumbres y las de España. Quieres los mejores precios, ¿verdad?

Puedes regatear en El Rastro, un mercado de Madrid.

Comunidades

¿Qué te interesa a ti? ¿Viajar... ir de compras... dar tu opinión... hacer nuevos amigos? Cuando hablas otra lengua, no tienes límites. Puedes usar la información que aprendas en esta unidad para ayudarte a hacer lo que quieres.

Culturas

¿Dónde vas a pasar la noche cuando viajes a España? Los turistas tienen muchas opciones. Además de los hoteles, hay hostales y pensiones. ¡O puedes dormir en un palacio u otro edificio histórico!

Fíjate 💡

Contesta las siguientes preguntas que corresponden a las categorías anteriores.

1. ¿Qué artistas españoles conoces?
2. ¿Adónde vas de compras? ¿Qué compras allí?
3. ¿Puedes hablar, leer u oír español en tu comunidad? ¿Dónde?
4. ¿Pides direcciones en una ciudad que no conoces?
5. ¿Te gustaría pasar la noche en un palacio?

UNIDAD 4

ETAPA 1

En la pensión

OBJECTIVES

- Talk about travel plans

- Persuade others

- Describe rooms, furniture, and appliances

GUÍAS CON ENCANTO

ESPAÑA
PEQUEÑOS
Hoteles
CON ENCANTO

500 hoteles especiales
seleccionados por su
• carácter • atención • ambiente
• valor histórico y arquitectónico
• cocina

EL PAIS
AGUILAR

PENSIÓN
ZAVALA

CASA DE GUADALAJARA

¿Qué ves?

Mira la foto. ¿Qué ves?

1. ¿Dónde crees que está Isabel?

2. ¿Qué tiene en las manos?

3. ¿Qué significa **pensión**?

4. ¿Dónde puedes encontrar información sobre hoteles en Madrid?

Use authentic materials when reading: short narratives

SERVICIOS

VIDEO   DVD   AUDIO

En contexto
VOCABULARIO

Isabel va a empezar sus vacaciones en Madrid.

RECEPCIÓN

la huéspeda

A Isabel toma un taxi a **la pensión** donde va a **hospedarse**. Esta pensión es popular entre **los extranjeros,** como Isabel, que vienen para hacer **turismo.** En **la recepción**, el señor busca **la reserva** de **la huéspeda** nueva. Luego, le da a Isabel **una llave.**

la llave

las escaleras

el ascensor

B **El maletero** ayuda a los huéspedes con sus maletas. La recepción está en **la planta baja,** pero Isabel y el maletero tienen que subir al tercer **piso.** Toman **el ascensor** en vez de ir por **las escaleras.** ¡Es más fácil!

C La **habitación** tiene varios **muebles: una cama, una mesa, una silla** y **una lámpara.** Sobre la mesa hay **un despertador,** pero Isabel no lo necesita —¡está de vacaciones!

la habitación

el despertador

la mesa

la lámpara

la silla

la cama

el baño

el espejo

D ¡Qué bonita es la habitación!, pero ¡uf, qué calor! Falta **aire acondicionado.** Isabel abre **la ventana.** ¡Ahora está más fresco!

la ventana

E Antes de salir, Isabel se mira en **el espejo** que está en **el baño** y se peina. Para los huéspedes con habitaciones sin baño, hay **servicios** en el pasillo.

Online Workbook
CLASSZONE.COM

Preguntas personales

1. ¿Te gusta viajar?
2. ¿Prefieres una habitación en la planta baja o en los pisos de arriba?
3. ¿Qué te gusta tener en tu habitación?
4. ¿Qué cosas debe tener una buena pensión?
5. Si eres huésped(a) de una pensión, tienes que dejar este objeto en la recepción antes de salir. ¿Cómo se llama?

VIDEO DVD AUDIO

En vivo
DIÁLOGO

| Isabel | Angelina | Felipe | Señor Zavala | Andrea |

En Madrid...

PARA ESCUCHAR • STRATEGY: LISTENING

Listen and check details When you hear a key word, listen carefully for more information. Señor Zavala recommends many places for Isabel to visit. Which of these does he mention? Can you give their names?

- **museo**
- **joyería**
- **palacio**
- **plaza**
- **mercado**
- **café**

1 ▶ Isabel: Gracias por todo. Fue un placer estar en su casa.
Angelina: El placer fue nuestro.
Felipe: Te va a gustar mucho la pensión de mi tío. Bueno, ¿estás lista?

5 ▶ Señor Zavala: Cuando los huéspedes salen del hotel, es importante que dejen la llave en la recepción. Isabel, insisto en que nos digas adónde vas. Mi esposa y yo somos responsables de ti.

6 ▶ Señor Zavala: Ésta es una de nuestras mejores habitaciones. Muy bonita la habitación, ¿no? Mi esposa y yo decoramos toda la pensión. Ella buscó todos los muebles. Mira, ésta es la cama. Creo que es muy cómoda.

7 ▶ Isabel: Señor Zavala...
Señor Zavala: ¿Sí, Isabel? Dime.
Isabel: Perdóneme. Estoy cansada y me gustaría descansar un ratito.
Señor Zavala: Claro que sí, Isabel. Ya me voy.

2▶ *(En la pensión)*

Señor Zavala: Si nos hacen el favor de presentarse en recepción antes de las seis de la tarde. Muy bien. Hasta el viernes, entonces. Adiós.

3▶ Señor Zavala: Debes de ser Isabel Palacios. Soy Enrique Zavala.

Isabel: Mucho gusto, señor Zavala.

Señor Zavala: Igualmente. Te acompaño a tu habitación. Lo siento; el maletero está enfermo. ¡Así que yo soy el maletero hoy!

4▶ Señor Zavala: Vamos en el ascensor. Tu habitación está en el tercer piso. Las escaleras están por allí. Madrid es maravillosa. Es importante que vayas al Prado. Es un museo excelente.

8▶ Isabel: Aquí tiene la llave de mi habitación.

Señor Zavala: ¿Adónde vas?

Isabel: Voy a la Plaza Mayor y a la Gran Vía. Después, no sé. ¿Tiene alguna sugerencia?

9▶ Señor Zavala: Sugiero que vayas al Palacio Real. Es impresionante. Después de caminar mucho, es divertido sentarse en un café. Te recomiendo el Café Reina Sofía. Tienen pasteles deliciosos.

Isabel: Adiós. ¡Hasta luego!

10▶ *(En la Plaza Mayor)*

Andrea: ¿Me puedo sentar aquí?

Isabel: ¡Claro que sí! Siéntate.

Andrea: Muchas gracias. Me llamo Andrea Machado.

Isabel: Soy Isabel Palacios.

Activity 3: Understand and convey information about rooms

En acción

PARTE A

Comprensión del diálogo

For Activities 1–2, refer to the dialog on pages 256–257.

Isabel   Angelina   Felipe   Señor Zavala   Andrea

---

1 ¿Quién habla?

Escuchar ¿Quién habla: Isabel, Felipe, el señor Zavala o Andrea? *(Hint: Who speaks?)*

1. «Sugiero que vayas al Palacio Real.»
2. «Estoy cansada y me gustaría descansar un ratito.»
3. «Te va a gustar mucho la pensión de mi tío.»
4. «Voy a la Plaza Mayor y a la Gran Vía.»
5. «¿Me puedo sentar aquí?»
6. «¡Así que yo soy el maletero hoy!»
7. «Es importante que vayas al Prado.»
8. «Fue un placer estar en su casa.»
9. «Te recomiendo el Café Reina Sofía.»
10. «¿Tiene alguna sugerencia?»

2 ¿Cuál corresponde?

Escuchar Completa las oraciones con las palabras apropiadas según el diálogo. *(Hint: Complete the sentences.)*

la llave   una extranjera

el maletero   **el despertador**

la pensión   **unos pasteles**

los muebles   **la casa**

el ascensor   la habitación

1. Primero, Isabel se quedó en _____ de Felipe.
2. Luego, ella se hospedó en _____ del señor Zavala.
3. El señor Zavala le mostró su habitación porque _____ estaba enfermo.
4. Ellos subieron en _____, no por las escaleras.
5. El señor Zavala dijo que el Café Reina Sofía tiene _____ deliciosos.
6. La esposa del señor Zavala buscó todos _____ de la pensión.
7. _____ de Isabel está en el tercer piso.
8. Isabel dejó _____ en la recepción antes de salir.

España

También se dice

Aunque por todo el mundo hispano se habla el mismo idioma, los españoles tienen un acento distinto. Escucha al señor Zavala. Vas a notar que él pronuncia los sonidos de la **z**, la **ce** y la **ci** como los estadounidenses pronuncian **th**.

---

258 doscientos cincuenta y ocho
Unidad 4

Objectives for Activities 3–4
• Talk about travel plans • Describe rooms, furniture, and appliances

3 Dos habitaciones

Hablar/*Escribir* En parejas, vean los dibujos de estas dos habitaciones de una pensión en Madrid. Una habitación es tuya y la otra es de tu compañero(a). Compárenlas y hagan una lista de lo que tienen y de lo que no tienen en común.
(*Hint: Make a list of similarities and differences.*)

modelo

Habitación A	Habitación B
1. No tiene baño.	Tiene baño.
2.	
3.	

4 Es mejor que...

Hablar/*Escribir* Una agente de viajes te apunta los siguientes consejos sobre tu viaje a España. Pero sus apuntes se mezclaron. Completa las oraciones con el subjuntivo y ponlas en orden.
(*Hint: Complete and order the sentences.*)

modelo

Es mejor que (tomar) el ascensor a tu habitación.

Es mejor que tomes el ascensor a tu habitación.

a. Es bueno que el maletero (llevar) tu equipaje.

b. Es lógico que (llamar) a la pensión para hacer una reserva.

c. Es posible que (cenar) en un café cerca de la pensión.

d. Es mejor que (descansar) un poco antes de conocer la ciudad.

e. Al llegar, es importante que (hablar) con la recepción.

f. Es necesario que (decidir) las fechas de tu viaje.

Objectives for Activities 5–15
• Persuade others • Talk about travel plans • Describe rooms, furniture, and appliances

GRAMÁTICA · The Subjunctive to Express Hopes and Wishes

 ¿RECUERDAS? *p. 232* You use the subjunctive after **impersonal expressions** involving uncertainty.

You have already learned these verb endings for the subjunctive:

-ar	-er	-ir
hablar	aprender	vivir
hable	aprenda	viva
hables	aprendas	vivas
hable	aprenda	viva
hablemos	aprendamos	vivamos
habléis	aprendáis	viváis
hablen	aprendan	vivan

You also use the subjunctive to express a **hope** or a **wish**, such as when you want someone else to do something.

He knows what he wants … but he's not sure she will take the elevator.

El señor Zavala **quiere que** Isabel tome el ascensor.

*Señor Zavala **wants** Isabel **to take** the elevator.*

The indicative, sugiere, indicates a statement of fact…

El señor Zavala **sugiere que** Isabel visite el Prado.

*Señor Zavala **suggests that** Isabel **visit** the Prado.*

…but the subjunctive, visite, indicates uncertainty.

Check the box at right for a list of words and phrases that express hopes and wishes. These expressions are often followed by the word **que** and the subjunctive.

Vocabulario

Expressing Hopes and Wishes

insistir (en) *to insist*
ojalá que *I hope that, hopefully*
sugerir (e→ie, i) *to suggest*

 Ya sabes

desear *to desire*
esperar *to hope*
necesitar *to need*
preferir (e→ie, i) *to prefer*
querer (e→ie) *to want*

▶ ¿Qué palabras usas si quieres darle un consejo a alguien?

Practice: **Actividades** ⑤⑥⑦⑧ · **Más práctica** *cuaderno pp. 93–94* · **Para hispanohablantes** *cuaderno pp. 91–92* · **Online Workbook** CLASSZONE.COM

Activity 6:
Express needs

5 ¡Saludos desde Madrid!

Escribir Usa el subjuntivo para completar la tarjeta postal que escribe Isabel. (*Hint: Complete the postcard.*)

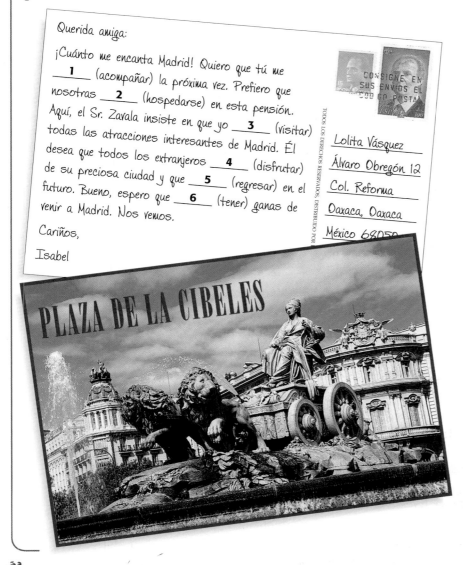

Querida amiga:

¡Cuánto me encanta Madrid! Quiero que tú me __1__ (acompañar) la próxima vez. Prefiero que nosotras __2__ (hospedarse) en esta pensión. Aquí, el Sr. Zavala insiste en que yo __3__ (visitar) todas las atracciones interesantes de Madrid. Él desea que todos los extranjeros __4__ (disfrutar) de su preciosa ciudad y que __5__ (regresar) en el futuro. Bueno, espero que __6__ (tener) ganas de venir a Madrid. Nos vemos.

Cariños,

Isabel

TODOS LOS DERECHOS RESERVADOS. DISTRIBUIDO POR

Lolita Vásquez
Álvaro Obregón 12
Col. Reforma
Oaxaca, Oaxaca
México 68050

CONSIGNE EN SUS ENVÍOS EL CÓDIGO POSTAL

PLAZA DE LA CIBELES

6 ¡Tantos deseos!

Escribir Expresa los deseos de estas personas. (*Hint: Write sentences expressing wishes.*)

modelo

Ojalá que yo (tener) tarea hoy.

Ojalá que yo (no) tenga tarea hoy.

1. Los profesores insisten en que los estudiantes (gritar) durante la clase.
2. Ojalá que (hacer) sol hoy.
3. Mis padres sugieren que yo (limpiar) mi cuarto de vez en cuando.
4. Ojalá que mi amigo(a) y yo (visitar) Madrid en el futuro.
5. Mis padres quieren que yo (asistir) a la universidad.
6. Prefiero que mi mejor amigo(a) (hablar) español.
7. Los estudiantes necesitan que los profesores (comprender) bien la gramática.
8. Mis amigos y yo esperamos que nuestros hermanos (portarse) mal.
9. Los hijos desean que sus padres (escuchar).
10. Insisto en que mis amigos me (decir) la verdad.

Nota cultural

La Plaza de la Cibeles Enfrente del Banco de España se encuentra la bella Plaza de la Cibeles. En el centro de la plaza hay una fuente dedicada a Cibeles, una diosa griega. Es quizás la fuente más famosa de España. El centro financiero de Madrid, en la calle de Alcalá, comienza en esta plaza.

Activities 7–8: Make requests
Activity 9: Understand and convey information about rooms

7 Una nueva casa

Hablar/Escribir Tienes una nueva casa y unos amigos te ayudan con tus cosas. Di dónde ponerlas. *(Hint: Tell where to put items.)*

modelo

ustedes:

Quiero que ustedes pongan la mesa en el comedor.

1. Javier:

2. tú:

3. Elena:

4. Miguel:

5. nosotros:

8 ¿Qué prefieres?

Hablar Imagínate que tú y un(a) compañero(a) van a hacer un viaje. Él (Ella) te pregunta sobre tus preferencias. ¿Qué le dices? *(Hint: Talk about preferences.)*

modelo

comer en un restaurante en el hotel / comer en un restaurante fuera del hotel

Compañero(a): ¿Prefieres que comamos en un restaurante en el hotel o fuera del hotel?

Tú: *Quiero que comamos en un restaurante fuera del hotel.*

1. hospedarse en un hotel grande / hospedarse en una pensión pequeña
2. hacer reservas / no hacer reservas
3. dejar la llave en la recepción / llevar la llave con nosotros
4. tener una habitación en un piso alto / tener una habitación en la planta baja
5. el (la) maletero(a) llevar las maletas / llevar nuestras propias maletas
6. subir por las escaleras / tomar el ascensor
7. usar los servicios en el pasillo / tener un baño en la habitación
8. quedarse en la ciudad / quedarse en el campo

Vocabulario

Habitaciones y muebles

el **armario** *closet, wardrobe*
la **bañera** *bathtub*
la **cocina** *kitchen*
el **comedor** *dining room*
el **garaje** *garage*
el **jardín** *garden*
el **lavabo** *bathroom sink*

la **pared** *wall*
la **puerta** *door*
la **sala** *living room*
el **sillón** *armchair*
el **sofá** *sofa*
el **suelo** *floor*

¿Qué tienes en tu casa?

9 **¿Loca o normal?**

Escuchar Estas personas van a redecorar varias partes de la casa.
Escucha cada descripción. ¿Es loca o normal? *(Hint: Are the descriptions crazy or normal?)*

I. el comedor
2. el baño
3. el jardín

4. la sala
5. la habitación de Alfredo
6. la cocina

7. la habitación de Ana
8. el garaje
9. el apartamento

GRAMÁTICA | **Irregular Subjunctive Forms**

♻ **¿RECUERDAS?** *p. 232* You've learned how to form the subjunctive of regular verbs.

▶ However, some verbs have *irregular subjunctive* forms. Use the chart to get to know them.

dar	estar	ir	saber	ser
dé	esté	vaya	sepa	sea
des	estés	vayas	sepas	seas
dé	esté	vaya	sepa	sea
demos	estemos	vayamos	sepamos	seamos
deis	estéis	vayáis	sepáis	seáis
den	estén	vayan	sepan	sean

Es importante que *sepas* que si tienes algún problema
o dificultad, puedes llamarnos a cualquier hora.
*It's important that **you know** that if you have any trouble or difficulty, you can call us at any time.*

▶ Another verb with an *irregular subjunctive* is *haber*.

Estoy muy cansada. Ojalá que *haya* tiempo para
descansar.
*I'm very tired. I hope **there will be** time to rest.*

> The indicative **hay**
> becomes **haya** in the
> subjunctive.

Practice: **Actividades** **10** **11**

Más práctica *cuaderno pp. 95–96*
Para hispanohablantes *cuaderno pp. 93–94*

 Online Workbook
CLASSZONE.COM

Activity 13: Understand and convey information about rooms, travel

10 Consejos

Escribir Al señor Zavala le gusta darles recomendaciones a sus huéspedes. Usa una expresión de la lista y el subjuntivo para saber lo que dice. *(Hint: Express Señor Zavala's recommendations.)*

Insisto en que...   Espero que...
Ojalá que...   Quiero que...
Sugiero que...   Prefiero que...

modelo

ustedes (ir) al Palacio Real

Ojalá que ustedes vayan al Palacio Real.

1. los huéspedes le (dar) la llave al recepcionista
2. tú (ir) a un restaurante español
3. usted (ser) paciente
4. ustedes (saber) el número de teléfono de la pensión
5. tú no (estar) enfermo hoy
6. vosotros (ir) a la Plaza Mayor
7. los huéspedes (ser) responsables
8. usted (dar) una vuelta por Madrid
9. tú (saber) la dirección de la pensión
10. ustedes (estar) contentos en mi pensión

Apoyo para estudiar

Irregular Subjunctive Forms

Where have you seen these forms of **dar, estar, ir, saber,** and **ser** before? They are the same as the **usted(es)** commands and the negative **tú** commands. When you write, be sure to put the accents on **dé** and **esté**. That avoids confusion with **de** (*of*) and **este** (*this*).

11 De compras en Madrid

Hablar/Leer Imagínate que estás en Madrid. Tu compañero(a) te pregunta dónde estas personas pueden comprar varias cosas. Sigue el modelo. *(Hint: Suggest where to buy the following items.)*

modelo

yo: sandalias

Compañero(a): *Busco sandalias nuevas.*

Tú: *Sugiero que vayas a la Zapatería Rojas.*

1. mis amigos: un radiocasete
2. mi hermano: artesanía
3. mi tía y yo: un collar de plata
4. nosotros: tarjetas postales
5. mi familia: un libro de historia
6. mi amigo: unos patines
7. mis padres: unas plumas
8. yo: un disco compacto
9. mi madre: botas
10. mi padre: una raqueta de tenis

12 En la cabaña

Hablar/*Escribir* Laura pasa el fin de semana en una cabaña en el campo. Algunos aparatos no funcionan. ¿Qué espera Laura que todavía funcione? *(Hint: Which does Laura hope still works?)*

> **modelo**
>
> *Quiero hacer un pastel.*
>
> *Ojalá que funcione el horno.*

1. Quiero tomar refrescos fríos.
2. Vamos a mirar videos.
3. Mi amiga trae el helado.
4. Voy a cocinar paella.
5. No quiero tener frío.
6. No queremos pasar mucho tiempo lavando platos.

Vocabulario

En la casa

la calefacción *heat, heating*

el congelador *freezer*

la electricidad *electricity*

la estufa *stove*

funcionar *to work, to run*

el horno *oven*

el horno microondas *microwave oven*

el lavaplatos *dishwasher*

el refrigerador *refrigerator*

el televisor *television set*

▶ ¿Qué tienes en tu cocina?

13 ¿Dónde quieren hospedarse?

Escuchar/Hablar Estas personas están describiendo dónde quieren hospedarse. ¿Qué dibujo corresponde a cada descripción? Luego explícale a un(a) compañero(a) dónde te gustaría hospedarte a ti. *(Hint: Which picture goes with each description?)*

1. _____ 2. _____ 3. _____ 4. _____

a.

b.

c.

d.

More Practice: **Más comunicación** *p. R11*

Nota cultural

Alojamiento Si buscas alojamiento (*lodging*), en Madrid hay muchas opciones. Hay **hoteles** (¡los de cinco estrellas son muy cómodos!) y los **paradores** del gobierno (muchos de éstos son edificios históricos). También hay **hostales** y **pensiones**, que son más pequeños, pero también son más baratos.

Activity 15: Use and understand polite commands when speaking and listening; Understand and convey information about transportation

14 Unas sugerencias

Hablar Conversa con un(a) compañero(a) sobre los problemas de tus amigos(as). Tu compañero(a) te da una sugerencia para cada uno(a). *(Hint: Make suggestions.)*

modelo

no poder estudiar en casa

Tú: *Mónica no puede estudiar en casa.*

Compañero(a): *Sugiero que vaya a la biblioteca.*

Insisto en que...   Espero que...
Ojalá que...   Quiero que...
Sugiero que...   Prefiero que...

Tú	Compañero(a)
no poder estudiar en casa	ser más responsable
nunca hacer la tarea	comprar un despertador
nunca escuchar al (a la) maestro(a)	ir a la biblioteca
siempre llegar tarde	estudiar con unos(as) amigos(as) después de la escuela
nunca estudiar para los exámenes	
siempre dormir en clase	ser más cortés
siempre hablar cuando debe estar estudiando	descansar más en casa
	hablar con el (la) maestro(a)

15 El metro de Madrid

Hablar/Leer Imagínate que vives en Madrid. Un turista te pregunta cómo llegar a varios lugares en metro. Usa el plano para darle instrucciones. *(Hint: Give directions.)*

modelo

de Bilbao a Ópera

Turista: *¿Cómo llego desde Bilbao a Ópera?*

Tú: *Tome la línea 1 en Bilbao y baje en la estación Gran Vía. Allí tome la línea 5 hasta Ópera.*

1. de Retiro a Lista
2. de Sevilla a Iglesia
3. de Velázquez a Núñez de Balboa
4. de Quevedo a Chueca
5. de Prosperidad a Colón
6. de Cartagena a Ibiza
7. de Gran Vía a Serrano
8. de Ópera a Goya
9. de Noviciado a Banco de España
10. de Sol a Rubén Darío

Activities **16–17** bring together all concepts presented.

16 ¿Al campo o a la ciudad?

STRATEGY: SPEAKING

Persuade Winning someone over to your course of action can be done by reason (**no tenemos un coche**), by emotion (**nos divertimos**), or by a reward (**pago el almuerzo**). What works best for you? Use it here.

Hablar Vas a viajar con un(a) compañero(a) este fin de semana, pero ustedes tienen un problema. Uno de ustedes quiere ir al campo, y el otro a la ciudad. Convéncelo(a) de que te acompañe. *(Hint: Convince your classmate.)*

modelo

Tú: *Quiero que pasemos el fin de semana en la ciudad. Va a haber muchas cosas divertidas que hacer.*

Compañero(a): *Pues, yo sugiero que vayamos al campo. Va a hacer sol y prefiero que estemos al aire libre.*

17 La casa perfecta

Hablar/Escribir Haz un dibujo simple de tu casa ideal y en otro papel haz una descripción completa de la misma casa. Luego, con un grupo de compañeros(as), muestra los dibujos del grupo y lee tu descripción. ¿Pueden tus compañeros(as) identificar tu casa? *(Hint: Draw and describe your ideal house. Can classmates pick out your picture?)*

modelo

«Mi casa ideal»

Mi casa ideal va a ser muy grande. Quiero que sea de tres pisos y que tenga cinco habitaciones. Cada habitación va a tener una cama muy grande y una lámpara bonita. Aunque me gusta mucho la ciudad, prefiero que la casa esté en el campo porque…

More Practice: **Más comunicación** *p. R11*

Online Workbook CLASSZONE.COM

Refrán

Quien va a Sevilla pierde su silla.

Mira el dibujo y habla con tus compañeros(as). ¿Qué crees que significa este refrán? ¿Puedes describir una situación en la que tú perdiste algo porque te fuiste?

En voces

AUDIO
LECTURA

Felices sueños

	Argüelles	Borbones
habitaciones con baño		
apartamentos		
restaurante		
jardín		

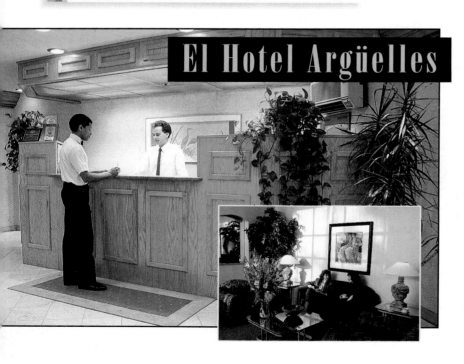

El Hotel Argüelles

$\mathbb{S}$ i prefieren un hotel de precio módico, el Argüelles es ideal. Sus habitaciones son cómodas y limpias, y todas tienen baño. También ofrece apartamentos con sala y cocina, equipados con calefacción, televisión, estufa, horno microondas y refrigerador.

Para los huéspedes que desean comer en un restaurante, el Café Rosa en la planta baja está abierto todos los días.

El hotel está en un lugar perfecto para los extranjeros: cerca de la Gran Vía, en el Madrid moderno. Hay una estación de metro cercana y una parada de autobús en la esquina. Y la famosa Gran Vía tiene restaurantes, cines y muchísimas tiendas.

El Hotel Argüelles es sencillo[1] y práctico, y tiene todo lo que necesitan sus huéspedes para estar contentos en Madrid.

---

[1] simple

El Hotel Borbones

Si les gustan las vacaciones lujosas, les va a encantar el Hotel Borbones, una de las joyas históricas de Madrid. Este elegante edificio en el centro de la ciudad fue un palacio en el siglo dieciocho. Hoy, la decoración interior conserva el estilo antiguo, pero el hotel tiene también todas las comodidades modernas. Cada habitación tiene teléfono, aire acondicionado y baño con un secador de pelo.

En el segundo piso, el Restaurante Zarzuela sirve el desayuno, la comida y la cena, y atrae a muchos madrileños[2] con su auténtica cocina española.

Después de un día ocupado en hacer turismo, los huéspedes del Borbones pueden descansar en el jardín del patio y disfrutar de una tranquilidad a sólo unos pasos[3] de la calle.

[2]natives or residents of Madrid [3]steps

¿Comprendiste?

1. ¿Piensas que el Hotel Argüelles es más caro o menos caro que el Hotel Borbones? ¿Por qué?
2. ¿Puedes nombrar tres servicios (*services*) que les ofrece el Hotel Borbones a sus huéspedes?
3. ¿Por qué van los madrileños al Restaurante Zarzuela?

¿Qué piensas?

1. ¿Cuáles te gustan más, los hoteles antiguos o los hoteles modernos? ¿Los hoteles de lujo o los hoteles sencillos? ¿Por qué?
2. ¿Cuál prefieres, el Hotel Argüelles o el Hotel Borbones? ¿Por qué?

Activity 4: Show no significant pattern of error when making requests

En uso

REPASO Y MÁS COMUNICACIÓN

Now you can...

- talk about travel plans.

To review

- travel vocabulary, see pp. 254–255.

1 En la pensión

Tú y tu familia van a hospedarse en la pensión del señor Zavala. ¿Qué les dice? *(Hint: Tell what Señor Zavala says.)*

Bienvenidos a nuestra ___1___ (pared / pensión). Veo que ustedes tienen una ___2___ (reserva / llave) para una ___3___ (recepción / habitación) en el tercer ___4___ (piso / paseo). Vamos a su habitación en el ___5___ (ascensor / armario). Hoy yo soy el ___6___ (extranjero / maletero).

Aquí está su habitación y ésta es la ___7___ (planta baja / llave). Espero que no haga mucho calor esta semana porque no hay ___8___ (aire acondicionado / lavaplatos). Pero sí tenemos muchos ___9___ (huéspedes / muebles) bonitos: una mesa, dos sillas, una ___10___ (lámpara / sala)...

Now you can...

- talk about travel plans.
- persuade others.

To review

- the subjunctive to express hopes and wishes, see p. 260.

2 ¡Vamos a Madrid!

Unos estudiantes están hablando de su futuro viaje a Madrid. ¿Qué dicen? *(Hint: Tell what they say.)*

modelo

la profesora / insistir en / los estudiantes / portarse bien

La profesora insiste en que los estudiantes se porten bien.

1. yo / preferir / la pensión / tener aire acondicionado
2. nosotros / querer / la profesora / hacer las reservas
3. ojalá / la calefacción / funcionar bien
4. la profesora / preferir / el maletero / llevar las maletas
5. nadie / desear / nosotros / hospedarse en una pensión sin electricidad
6. algunos estudiantes / insistir en / las habitaciones / tener baño

Now you can...

• talk about travel plans.

• persuade others.

• describe rooms, furniture, and appliances.

To review

• irregular subjunctive forms, see p. 263.

3 Prefiero que...

Vas de viaje con tu familia. Expresa tus preferencias. *(Hint: Express preferences.)*

modelo

Hay un restaurante en la planta baja.

Prefiero que haya un restaurante en la planta baja.

1. Los otros huéspedes son simpáticos.
2. Nos dan una habitación con horno microondas.
3. El maletero sabe hablar inglés.
4. Vamos de compras ahora.

5. Hay un jardín cerca de nuestro hotel.
6. Le damos una buena propina al maletero.
7. La pensión está cerca del metro.
8. Hay servicios cerca de la recepción.

Now you can...

• persuade others.

• describe rooms, furniture, and appliances.

To review

• the subjunctive to express hopes and wishes, see p. 260.

4 ¿Dónde lo ponemos?

Estás en tu nueva casa. Explícales a los trabajadores dónde poner los muebles: en el baño, en la cocina, en el comedor, en la habitación o en la sala. *(Hint: Tell where to put items.)*

modelo

Quiero que pongan la lámpara en la habitación.

1.

2.

3.

4.

5.

6.

7.

8.

5 Preferencias

STRATEGY: SPEAKING

Make and express decisions Traveling with others requires planning (**planear**) and compromise (**llegar a un acuerdo**). Anticipate decisions: where to stay (**dónde hospedarse**), what to do (**cómo pasar el tiempo**), how to get there (**cómo viajar**). Use persuasion to resolve differences (**sugiero, recomiendo**). Finally, report the results (**estamos** o **no estamos de acuerdo que…**).

Tú y tu amigo(a) van a hacer un viaje a Madrid. Conversen sobre sus preferencias. Luego, preséntenle sus resultados a la clase. *(**Hint:** Express travel preferences. Then present results.)*

> ¿hacer reservas?
> ¿visitar los museos?
> ¿usar el metro?
> ¿tener una habitación con baño?
> ¿…?

modelo

Tú: *¿Prefieres que hagamos reservas?*

Amigo(a): *Sí, y ojalá que nos hospedemos en una pensión.*

Tú: *¿En una pensión? Prefiero que nos hospedemos en…*

6 Bienvenidos a...

Están en una pensión en Madrid. Una persona trabaja en la recepción y las otras son huéspedes(as). El (La) recepcionista les muestra la habitación a los (las) huéspedes(as) y les sugiere actividades turísticas. Cambien de papel. *(**Hint:** Role-play a scene.)*

modelo

Recepcionista: *Bienvenidos a la pensión Buena Vida. ¿Tienen una reserva?*

Huésped(a) 1: *Sí, para dos.*

Huésped(a) 2: *Preferimos que la habitación tenga baño.*

Recepcionista: *Tenemos cuatro habitaciones con baño…*

7 En tu propia voz

ESCRITURA Imagínate que Isabel viene a visitarte. Escríbele una carta invitándola a hospedarse en tu casa. Describe la casa y su habitación con muchos detalles. También recomiéndale algunas actividades. *(**Hint:** Write a note inviting Isabel to visit you. Describe your house and recommend activities.)*

El Príncipe don Baltasar Carlos, por Velázquez

CONEXIONES

El arte Eres un(a) guía en el Museo del Prado. Escoge dos pinturas de El Greco, Goya, Velázquez u otro artista de la escuela española y explícaselas a un grupo de turistas (la clase). Empieza con una descripción de la vida del artista. Busca información en Internet o en la biblioteca. Y no te olvides, ¡es posible que los turistas te hagan algunas preguntas!

En resumen

REPASO DE VOCABULARIO

DESCRIBE ROOMS, FURNITURE, AND APPLIANCES

In and Around the House

el armario	*closet, wardrobe*
la bañera	*bathtub*
el baño	*bathroom*
la cocina	*kitchen*
el comedor	*dining room*
el garaje	*garage*
la habitación	*room, bedroom*
el jardín	*garden*
el lavabo	*bathroom sink*
la pared	*wall*
el piso	*floor, story*
la puerta	*door*
la sala	*living room*
el suelo	*floor*
la ventana	*window*

Furniture

la cama	*bed*
el espejo	*mirror*
la lámpara	*lamp*
la mesa	*table*
los muebles	*furniture*
la silla	*chair*
el sillón	*armchair*
el sofá	*sofa*

Appliances

el aire acondicionado	*air conditioning*
la calefacción	*heat, heating*
el congelador	*freezer*
el despertador	*alarm clock*
la electricidad	*electricity*
la estufa	*stove*
funcionar	*to work, to run*
el horno	*oven*
el horno microondas	*microwave oven*
el lavaplatos	*dishwasher*
el refrigerador	*refrigerator*
el televisor	*television set*

TALK ABOUT TRAVEL PLANS

el ascensor	*elevator*
las escaleras	*stairs, staircase*
el (la) extranjero(a)	*foreigner*
hospedarse (en)	*to stay (at)*
el (la) huésped(a)	*guest*
la llave	*key*
el (la) maletero(a)	*porter*
la pensión	*pension, boarding house*
la planta baja	*ground floor*
la recepción	*reception, front desk*
la reserva	*reservation*
los servicios	*bathrooms*
el turismo	*tourism*

PERSUADE OTHERS

insistir (en)	*to insist*
ojalá que	*I hope that, hopefully*
sugerir (e→ie, i)	*to suggest*

Ya sabes

desear	*to desire*
esperar	*to hope*
necesitar	*to need*
preferir (e→ie, i)	*to prefer*
querer (e→ie)	*to want*

Juego

Gregorio perdió el control de la televisión. Está en la cocina. ¿Dónde lo dejó?

ETAPA

2

Conoce la ciudad

OBJECTIVES

- Describe your city or town

- Make suggestions

- Ask for and give directions

Plano de los transportes del Centro de Madrid

¿Qué ves?

Mira la foto y contesta las preguntas.

1. ¿En qué parte de Madrid están Isabel y su compañera?

2. ¿Cómo se llama la chica que está con Isabel?

3. ¿A qué otras personas ves? ¿Qué hacen?

4. ¿Qué tienen en común el plano y la foto?

VIDEO   DVD   AUDIO

En contexto
VOCABULARIO

Isabel y Andrea van a dar una vuelta y explorar un poco.

el vecindario

los peatones

el puente

A

Si tienes coche, puedes llegar a este **vecindario** por **el puente**. Pero Isabel y Andrea vinieron en metro. Ellas ven a otros **peatones** caminando por **las aceras**. Es bueno que miren **los semáforos** antes de cruzar la calle —¡hay mucho tráfico aquí!

JUGUETERÍA

el semáforo

la acera

el conductor

el estacionamiento

B Para este **conductor** es difícil encontrar **un estacionamiento**.

la juguetería

DE MUÑECOS

JUGUETERÍA

REBAJAS

C

En esta **juguetería** se pueden **obtener** regalos para niños. Cuando la tienda tiene **rebajas**, los precios son buenos. Andrea e Isabel compran unos juguetes muy baratos. ¡Qué **gangas**!

la taquilla

la heladería

la tintorería

CD-ROM
Take-Home Tutor

D Todo lo que necesitas para pasar una tarde perfecta está cerca: **la taquilla** para comprar boletos para un concierto; **la tintorería** para limpiar la ropa que vas a llevar; y **la heladería** para después del concierto. A Isabel le gusta el helado de chocolate, pero Andrea prefiere el de limón.

el quiosco

EL PAIS

E Durante su paseo, Isabel y Andrea encuentran muchos **quioscos** de revistas y periódicos. Isabel tiene hambre y **revisa** una revista para buscar la dirección de un restaurante.

Al encontrar **un buzón**, ¡Isabel se da cuenta de que **olvidó** las postales que iba a mandar! Tiene que **regresar.** ¡Qué lástima! Afortunadamente hay **una parada** de metro cerca.

F

el buzón

Online Workbook
CLASSZONE.COM

Preguntas personales

1. ¿Hay una juguetería en tu vecindario? ¿Una heladería? ¿Qué edificios hay?
2. ¿Compras más o compras menos cuando las tiendas tienen rebajas? ¿Puedes encontrar gangas cerca de tu casa?
3. Si tu abrigo está sucio, ¿lo llevas a una taquilla o una tintorería?
4. ¿Cuál es tu lugar favorito del vecindario donde vives? ¿Por qué?
5. Descríbele tu vecindario a un(a) visitante del extranjero.

En vivo

VIDEO DVD AUDIO

DIÁLOGO

Andrea Isabel

Nuevas amigas

PARA ESCUCHAR • STRATEGY: LISTENING

Listen and distinguish Listen to what Andrea and Isabel say about Madrid and Mexico City. Where are the following found?

- **metro**
- **micro**
- **conductores locos**
- **buena onda**
- **buena gente**

1▶ Andrea: ¿Qué hiciste aquí?

Isabel: Escribí un artículo sobre los museos de Madrid. Son fabulosos. Pero quiero ver más de la ciudad —las plazas, los edificios, la gente. No quiero ver ni un museo más.

5▶ Andrea: ¿Qué es un micro?

Isabel: Es como un autobús, pero los micros son más pequeños.

Andrea: Normalmente, yo también voy en metro si tengo prisa.

6▶ Andrea: ¿Cómo son los conductores de los coches en la Ciudad de México? ¿Son tan locos como aquí?

Isabel: ¡Son iguales en todas las ciudades! Los peatones tienen que tener cuidado.

7▶ Andrea: Mira, el Palacio Real. ¿Entramos? Después puedes comprar postales.

Isabel: Oye, voy a preguntar en la taquilla si venden entradas más baratas para estudiantes.

2 ▶ Isabel: Andrea, ¿me haces un favor? Quiero que me saques una foto.

Andrea: Claro que sí. Ponte allí. La voy a sacar desde aquí. No te muevas. Está perfecto.

3 ▶ Isabel: Oye, ¿cómo llego al Palacio Real? Tengo ganas de verlo.

Andrea: ¿Quieres que te acompañe?

Isabel: ¡Me encantaría!

Andrea: Además, no quiero que te pierdas.

4 ▶ Andrea: ¿Cómo es la Ciudad de México? ¿Es muy diferente de Madrid?

Isabel: Claro, tiene sus diferencias. México es mucho más grande. Es más difícil andar por la Ciudad de México. Yo siempre voy en metro o en micro.

8 ▶ Andrea: Hay un buzón por aquí. ¡Insisto en que me mandes una tarjeta postal de México! ¡No lo olvides! Oye, sugiero que demos una vuelta por la Gran Vía.

9 ▶ Andrea: ¡Hay rebajas! ¿Entramos?

Isabel: Sí, pero después tengo que regresar. No quiero que el señor Zavala se preocupe. Es el dueño de la pensión. Es buena onda, pero habla muchísimo.

10 ▶ Andrea: ¿Buena onda?

Isabel: Significa que es una persona simpática. Es una expresión común en México.

Andrea: Aquí en España decimos «buena gente». Significa la misma cosa.

En acción

Comprensión del diálogo

Isabel   Andrea

For Activities 1–2, refer to the
dialog on pages 278–279.

1 ¿Qué pasó?

Escuchar/*Escribir* Completa las oraciones
para explicar lo que pasó en el diálogo.
(Hint: Complete the sentences.)

1. Isabel escribió un artículo sobre…

2. Isabel quiere que Andrea la acompañe
   al…

3. Generalmente, la manera en que Isabel
   va por la Ciudad de México es…

4. Un micro es como un autobús pero
   es más…

5. En todas las ciudades, los peatones
   tienen que…

6. Andrea quiere una tarjeta postal de…

7. Isabel y Andrea quieren entrar en la
   tienda porque hay…

8. Andrea sugiere que den una vuelta
   por…

2 ¿Isabel o Andrea?

Escuchar/Hablar Isabel y Andrea están
hablando. Según lo que ya sabes de ellas,
decide quién hace cada comentario. *(Hint:
Who would say this?)*

1. «La última vez que estuve en la Plaza
   Mayor estaba lloviendo.»

2. «Tengo que mandarles postales a todos
   mis amigos en la Ciudad de México.»

3. «Cuando mandé mi artículo, no pensé
   que iba a ganar.»

4. «Tú eres muy buena gente.»

5. «El señor Zavala me dio una
   habitación muy buena.»

6. «Hay una parada de metro cerca de
   esta tienda.»

7. «Éste es mi café favorito.»

8. «¿Dónde hay un buzón?»

España

Nota cultural

La Plaza Mayor Hace muchos años, la Plaza Mayor
era el centro municipal de Madrid. Aquí se casaron
princesas y fueron coronados reyes. Ahora la plaza está
llena de tiendas y cafés, y es un lugar favorito entre los
extranjeros y los españoles. No puedes conducir por la
Plaza Mayor; sólo se permite caminar.

Objectives for Activities 3–4
• Describe your city and town • Make suggestions

3 Una lección

Hablar/*Escribir* Imagínate que le enseñas a un(a) amigo(a) a manejar. Dile si las siguientes cosas son necesarias o no. Usa **(No) es importante, (No) es necesario** o **(No) es lógico** en tus respuestas. *(Hint: Give advice.)*

modelo
tener un coche nuevo

No es necesario que tengas un coche nuevo.

1. ser inteligente
2. estar tranquilo(a)
3. tener prisa
4. manejar por las aceras
5. observar a los peatones
6. saber las reglas de manejar
7. mirar en el espejo
8. gritarles a los otros conductores
9. darle las llaves del coche a alguien que no conoces
10. ir rápidamente cuando ves niños en la calle

4 En tu vecindario

Hablar Mira las fotos y habla con un(a) compañero(a) de lo que hay en tu vecindario. *(Hint: Talk about your neighborhood.)*

modelo

Compañero(a): *¿Hay buzones amarillos en tu vecindario?*

Tú: *Sí, hay buzones amarillos. (No, no hay ni un buzón amarillo.)*

Nota: Vocabulario

Ni can mean *not even, neither,* or *nor,* and is usually combined with another negative word, such as **no.** Observe how it is used in these examples:

No quiero ver **ni** un museo más. *I do not want to see **(not) even** one more museum.*

No visité **ni** las plazas **ni** los edificios históricos. *I visited **neither** the plazas **nor** the historic buildings.*

1.

2.

3.

4.

5.

6.

Objectives for Activities 5–15
• Make suggestions • Ask for and give directions

GRAMÁTICA Subjunctive Stem Changes: -ar, -er Verbs

♻ **¿RECUERDAS?** *p. 21* You have already learned about stem-changing verbs in the present indicative. The stems of these verbs change in all persons except **nosotros** and **vosotros**.

▸ Note that **-ar** and **-er** stem-changing verbs undergo the same stem changes in the subjunctive as they do in the present indicative.

pe**nsar** *to think, to plan*
e → ie

p**ie**nse	p**e**nsemos
p**ie**nses	p**e**nséis
p**ie**nse	p**ie**nsen

po**der** *to be able, can*
o → ue

p**ue**da	p**o**damos
p**ue**das	p**o**dáis
p**ue**da	p**ue**dan

stem changes from o *to* ue

Ojalá que Andrea **pueda** sacar una buena foto de Isabel.
*I hope that Andrea **can** take a good picture of Isabel.*

Practice: Actividades
5 6

Más práctica
cuaderno p. 101
Para hispanohablantes
cuaderno p. 99

ⓘ **Online Workbook**
CLASSZONE.COM

5 Recomendaciones

Hablar/Escribir ¿Qué quiere el señor Zavala que haga o no haga Isabel en Madrid? *(Hint: What does Señor Zavala want Isabel to do or not do?)*

modelo
sentarse sola en el parque

(No) quiere que se siente sola en el parque.

1. cerrar la habitación con llave
2. perderse en la ciudad
3. entender cómo hablan los españoles
4. recordar la dirección de la pensión
5. acostarse tarde
6. contarles a los Zavala de sus aventuras

Juego

Escribe la forma correcta del verbo. Luego, pon en orden las letras de colores para responder a la pregunta.

1. Ojalá que nosotros no nos __ __ __ __ ▢ __ __ __ en Madrid. (perder)
2. Espero que los boletos no __ ▢ __ __ __ __ __ mucho. (costar)
3. Insisto en que ustedes se __ __ __ __ ‾ ‾ __ __ __ ▢ temprano. (despertar)
4. Quiero que tú __ __ ▢ __ __ __ a España algún día. (volver)

¿Cuál es la palabra de cuatro letras que, al quitarle una, queda (*remains*) también una?

▢ ▢ ▢ ▢

6 De fiesta

Hablar/Escribir Andrea habla con sus amigos de la fiesta que va a haber este fin de semana. ¿Qué dice? *(Hint: Comment on the party this weekend.)*

Es importante que

Ojalá que

Sugiero que

Es malo que

modelo

los padres: traer los refrescos

Ojalá que los padres traigan los refrescos.

1. nosotros: sentarse en el sofá
2. tú: poder bailar salsa
3. ellos: pensar llegar a tiempo
4. nosotros: perder las direcciones
5. nosotros: poder cocinar
6. yo: querer ir
7. mi hermana: contar chistes
8. mis amigos: poder llegar a tiempo
9. nosotros: volver al supermercado
10. tú: encontrar las llaves del coche
11. él: recordar la fecha de la fiesta
12. nosotros: pensar acompañarnos

7 Una calle de Madrid

Escuchar Escucha las seis descripciones e indica si corresponden o no a la foto. *(Hint: Listen to the descriptions and tell if they relate to the photo.)*

1. _____   3. _____   5. _____
2. _____   4. _____   6. _____

España

Nota cultural

El paseo En Madrid, como en las otras ciudades de España, la gente sale a dar el paseo por las tardes, caminando por las calles y parándose a hablar con amigos. Van por calles que llevan nombres de personas o sucesos importantes de la historia de España. ¿Sabes quién era Pedro Calderón de la Barca?

CALLE DE CALDERÓN DE LA BARCA

CALLE DE POSTAS

Activity 9: Understand and express important ideas and some detail
Activities 9–10: Understand and convey information about directions

GRAMÁTICA Stem-Changing -ir Verbs in the Subjunctive

 ¿RECUERDAS? *p. 282* You have learned how to form the subjunctive of stem-changing **-ar** and **-er** verbs. The stems of these verbs change in all persons except **nosotros** and **vosotros**.

Now you will learn how to form the subjunctive of stem-changing **-ir** verbs.

▶ Verbs ending in **-ir** with a stem change in the present indicative of **e → i** undergo the same stem changes in the subjunctive, but in all persons.

pe**dir** *to ask for*
e → i

p**i**da	p**i**damos
p**i**das	p**i**dáis
p**i**da	p**i**dan

Es necesario que Isabel le pida permiso al señor Zavala.
*It is necessary for Isabel **to ask** Señor Zavala for permission.*

····························

▶ The **e → ie** and **o → ue** stem-changing **-ir** verbs that you learned in the present indicative make the following changes in the subjunctive:

The **e** changes to **ie** or **i**.

pref**e**rir *to prefer*
e → ie, i

pref**ie**ra	pref**i**ramos
pref**ie**ras	pref**i**ráis
pref**ie**ra	pref**ie**ran

The **o** changes to **ue** or **u**.

dormir *to sleep*
o → ue, u

d**ue**rma	d**u**rmamos
d**ue**rmas	d**u**rmáis
d**ue**rma	d**ue**rman

Ojalá que prefieras una habitación con baño.
*I hope that **you prefer** a room with a bathroom.*

Sugiero que durmamos antes de salir.
*I suggest that **we sleep** before going out.*

Practice:
Actividades
8 9

Más práctica
cuaderno p. 102
Para hispanohablantes
cuaderno p. 100

 Online Workbook
CLASSZONE.COM

---

8 ¿Qué quieres?

Hablar/Escribir ¿Qué quieres que hagan las siguientes personas? *(Hint: What should they do?)*

modelo

El señor Zavala sugiere algunos lugares para visitar.

(No) quiero que el señor Zavala sugiera algunos lugares para visitar.

1. Nosotros visitamos a Isabel en la pensión de los Zavala.
2. Nosotros dormimos en una habitación con aire acondicionado.
3. Andrea pide permiso para sentarse con Isabel.
4. Isabel se siente cansada.
5. Ustedes se sonríen por la mañana.
6. Isabel regresa a México.
7. Tú repites la dirección de la pensión.
8. Andrea se divierte con sus amigas.
9. Nosotros nos reunimos con Isabel en la Plaza Mayor.
10. El mesero nos sirve la comida fría.

9 ¿Te perdiste?

Hablar/Leer Varias personas están en la Plaza de la Cibeles y te piden direcciones. ¿Qué les sugieres? *(Hint: What do you tell them?)*

modelo

Compañero(a): *Necesito ir a la Puerta de Alcalá.*

Tú: *Sugiero que siga por la calle de Alcalá hacia el este.*

1. Con permiso, ¿cómo llego al Banco de España?
2. ¿Dónde queda la calle Valenzuela?
3. Busco la Gran Vía. ¿Sabe usted dónde queda?
4. ¿Dónde está el Museo Nacional de Artes Decorativas?

10 ¡Adivínalo!

Hablar/Escribir Piensa en un lugar en la escuela. Describe dónde queda en dos o tres oraciones sin mencionar el nombre. Tus compañeros(as) deben adivinar lo que es. *(Hint: Describe a location for others to guess.)*

modelo

Tú: *Está lejos de la biblioteca y detrás de las canchas de tenis. Está frente a la cafetería.*

Compañeros(as): *¿Es el gimnasio?*

Tú: *Sí, (No, no) es el gimnasio.*

la oficina de los maestros

la biblioteca   **el auditorio**

el estacionamiento

More Practice: Más comunicación *p. R12*

Vocabulario

Para llegar a...

bajar por *to go down, to descend*

el cruce *crossing*

desde allí *from there*

la distancia *distance*

el este *east*

girar *to turn*

hacia *toward*

hasta *until, as far as*

el norte *north*

el oeste *west*

parar *to stop*

seguir (e→i, i) *to follow, to continue*

subir por *to go up, to climb*

el sur *south*

▶ ¿Qué palabras usas para describir dónde está tu libro de español?

Está...

abajo *down*

alrededor (de) *around*

arriba *up*

debajo de *underneath*

delante de *in front of*

encima de *on top of*

frente a *facing, opposite*

junto a *next to*

sobre *on*

Activity 13: Understand and convey information about directions

GRAMÁTICA   The Subjunctive and the Infinitive

 ¿RECUERDAS? *p. 260* When the **first verb** in the sentence expresses **a hope** or **a wish**, you often put the **second verb** in the **subjunctive**.

> Isabel is stating a fact, that she wants Andrea to take her picture, so she uses the **indicative, quiero.**

Por favor, Andrea.
Quiero que me **saques** una foto.
Please, Andrea.
***I want** you **to take** a picture of me.*

> She is not certain Andrea will take the picture, so she uses the **subjunctive, saques.**

Notice that the subject of the first verb is **different** from the subject of the second verb.

different
yo quiero → **tú saques**

. . . .

When the subject of the first verb is **the same** as that of the second, don't change the second verb to the subjunctive. Leave it an **infinitive**.

indicative   *infinitive*
Quiero   ver más de la ciudad.
***I want to see** more of the city.*

Here there is no change of subject. So the second verb, **ver**, remains an **infinitive**.

. . . .

When the subject of the second verb is some unknown group, or refers to people in general, you use an **infinitive**.

Es bueno **caminar** con zapatos cómodos.
*It's good **to walk** in comfortable shoes.*

Practice:
Actividades

Más práctica
cuaderno pp. 103–104
Para hispanohablantes
cuaderno pp. 101–102

 Online Workbook
CLASSZONE.COM

11 Un desacuerdo

Hablar/Escribir El señor Zavala e Isabel no están de acuerdo. Prepara la conversación. Luego, preséntasela a la clase.
(Hint: Prepare and present the dialog.)

> **modelo**
> *ir al museo*
> **Isabel:** *No quiero ir al museo.*
> **Señor Zavala:** *Quiero que vayas al museo.*

1. limpiar la habitación
2. cerrar con llave
3. bailar flamenco
4. ir al Palacio Real
5. comer en la pensión
6. escribirle una carta a la familia
7. visitar la juguetería en la esquina
8. ponerse zapatos cómodos
9. conocer a los otros huéspedes
10. llamar a sus padres inmediatamente

12 ¡No quiere hacer nada!

Escribir Andrea no quiere hacer ninguna de estas actividades y sugiere que otras personas las hagan. ¿Qué dice?
(Hint: Complete Andrea's thoughts.)

> **modelo**
>
> pedir la cuenta en el restaurante (mamá)
>
> No quiero pedir la cuenta en el restaurante. Quiero que mamá la pida. (Quiero que mamá pida la cuenta.)

1. conducir tu coche (tú)
2. llevar la ropa a la tintorería (mi hermano)
3. llamar al señor Zavala (usted)
4. visitar el palacio (nosotros)
5. comprar los boletos (tú)
6. seguir buscando la llave (mis hermanos)
7. revisar el mapa (Isabel)
8. obtener entradas para el museo (ustedes)
9. poner la mesa (tú)
10. lavar los platos (vosotros)

13 En mi vecindario

Escuchar/Escribir Andrea te dice cómo llegar a estos lugares desde su casa. Mira el mapa. ¿Son correctas sus direcciones?
(Hint: Are Andrea's directions correct?)

1. el apartamento de mi mejor amiga
2. el parque
3. la parada de autobuses
4. la escuela
5. la tienda de rebajas

También se dice

Ya conoces la palabra **cuadra,** que se usa en Sudamérica y América Central. Pero en España, es más común decir **la manzana** o **el bloque.** ¿Cuántas manzanas hay entre la avenida Benjamín y la avenida Azucenas?

Activity 16: Create simple paragraphs when writing
Activity 17: Listen in social interactions

14 Quieren que yo lo haga

Hablar/*Escribir* Escribe una lista de cuatro cosas que otras personas (tus padres, amigos, profesores…) desean que hagas. Luego dile a un grupo de compañeros(as) si quieres hacerlas. *(Hint: Create a list of four things that others want you to do. Then tell your classmates whether you want to do them.)*

modelo

Mi mamá insiste en que yo regrese a casa antes de las diez.

Mis padres desean que yo no salga cuando estoy enferma.

Mi hermana menor quiere que yo la acompañe a la juguetería donde vio las muñecas.

Mi profesor de cálculo espera que yo haga la tarea.

Tú: *Mi mamá insiste en que yo regrese a casa antes de las diez, pero no quiero regresar antes de las diez los sábados.*

Nota: Gramática

Sometimes words like **cuando** and **donde** are used in the middle of a sentence as bridges or connectors. When not implying a question, they do not need accents.

Fue una sorpresa enorme cuando me llamaron y me contaron quién ganó. *It was a big surprise when they called me and told me who won.*

15 Ahora, en tu comunidad

STRATEGY: SPEAKING

Ask for and give directions Locating an unfamiliar place requires clear directions. You can use compass points (**al norte, al este**) or state position relative to a landmark (**delante de, junto a**). Be clear about the starting point (**desde allí**), and use precise verbs (**sigue, para, gira, baja, sube**).

Hablar Pídele a un(a) compañero(a) direcciones para llegar a estos lugares desde tu escuela. Luego tu compañero(a) te puede pedir direcciones. *(Hint: Ask for and give directions.)*

modelo

el correo

Tú: *¿Cómo llego al correo?*

Compañero(a): *Sigue dos cuadras por la calle Murillo y gira a la derecha. Desde allí, puedes ver el correo. Está junto al banco.*

1. el cine
2. tu casa
3. la discoteca
4. la heladería
5. la juguetería
6. un puente
7. tu restaurante favorito
8. la tintorería
9. un buzón
10. el banco
11. el parque
12. un quiosco

Activities **16–17** bring together all concepts presented.

16 ¡Visita nuestro vecindario!

Hablar/*Escribir* En grupos, preparen una presentación y un folleto para atraer a otras personas a tu pueblo o ciudad. Sean creativos e incluyan los siguientes elementos. *(Hint: Create a presentation and brochure about your community.)*

Incluyan:
- una descripción de la comunidad
- unas fotos de las atracciones
- un mapa e instrucciones para llegar

¡Visita University Place!

University Place es una bonita ciudad a orillas de Puget Sound, un brazo de mar espectacular. Desde allí se pueden ver las montañas Olympic, la montaña Rainier y el puente de Tacoma Narrows.

Ven en carro, avión, moto, barco, taxi, autobús, tren, a pie —no importa cómo, ¡pero es importante que vengas!

una heladería

una escuela

un parque

Para llegar a University Place

Desde Seattle, toma la carretera I-5 hacia el sur. En Tacoma, toma la salida a Bremerton para la carretera 16. Luego toma la salida a Jackson. Dobla a la izquierda y sigue derecho doce cuadras. Vas a ver un letrero que dice «Bienvenidos a University Place».

En University Place está todo lo que necesitas —tiendas, parques, escuelas, cafés ¡y muy buenas heladerías!

¡Ojalá que te veamos pronto!

17 Tu programa de radio

Hablar Tú eres el (la) locutor(a) de un programa de consejos en la radio. Recibes llamadas de tus amigos(as). Uno(a) tiene problemas con su maestro(a), otro(a) con su novio(a). ¿Qué les recomiendas? En parejas, hagan una dramatización de estas situaciones. *(Hint: You are a radio announcer. Help solve your friends' problems.)*

More Practice:
Más comunicación *p. R12*

Online Workbook
CLASSZONE.COM

Refrán

Entra por aquí y sale por allá.
¿Alguna vez creíste que alguien no te entendió o no te escuchó? En grupos, hagan una lista de ocasiones en que les pasó algo similar.

En colores
CULTURA Y COMPARACIONES

Vamos a bailar
—Gipsy Kings

PARA CONOCERNOS
STRATEGY: CONNECTING CULTURES
Identify characteristics of successful musical groups

Among your favorite groups are there any that are "family"? What do you know about them? How do they compare to the Gipsy Kings?

	Grupo 1	Grupo 2
nombre		
lugar de origen		
nombres de los cantantes		
instrumentos que usan		
tipo de música		
canciones populares		

España

Nota cultural

Los gitanos y el flamenco No se sabe exactamente de dónde vienen los gitanos (*Gypsies*), pero los encontramos por todo el mundo. Se consideran los creadores del flamenco, un tipo de música y baile del sur de España. Este arte tan famoso mundialmente también tiene influencia de las canciones populares de Andalucía y de la cultura árabe que vivió en esa zona por más de setecientos años.

Los Gipsy Kings son un fenómeno internacional. La fama enorme de este conjunto[1] comenzó en 1987 con su primer éxito[2], «Bamboleo». La música de los Gipsy Kings es un nuevo tipo de música que tiene sus raíces[3] en el estilo flamenco tradicional de Andalucía, una región del sur de España.

Su música es difícil de clasificar. Tiene muchos nombres: rumba flamenca, rumba gitana, pop flamenco y flamenco moderno. Es una música que también demuestra influencias de salsa, jazz, música brasileña y nordafricana. Los Gipsy Kings cantan en gitano[4] y una mezcla de español y francés. Además de guitarras, usan teclados[5], percusión y contrabajo[6].

---

[1] group
[2] hit
[3] roots
[4] Romany Gypsy dialect
[5] musical keyboards
[6] bass

¿Quiénes son estos músicos talentosos? Son los hermanos Reyes y sus primos, los hermanos Baliardo. Todos vienen de los barrios gitanos pobres del sur de Francia. Originalmente, sus familias eran de España. Salieron del país en el año 1936 durante la Guerra Civil española.

Las estrellas del grupo son Tonino Baliardo, compositor[7] y guitarrista principal, y el cantante Nicolas Reyes. Reyes es el hijo de José Reyes, un cantante de flamenco que cantaba con el famoso guitarrista Manitas de Plata.

¿Cómo se explica la atracción universal de los Gipsy Kings? Su música es exótica, emocionante y divertida. Y para el público estadounidense es algo nuevo. Después de sus conciertos en Nueva York, Boston y San Francisco, los Gipsy Kings recibieron grandes aplausos y críticas muy entusiastas.

Los Gipsy Kings han vendido[8] más de trece millones de álbumes en todo el mundo.

_____

[7] composer   [8] have sold

🛈 **More About Spain**
CLASSZONE.COM

¿Comprendiste?

1. ¿Quiénes son los Gipsy Kings? ¿Cuál es su origen?
2. ¿En qué lenguas cantan?
3. ¿Qué influencias tiene la música de los Gipsy Kings?
4. ¿Qué instrumentos tocan?
5. ¿Por qué a los estadounidenses les gustan los Gipsy Kings?

¿Qué piensas?

¿Conoces algunas canciones de los Gipsy Kings? ¿Te gustan? ¿Es importante entender todas las palabras? ¿Por qué sí o por qué no?

Hazlo tú

Investiga el flamenco tradicional. ¿Qué es el flamenco? ¿Cuál es su origen? Descríbelo en una composición breve.

Activities 1–3: Show no significant pattern of error when understanding some ideas and familiar details

En uso
REPASO Y MÁS COMUNICACIÓN

OBJECTIVES

- Describe your city or town
- Make suggestions
- Ask for and give directions

Now you can...

- describe your city or town.
- ask for and give directions.

To review

- directions vocabulary, see p. 285.

1 En el pueblo

Imagínate que tú vives en este pueblo. Completa la descripción. (*Hint: Describe the town.*)

modelo

La taquilla está delante del (museo / aeropuerto).
La taquilla está delante del museo.

1. Hay un (semáforo / buzón) entre el quiosco y la taquilla.
2. La parada de autobuses está delante de la (heladería / plaza).
3. Hay un (cruce / puente) de peatones delante del semáforo.
4. El estacionamiento está (junto al / debajo del) museo.
5. Hay una (juguetería / taquilla) delante del museo.
6. Para ir al aeropuerto, hay que (parar / subir) por la calle principal.
7. El quiosco está (frente a / encima de) la heladería.
8. La tintorería está (sobre / junto a) la plaza.
9. Un conductor espera (frente al / alrededor del) semáforo.
10. Hay un (puente / cruce) cerca de la heladería.
11. La juguetería está junto a un (buzón / estacionamiento).
12. Para ir al puente desde la plaza, hay que caminar hacia el (este / oeste).

Now you can...

• make suggestions.

To review

• stem-changing verbs in the subjunctive, see pp. 282, 284.

2 Ojalá que...

Tú y tus compañeros van a viajar a España. Usa las frases útiles para completar unos comentarios sobre el viaje. *(Hint: Talk about a trip, combining phrases from the list with the items below.)*

No quiero que...   Es bueno que...   Sugiero que...

　　　Ojalá que...   Es ridículo que...   Es importante que...

modelo

las tiendas: cerrar muy tarde

Ojalá que las tiendas (no) cierren muy tarde.

1. el viaje: costar mucho dinero
2. nosotros: sentarse juntos en el avión
3. tú: perder los boletos de avión
4. nosotros: seguir las recomendaciones del agente de viajes
5. los estudiantes: encontrar la información sobre los hoteles
6. tú: preferir un asiento de ventanilla

7. yo: poder visitar muchos museos
8. nosotros: dormir mal en la pensión
9. el profesor: pedir habitaciones con baño
10. nosotros: entender a los españoles
11. los restaurantes: servir comida americana
12. ustedes: divertirse mucho

Now you can...

• make suggestions.

To review

• the subjunctive and the infinitive, see p. 286.

3 ¡Hoy no trabajo!

Estás cansado(a) y no quieres ayudar con los quehaceres. ¿Qué dices? *(Hint: Persuade others.)*

modelo

lavar los platos (papá)

No quiero lavar los platos hoy. Prefiero que papá los lave.

1. hacer la limpieza (ustedes)
2. pasar la aspiradora (tú)
3. cortar el césped (papá)
4. quitar el polvo (ellos)

5. barrer el piso (mamá)
6. sacar la basura (tú)
7. planchar la ropa (él)
8. limpiar la bañera (ella)

Activity 5: Show no significant pattern of error when obtaining and providing information

4 ¡Muchos preparativos!

STRATEGY: SPEAKING

Work cooperatively Decisions require action: **hablar, buscar, comprar, hacer, obtener.** Discuss preferences (**quiero** o **no quiero obtener…, insisto en que tú hagas…**). Decide how to be fair in assigning responsibilities (**es necesario/lógico que…**). Finally, summarize who is doing what: **nosotros(as) juntos(as), tú, yo.**

Imagínate que tú y un(a) compañero(a) están planeando un viaje. Decidan cómo van a compartir las responsabilidades y completen la tabla. *(Hint: Decide who will do what.)*

hacer las reservas   comprar los boletos

buscar información sobre los museos

encontrar un buen hotel

ir a la agencia de viajes

obtener información turística

ESTUDIANTE 1	NOSOTROS(AS)	ESTUDIANTE 2
1. _____	1. comprar los boletos	1. _____
2. _____	2. _____	2. _____
3. _____	3. _____	3. _____

5 Turistas

Prepara un dibujo de una sección de tu ciudad o pueblo. Incluye un mínimo de cinco edificios o lugares importantes. Luego, usa el dibujo para darles un «tour» imaginario a unos turistas. Ellos te van a preguntar cómo llegar a otros lugares que no están en tu dibujo. Cambien de papel. *(Hint: Role-play a tour of a section of your city or town. Give directions.)*

modelo

Tú: *Estamos en la calle Main. Aquí vemos muchos edificios importantes. Al lado del correo hay un cine.*

Turista 1: *¿Hay otros cines en el pueblo?*

Tú: *Hay otro pero queda un poco lejos de aquí.*

Turista 2: *¿Cómo se va?*

Tú: *Suba por esta calle hasta llegar a la plaza. Gire a la derecha en la calle Oak. Luego siga derecho…*

6 En tu propia voz

ESCRITURA Imagínate que trabajas para una agencia de viajes. Prepara una descripción de tu ciudad o pueblo para darles a los turistas. *(Hint: Write a description of your city or town.)*

modelo

Ojalá que usted nos visite pronto en Middletown. Nuestra ciudad tiene muchos lugares interesantes y hoteles excelentes. Por ejemplo,…

CONEXIONES

La tecnología A la gente de tu comunidad le gustó mucho la presentación que hiciste en la Actividad 16 de la página 289. Quieren poner alguna información sobre tu pueblo en el website de la comunidad. Haz una página-web para presentarles.

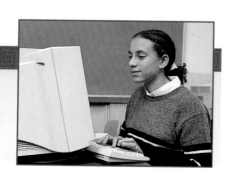

En resumen
REPASO DE VOCABULARIO

ASK FOR AND GIVE DIRECTIONS

How to Get There

bajar por	to go down, to descend
el cruce	crossing
desde allí	from there
la distancia	distance
girar	to turn
hacia	toward
hasta	until, as far as
parar	to stop
seguir (e→i, i)	to follow, to continue
subir por	to go up, to climb

Directions

el este	east
el norte	north
el oeste	west
el sur	south

Specifics

abajo	down
alrededor (de)	around
arriba	up
debajo de	underneath
delante de	in front of
encima de	on top of
frente a	facing, opposite
junto a	next to
sobre	on

DESCRIBE YOUR CITY OR TOWN

City Streets

la acera	sidewalk
el buzón	mailbox
el (la) conductor(a)	driver
el estacionamiento	parking space
la parada	stop, stand
el peatón	pedestrian
el puente	bridge
el semáforo	traffic light or signal
el vecindario	neighborhood

Places of Business

la heladería	ice-cream parlor
la juguetería	toy store
el quiosco	kiosk, newsstand
la taquilla	box office
la tintorería	dry cleaner

MAKE SUGGESTIONS

♻ **Ya sabes**

insistir (en)	to insist
sugerir (e→ie, i)	to suggest

OTHER WORDS AND PHRASES

la ganga	bargain
ni	not even, neither, nor
obtener	to obtain, to get
olvidar	to forget
la rebaja	sale
regresar	to go back, to return
revisar	to review, to check

Juego

Lo que busca Irene no está sobre la mesa. Tampoco está debajo del sillón. No está encima de los libros, pero sí está delante del televisor. ¿Qué busca ella?

ETAPA

Vamos de compras

OBJECTIVES

- **Talk about shopping for clothes**
- **Ask for and give opinions**
- **Make comparisons**
- **Discuss ways to save and spend money**

¿Qué ves?

Mira la foto. ¿Qué ves?

1. ¿Conoces a algunas de las personas de la foto? ¿Cómo se llaman?
2. Describe lo que tiene cada chica en la mano.
3. ¿Qué es El Corte Inglés?

TANTO QUE VER...
SO MUCH TO SEE...

El Corte Inglés
GRANDES ALMACENES
DEPARTMENT STORES

UN LUGAR PARA COMPRAR.
UN LUGAR PARA SOÑAR.
A PLACE TO SHOP. A PLACE TO DREAM.

Use authentic materials when reading: short narratives

VIDEO DVD AUDIO

En contexto
VOCABULARIO

Isabel y Andrea van a ver qué tiene esta tienda de ropa.

A

Isabel y Andrea tienen que **arreglarse** para una fiesta. Muchas tiendas están **cerradas** durante la tarde, pero esta tienda está **abierta** todo el día.

B

Isabel quiere encontrar un vestido o unos pantalones. **Escoge** un vestido largo con **rayas** y otro que es más corto. Andrea quiere **vestirse** con **un traje. Usa la talla** 36, pero este traje es talla 38. Le queda un poco grande.

el traje

las rayas

ConCaché.

ESTILO 54656   TALLA 38

C

Isabel se pone unos pantalones **sencillos** de color **oscuro**, pero le quedan **flojos.** Necesita una talla más pequeña. Andrea se pone unos pantalones blancos, pero son muy **estrechos.** Necesita unos más grandes.

flojos

estrechos

de mal humor

anchos

apretada

D

Isabel escoge otros pantalones, pero éstos son demasiado **anchos.** Andrea se pone una chaqueta, pero le queda **apretada.** Las chicas están **de mal humor.**

de buen humor

las clientas   la dependienta

E

Después de ponerse mucha ropa, **las clientas** encuentran lo que buscan. Ahora están contentas, y **la dependienta** está sonriendo. ¡Ella está **de buen humor** también!

F

Están preparadas. **Apenas** son las siete y la fiesta empieza a las ocho. Andrea lleva una camisa que **hace juego con** los pantalones. Isabel lleva **un chaleco.** Las dos llevan **pañuelos** y **un par de zapatos de tacón** del **número** correcto. ¡Van a ser las más **elegantes** de todas las chicas de la fiesta!

el pañuelo

el chaleco

el zapato de tacón

Online Workbook
CLASSZONE.COM

Preguntas personales

1. ¿Hay alguien en tu clase que lleve ropa oscura? ¿Ropa con rayas?
2. ¿Te gusta comprar ropa nueva cuando tienes que arreglarte?
3. ¿Tienes un traje? ¿Cuándo lo usas?
4. ¿Qué accesorios te gustan?
5. Si quieres unos zapatos, ¿qué le dices al (a la) dependiente(a)?

En vivo

DIÁLOGO

Dependienta

Andrea

Isabel

PARA ESCUCHAR • STRATEGY: LISTENING

Listen and infer An inference is an opinion based on something implied but not directly said. Choose a word that describes Andrea's personality (**alegre, cómica, paciente, seria, inteligente,** or one of your own choice). Then tell which of Andrea's words or actions led you to make that choice.

¿Cómo me veo?

1 ▶ Dependienta: ¿En qué os puedo atender?
Andrea: Estamos mirando, gracias.
Dependienta: Bueno. Si decidís hacer algo más que mirar, avisadme, por favor.

5 ▶ Andrea: ¿Qué tal un traje?
Isabel: Debes vestirte con vestido. Cuando quieres arreglarte bien, un vestido sencillo es lo mejor.
Andrea: Tienes razón. Y debo escoger un par de zapatos.

6 ▶ Dependienta: Tenemos varios vestidos elegantísimos por aquí. Son tan bonitos como los de los mejores almacenes. Estoy segura que te van a gustar.
Andrea (a Isabel): ¿Ves? Ahora está de muy buen humor.

7 ▶ Dependienta: Te queda bien.
Andrea: Me parece un poco flojo.
Isabel: Te ves fenomenal. Me gusta mucho el color, y no creo que te quede flojo.
Andrea: Muy bien. Me llevo éste.

2 ▶ Isabel: ¡Uy! La dependienta está de mal humor.

Andrea: Ella espera que los clientes gasten mucho dinero, y duda que tú y yo vayamos a comprar hoy.

3 ▶ Andrea: Me fastidia que los dependientes me traten así. ¿Le hacemos la vida un poquito difícil?

Isabel: ¿Cómo? Tengo miedo.

Andrea: No te preocupes. No voy a hacer nada terrible. Tú tranquila.

4 ▶ Andrea: ¿Te gusta este vestido? Me parece ideal para el estreno en la galería de arte.

Isabel: No sé. Me parece estrecho. ¿Qué talla usas?

Andrea: Uso la talla 36.

8 ▶ Dependienta: Tenemos también unos zapatos buenísimos que hacen juego con el vestido. ¿Los quieres ver?

Andrea: Sí, gracias.

9 ▶ Isabel: ¡Andrea! Esto no me gusta nada.

Andrea: Lo siento. Estoy jugando contigo también. No te lo dije, pero todo esto es verdad. El viernes voy a un estreno en una galería de arte y necesito un vestido y un par de zapatos de tacón.

10 ▶ Isabel: ¡Qué buen precio en el vestido!

Andrea: Y el precio de los zapatos fue buenísimo también. Mira, ésta es tu parada de metro. ¿Por qué no nos reunimos mañana? ¿Vale?

Isabel: ¡Vale!

En acción

PARTE A · Comprensión del diálogo

Dependienta   Andrea   Isabel

For Activities 1–2, refer to the dialog on pages 300–301.

1 ¿Cómo lo sabes?

Escuchar/*Escribir* Todas las oraciones son ciertas. Escribe una línea del diálogo que confirme cada una. *(Hint: Write a line of dialog that supports each sentence.)*

1. Hay buenos precios en la tienda de ropa.

2. Isabel piensa que el primer vestido que escoge Andrea no es la talla correcta.

3. Andrea tiene un plan.

4. Isabel se preocupa un poco por el plan de Andrea.

5. Andrea realmente va a un estreno y necesita ropa nueva.

6. Andrea e Isabel se van a reunir al día siguiente.

2 En orden

Escuchar/*Escribir* Pon las fotos en orden cronológico según el diálogo. Luego escribe una oración que describa cada foto. *(Hint: Put the photos in order. Then write a description.)*

a.

b.

c.

d.

España

También se dice

En España, el plural de **tú** es **vosotros(as). Os** es el objeto directo e indirecto de **vosotros.** La dependienta usó las formas de los verbos que corresponden a **vosotros** cuando les habló a Isabel y Andrea.

Objectives for Activities 3–4
• Talk about shopping for clothes • Ask for and give opinions

3 ¿Hacen juego?

Hablar Estás ayudando a un(a) amigo(a) que va de compras. Mira las fotos. ¿Hacen juego los artículos? *(Hint: Tell whether items match.)*

modelo

Compañero(a): *¿Crees que la bolsa y los zapatos hacen juego?*

Tú: *Sí, hacen juego.*

1.

2.

3.

4.

5.

6.

4 ¿Qué me sugieres?

Hablar Pídele a un(a) compañero(a) sugerencias sobre las actividades de la lista. *(Hint: Ask a classmate for suggestions.)*

modelo

qué (leer)

Tú: *¿Qué sugieres que yo lea?*

Compañero(a): *Sugiero que leas Don Quijote porque es buenísimo.*

1. dónde (divertirse)
2. cómo (poder comprar boletos para un concierto)
3. cómo (vestirse para una fiesta)
4. qué (pedir en un buen restaurante)
5. dónde (encontrar gangas)
6. qué (servirles a mis amigos españoles para comer)

Nota cultural

¿Qué talla usas? Si estás en Madrid y quieres comprar ropa, vas a descubrir que las tallas de ropa en España son diferentes de las de Estados Unidos. Por ejemplo, si quieres comprar un vestido para tu madre y ella usa la talla 10, en Madrid debes comprarle una talla 42. Si los zapatos de tu hermano son el número 6, tienes que comprarle el número 39. Si tienes miedo de confundirte, es mejor que midas (*measure*) a todos antes de viajar, ¡en centímetros, por supuesto!

	S		M		L	
Francia/España	36	38	40	42	44	46
EE.UU.	2-4	6	8	10	12-14	16

Práctica: gramática y vocabulario

Objectives for Activities 5–15
- Make comparisons • Talk about shopping for clothes • Ask for and give opinions
- Discuss ways to save and spend money

REPASO   Comparatives and Superlatives

Spanish uses various structures when making **unequal** and **equal** **comparisons**.

Unequal comparisons are made in Spanish using más/menos… que.

> más + **adjective, adverb,** or **noun** + que

> menos + **adjective, adverb,** or **noun** + que

*The thing or quality being compared is often between **más** or **menos** and **que**.*

Isabel es más **alta** que Andrea.
*Isabel is **taller than** Andrea.*

Note other forms of unequal comparison in the vocabulary box.

Equal comparisons are made in Spanish with tan… como or tanto… como.

> tan + **adjective** or **adverb** + como

> tanto(a, os, as) + **noun** + como

*The thing or quality being compared is often between **tan** or **tanto(a, os, as)** and **como**.*

La ropa de esta tienda es tan **buena** como la de los grandes almacenes. *The clothes in this store are **as nice as** those in large department stores.*

No hay tantos **vestidos** como faldas.
*There aren't **as many dresses as** skirts.*

You have already learned that you can attach **-ísimo(a, os, as)** to an **adjective** for emphasis.

> Nuestros trajes son **elegantísimos.**
> *Our suits are **very (extremely) elegant.***

In English, **superlatives** are formed by saying *the most* or *the least* or by adding *-est* at the end of an **adjective**. In Spanish, you form **superlatives** like this:

> el (la, los, las) + más/menos + **adjective** (+ de)

> Nuestros trajes son los más **elegantes** (de Madrid).
> *Our suits are **the most elegant** (in Madrid).*

> Andrea es la más **alta** (de sus compañeros).
> *Andrea is **the tallest** (of her classmates).*

Vocabulario

Unequal Comparisons

 Ya sabes

más que *more than*
mayor que *older than*
mejor que *better than*
menor que *younger than*
menos que *less than*
peor que *worse than*

Equal Comparisons

 Ya sabes

tan… como *as… as*
tanto como *as much as*

▶¿Cómo te comparas con tus compañeros?

Practice: Actividades   5 6 7 8
Más práctica *cuaderno pp. 109–110*
Para hispanohablantes *cuaderno pp. 107–108*

 Online Workbook
CLASSZONE.COM

Activities 5–7: Describe and compare
Activity 7: Understand and convey information about clothes

5 ¿Cómo es la ropa?

Hablar/*Escribir* Isabel y Andrea comparan la ropa que ven en una tienda. Combina las oraciones para hacer una sola. *(Hint: Combine the sentences.)*

> **modelo**
>
> *La camiseta es fea. La falda es más fea.*
>
> *La falda es más fea que la camiseta. (La camiseta es menos fea que la falda.)*

1. La camisa es cara. Los jeans son más caros.
2. El suéter es viejo. El traje de baño es más viejo.
3. Los pantalones son elegantes. El vestido es más elegante.
4. El pañuelo es bonito. El collar es más bonito.
5. Los calcetines son baratos. Las gafas son más baratas.
6. La blusa es sencilla. La camisa es más sencilla.

6 Las opiniones de Isabel

Hablar/*Escribir* Imagínate que eres Isabel y que estás expresando tus opiniones sobre Madrid. Completa las oraciones con **más… que, menos… que** o **tan… como.** *(Hint: Complete the sentences.)*

> **modelo**
>
> *el equipo Real Madrid / bueno / el equipo Real Zaragoza*
>
> *El equipo Real Madrid es tan bueno como el equipo Real Zaragoza.*

1. el Museo del Prado / interesante / el Museo Nacional de Ciencias Naturales
2. la tortilla española / sabrosa / la paella
3. el Parque del Retiro / tranquilo / el Parque del Oeste
4. el teatro español / divertido / el cine
5. la Plaza Mayor / ocupada / la Ronda de Atocha
6. las pensiones / cómodas / los hoteles

7 ¡Cómo cambia la moda!

Hablar/*Escribir* Con un(a) compañero(a), miren los diferentes estilos de ropa. ¿Quién puede hacer más comparaciones? *(Hint: Make comparisons.)*

More Practice: **Más comunicación** *p. R13*

Práctica: gramática y vocabulario continuación

Activity 8: Understand and convey information about prices, size and quantity
Activities 9–10: Understand and convey information about shopping and clothes

8 Catálogo de joyas

Escuchar/Escribir Isabel y Andrea hablan de varios artículos que ven en un catálogo. Escribe la letra que corresponde a lo que describen. Luego escribe tres descripciones originales.
(*Hint:* Identify what is being described. Then write three descriptions.)

1. _____   3. _____
2. _____   4. _____

GRAMÁTICA The Subjunctive with Expressions of Doubt

¿RECUERDAS? *pp. 232, 260* You have already learned that the subjunctive is used after impersonal expressions and to express hopes and wishes.

▶ The subjunctive is also used after verbs that imply **doubt.**

It is certain that the clerk is doubting, so Andrea uses the indicative.

But the clerk is uncertain they will buy anything (she is doubtful), so Andrea uses the subjunctive.

La dependienta **duda** que tú y yo **vayamos** a comprar hoy.
*The clerk **doubts** that you and I **are going** to buy anything today.*

▶ In addition to expressing **doubt** with verbs like **dudar,** you can express doubt by saying that you don't think or believe something is going to happen.

Isabel is sure she likes the color, so she uses the indicative.

And she is sure of what she thinks, so she uses the indicative.

But the fit is a matter of doubt, so she uses the subjunctive.

Me **gusta** mucho el color, y **no creo** que te **quede** flojo.
*I **like** the color a lot, and I **don't think it fits** loosely on you.*

Practice: Actividades
9 10 11 12

Más práctica
cuaderno p. 111
Para hispanohablantes
cuaderno p. 109

 Online Workbook
CLASSZONE.COM

9 En la tienda de ropa

Escribir No estás de acuerdo con las opiniones de la dependienta. Sigue el modelo para responder a lo que dice, usando expresiones de duda. *(Hint: Respond to the clerk's comments.)*

> **modelo**
>
> El traje es muy bonito.
>
> No creo que el traje sea muy bonito.

Nota: Gramática

The subjunctive is used with expressions of doubt. Because they do not express doubt, **creer que, no dudar que,** and **estar seguro(a) que** are usually followed by the indicative. The same is true for **es cierto que, es seguro que,** and **es verdad que.**

Creo que debes vestirte con traje.
I think that you should wear a suit.

Estoy segura que te **van** a gustar.
I'm sure that you are going to like them.

1. La chaqueta roja de cuero es la más bonita.
2. Los chalecos con rayas son elegantes.
3. Las pulseras y los aretes se venden con frecuencia.
4. La ropa de tallas pequeñas debe tener el mismo precio que la ropa de tallas grandes.
5. Los suéteres son muy cómodos.
6. Sólo se deben usar zapatos de tacón los fines de semana.
7. Esta blusa hace juego con el traje.
8. Hay muchos pañuelos en la tienda.
9. Los pantalones cuestan poco dinero.
10. El vestido tiene muchos accesorios.

10 ¿Qué opinas?

Hablar/*Escribir* En grupos pequeños, expresen sus opiniones sobre las siguientes cosas. Usa el subjuntivo para expresar duda. *(Hint: Discuss your opinions with classmates.)*

> **modelo**
>
> _____ es la mejor tienda de música de nuestra ciudad.
>
> **Tú:** ¿Creen que Musicworld es la mejor tienda de música de nuestra ciudad?
>
> **Compañero(a) 1:** *Sí, creo que Musicworld es la mejor tienda de música de nuestra ciudad.*
>
> **Compañero(a) 2:** *No, dudo que Musicworld sea la mejor tienda de música de nuestra ciudad.*

1. _____ es la mejor tienda de ropa de nuestra ciudad.
2. _____ es la mejor marca de zapatos.
3. _____ son los jeans más populares.
4. Los estilos sencillos son los más elegantes.
5. Los pantalones anchos son más populares que los pantalones estrechos.
6. (Las chicas / Los chicos) compran mucha ropa.

Vocabulario

Expressions of Doubt

dudar que… *to doubt that…*

no creer que… *to not believe that…*

no es cierto que… *it is not certain that…*

no es seguro que… *it is not certain that…*

no es verdad que… *it is not true that…*

quizás *perhaps*

tal vez *maybe*

▶ ¿Qué expresiones significan lo mismo?

Activity 11: Understand and convey information about shopping
Activity 13: Use and understand expressions indicating emotion

11 ¿Cómo son con el dinero?

Escuchar/Escribir Varias personas están hablando del dinero. Escucha lo que dice cada persona. Luego escribe una oración para describir cómo usan estas personas el dinero. (*Hint: Write sentences describing how each person uses money.*)

1. Felipe
2. Isabel
3. Andrea
4. el señor Zavala
5. Angelina

Nota cultural

El euro El primero de enero de 2002, el euro pasó a ser la nueva moneda de doce países europeos: España, Portugal, Francia, Italia, Grecia, Alemania, Austria, Luxemburgo, Holanda, Bélgica, Irlanda y Finlandia. En España el euro reemplazó la **peseta.** El símbolo del euro es €. Un euro vale 166 pesetas.

12 Los opuestos

Hablar/Leer Jaime y Lilia, los amigos de Andrea, tienen mucho en común, pero con el dinero son opuestos. Jaime es generosísimo pero irresponsable y Lilia es responsable pero tacaña. Con un(a) compañero(a), decidan quién (no) hace las siguientes actividades. (*Hint: Decide who does and doesn't do the following activities.*)

modelo

ahorrar mucho dinero para el futuro

Es cierto que Lilia ahorra mucho dinero para el futuro.

Dudamos que Jaime ahorre mucho dinero para el futuro.

1. darles préstamos a amigos frecuentemente
2. guardar dinero para las vacaciones
3. pagar la ropa nueva con tarjeta de crédito
4. depositar dinero regularmente en la cuenta de ahorros
5. preocuparse por los gastos
6. usar cheques de viajero cuando está de vacaciones
7. nunca prestarles dinero a sus parientes
8. sacar dinero del cajero automático frecuentemente
9. dejar buenas propinas en los restaurantes
10. gastar mucho dinero cuando va de compras

Vocabulario

En el banco

ahorrar *to save*
el cajero automático *ATM*
los cheques *checks*
los cheques de viajero *traveler's checks*
la cuenta de ahorros *savings account*
guardar *to hold, to keep*
el préstamo *loan*
prestar *to lend*

De compras

la caja registradora *cash register*
el (la) cajero(a) *cashier*
gastar *to spend*
los gastos *expenses*
suficiente *enough*
tacaño(a) *stingy*
valer *to be worth*

▶ ¿Qué palabras usas cuando vas de compras?

GRAMÁTICA — The Subjunctive with Expressions of Emotion

¿RECUERDAS? *pp. 232, 260, 306* You have already learned that the subjunctive is used with impersonal expressions, to express hopes and wishes, and with expressions of doubt.

The subjunctive is also used to convey **emotions,** such as frustration or happiness. When you express emotions, the event that you're expressing the emotion about is in the subjunctive.

indicative

Me **fastidia** que los dependientes me **traten** así.
*It **annoys** me **to be treated** like this by clerks.*

subjunctive

Andrea is certain she is annoyed, so she uses the indicative. What she is annoyed about is the way the clerks treat her. Since she isn't describing the actual treatment (that would have been in the indicative, me tratan), but expressing her **emotion** about it, she uses the subjunctive.

Note that verbs ending in **-ger** change the **g** to **j** in the subjunctive.

Espero que esco**j**as el vestido blanco.
*I hope that **you choose** the white dress.*

Vocabulario

Expressions of Emotion

alegrarse de que… *to be glad that…*

fastidiar *to annoy*

sentir (e→ie, i) que… *to be sorry that…*

 Ya sabes

esperar que… *to hope that…*　　sorprender *to surprise*

gustar *to like*　　tener miedo *to be afraid*

molestar *to bother*

¿Qué te fastidia?

Practice:
Actividades
13 **14** **15**

Más práctica
cuaderno p. 112
Para hispanohablantes
cuaderno p. 110

Online Workbook
CLASSZONE.COM

---

13 ¿De qué tienes miedo?

Hablar/*Escribir* ¿Tienes miedo de que las siguientes cosas vayan a ocurrir? Empieza cada oración con **(no) tengo miedo de que.** *(Hint: What are you afraid of?)*

modelo

Los monstruos existen.

No tengo miedo de que los monstruos existan.

1. No hay vacaciones este año.
2. Mi bicicleta se va a romper.
3. Vienen los extraterrestres a la Tierra.
4. Hay un temblor.
5. La clase de español es difícil.
6. Mis amigos(as) no me mandan cartas.
7. Mi mejor amigo(a) se enoja conmigo.
8. La loción protectora no protege la piel.
9. Todo el mundo olvida mi cumpleaños.
10. Los maestros dan mucha tarea.

Activity 14: Use and understand expressions indicating emotion

Activities 15–17: Converse in face-to-face social interactions; Use and understand learned expressions when speaking and listening

14 Reacciones

> **STRATEGY: SPEAKING**
>
> **Interpret the feelings or values of others** Some topics, like money, are sensitive. Discussing them can cause hurt feelings. Evaluate the nature of your partner's response and choose an appropriate reaction. Use words that express gladness (**me alegro de que**), hope (**espero que**), or concern (**siento que**).

Hablar Hazle las siguientes preguntas a un(a) compañero(a) y responde con una expresión de emoción y el subjuntivo. *(Hint: Ask these questions.)*

Tengo miedo de que

Espero que

Me molesta que

Siento que

Me alegro de que

Me gusta que

Me sorprende que

modelo

¿Recibes dinero de tus parientes?

Tú: *¿Recibes dinero de tus parientes?*

Compañero(a): *Sí, recibo dinero para mi cumpleaños.*

Tú: *Me alegro de que tus parientes sean generosos.*

1. ¿Tienes una cuenta de ahorros?
2. ¿Ahorras algún dinero?
3. ¿En qué gastas tu dinero?
4. ¿Tienes una cuenta de cheques?
5. ¿Dónde compras tu ropa?
6. ¿Regateas de vez en cuando? ¿Recibes buenos precios?
7. ¿Conoces a una persona tacaña?
8. ¿Conoces a una persona generosa?

15 Diálogo incompleto

Hablar/*Escribir* Estás en una tienda de ropa. Completa el diálogo con oraciones lógicas. Luego, preséntalo con un(a) compañero(a). *(Hint: Complete the dialog.)*

    Cliente(a): _____

Dependiente(a): Sí, para servirte.

    Cliente(a): Necesito _____

Dependiente(a): _____

    Cliente(a): Me parece un poco (flojo[a] / apretado[a]).

Dependiente(a): Busco una talla más (grande / pequeña).

Luego…

    Cliente(a): _____

Dependiente(a): ¡Te queda bien!

    Cliente(a): _____

Dependiente(a): (Me alegro de que / Espero que) _____

    Cliente(a): _____

> ### Vocabulario
>
> **Comprando ropa**
>
> **¿Cómo me veo?** *How do I look?*
>
> **¿Cómo te queda?** *How does it fit you?*
>
> **¿Me puede atender?** *Can you help (wait on) me?*
>
> ▶ ¿Quién lo pregunta, el (la) cliente(a) o el (la) dependiente(a)?

Activities **16–17** bring together all concepts presented.

16 **¡Qué vergüenza!**

Hablar/Escribir Dos jóvenes van de compras. ¿Qué dicen? (*Hint: Tell what the boys say, based on the pictures.*)

I.

2.

3.

4.

5.

6.

17 **A regatear en El Rastro**

Hablar Imagínate que estás en El Rastro, donde los clientes y los vendedores siempre regatean. Con un(a) compañero(a), hagan los papeles de vendedor(a) y de cliente(a), usando estas expresiones. (*Hint: Bargain.*)

¿Me deja ver...?	**No puedo.**
¿Cuánto cuesta(n)?	**¿Me deja el (la)... en...?**
¡Es demasiado!	**Le puedo ofrecer...**
Uuuf, ¡qué caro!	

More Practice: **Más comunicación** *p. R13*

 Online Workbook
CLASSZONE.COM

Refrán

**El traje no hace al hombre
pero le da figura.**

¿Estás de acuerdo con este refrán? ¿Crees que la ropa que lleva una persona afecta la opinión de otras? ¿De qué manera?

AUDIO

En voces

LECTURA

Nos vemos en Madrid

PARA LEER

STRATEGY: READING

Categorize details When visiting another country, it helps to participate in its contemporary life and get to know something of its past. **«Nos vemos en Madrid»** suggests places to visit. In which ones can you observe life in the present? Which ones tell you about the past? List them on the chart below.

Una visita a Madrid	
El presente	El pasado

Todos los madrileños conocen esta escultura de un oso (*bear*) y un madroño (*arbutus tree*).

𝒯odo en Madrid llama la atención[1] —sus barrios, su arquitectura, sus museos, parques y diversiones. Para conocer esta gran ciudad, puedes ir a pie o en metro.

¿Por qué no empiezas con una visita al Museo del Prado? El Prado es uno de los museos más importantes del mundo. ¡Vas a necesitar un día entero solamente para ver las pinturas de Goya, Velázquez y El Greco!

Después de salir del museo, siéntate en el Parque del Retiro. Está a unas cuadras del Prado. En este parque hay un lago donde puedes alquilar un bote de remos[2], y artistas que pintan retratos de los visitantes. ¡Pero no hay tiempo para descansar!

Siempre hay gente en la Puerta del Sol.

Es esencial que vayas al Centro de Arte Reina Sofía. Este museo es famoso por sus obras del arte moderno. La

---

[1] catches your eye   [2] rowboat

Caminando por el Parque del Retiro

Saliendo de la Plaza Mayor

Divirtiéndose por la noche en un café

pintura más conocida de su colección es *Guernica*, de Picasso, una representación de la Guerra Civil española.

Es importante que veas la Plaza Mayor. ¡Tiene tanto ambiente! Alrededor de la plaza hay calles pintorescas[3] y tiendas interesantes. ¿Tienes calor? ¡Toma un refresco en un café al aire libre!

_____
[3] picturesque

Mujer sentada acodada, *por Picasso*

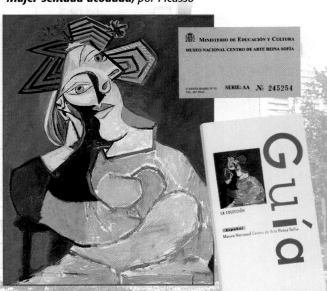

Madrid tiene una vida nocturna también. El resto de España llama a los madrileños «los gatos» porque siempre están paseando por las calles. ¡Unos clubes de Madrid no abren hasta las tres de la mañana! Entonces, échate una siesta[4], y en la noche toma el metro a Bilbao. En la Plaza del Dos de Mayo vas a encontrar cafés llenos de jóvenes.

Hay mucho más que hacer, pero no hay tiempo. Debes regresar a Madrid. ¡A los madrileños les gustan los extranjeros!

_____
[4] take a nap

¿Comprendiste?

1. ¿Qué es el Prado?
2. ¿Dónde está el Parque del Retiro?
3. ¿Qué es *Guernica*? ¿Dónde está?
4. ¿Qué hay alrededor de la Plaza Mayor?
5. ¿Qué hacen los madrileños por la noche?

¿Qué piensas?

Imagínate que estás de vacaciones en Madrid. ¿Qué vas a hacer durante el día? ¿Por la noche?

En colores

CULTURA Y COMPARACIONES

¿En qué te puedo atender?

PARA CONOCERNOS
STRATEGY: CONNECTING CULTURES
Analyze and draw conclusions about shopping as a cultural activity Tour directors usually build in time for shopping in each city visited. They try to provide choices for those of different ages and different incomes. If you and your family visited Madrid, where would they shop? What would they look for? Jot down your ideas.

	¿Dónde?	¿Qué cosas?
Tú		
Tus hermanos(as)		
Tus padres		
Tus abuelos		

Tiendas especializadas en la calle Serrano

¿Quieres ir de compras? Madrid tiene todo tipo de tiendas. ¿Por qué no vas primero a la Gran Vía? Esta calle principal en el centro de la capital es famosa por sus viejos negocios, almacenes modernos, librerías, joyerías y tiendas de cerámica tradicional.

Cerca de la Gran Vía está el almacén original de la cadena [1] El Corte Inglés. El más importante de los grandes almacenes españoles, El Corte Inglés tiene sucursales [2] en Madrid y por todo el país. Aquí puedes encontrar ropa, artículos de cuero, discos compactos, comida y mucho más. También puedes cortarte el pelo, revelar [3] las fotos y pagar todo con una tarjeta de crédito.

---

[1] chain   [2] branches   [3] develop

El Corte Inglés tiene muchísimas cosas, pero si prefieres tiendas pequeñas, debes ir al barrio de Salamanca. Por sus calles Serrano, Ortega y Gasset, y Goya hay boutiques, joyerías, perfumerías y tiendas de decoración[4] conocidas por su calidad y elegancia. Si quieres ver algo en una de estas tiendas, habla con un dependiente. Él puede enseñarte las cosas que te interesan.

El almacén que vende de todo

Para ver una galería[5] ultramoderna, visita La Vaguada, en el norte de la ciudad. Y si te gusta lo viejo, debes ir a El Rastro, un mercado popular de objetos de segunda mano[6]. Cerca de la Plaza Mayor, en el viejo Madrid, El Rastro se instala[7] en la Ribera de Curtidores y las calles próximas. Pero solamente puedes ir los domingos y los días festivos porque El Rastro no se instala los otros días. ¡Llega antes de las once para encontrar una ganga!

---

[4] interior decor
[5] mall
[6] used, secondhand
[7] is set up

Buscando gangas en El Rastro

¿Comprendiste?

1. ¿Qué es la Gran Vía?
2. ¿Qué venden en El Corte Inglés?
3. ¿Cómo son las tiendas en el barrio de Salamanca?
4. Si quieres ver algo en una tienda de lujo, ¿qué haces?
5. ¿Qué es El Rastro? ¿Dónde queda?

¿Qué piensas?

1. ¿Adónde vas de compras en Madrid si quieres comprar unos regalos finos y caros? ¿Si quieres comprar cosas baratas?
2. ¿Qué cosas crees que puedes comprar en El Rastro?

Hazlo tú

Vas a ir de compras en Madrid esta tarde. Haz una lista de los lugares donde vas a ir y de las cosas que vas a comprar.

Activity 1: Communicate effectively with some pattern of error, which may interfere slightly with full comprehension when describing and comparing

En uso
REPASO Y MÁS COMUNICACIÓN

OBJECTIVES

- Talk about shopping for clothes
- Ask for and give opinions
- Make comparisons
- Discuss ways to save and spend money

Now you can...

- make comparisons.

To review

- comparatives and superlatives, see p. 304.

1 Mis amigos

Describe a los amigos de Andrea.
(*Hint: Describe Andrea's friends.*)

modelo

ser tan alto(a) como Sara

José es tan alto como Sara.

1. ser mayor que José
2. tener tantos libros como Ana y José
3. ser el (la) mayor
4. ser el (la) más serio(a)
5. ser tan delgado(a) como Alberto
6. tener menos libros que los otros
7. ser el (la) más alto(a)
8. ser menor que Sara

| Ana | José | Sara | Alberto |
| 13 años | 15 años | 15 años | 17 años |

Now you can...

- ask for and give opinions.

To review

- the subjunctive with expressions of doubt, see p. 306.

2 ¡No es cierto!

No estás de acuerdo con las opiniones de tu amigo(a). ¿Qué le dices? (*Hint: Contradict your friend's statements.*)

modelo

Creo que la ropa española es la más cara.

No creo que la ropa española sea la más cara.

1. No es cierto que los jóvenes españoles caminen mucho.
2. Es verdad que las tiendas españolas están abiertas toda la noche.
3. Creo que pocos estudiantes quieren viajar a España.
4. Es cierto que los mejores futbolistas viven en España.
5. No creo que podamos usar cheques de viajero en España.
6. No es verdad que muchos españoles usen ropa elegante.

Activity 4: Communicate effectively with some pattern of error, which may interfere slightly with full comprehension when using and understanding expressions indicating emotion

3 De compras

Isabel está comprando ropa en una tienda en Madrid. Completa los comentarios e identifica quién habla: ella o la dependienta. *(Hint: Complete the comments and identify the speaker.)*

> **modelo**
>
> *creo / nuestra ropa / ser fenomenal*
>
> *Creo que nuestra ropa es fenomenal. (dependienta)*

1. quizás / yo / poder ayudarte
2. creo / yo / necesitar un vestido más sencillo que éstos
3. tal vez / este vestido / quedarte bien
4. dudo / ustedes / tener el vestido en mi talla
5. creo / el vestido rojo / quedarme flojo
6. quizás / verte bien con el vestido con rayas
7. no es verdad / sus precios / ser bajos
8. es cierto / los zapatos / valer ciento cincuenta euros

4 El dinero

Expresa tus opiniones sobre el dinero. *(Hint: Give your opinions.)*

> **modelo**
>
> *mi familia: guardar su dinero en el banco*
>
> *Me gusta que mi familia guarde su dinero en el banco.*

Me alegro de que...   Me molesta que...   Me sorprende que...

Tengo miedo de que...   Me gusta que...   **Siento que...**

1. el banco: no estar abierto los fines de semana
2. los bancos: darles préstamos a los estudiantes
3. el cajero automático: no funcionar
4. yo: tener mucho dinero en mi cuenta de ahorros
5. mis amigos: gastar mucho dinero en su ropa
6. los cajeros: no saber usar la caja registradora
7. yo: no ahorrar suficiente dinero para mis vacaciones
8. mis padres: prestarme dinero

Now you can...

- talk about shopping for clothes.

To review

- the subjunctive with expressions of doubt, see p. 306.

Now you can...

- discuss ways to save and spend money.

To review

- the subjunctive with expressions of emotion, see p. 309.

Activity 5: Demonstrate culturally appropriate behavior when describing and comparing
Activity 6: Demonstrate culturally appropriate behavior when using and understanding expressions indicating emotion

5 En el almacén

STRATEGY: SPEAKING

Observe courtesies and exchange information When shopping, you need to respond to certain questions: **¿En qué te puedo atender? ¿Qué talla/número usas? ¿Cómo prefieres pagar?** Be clear about your intentions: **Estoy mirando; Busco…** Give and ask for feedback: **¿Cómo me veo? Te queda ancho/apretado.** Compare items you might buy: **más elegante que…, un mejor precio que…** And remember that courtesy often insures good service!

Estás comprando ropa nueva para una fiesta elegante. Tu compañero(a) va a hacer el papel del (de la) dependiente(a). *(Hint: Shop for fancy clothes. Switch roles.)*

COMPRAR:

-un traje azul
-un chaleco con rayas
-una camisa blanca
-un par de zapatos
  número 10

6 Opiniones

Escribe cinco oraciones ciertas o falsas sobre el dinero, los bancos o las tiendas. Léelas. Tus amigos van a expresar sus opiniones. *(Hint: Express opinions about money, banks, or stores.)*

modelo

Tú: *Siempre uso cheques de viajero para comprar ropa.*

Amigo(a) 1: *Dudo que uses cheques de viajero para comprar ropa.*

Amigo(a) 2: *Me sorprende que uses cheques de viajero para comprar ropa.*

Tú: *No es verdad que use cheques de viajero para comprar ropa.*

7 *En tu propia voz*

ESCRITURA Quieres comprar ropa nueva para un evento especial, pero tus padres dicen que ya tienes algo apropiado. Haz un dibujo de la ropa que ya tienes y otro de la que quieres comprar. Luego, escribe una comparación. *(Hint: Draw a picture of an outfit you already have and one that you want to buy. Compare the two.)*

modelo

Mi vestido viejo es menos bonito que el vestido nuevo. El nuevo tiene rayas y es más flojo que el viejo porque es de una talla más grande. Yo me veo mejor en…

TÚ EN LA COMUNIDAD

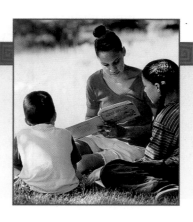

Graciela tiene dieciséis años y es una estudiante de Florida. Usa el español para comunicarse con su madre y su abuela. También ayuda a algunos estudiantes de su escuela a aprender español. Graciela cuida a los niños de una familia hispanohablante de su vecindario. ¿Has hablado en español alguna vez con un niño?

En resumen
REPASO DE VOCABULARIO

MAKE COMPARISONS

Unequal Comparisons

 Ya sabes

más que	more than
mayor que	older than
mejor que	better than
menor que	younger than
menos que	less than
peor que	worse than

Equal Comparisons

tanto(a, os, as)... como	as much/many... as

 Ya sabes

tan... como	as... as
tanto como	as much as

ASK FOR AND GIVE OPINIONS

Expressions of Doubt

dudar que...	to doubt that...
no creer que...	to not believe that...
no es cierto que...	it is not certain that...
no es seguro que...	it is not certain that...
no es verdad que...	it is not true that...
quizás	perhaps
tal vez	maybe

Expressions of Emotion

alegrarse de que...	to be glad that...
fastidiar	to annoy
sentir (e→ie, i) que...	to be sorry that...

 Ya sabes

esperar que...	to hope that...
gustar	to like
molestar	to bother
sorprender	to surprise
tener miedo	to be afraid

TALK ABOUT SHOPPING

At the Store

abierto(a)	open
cerrado(a)	closed
el (la) cliente(a)	customer
el (la) dependiente(a)	salesperson
escoger	to choose
el número	shoe size
la talla	size (clothing)
un par de	a pair of
usar	to use, to wear, to take (a size)
vestirse (e→i, i)	to dress oneself
¿Cómo me veo?	How do I look?
¿Cómo te queda?	How does it fit you?
¿Me puede atender?	Can you help (wait on) me?

Describing Clothing

ancho(a)	wide
apretado(a)	tight
arreglarse	to get dressed up
el chaleco	vest
elegante	elegant
estrecho(a)	narrow
flojo(a)	loose
hacer juego con	to match with
oscuro(a)	dark
el pañuelo	scarf
las rayas	stripes
sencillo(a)	simple
el traje	suit
el zapato de tacón	high-heeled shoe

DISCUSS SAVING AND SPENDING

At the Bank

el cajero automático	ATM
los cheques	checks
los cheques de viajero	traveler's checks
la cuenta de ahorros	savings account
el préstamo	loan
prestar	to lend

Using Money

ahorrar	to save
la caja registradora	cash register
el (la) cajero(a)	cashier
gastar	to spend
los gastos	expenses
guardar	to hold, to keep
suficiente	enough
tacaño(a)	stingy
valer	to be worth

OTHER WORDS AND PHRASES

apenas	scarcely
de buen humor	in a good mood
de mal humor	in a bad mood

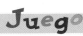 **Juego**

¿Cómo le quedan a Arturo sus nuevos zapatos, pantalones y chaleco?

Write short guided compositions; Understand and convey information about places and events, directions

En tu propia voz

ESCRITURA

¡Bienvenidos a nuestra ciudad!

Your local chamber of commerce needs brochures to attract Spanish-speaking tourists. Write a brochure to convince vacationers that your town is worth visiting.

Function: Provide information on local attractions
Context: Persuading potential Spanish-speaking vacationers
Content: Information about your city or town
Text type: Tourist brochure

PARA ESCRIBIR • STRATEGY: WRITING

Persuade your reader A persuasive brochure offers simple, direct information in an intriguing format. Encourage the tourist to visit and explore. Give the reader strong images, both verbal and graphic, to make a lasting impression in his or her mind.

SIGHTSEEING TOURS
EXCURSIONES

Madrid
y alrededores

trapsatur

Modelo del estudiante

The writer uses a catchy phrase to explain the purpose of the brochure.

The author gives brief, concrete examples of attractions.

The writer offers a wide variety of activities to appeal to all travelers.

The author provides simple, straightforward directions to the city.

DENVER, Colorado

¡Un lugar perfecto para visitar!

Si te gusta la ciudad, ojalá que

- te diviertas en Denver Zoo, uno de los parques zoológicos más grandes del país.

ZOO

- visites el Museo de Historia Natural de Denver y el teatro IMAX.

- vayas al parque de diversiones Elitch Gardens, que tiene más de 40 atracciones, incluso la Torre de Desastre.

Si te gusta el campo, sugerimos que

- acampes en el Parque Nacional de Montañas Rocosas.

- navegues por rápidos.

- pasees en globo.

Estamos a media hora de Boulder hacia el sur por la carretera 36. ¡O puedes viajar en avión a nuestro nuevo aeropuerto internacional!

Language Arts
Writing Standard 2.4c
Write persuasive compositions: Clarify and defend
positions with precise and relevant evidence,
including facts, expert opinions, quotations, and
expressions of commonly accepted beliefs and
logical reasoning

Estrategias para escribir

Antes de escribir...

An effective travel brochure provides important information travelers will need. Think about the highlights of your town and brainstorm the details for your brochure. Use a chart like this one to organize your ideas.

Columbus, Ohio

Por qué viene	Actividades	Atracciones	Direcciones
• Es la ciudad capital.	• comer platos exquisitos en restaurantes	• la capital	• 171 hacia el norte de Cincinnati
• Hay mucho que hacer.	• bailar en las discotecas	• el barco Santa María	• 171 hacia el sur de Cleveland
• Es fácil de encontrar.	• remar en el río Scioto	• el museo de arte	• 170 hacia el este de Indianápolis
		• COSI, el museo de ciencias	• 170 hacia el oeste de Pittsburgh

Revisiones

Share your draft with a partner. Then ask:

- *How appealing is the presentation of my city or town?*
- *How well is the information organized? Are all the details appropriate?*
- *Is my explanation clear and easy to understand?*
- *What more would you like to know about my city?*

You may want to make revisions to your draft based on your partner's answers to the questions.

La versión final

Before you create the final version of your brochure, look carefully for errors in grammar, spelling, punctuation, and usage. Mark them using the proofreading symbols (p. 99). Keep the following question in mind:

- *Did I use the subjunctive correctly?*

Try this: Underline verb phrases that express uncertainty, desire, doubt, or emotion. Be sure that the second verb is in the subjunctive, and that it is preceded by **que**.

¡Ven a ¡visitar Columbus, Ohio!

¡Ojalá que vengas!

¿Quieres visitar una ciudad divertida?
Sugerimos que escojas Columbus, porque
¡tenemos de todo! Es el capital de Ohio la
y tiene muchas atracciones diferentes.

Qué ver:

Hay muchísimo que ver en la ciudad, así
que es importante que decides qué vas a
a hacer antes de llegar. Hay dos museos,
el museo de arte y museo de ciencias. el
Puedes visitar también el edificio de la
capital. Y si te gusta la historia,

SAN JOSÉ
COSTA RICA

LA NATURALEZA

GUATEMALA
HONDURAS
EL SALVADOR
NICARAGUA
MAR CARIBE
OCÉANO PACÍFICO
COSTA RICA
▲ VOLCÁN POÁS
PUNTARENAS ★
SAN JOSÉ
CARTAGO
LIMÓN
PANAMÁ
ISLA DEL COCO

STANDARDS

Communication
- Describing geographic characteristics
- Making future plans and predictions
- Talking about nature and the environment
- Discussing outdoor activities
- Describing the weather
- Commenting on conservation, ecology, and the environment

Cultures
- The importance of conservation in Costa Rica
- Wildlife, nature, and the environment in Costa Rica
- Efforts to protect the environment in Central America

Connections
- Geography: Mapping and locating tropical forests
- Social Studies: Developing a campaign to improve the environment

Comparisons
- National parks and outdoor activities in Costa Rica and the U.S.
- Geography and weather
- Efforts to protect the environment

Communities
- Using Spanish for personal enjoyment when traveling
- Using Spanish in volunteer work

GALLO PINTO
Este platillo nacional consiste en frijoles negros, arroz y cebolla. Frecuentemente se sirve con un desayuno que incluye huevos fritos y tortillas. ¿Tiene Estados Unidos un platillo nacional? ¿Cuál es?

INTERNET Preview

CLASSZONE.COM
- More About Costa Rica
- Flashcards
- Webquest
- Writing Center
- Self-Check Quizzes
- Online Workbook
- eEdition Plus Online

POBLACIÓN: 893.000

ALTURA: 1.150 metros (3.773 pies)

CLIMA: entre 23°C (73°F) y 27°C (81°F)

MONEDA: el colón

COMIDA TÍPICA: coco, gallo pinto, chorreadas

GENTE FAMOSA DE COSTA RICA: José Figueres Ferrer (político), Óscar Arias (político), Ana Istarú (actriz)

¿VAS A SAN JOSÉ? ¡Habla con cuidado! No se usa la segunda persona **tú** sino **vos.** Pero ¡presta atención para no confundir las palabras **vos** y **voz**!

More About Costa Rica
CLASSZONE.COM

FRANCISCO ZÚÑIGA (1912–1998), uno de los artistas nacidos en Costa Rica de fama internacional, basó sus obras de arte en el cuerpo humano. Según este cuadro, ¿quiénes crees que son sus modelos?

JOSÉ FIGUERES FERRER (1906–1990) En 1948 José Figueres Ferrer, el presidente del país, eliminó el ejército (*army*). ¿Piensas que es bueno que un país no tenga ejército? Explica tu respuesta.

EL QUETZAL vive en el bosque nuboso de Monteverde. En peligro de extinción, hay aproximadamente mil quetzales en la reserva. Dicen que el quetzal es el pájaro más buscado de las Américas. ¿Por qué crees que dicen esto?

LA CERÁMICA DE NICOYA El elemento indígena de Costa Rica se expresa en la cerámica de Nicoya. ¿Sabes qué grupos indígenas vivían en Centroamérica?

EL FÚTBOL Como muchos países latinoamericanos, Costa Rica tiene un equipo nacional de fútbol. ¿Qué otros equipos nacionales de fútbol conoces tú?

5

LA NATURALEZA

- Comunicación

- Culturas

- Conexiones

- **Comparaciones**

- Comunidades

CLASSZONE.COM

Explore comparisons in Costa Rica through guided Web activities.

Comparaciones

¡Bienvenido(a) a Costa Rica! En Costa Rica hay muchas actividades que puedes hacer para disfrutar de la naturaleza, especialmente en los parques nacionales. ¿Qué haces cuando vas al campo cerca de donde vives? ¿Son actividades que puedes hacer también en Costa Rica?

Comparaciones en acción Los costarricenses van a la playa, acampan, navegan los rápidos y hacen otras actividades para disfrutar de la naturaleza. ¿Te gusta hacer las mismas actividades?

Comunicación

¿Qué piensas del futuro? ¿Qué planes tienes? En esta unidad vas a aprender a hablar del futuro y hacer predicciones. También vas a hablar de actividades que puedes hacer en la naturaleza, como acampar.

Comunidades

¿Cómo puedes ayudar a otros en tu comunidad utilizando el español? Vas a conocer a un joven que usa el español en el lugar donde trabaja como voluntario en su comunidad. ¡Qué maravilloso!

Conexiones

¿Qué puedes hacer para mejorar tu comunidad? ¿Qué recursos naturales necesitan protección? En esta unidad vas a ver conexiones con los estudios sociales, como aprender a hacer una campaña para proteger la naturaleza en tu comunidad.

Culturas

En Costa Rica la conservación de los recursos naturales es muy importante. Es un país que valoriza la gran variedad de plantas y animales. Hay selvas, ríos, playas y muchos parques ecológicos. Vas a conocer organizaciones que se dedican a conservar la naturaleza.

Fíjate

Es importante que entiendas «las cinco Cs» para aprender una lengua nueva. Para cada categoría de arriba, escoge una oración que demuestre su tema.

modelo

Comparaciones *¿Son actividades que puedes hacer también en Costa Rica?*

1. Comunidades
2. Comunicación
3. Culturas
4. Conexiones

UNIDAD 5

ETAPA

1

En el bosque tropical

OBJECTIVES

- Describe geographic characteristics

- Make future plans

- Talk about nature and the environment

¿Qué ves?

Mira la foto y contesta las preguntas.

1. ¿Qué hacen las personas en esta foto?

2. ¿Qué tipo de ropa llevan?

3. Según el mapa, ¿dónde están estas personas?

326

Preparación para el diálogo

En contexto

VIDEO   DVD   AUDIO

VOCABULARIO

Mira las fotos que Francisco sacó en el bosque tropical.

¡**Hola!** El bosque tropical es un lugar fascinante. Hay distintas plantas, animales **feroces** y animales amistosos. Acompáñame a ver qué hay…

la hoja

la mariposa

la planta silvestre

A Las plantas silvestres crecen entre las piedras. Las mariposas se esconden de otros animales entre las hojas de las plantas.

la piedra

B Las tortugas y las serpientes andan por el agua y por la tierra.

la tortuga

la serpiente

D Puedes ver **monos, ranas** o **venados**… animales amistosos.

el mono

la rana

el tucán

C Y **los tucanes** y **los loros vuelan** por el aire.

el loro

el venado

E ¡Pero cuidado con **los leones, los jaguares**…

el jaguar

el lobo

F …y **los lobos**! ¡No estoy seguro de que sean tan amistosos!

Preguntas personales

1. ¿Recuerdas la última vez que visitaste un bosque o un zoológico? ¿Qué animales viste?
2. ¿Qué animales son amistosos con los seres humanos?
3. ¿Qué animales son feroces?
4. ¿Qué animal te gustaría tener como mascota (*pet*)? ¿Por qué?
5. Clasifica los animales según dónde viven: en el agua, en la tierra o en el aire. ¿Cuáles viven en más de un lugar? Si quieres, haz dibujos de tus clasificaciones.

la leona

VIDEO DVD AUDIO

En vivo
DIÁLOGO

Francisco   Amalia   Cecilia

PARA ESCUCHAR • STRATEGY: LISTENING

Organize and summarize environmental information Cecilia gives information about the climate, plants, and animals of Costa Rica. Help Francisco organize this information in his notes:

1. ¿Cómo es el clima de Costa Rica?

2. ¿Qué animales se pueden ver en el parque?

Finally, find a statement in the dialog that summarizes Costa Rica's efforts to protect its environment.

El Volcán Poás

1 ▶ Francisco: Este parque es fenomenal. Mi artículo sobre la conservación será fantástico.

Amalia: Mi hija Cecilia trabaja aquí este verano como guía. Bueno, esperemos a Cecilia aquí.

5 ▶ Francisco: ¿A qué altura estamos?

Cecilia: Más o menos a 2.000 metros sobre el nivel del mar.

Francisco: Creo que la altura me afecta un poco.

Amalia: Pues, es natural.

6 ▶ Cecilia: Como decía, encontrarás diversos animales y plantas silvestres. Si tenemos suerte, verás una tortuga o una serpiente. Y hay muchas ranas y pájaros.

Francisco: ¿Hay loros o tucanes?

Cecilia: No, prefieren un clima más cálido.

7 ▶ Francisco: ¿Hay animales feroces?

Cecilia: Sí, hay jaguares en otras partes del parque.

Francisco: ¿Hay monos?

Cecilia: Sí, hay monos de diversos tipos.

2 ► **Francisco:** ¿Hay muchas diferencias de clima en Costa Rica?
Amalia: Pues sí, tenemos zonas húmedas y zonas áridas. Ah, aquí viene Cecilia.

3 ► **Cecilia:** Vos debés ser Francisco García.
Francisco: Sí. Es un placer, Cecilia.
Cecilia: Igualmente, Francisco.
Amalia: Cecilia estudia biología en la universidad. Bueno, Ceci, comencemos con el tour, ¿no?

4 ► **Cecilia:** Sí, vamos. Francisco, ¿llevás botas? Las necesitarás. Vamos a caminar por tierra mojada.
Francisco: Sí, llevo botas.
Cecilia: Bueno, vamos.

8 ► **Cecilia:** Este país tiene más áreas silvestres protegidas que cualquier otro país.
Francisco: No lo sabía. Es un hecho interesante. Lo apuntaré en mi cuaderno.

9 ► **Francisco:** ¡Es increíble! No lo puedo creer. Estoy mirando el cráter de un volcán. En Miami no hay volcanes.
Amalia: Sí, debe ser muy diferente.
Francisco: Pues, espero que me vengan a visitar.

10 ► **Amalia:** ¿Te gustaría ir de camping con nosotros este fin de semana?
Francisco: ¡Estupendo! Me encanta ir de camping. ¡Qué buen viaje es éste!

En acción

For Activities 1–2, refer to the dialog on pages 330–331.

Francisco   Amalia   Cecilia

PARTE A — Comprensión del diálogo

① ¿Quién habla?

Escuchar Según el diálogo, ¿quién habla: Francisco, Amalia o Cecilia?

1. «Vamos a caminar por tierra mojada.»

2. «Si tenemos suerte, verás una tortuga.»

3. «Creo que la altura me afecta un poco.»

4. «Este país tiene más áreas silvestres protegidas que cualquier otro país.»

5. «¿Te gustaría ir de camping con nosotros este fin de semana?»

6. «¡Qué buen viaje es éste!»

7. «Este parque es fenomenal.»

8. «Mi hija trabaja aquí este verano como guía.»

② ¿Qué sabes?

Escuchar Escoge las respuestas correctas, según el diálogo. ¡Ojo! Las oraciones tienen más de una respuesta correcta.

1. Cecilia…
   a. es la hija de Amalia.
   b. quiere ser periodista.
   c. trabaja como guía en el parque.
   d. invitó a Francisco a ir de camping.

2. Francisco…
   a. va a escribir un artículo sobre las plantas silvestres.
   b. está emocionado de ver el cráter del volcán.
   c. siente los efectos de la altitud.
   d. lleva sandalias porque hace calor.

3. Amalia…
   a. observa un jaguar en el parque.
   b. ayuda a Francisco a aprender sobre Costa Rica.
   c. va a ir a Miami.
   d. tiene una hija.

4. En Costa Rica…
   a. no hay mucha variedad de clima.
   b. conservar la tierra es muy importante.
   c. hay loros y tucanes en el parque.
   d. hay jaguares.

También se dice

En el diálogo, en vez de usar la forma tradicional de **tú,** Cecilia conversa en una forma que es muy común en Costa Rica, la forma de **vos:** «Vos debés ser Francisco García.» Este dialecto tiene su origen en el lenguaje del castellano antiguo. Utiliza el pronombre **vos** y una variación del verbo. Repasa el diálogo para encontrar otros ejemplos de este dialecto.

Objectives for Activities 3–5
• Talk about nature and the environment

3 En el zoológico

Hablar Tú vas al zoológico con tu clase. Tu compañero(a) hace muchas preguntas sobre los animales. Contéstale usando las expresiones **creo que** y **dudo que.**

modelo

la jirafa: comer hojas

Compañero(a): *¿La jirafa come hojas?*

Tú: *Sí, creo que la jirafa come hojas. (Dudo que la jirafa coma hojas.)*

I. el león: dormir mucho

2. los tucanes: volar por el aire

3. las tortugas: tener dientes

4. el lobo: oír bien

5. los monos: ser inteligentes

6. los loros: hablar

7. la rana: saltar mucho

8. los jaguares: trepar a los árboles

9. las serpientes: nadar

10. los venados: correr rápidamente

4 ¿Cómo es?

Hablar/*Escribir* Francisco y Cecilia hablan de los animales que vieron en el parque zoológico, el bosque y la selva de Costa Rica. ¿Qué dicen? Usa las palabras de la lista.

bonito(a)　　　feroz　　　feo(a)

tímido(a)　　　grande　　　pequeño(a)

modelo
El jaguar es muy feroz.

I.

2.

3.

4.

5.

6.

Objectives for Activities 6–16
- Make future plans • Describe geographic characteristics
- Talk about nature and the environment

5 **¡Juégalo!**

Hablar Haz este juego de palabras con tus compañeros(as). Decide cuál de las palabras no pertenece al grupo y por qué.

modelo

el jaguar, el venado, la selva, el león

La selva no pertenece porque no es un animal.

1. la rana, el árbol, la hoja, la planta
2. el venado, la tortuga, el león, el lobo
3. la serpiente, la rana, el mono, la tortuga
4. el bosque, la piedra, la montaña, el desierto
5. el lobo, la mariposa, el león, el jaguar
6. el lobo, el tucán, el loro, la mariposa
7. la tortuga, la serpiente, el león, el pez
8. la rana, la hoja, la planta, el venado
9. la serpiente, el león, el lobo, el jaguar
10. el mono, el venado, el jaguar, el perro

GRAMÁTICA   **The Future Tense**

♻ **¿RECUERDAS?** You already know two ways to talk about something happening in the **future.** One way is by saying you are going to do something using

ir a + infinitive

Este fin de semana **vamos a acampar.**
*This weekend **we're going to** go camping.*

Another way to refer to the future is by using the **present tense** with a time word.

Llegan al campamento mañana.
***They arrive** at the camp tomorrow.*

You can also use the **future tense** to talk about something that will happen in the future. The **future tense** in Spanish is the equivalent of the English construction *will* or *shall* plus a verb.

Llegarán al campamento mañana.
***They will arrive** at the camp tomorrow.*

To form the **future tense** of regular verbs, you:

The **endings** for the future tense are the same for **-ar, -er,** and **-ir** verbs.

future endings

use the **infinitive** +

-é	-emos
-ás	-éis
-á	-án

Cecilia says:

—No quiero ser periodista. **Estudiar**é para ser bióloga.
*I don't want to be a journalist. **I will study** to be a biologist.*

Amalia says:

—Después de tu visita a Costa Rica, **conocer**ás bien el país.
*After your visit to Costa Rica, **you will know** the country well.*

Practice:
Actividades
6 7 8 9

Más práctica
cuaderno pp. 117–118
Para hispanohablantes
cuaderno pp. 115–116

ⓘ **Online Workbook**
CLASSZONE.COM

6 Aventuras en Costa Rica

Hablar/*Escribir* Imagínate que tu clase está en Costa Rica con Francisco. Completa las oraciones explicando qué harán ustedes.

modelo

Cecilia (trabajar) en el parque nacional todo el verano.

Cecilia trabajará en el parque nacional todo el verano.

1. Yo (escribir) un artículo sobre la conservación.

2. Tú (acompañar) a Cecilia al cráter del volcán.

3. Nosotros (ir) a un campamento cerca de San José.

4. Amalia (sacar) fotos de las plantas silvestres.

5. Nosotros (ver) animales feroces en el parque zoológico.

6. Ustedes (observar) muchos monos y mariposas bonitas.

7. A todos les (gustar) ir de camping.

8. Yo (conocer) bien Costa Rica y su gente.

9. Tú (buscar) regalos para tu familia.

10. Nosotros (dar) una vuelta por San José.

7 La conservación

Leer/*Escribir* Estás de vacaciones en Costa Rica cuando ves este póster. Escribe cinco metas (*goals*) para preservar el medio ambiente y evitar los problemas del desarrollo. Usa el vocabulario nuevo en tu respuesta.

modelo

En Costa Rica, preservarán la selva en los parques nacionales.

A LO MEJOR PIENSAN QUE UN POCO DE BASURA NO CAMBIARÁ NADA...

TAL VEZ ES LO QUE PIENSAN LOS DEMÁS.

La próxima vez... PIENSEN

Si ustedes nos ayudan, podremos preservar nuestras playas y ciudades. Si no, destruiremos nuestra tierra, la selva y toda la naturaleza. Será muy peligroso.

Llamen a su representante legislativo. Esperamos su ayuda.

Vocabulario

El medio ambiente

conservar *to conserve*	peligroso(a) *dangerous*
el desarrollo *development*	por todas partes *everywhere*
descubrir *to discover*	preservar *to preserve*
diverso(a) *diverse*	salvaje *wild*
el medio ambiente *environment*	la selva *jungle*
la naturaleza *nature*	valorar *to appreciate*

▶ ¿Qué piensas del medio ambiente?

Activity 8: Converse in face-to-face social interactions

8 Los planes

Hablar/Escribir Habla con un(a) compañero(a) de sus planes para el futuro. Después escribe un resumen de la conversación.

modelo

Tú: ¿Tomarás una clase durante el verano?

Compañero(a): Sí, tomaré una clase de manejo.

tomar una clase de manejo

practicar deportes

trabajar en una oficina   viajar a otro país

ir a la universidad   buscar trabajo

vivir en otra ciudad o estado

More Practice: **Más comunicación** *p. R14*

9 ¿Qué harán los estudiantes?

Escuchar Estos estudiantes de la Universidad de San José conversan sobre sus planes. ¿Qué opción corresponde mejor?

1. **a.** Irán de camping.
   b. Se quedarán en un hotel.

2. **a.** Conservarán el agua.
   b. No usarán la electricidad.

3. **a.** Sacarán fotos de tucanes y loros.
   b. Estudiarán la tierra y las piedras.

4. **a.** Estudiarán los animales salvajes.
   b. Valorarán las plantas silvestres.

GRAMÁTICA   Expressions with *por*

The preposition **por** has many different meanings. **Por** can be used to

- express **cause of** or **reason for** an action.

  Por eso *Onda Internacional* pidió un artículo sobre la conservación.
  That's why (for this reason) *Onda Internacional asked for an article on conservation.*

- express **means** of transportation or communication.

  Viajaremos **por tren.**
  *We will travel **by train.***

  Te mandaré una carta **por correo.**
  *I'll send you a letter you **by mail.***

- express **periods of time.**

  Estuve en Costa Rica **por un mes.**
  *I was in Costa Rica **for (during) a month.***

  Saldremos del campamento el sábado **por la mañana.**
  *We'll leave the camp Saturday **in the morning.***

- express places to **move through.**

  Caminaremos por tierra mojada.
  We will walk through wet ground.

Practice: **Actividades**   10 11 12   **Más práctica** *cuaderno p. 119*
Para hispanohablantes *cuaderno p. 117*

Online Workbook
CLASSZONE.COM

10 En Costa Rica

Escribir Fernando, un amigo de Cecilia, es muy curioso y le hace muchas preguntas a Francisco. ¿Qué le dice Francisco?

modelo

¿Por cuánto tiempo estuviste en Los Ángeles? (una semana)

Estuve en Los Ángeles por una semana.

1. ¿Cómo viajaste a Costa Rica? (avión)
2. ¿Por qué te cansaste? (la altura)
3. ¿Por dónde pasearon tú y Cecilia? (la selva)
4. ¿Por qué llevaste botas? (la tierra mojada)
5. ¿Por cuánto tiempo estarás aquí? (dos semanas)
6. ¿Cómo te comunicas con tu familia cuando estás aquí? (teléfono)
7. ¿Cuándo fuiste al parque? (la tarde)
8. ¿Por qué te duele el estómago? (comer tanto)

Nota cultural

El 18 de septiembre de 1502 Cristóbal Colón llegó a lo que hoy es Puerto Limón y encontró a indígenas que usaban collares de oro y le contaron de minas de oro en el sur. Soñando con riquezas, Colón llamó a la tierra nueva «Costa Rica de Veragua». Los españoles nunca encontraron las riquezas minerales que imaginaba Colón, pero hoy Costa Rica ofrece una abundancia de naturaleza, animales y plantas que aprecia todo el mundo.

11 Una carta a su prima

Escribir Francisco le escribió una carta especial a su prima. Escribe lo que quiere decir, cambiando los dibujos a expresiones con **por**.

Querida prima:

Yo viajé aquí ___1___ .

Llegué ___2___ y vi la misma luna que tú ves en Miami. Con mis nuevos amigos anduve

___3___ y saqué fotos de ranas y mariposas. ¡Qué divertido! Voy a estar aquí

___4___ . Te mandaré otra

carta ___5___ en unos días.

Un abrazo,
Francisco

12 Me encanta la naturaleza

Escuchar/Escribir Francisco habla por teléfono con su padre de las actividades que hará en Costa Rica. Pon las fotos en orden según lo que escuchaste. Luego escribe una descripción original de cada foto.

a.

b.

c.

d.

GRAMÁTICA   **Nosotros Commands**

♲ **¿RECUERDAS?** *p. 232* You have already learned to form the **subjunctive** of regular verbs. The nosotros command forms take the same endings.

▶ When forming nosotros commands, use the same endings as you do with the **nosotros** form of the **subjunctive.**

- For -ar verbs:

    infinitive -ar ⟵ **-emos**

- For -er and -ir verbs:

    infinitive -er or -ir ⟵ **-amos**

¿Te interesa la naturaleza? **Escrib**amos un artículo sobre los tucanes de Costa Rica.
Are you interested in nature? ***Let's write*** *an article about the toucans of Costa Rica.*

▶ Remember that **-car, -gar,** and **-zar** verbs require spelling changes to keep pronunciation consistent.

    Comencemos con el tour. **¡Vamos!**
    Let's begin the tour. Let's go!

> The nosotros command form of the verb **ir** is **vamos**.

▶ If the verb is used reflexively, the *let's do it* command ends in **-nos.**

> **Remember to use an accent when you add -nos to the verb, so that the stress remains the same.**

> **Also note that the -s of the verb ending is dropped.**

Estamos muy cansados; **sent**émonos a descansar.
We're very tired; ***let's sit*** *and rest.*

Practice: Actividades 13 14 15

Más práctica *cuaderno p. 120*
Para hispanohablantes *cuaderno p. 118*

 Online Workbook CLASSZONE.COM

13 Conversaciones por el sendero

Hablar/Escribir Amalia y su familia hablan mientras caminan por la selva. ¿Qué dicen? Completa sus comentarios según el modelo.

modelo

Vamos a comer sobre esta piedra. (dejar la basura aquí después)

Compañero(a): *Vamos a comer sobre esta piedra.*

Tú: *No dejemos la basura aquí después.*
(Dejemos la basura aquí después.)

1. El valle es fenomenal. (sacar fotos)
2. La población valora la naturaleza. (preservar la belleza natural)
3. Las plantas son frágiles. (caminar fuera del sendero)
4. El clima es cálido aquí. (descansar en la sombra)
5. Estamos cansados. (subir la colina ahora)
6. La altura nos afecta. (sentarse en esta piedra)
7. Las flores silvestres son maravillosas. (cortarlas)
8. El medio ambiente es precioso. (conservar la naturaleza)
9. Hay un puente aquí. (cruzar el río)
10. Ya no llueve. (secarse con esta toalla)

Vocabulario

La geografía

la altura *altitude, height*

la belleza *beauty*

el clima *climate*

la colina *hill*

la isla *island*

la población *population*

el sendero *path, trail*

la sombra *shade, shadow*

el valle *valley*

▶ ¿Puedes pensar en un símbolo o una acción para representar cada palabra?

---

14 ¡Hagámoslo!

Hablar/Escribir Tú y tus amigos están de vacaciones en Costa Rica y hablan de sus planes. ¿Qué dicen?

modelo

Levantarnos temprano para…

Levantémonos temprano para ver los animales nocturnos.

1. Mirar…
2. Ponernos las botas para…
3. Observar las…
4. Ir a…
5. Sacar fotos de…
6. Sentarnos en…
7. Conservar…
8. Acampar…
9. Jugar…
10. Relajarnos…

Apoyo para estudiar

Nosotros Commands

The **nosotros** commands and the subjunctive are formed the same way. For most verbs, the stem is from the **yo** form (**escrib**amos, **hag**amos). For stem-changing **-ar** and **-er** verbs, the stem is the infinitive, minus **-ar** or **-er** (**cerr**emos, **volv**amos). For stem-changing **-ir** verbs, there is a stem change from **e** to **i** (**sint**amos) or from **o** to **u** (**durm**amos).

Activity 16: Use authentic materials when reading: brochures
Activity 17: Write letters

15 ¡Vamos!

Hablar/Escribir Imagínate que estás en los siguientes lugares. ¿Qué (no) quieren hacer tú y tus amigos(as)? Haz dos sugerencias para cada lugar. Luego combina tu lista con las de unos(as) compañeros(as).

> **modelo**
>
> *la clase de español*
> *¡Demos una fiesta!*
> *No hagamos mucha tarea.*

1. el parque nacional
2. el desierto
3. una fiesta
4. las montañas
5. el centro comercial
6. la playa

Nota cultural

Los saludos En todo el mundo, hay muchas maneras de saludar. En Estados Unidos frecuentemente la gente se saluda dándose la mano. En Japón se hace una reverencia (*bow*). En Costa Rica, como en muchos otros países latinos, los hombres siempre se saludan dándose la mano. Las mujeres, por lo regular, no se dan la mano, sino que se besan en las mejillas (*cheeks*).

16 ¡Viajemos a Costa Rica!

> **STRATEGY: SPEAKING**
>
> **Share personal plans and feelings** All things are possible when planning a vacation from a brochure. Show variety in your actions (**dibujaré, treparé**) and anticipate how it will be (**será**). If you do not share the same ideas as your partner, say no. (**No iré al volcán. Será muy peligroso.**)

Hablar/Leer Estás planeando un viaje a Costa Rica. Mira este folleto turístico y dile a tu compañero(a) adónde irás y qué verás en tu viaje.

> **modelo**
>
> *Iré al Volcán Poás y veré el cráter. Será muy interesante…*

¡VENGAN A COSTA RICA!
Donde tenemos todo para todos.

Parque Nacional Corcovado

Relájense en nuestras playas.

Parque Nacional Manuel Antonio

Exploren las selvas llenas de animales y pájaros exóticos.

Cráter del Volcán Poás

Parque Acuático Tabacón

¿Pasarán sus días aquí?

¡VENGAN A COSTA RICA!

La tierra mágica con todo para todos.

Activities 17–18 bring together all concepts presented.

17 Una carta de Fernando

Leer/Escribir Fernando, un vecino de Amalia y Cecilia, te escribió una carta. Escríbele tú y contesta sus preguntas.

¡Hola!

¿Qué tal? Ojalá que estés muy bien. Te escribo porque estoy muy curioso. Ya sé un poco de Costa Rica, y quiero saber más de tu país y cultura. Deseo que me escribas y que contestes mis preguntas.

Primero, me interesa el medio ambiente donde vives. ¿Vives cerca de un bosque? ¿En una colina? ¿En el desierto? ¿Cómo es? ¿Hay animales diversos? ¿Cómo son las plantas? ¿Pasas mucho tiempo al aire libre? ¿Valora la gente de tu comunidad la naturaleza? ¿Hay programas para conservarla? ¿Qué haces para preservar el medio ambiente?

También me gustaría saber de los planes que tienen tú y tus amigos. ¿Dónde trabajarás tú? ¿Irán ustedes a la universidad? ¿Vivirán en la misma comunidad después de graduarse?

Bueno, espero recibir tu carta pronto. ¡Hasta entonces!

Fernando

18 ¿Qué va a pasar?

Hablar/Escribir Con un grupo de compañeros(as), hagan predicciones sobre el futuro. Luego hagan una lista de las predicciones que más les gusten.

modelo

viajar a (Nueva York, Costa Rica, Madrid, ¿?)

Tú: *Viajaré a Costa Rica para visitar los volcanes.*

Compañero(a): *Viajaré al sur de Francia para ir a la playa.*

1. vivir en (Nueva York, Fargo, Barcelona, ¿?)
2. manejar (un autobús, una moto, un carro deportivo, ¿?)
3. ser (periodista, policía, artista, ¿?)
4. comprar (una computadora, una casa grande, muchos discos compactos, ¿?)
5. escribir (una novela, una crítica, una carta a mi abuelita, ¿?)
6. dar (dinero a los pobres, regalos a mis amigos, una fiesta, ¿?)

More Practice:

Más comunicación *p. R14*

 Online Workbook
CLASSZONE.COM

Refrán

Es el mismo gato, pero revuelto.

Mira el dibujo y adivina el significado de «revuelto». A pesar de las características diferentes, ¿crees que el gato negro sea como el gato en el espejo? ¿En qué situación puedes usar este refrán? Piensa en tu día escolar o las relaciones con tus padres.

AUDIO

En voces

LECTURA

PARA LEER • **STRATEGY: READING**

Confirm or deny hearsay with reliable information Travelers love to share their experiences. This recent visitor to Costa Rica has some advice for you. Based on your reading, confirm or deny his or her observations.

	Sí	No
1. Si te gusta caminar, debes visitar este parque.		
2. Visita el volcán porque sigue en actividad.		
3. Andar en bicicleta será muy difícil.		

Do you think you should follow this person's advice? Why? Why not?

El Parque Nacional del Volcán Poás

Para los amantes[1] de la naturaleza, no hay mejor lugar que Costa Rica. Este país centroamericano tiene un excelente sistema de parques nacionales. Uno de estos parques es el Parque Nacional del Volcán Poás que se encuentra al noroeste de San José. El parque tiene un volcán impresionante, un bosque nuboso[2] y un lago precioso de color verde-azul. Durante el viaje de San José a la cima[3] del volcán verán los panoramas bellos del valle Central.

---

[1] lovers　　[2] dwarf cloud forest　　[3] peak

¿A ti te gusta caminar? En el parque hay dos senderos. Uno te lleva a un gran lago dentro de un cráter extinto y otro te lleva a través del bosque nuboso.

El Volcán Poás tiene uno de los cráteres más grandes del mundo. La mayoría de las erupciones son del «tipo géiser» y vienen del fondo de la laguna caliente. En este tipo de erupción, una columna de agua y ceniza⁴ se levanta a diferentes alturas. En la erupción más grande (en 1910), la columna llegó a una altura de 8.000 metros sobre el nivel del cráter y llegó a caer a una distancia de 35 kilómetros. Todavía hoy echa humo⁵.

⁴ash   ⁵emits smoke

¿Comprendiste?

1. ¿Dónde queda el Parque Nacional del Volcán Poás?
2. Además del volcán, ¿cuáles son otras atracciones en el Parque Nacional del Volcán Poás?
3. ¿Qué tiene de interés el Volcán Poás?

¿Qué piensas?

1. ¿Es el Parque Nacional del Volcán Poás un lugar donde podría ir toda la familia? ¿Por qué?
2. ¿Te gustaría ir al parque? ¿Por qué sí o no?

Activities 1–4: Show no significant pattern of error when understanding some ideas and familiar details

En uso
REPASO Y MÁS COMUNICACIÓN

OBJECTIVES

- Describe geographic characteristics
- Make future plans
- Talk about nature and the environment

Now you can...

- describe geographic characteristics.

- make future plans.

- talk about nature and the environment.

To review

- the future tense, see p. 334.

1 ¡Vamos a Costa Rica!

Imagínate que Francisco vuelve a Costa Rica con su familia. ¿Qué les dice?

modelo

ustedes: ver el cráter del Volcán Poás

Ustedes verán el cráter del Volcán Poás.

1. nosotros: descubrir diversos animales y plantas
2. ustedes: necesitar botas para caminar por la tierra mojada
3. yo: mostrarles un campamento cerca de San José
4. mi hermano: encontrar lobos en el campamento
5. la altura: afectarles un poco
6. Cecilia: hablarnos del medio ambiente

Now you can...

- make future plans.

To review

- the future tense, see p. 334.

2 Saludos de...

Francisco le escribe una carta a su amiga Alma. ¿Qué dice? Completa la carta con el futuro de los verbos.

> Querida Alma:
>
> Saludos de Costa Rica, un país bellísimo. Creo que mi artículo sobre la conservación ___1___ (ser) fantástico. Yo lo ___2___ (terminar) la próxima semana y ___3___ (volver) a Miami el viernes. Tú me ___4___ (esperar) en el aeropuerto, ¿no?
>
> Este fin de semana Amalia, Cecilia y yo ___5___ (ir) de camping. Ellas me ___6___ (llevar) a un campamento cerca de San José. Allí nosotros ___7___ (ver) más animales y plantas interesantes. Yo te ___8___ (escribir) otra vez el lunes para contarte nuestras experiencias.
>
> Con cariño, Francisco

Now you can...

• make future plans.

To review

• **por,** see p. 336.

3 **Antes de la excursión**

Cecilia habla con un grupo de turistas. Completa sus comentarios usando expresiones con **por.**

por correo

por tierra mojada

por teléfono

por la noche

por allí

modelo

Todos caminaremos juntos _____.
Todos caminaremos juntos por allí.

1. Ustedes necesitan llevar botas porque vamos a caminar _____.

2. También le mandaremos información _____.

3. Volveremos antes de las seis. No podemos estar en el parque _____.

4. Si usted quiere saber más sobre este parque o los otros, llámenos _____.

Now you can...

• talk about nature and the environment.

To review

• **nosotros** commands, see p. 338.

4 **El medio ambiente**

¿Qué debemos hacer o no hacer para proteger el medio ambiente?

modelo

cerrar los parques nacionales

¡No cerremos los parques nacionales!

proteger los animales salvajes

¡Protejamos los animales salvajes!

1. valorar la belleza natural

2. preservar nuestros recursos naturales

3. cortar todos los árboles

4. ir de camping sin pensar en el medio ambiente

5. tener cuidado con la basura en los campamentos

6. dejar basura por todas partes

7. conservar las diversas plantas

8. estar informados sobre la conservación

5 Actividades

STRATEGY: SPEAKING

Anticipate future plans By looking ahead to summer vacation, you can plan for the real, the ideal, and the imaginary. Ask and answer questions that allow you and your partner to stretch your imaginations and set new goals:

• ¿(a)dónde ir / viajar / trabajar?
• ¿qué hacer?
• ¿cómo ganar… / ayudar… / mejorar…?

Conversa con tu amigo(a) sobre sus planes para este verano y completa una tabla con sus respuestas. Luego, comparte los planes de tu amigo(a) con la clase.

modelo

Tú: ¿Estudiarás español?

Amigo(a): No, no estudiaré español.

Tú: Yo tampoco estudiaré español. ¿Viajarás?

Amigo(a): Sí, visitaré a mis primos en San Antonio. ¿Y tú? …

Sí	No
Viajará a San Antonio.	No estudiará español.

6 ¡Hagamos un viaje!

Imagínate que viajarás a Costa Rica con tus compañeros de clase. Escribe cinco actividades que quieres que el grupo haga allí. Tus compañeros van a responder a tus sugerencias.

modelo

Tú: *Saquemos fotos de las diversas flores.*

Estudiante 1: *¡Sí! ¡Saquemos fotos de las flores!*

Estudiante 2: *¡Qué aburrido! No saquemos fotos de las flores. Saquemos fotos de los monos.*

7 En tu propia voz

ESCRITURA Francisco irá de camping con Amalia, Cecilia y Fernando. ¿Qué pasará? Escribe seis predicciones. ¡Usa tu imaginación y no mires la próxima etapa!

modelo

Primero, Francisco llegará tarde a la casa de Amalia. Todos olvidarán muchas cosas importantes…

CONEXIONES

La geografía ¿Recuerdas dónde está el único bosque tropical del Servicio Forestal de Estados Unidos? Aparte de Costa Rica, ¿dónde hay otros bosques tropicales en Centroamérica y Sudamérica o en el resto del mundo? ¿Dónde hay parques nacionales? Haz un mapa del mundo e indícalos.

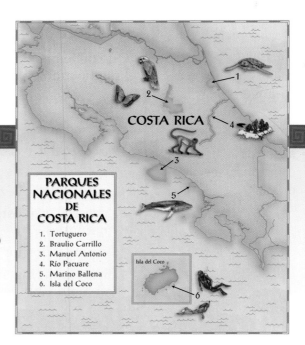

COSTA RICA

PARQUES NACIONALES DE COSTA RICA

1. Tortuguero
2. Braulio Carrillo
3. Manuel Antonio
4. Río Pacuare
5. Marino Ballena
6. Isla del Coco

Isla del Coco

En resumen
REPASO DE VOCABULARIO

TALK ABOUT NATURE AND THE ENVIRONMENT

Plants

la hoja	leaf
la planta silvestre	wild plant

Animals and Other Living Beings

el jaguar	jaguar
el león	lion
el lobo	wolf
el loro	parrot
la mariposa	butterfly
el mono	monkey
la rana	frog
la serpiente	snake
la tortuga	turtle
el tucán	toucan
el venado	deer

The Environment

la colina	hill
el desarrollo	development
la isla	island
el medio ambiente	environment
la naturaleza	nature
la piedra	stone
la selva	jungle
el sendero	path, trail
la tierra	land
el valle	valley

Other Words

la belleza	beauty
diverso(a)	diverse
feroz	ferocious
peligroso(a)	dangerous
salvaje	wild

DESCRIBE GEOGRAPHIC CHARACTERISTICS

la altura	altitude, height
el clima	climate
la población	population
por todas partes	everywhere
la sombra	shade, shadow

MAKE FUTURE PLANS

conservar	to conserve
descubrir	to discover
preservar	to preserve
valorar	to appreciate
volar (o→ue)	to fly

Juego

Soy un animal feroz y salvaje.

Tengo manchas negras.

A causa de mi bella piel, estoy en peligro de extinción.

¿Quién soy?

ETAPA

2

Nuestro medio ambiente

OBJECTIVES

- Discuss outdoor activities

- Describe the weather

- Make predictions

- Talk about ecology

¿Qué ves?

Mira la foto de Francisco y sus nuevos amigos. ¿Qué ves?

1. ¿Dónde están Francisco y sus amigos?

2. ¿Qué van a hacer? ¿Dónde van a comer?

3. ¿Cuál es el tema del libro?

GUÍAS DE VIAJES

Los campamentos de

Costa Rica

Una guía para el turista

Use authentic materials when reading: short narratives

VIDEO DVD AUDIO

En contexto
VOCABULARIO

Aquí Francisco va a acampar. Mira lo que trae.

A ¿Estás listo(a) para **el campamento**? Francisco y sus amigos están listos para acampar. Tienen **una tienda de campaña** y **un saco de dormir**. También traen **una manta**, **sábanas** y **almohadas**.

el campamento

la tienda de campaña

la almohada

la sábana

la manta   el saco de dormir

B Para hacer **una fogata**, necesitan **leña** y **fósforos**. Para apagar **el fuego**, necesitan **un balde** con agua.

el balde

el fósforo

la leña

C Para comer comida en lata, necesitan **un abrelatas**. La **navaja** y **las tijeras** son esenciales. Sin **la linterna**, no van a tener **luz**.

las tijeras

el abrelatas

la navaja

la linterna

remar

escalar montañas

pescar

D ¡En el campamento se puede **escalar montañas** o hacer **montañismo**!

¡En el río se puede **remar**! ¡En el río se puede **pescar**!

Online Workbook
CLASSZONE.COM

Preguntas personales

1. ¿Vas a acampar con tu familia o con tus amigos?
2. ¿Qué cosas son esenciales si vas a acampar?
3. ¿Qué necesitas para hacer una fogata?
4. ¿Qué actividades te gusta hacer en el campamento?
5. ¿Qué llevas cuando vas a un campamento? Haz una lista de las cosas que necesitas llevar contigo.

Listen to audio or video texts

En vivo

VIDEO DVD AUDIO
   DIÁLOGO

| Amalia | Cecilia | Francisco | Fernando |

El campamento

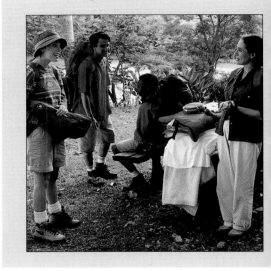

PARA ESCUCHAR • STRATEGY: LISTENING

Observe relationships between actions and motives Each person on this trip is looking for something. Tell what each is looking for and for what purpose.

How would you prefer to help? Why?

¿Quién?	¿Qué busca?	¿Para qué?
Fernando		
Francisco		
Cecilia		
Amalia		

1▶ Amalia: A ver, ¿dónde pondremos las tiendas de campaña?
Cecilia: ¿Las necesitamos? Me gusta dormir bajo las estrellas.
Amalia: Sí, las necesitamos. Es posible que llueva.

5▶ Francisco: ¿Así que quieres ser bióloga?
Cecilia: Sí. Estoy a favor de desarrollar la economía, pero estoy en contra de los proyectos que contaminan el medio ambiente.

6▶ Fernando: ¿Dónde está tu mamá?
Cecilia: No sé.
Francisco: Tal vez está caminando un poco por el bosque.
Cecilia: Es muy extraño. No lo entiendo. Hace frío. ¿Dónde puede estar?

7▶ Cecilia: ¡Diay! ¡Mamá! ¿Qué pasó? ¿Estás bien?
Fernando: Cuando regresamos con la leña, no estabas.
Amalia: Cálmense. Claro que estoy bien. No me pasó nada.

2▶ Amalia: Francisco, siento no tener saco de dormir para vos. Espero que no haga mucho frío esta noche.

Francisco: Estaré bien con las mantas y las sábanas, gracias.

3▶ Fernando: ¿Trajimos el abrelatas? No lo encuentro.

Amalia: Está en la mochila.

Fernando: A ver, aquí están los fósforos, la linterna, la navaja. ¡Hay muchísimas cosas!

Amalia: Habrá un uso para todo. Ya verás.

4▶ Fernando: Francisco, ¿por qué no vamos vos y yo a buscar leña?

Cecilia: Yo los puedo acompañar.

Amalia: No tarden mucho.

Cecilia: Ay, mamá, todavía habrá muchas horas de luz.

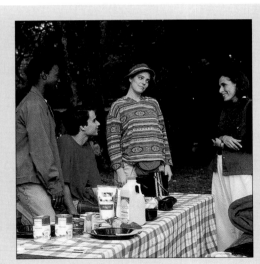

8▶ Amalia: No tenía mi saco de dormir. Así que regresé al carro. Se me cayeron las llaves en el sendero. Por suerte, las encontré, ¡pero después de una hora de buscar!

9▶ Cecilia: Mamá, debés tener más cuidado con las llaves.

Amalia: Sí, hija, gracias por el consejo. Tendré más cuidado en el futuro.

10▶ Amalia: Vamos, ¿no quieren una fogata? Yo me muero de frío. Ceci, ¿por qué no prepararás la fogata? Y muchachos, ayúdenme con la comida. ¿No tienen hambre?

Activity 5: Use and understand questions when speaking and listening

En acción

Práctica del vocabulario

Objectives for Activities 3–5
• Discuss outdoor activities
• Make predictions

PARTE A

Comprensión del diálogo

For Activities 1–2, refer to the dialog on pages 352–353.

 Amalia   Cecilia   Francisco   Fernando

1 ¿Es cierto?

Escuchar/Escribir Según el diálogo, ¿son **ciertas** o **falsas** las oraciones? Si son falsas, explica por qué.

1. A Cecilia no le gusta dormir bajo las estrellas.
2. Francisco tiene un saco de dormir.
3. El abrelatas está en la mochila.
4. Francisco, Fernando y Cecilia van a buscar leña.
5. Fernando no sabe dónde está su mamá.
6. Cecilia no se preocupa mucho de que Amalia no vuelva.
7. Amalia encontró las llaves después de una hora.
8. Amalia no tendrá más cuidado en el futuro.

2 ¿En qué orden?

Escuchar Pon las oraciones en orden según el diálogo.

a. Fernando buscó el abrelatas.
b. Fernando y Cecilia se pusieron nerviosos.
c. Amalia regresó con su saco de dormir.
d. Escogieron un lugar para las tiendas de campaña.
e. Los tres regresaron al campamento.
f. Cecilia, Francisco y Fernando fueron a buscar leña.

3 Cuando vas de camping...

Hablar ¿Qué llevas cuando vas de camping? Habla con un(a) compañero(a).

modelo

Compañero(a): ¿Llevas leña cuando vas de camping?

Tú: (No, no llevo leña.) Sí, llevo leña.

1.
2.
3.
4.
5.
6.

4 ¿Qué hay en el campamento?

Hablar Haz dibujos de estas cosas. Tus compañeros(as) adivinarán qué son.

la fogata

el saco de dormir

una linterna

la navaja

remar

escalar montañas

un balde de agua

la tienda de campaña

la leña

pescar

5 ¿Qué vas a hacer este verano?

Hablar Pregúntale a tu compañero(a) si hará estas actividades durante el verano. Cuando te conteste, hazle otra pregunta relacionada con la primera. Cambien de papel. ¿Qué actividades tienen ustedes en común?

modelo

viajar

Tú: *¿Viajarás durante el verano?*

Compañero(a): *Sí, viajaré un poco.*

Tú: *¿Adónde irás?*

Compañero(a): *Iré a la playa con mi familia.*

1. ir de camping
2. dormir bajo las estrellas
3. pescar en un río o un lago
4. andar en bicicleta
5. comer helado
6. dormir en un saco de dormir
7. caminar a las orillas del mar
8. escalar montañas
9. bajar un río en canoa
10. visitar a alguien que vive lejos

Costa Rica

También se dice

¡Diay!, la expresión que usa Cecilia en el diálogo, es una interjección muy popular entre los costarricenses. Puede indicar afirmación, interrogación o admiración. Una persona también puede usarla cuando quiere que otra deje de hablar. Es muy «tico» (*Costa Rican*), ¡y muy útil!

Práctica: gramática y vocabulario

Objectives for Activities 6–16
• Make predictions • Discuss outdoor activities • Describe the weather • Talk about ecology

---

GRAMÁTICA | The Future Tense: Irregular Forms

 ¿RECUERDAS? *p. 334* You already know how to form the future tense with regular verbs.

infinitive +
-é	-emos
-ás	-éis
-á	-án

▶ You use these same future endings with the **irregular verbs** but the **infinitive** changes.

• Some **infinitives lose** a letter.   **saber → sabr-**

sabré	sabremos
sabrás	sabréis
sabrá	sabrán

Other verbs that follow this pattern are:

haber → habr-
poder → podr-
querer → querr-

• Some **infinitives change** a letter.   **poner → pondr-**

pondré	pondremos
pondrás	pondréis
pondrá	pondrán

Other verbs that follow this pattern are:

salir → saldr-
tener → tendr-
valer → valdr-
venir → vendr-

—**Tendré** más cuidado en el futuro.
I'll be more careful in the future.

▶ **Decir** and **hacer** do not follow either pattern.   **decir → dir-**   **hacer → har-**

Practice: **Actividades** 6 7 8 9   **Más práctica** *cuaderno pp. 125–126*
Para hispanohablantes *cuaderno pp. 123–124*

 Online Workbook CLASSZONE.COM

---

6 ¡Organicémonos!

Escribir Cecilia y sus primos van de camping y están organizándose. Combina elementos de las dos columnas para explicar lo que harán.

1. Para tener un grupo más grande, Paco y José
2. Tú tienes que asistir a clases hasta las siete, entonces
3. Ustedes van de camping frecuentemente; por eso
4. Para dormir cómodo, nosotros
5. A Sofía le gusta la luz, por eso
6. Voy a traer buena comida y

a. (hacer) la cena la primera noche.
b. (poner) las tiendas de campaña.
c. (saber) qué debemos llevar.
d. (venir) con nosotros.
e. (tener) dos o tres linternas.
f. (salir) para el campamento a las siete y media.

7 ¿Qué harán?

Hablar/Escribir Cecilia habla de lo que ella y su familia harán en el Parque Tapantí. Completa sus descripciones según los dibujos.

modelo

yo (salir a pasear a caballo)

Saldré a pasear a caballo.

1. Paco y Guillermo (tener que escalar montañas)

2. tú (poder pescar)

3. José y yo (poner la tienda de campaña)

4. yo (hacer la fogata)

8 Predicciones

Hablar/Escribir ¿Cómo será tu vida en diez años? Conversa con un(a) compañero(a).

modelo

saber pilotear un avión

Tú: *En diez años, yo no sabré pilotear un avión.*

Compañero(a): *Tampoco sabré pilotear un avión en diez años pero Marcos sabrá pilotearlo.*

1. tener (¿cuántos?) hijos

2. querer comprar el carro de tus sueños

3. saber hablar tres o más lenguas

4. casarse

5. hacer viajes por todas partes

Nota cultural

Los parques nacionales Hay muchos parques nacionales en Costa Rica donde se puede acampar y hacer montañismo. Uno de éstos es el Parque Nacional Braulio Carrillo. Tiene montañas, selvas, ríos y cascadas (*waterfalls*).

Activity 11: Understand and convey information about weather and seasons, symbols

9 **De camping**

Hablar/Escribir Imagínate que vas de camping el próximo fin de semana. Conversa con tus compañeros(as) sobre el viaje.

modelo

El próximo fin de semana mis amigos y yo iremos de camping. Iremos a un lugar no muy lejos de aquí donde hay un lago muy bonito. Llevaré la tienda de campaña y mi amigo Raúl llevará la comida... ¿Y cómo será tu viaje?

1. ¿Con quién(es) irás?
2. ¿Tendrás que ir muy lejos?
3. ¿Adónde irás?
4. ¿Habrá un río o un lago?
5. ¿Qué tipo de comidas harás?
6. ¿Harás una fogata?
7. ¿Tendrás una tienda de campaña?
8. ¿Qué actividades harás?
9. ¿Habrá animales salvajes?
10. ¿Podrás pescar o remar?

More Practice: **Más comunicación** *p. R15*

REPASO **Weather Expressions**

To talk about the weather, you usually use **hacer.**

¿Qué tiempo hace? *What's it like out?*

En Puerto Rico **hace calor** todo el año. *In Puerto Rico it's hot all year.*

Hacía 25 grados centígrados el día que salí para Costa Rica. *It was 25 degrees Celsius the day I left for Costa Rica.*

Remember, not *all* descriptions of weather use **hacer.**

llover (o→ue)	*to rain*
nevar (e→ie)	*to snow*

No me gusta la selva porque **llueve** mucho. *I don't like the jungle because it rains a lot.*

Nunca **nieva** en Costa Rica. *It never snows in Costa Rica.*

Está nublado/húmedo. *It's cloudy/humid.*

Hay sol/viento. *It's sunny/windy.*

Habrá relámpagos/un aguacero. *There will be lightning/a downpour.*

- -

If you want to describe a particular **kind** of day, you can say:

Es un día soleado. *It's a sunny day.*

Es un día caluroso. *It's a hot day.*

Es un día frío. *It's a cold day.*

Vocabulario

El tiempo

el aguacero *downpour*

centígrado(a) *centigrade*

despejado(a) *clear, cloudless*

húmedo(a) *humid*

el huracán *hurricane*

la llovizna *drizzle*

la neblina *mist, fog*

la nube *cloud*

el pronóstico *forecast*

el rayo *thunderbolt, flash of lightning*

el relámpago *lightning*

soleado(a) *sunny*

el trueno *thunder*

violento(a) *violent*

¿Qué tiempo hará mañana?

Practice: Actividades 10 11 12

Más práctica cuaderno p. 127

Para hispanohablantes cuaderno p. 125

 Online Workbook CLASSZONE.COM

10 ¿Qué se pondrán?

Leer/Escribir ¿Qué se pondrán estas personas después de escuchar el pronóstico?

una blusa   unos pantalones

unas sandalias   un vestido

unas botas   una chaqueta

una camisa   un sombrero

un abrigo   un traje de baño

unas gafas de sol

modelo

La llovizna pasará pronto y va a hacer sol pero hará frío. (yo)

Me pondré un sombrero y un abrigo.

1. Es un día soleado hoy. Hace 30 grados centígrados. (nosotros)
2. Hay nubes oscuras y está húmedo. Habrá relámpagos. (tú)
3. Hay mucho viento hoy, pero no es tan violento como un huracán. (ellas)
4. Ahora hay neblina pero hará sol por la tarde. (Francisco)
5. Hace mucho frío. Va a nevar. (yo)

11 ¿Qué tiempo hace?

Hablar/Leer Lee el mapa de Costa Rica y habla con un(a) compañero(a) sobre el tiempo en estos lugares.

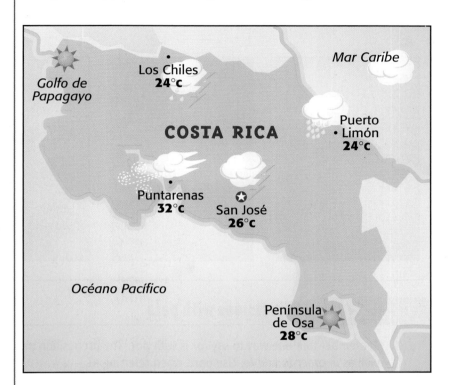

modelo

Puntarenas

Compañero(a): *¿Qué tiempo hace en Puntarenas?*

Tú: *Hace 32 grados centígrados. También hay viento y está nublado.*

1. San José
2. Puerto Limón
3. el golfo de Papagayo
4. el mar Caribe
5. Los Chiles
6. la península de Osa

Activity 12: Understand and convey information about weather and seasons

12 El pronóstico del tiempo

Escuchar Escucha los pronósticos del tiempo y decide a qué foto corresponde.

a.

b.

c.

d.

GRAMÁTICA   **Expressions with para**

Remember that one way to say *for* is with **por.** The preposition **para** can also mean *for,* as well as *in order to* and *to.* Use **para** when referring to

- **goals** to reach.

  Haré investigaciones **para encontrar maneras de preservar los animales.**
  *I will do research **to (in order to) find ways of saving animals.***

- **movement toward a place.**

  Salimos **para Costa Rica** mañana.
  *We leave **for Costa Rica** tomorrow.*

- **the recipient** of an action or object.

  Esta manta es **para Fernando.**
  *This blanket is **for Fernando.***

- **purposes** to fulfill.

  Necesitamos sacos de dormir **para ir de camping.**
  *We need sleeping bags **to (in order to) go camping.***

- **deadlines** to meet.

  Tendremos que encontrar leña **para esta noche.**
  *We will have to find firewood **for tonight.***

- **employment.**

  Francisco **trabaja para Onda Internacional.**
  *Francisco **works for** Onda Internacional.*

Practice: **Actividades**   **Más práctica** *cuaderno* p. 128
Para hispanohablantes *cuaderno* p. 126

 Online Workbook
CLASSZONE.COM

13 Muy curioso

Escribir Francisco le muestra unas fotos de Costa Rica a un primo menor que hace muchas preguntas. ¿Cómo contesta Francisco?

modelo

¿Para quién era?

El regalo era para Amalia.

1. ¿Para dónde iban?

2. ¿Para qué necesitabas los fósforos?

3. ¿Para quién trabajaba?

4. ¿Para cuándo tenías que escribir el artículo?

14 ¿Para qué?

STRATEGY: SPEAKING

Find alternate ways to communicate When you can't think of a word and you "talk your way around it," it's called circumlocution. Defining words gives you practice in circumlocution. Clues to meaning are uses (**para qué sirve**), the context of uses (**cuándo / dónde**), description (**pequeño**), or another word close in meaning (**una casita**). This skill helps you communicate even if you don't know the exact word.

Hablar ¿Para qué sirven estas cosas? Piensa en una de estas palabras y descríbesela a un(a) compañero(a). Él (Ella) tiene que adivinar qué palabra es. Cambien de papel.

modelo

la tienda de campaña

Tú: *Es para protegerte de los insectos y los aguaceros cuando acampas.*

Compañero(a): *Es una tienda de campaña.*

los fósforos   la leña

la selva   la conservación

el desarrollo   las tijeras

la almohada   el sendero

el campamento   la linterna

la manta   el abrelatas

Activity 15: Use authentic materials when reading: advertisements; Understand and express important ideas and some detail

15 Nuestras obligaciones

Leer/*Escribir* Lee este anuncio y responde a las siguientes preguntas.

1. ¿Qué debemos hacer para proteger la naturaleza?

2. ¿Estás en contra del desarrollo de la selva? Explica tu respuesta.

3. ¿Estás a favor de poner límites a los visitantes de los parques nacionales? Explica.

4. ¿Por qué es complicado proteger el medio ambiente?

¿Estás en contra de destruir nuestras selvas?

¿Estás a favor de mantener sano nuestro ambiente?

El sendero hacia la conservación es el ecoturismo.

Para poder salvar nuestro medio ambiente debemos
▸ informarle a la gente cómo cuidar la naturaleza;
▸ ponerles límites a los visitantes de nuestros parques.

Para que las selvas sean un lugar sano para acampar, les enseñamos a los turistas a ser cuidadosos con el medio ambiente.

Así controlaremos la contaminación de la atmósfera, los ríos y los lagos.

¿Qué harás tú para que tengamos un mundo más sano?
¿Cuál de las fotos quieres que muestre a nuestra tierra?

¡Porque el medio ambiente te pertenece a ti también!

Vocabulario

Expresa tus opiniones

complicado(a) *complicated*

crear *to create*

estar a favor de *to be in favor of*

estar en contra de *to be against*

el permiso *permission*

permitir *to permit*

pertenecer *to belong; to pertain*

¿Qué opinas tú de los problemas de la preservación?

16 ¿Aventurera o cuidadosa?

Escuchar/*Escribir* Estela es muy aventurera y Cristina es más cuidadosa. Hablan de sus planes. ¿Quién dice cada oración: Estela o Cristina? Luego, explica si te pareces más a Estela o Cristina. ¿Por qué?

1. _____   5. _____

2. _____   6. _____

3. _____   7. _____

4. _____   8. _____

Costa Rica

Nota cultural

Navegar los rápidos Costa Rica tiene muchos rápidos (*rapids*) donde se puede navegar. Aquí ves a algunos jóvenes en el río Sarapiquí.

Activities **17–18** bring together all concepts presented.

17 ¿Qué harás tú?

Hablar/*Escribir* Habla con un grupo de compañeros(as) sobre sus opiniones e ideas para preservar el medio ambiente.

modelo

En el futuro, ¿qué (decir) tus hijos del medio ambiente?

Tú: *En el futuro, ¿qué dirán tus hijos del medio ambiente?*

Compañero(a) 1: *Dirán que valoran lo que hizo nuestra generación para protegerlo.*

Compañero(a) 2: *No estoy de acuerdo. En mi opinión, dirán que no hicimos lo suficiente.*

1. En 20 años, ¿(decir) tú que la generación de tus padres hizo lo suficiente para proteger el medio ambiente?

2. ¿(Haber) más o menos animales en peligro de extinción en 20 años? ¿Por qué?

3. ¿Qué (hacer) tú y tus amigos en el próximo año para conservar el medio ambiente? ¿(Reciclar) latas, papel y plástico? ¿(Usar) menos agua?

4. ¿(Andar) ustedes en bicicleta, a pie o por transportación pública? ¿Por qué?

5. ¿(Ayudar) tú a crear maneras nuevas de proteger el medio ambiente? Explica.

18 En el año 2050...

Hablar/*Escribir* ¿Cómo será el mundo en el año 2050? En grupos, preparen una descripción para la clase, incluyendo ayudas visuales y comentarios sobre tres o más de las siguientes categorías.

modelo

En el año 2050 habrá computadoras en todas las casas. Las computadoras ayudarán a la familia…

¿Cómo será(n)…?	
las escuelas	las familias
la ropa	la televisión
el tiempo	las computadoras
la naturaleza	las tiendas
los pasatiempos	el cine
	¿?

More Practice: **Más comunicación** *p. R15*

 Online Workbook
CLASSZONE.COM

Refrán

Llueve a cántaros.

Para comprender este refrán mira el dibujo para saber qué es un cántaro. Ahora piensa en el agua cayendo de un cántaro. ¿Cae todo de una vez o poco a poco? ¿Qué imaginas que significa el refrán? Si todavía no lo entiendes, piensa en un refrán del inglés: ¡está lloviendo gatos y perros!

VIDEO DVD

En colores

CULTURA Y COMPARACIONES

PARA CONOCERNOS

STRATEGY: CONNECTING CULTURES

Predict appeal to ecotourists Ecotourism seeks to benefit both the environment and local economy by appealing to many people. For each tourist destination below, identify the major activities and check whether they would attract adults, young people, or both.

Actividades	Adultos	Jóvenes
Teleférico del bosque lluvioso		
Selva Verde		
Río Sarapiquí		
Parque Nacional de Diversiones		
Parque Nacional Manuel Antonio		

Predict Costa Rica's desirability as an ecotourist destination for a broad range of people.

Costa Rica, ¡la pura vida!

Ir de vacaciones a Costa Rica es combinar dos viajes en uno. Para aprender algo nuevo hay sitios históricos y parques ecológicos. Puedes relajarte en la playa o ir a un parque acuático. Hay actividades de interés para todas las edades.

Si te gusta la aventura, lleva a tu familia al río Sarapiquí para navegar los rápidos. La primera parte del río tiene corrientes fuertes, pero más abajo el agua pasa despacio y entras en la selva.

La Selva Verde, una reserva privada, ofrece cuartos construidos en la selva con el mínimo efecto negativo al medio ambiente. Allí sales de tu cuarto y estás arriba en los árboles. Camina por los senderos y observa las ranas venenosas fosforescentes[1] y pájaros exóticos.

Una atracción educativa y divertida es el Teleférico[2] del bosque lluvioso. El teleférico te lleva por la parte más alta del bosque donde puedes ver de cerca las orquídeas, los tucanes y las mariposas iridiscentes[3] de este ambiente húmedo.

Cuando te canses de la naturaleza, puedes ir al lugar favorito de los jóvenes, el Parque Nacional de Diversiones. Hay juegos mecánicos[4] y salen desfiles todas las noches.

Cuando toda la familia quiera relajarse en la playa, pueden ir al Parque Nacional Manuel Antonio, que está en la costa del océano Pacífico. Además de las playas, hay senderos donde puedes caminar y ver iguanas, loros y monos. En Costa Rica siempre es posible aprender algo sobre el medio ambiente mientras te relajas.

---

[1] neon-colored poison dart frogs
[2] aerial tram
[3] iridescent
[4] amusement rides

SELVA VERDE

EXPLORAR LOS JARDINES COLGANTES DEL BOSQUE LLUVIOSO

TELEFÉRICO DEL BOSQUE LLUVIOSO
COSTA RICA

More About Costa Rica
CLASSZONE.COM

¿Comprendiste?

1. ¿Qué ofrece la reserva Selva Verde?
2. ¿Qué transporte te lleva por el bosque lluvioso? ¿Qué puedes ver?
3. ¿Qué hay en el Parque Nacional de Diversiones?
4. Si tus padres quieren descansar en la playa y tú quieres explorar terrenos tropicales, ¿qué parque nacional deben visitar? ¿Por qué?

¿Qué piensas?

¿Crees que es posible que lleguen muchos turistas sin dañar (hurting) el medio ambiente de un lugar? Con el ecoturismo, ¿sería posible tener atracciones turísticas modernas? ¿Cuál crees que es el balance perfecto entre el ecoturismo y la protección del medio ambiente?

Hazlo tú

Con un(a) compañero(a), haz un folleto de viaje para Costa Rica. Mencionen algunos lugares de interés y dibujen algunos de estos lugares.

Activity 3: Understand oral and written discourse, with few errors in comprehension, when reading

En uso
REPASO Y MÁS COMUNICACIÓN

OBJECTIVES
- Discuss outdoor activities
- Describe the weather
- Make predictions
- Talk about ecology

Now you can...
- discuss outdoor activities.
- make predictions.

To review
- irregular forms of the future tense, see p. 356.

1 ¡A las montañas!

Imagínate que Cecilia te invita a acampar. Para mejorar tu comprensión de la carta, cambia los verbos al futuro.

Este fin de semana <u>hay</u> una excursión a las montañas. Mi nuevo amigo, Francisco, <u>viene</u> con nosotros. ¡Tú <u>tienes</u> que venir también!

En las montañas <u>hacemos</u> muchas cosas interesantes: escalar, remar, pescar... <u>Ponemos</u> la tienda de campaña a orillas de un lago precioso. Francisco <u>quiere</u> sacar fotos de los diversos animales y plantas que <u>podemos</u> ver allí.

<u>Salimos</u> el sábado temprano. Mañana <u>sé</u> la hora exacta y te la <u>digo</u>.

Cecilia

Now you can...
- describe the weather.
- make predictions.

To review
- weather expressions, see p. 358.

2 ¿Va a llover?

Francisco escucha este pronóstico del tiempo en la televisión. Complétalo con las palabras de la lista.

centígrados   neblina   truenos   soleado   llovizna
aguacero   calor   nubes   viento   relámpagos

Ayer fue un día ___1___ . Hacía mucho ___2___ todo el día,

con temperaturas entre 34 y 36 grados ___3___ . Hoy hay

posibilidades de ___4___ . Habrá mucha ___5___ y bastante

___6___ , ¡así que tengan cuidado al salir en carro!

Mañana las ___7___ estarán con nosotros otra vez.

Habrá un ___8___ con ___9___ y ___10___ ¡BUUUUM!

Now you can...
• talk about ecology.

To review
• **para,** see p. 360.

3 ¡Llámanos hoy!

Lee este anuncio sobre una nueva organización y contesta las preguntas usando expresiones con **para.**

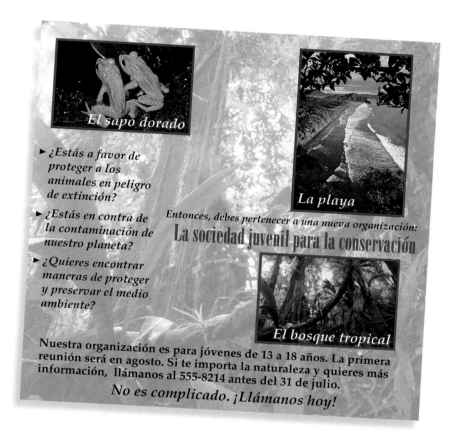

El sapo dorado

▶ ¿*Estás a favor de proteger a los animales en peligro de extinción?*

▶ ¿*Estás en contra de la contaminación de nuestro planeta?*

▶ ¿*Quieres encontrar maneras de proteger y preservar el medio ambiente?*

La playa

Entonces, debes pertenecer a una nueva organización:
La sociedad juvenil para la conservación

El bosque tropical

Nuestra organización es para jóvenes de 13 a 18 años. La primera reunión será en agosto. Si te importa la naturaleza y quieres más información, llámanos al 555-8214 antes del 31 de julio.

No es complicado. ¡Llámanos hoy!

modelo

¿Para qué sirve este anuncio?

Sirve para informarnos sobre una nueva organización.

1. ¿Para quiénes es la organización?
2. ¿A qué teléfono debes llamar para recibir más información?
3. ¿Para qué fecha hay que llamar?
4. ¿Quieren crear esta organización para preservar la historia o el medio ambiente?
5. ¿Estos jóvenes trabajarán para proteger a los animales o a los niños?
6. ¿Para ti es importante proteger el medio ambiente?

Activity 4: Show no significant pattern of error when engaging in conversations
Activity 5: Demonstrate increasing fluency and control of vocabulary

4 Recomendaciones

STRATEGY: SPEAKING

Make recommendations Recommending action is the final step in problem-solving. Here the general problem is protecting and conserving the environment. Name specific aspects of the environment needing protection and possible actions. Why are some more important than others?

Haz una lista de cinco maneras de preservar y conservar el medio ambiente. Conversa con tu compañero(a) sobre sus ideas y seleccionen las tres acciones que tendrán más resultados.

modelo

> 1. Preservar diversas plantas
> 2. Proteger...
> 3.
> 4.
> 5.

Tú: *Estoy a favor de preservar las diversas plantas del mundo.*

Compañero(a): *¿Por qué es importante?*

Tú: *Porque las plantas limpian el aire.*

Compañero(a): *Sí, pero es más importante…*

5 Mañana habrá…

Imagínate que tú y tus amigos trabajan para un canal de televisión. Preparen y presenten el pronóstico del tiempo con dibujos apropiados.

modelo

Tú: *Ayer hizo mucho frío, con temperaturas…*

Estudiante 1: *La temperatura va a subir hoy. Hace…*

Estudiante 2: *Mañana habrá un aguacero…*

6 *En tu propia voz*

ESCRITURA Imagínate que irás a acampar. Describe la experiencia ideal: cuándo, adónde y con quiénes irás, qué cosas llevarán, qué verán y harán allí, qué tiempo hará, etc.

modelo

> *Yo iré de camping en el otoño con tres de mis amigos(as). El lugar ideal será un campamento muy lejos…*

TÚ EN LA COMUNIDAD

Eric lleva cinco años como estudiante del idioma español. Tiene diecisiete años y vive en Maryland. Trabaja como voluntario en un programa para jóvenes. En el programa hay una chica cubana recién llegada que no habla bien el inglés. Eric habla español con ella y le enseña a comunicarse con los otros jóvenes del grupo. ¿Usas tu español para poder comunicarte mejor con gente de otros lugares?

En resumen
REPASO DE VOCABULARIO

Flashcards
CLASSZONE.COM

TALK ABOUT ECOLOGY

complicado(a)	complicated
crear	to create
estar a favor de	to be in favor of
estar en contra de	to be against
el permiso	permission
permitir	to permit
pertenecer	to belong; to pertain

DISCUSS OUTDOOR ACTIVITIES

Outdoor Activities

el campamento	camp
escalar montañas	to climb mountains
el montañismo	mountaineering
pescar	to fish
remar	to row

Camping Necessities

el abrelatas	can opener
la almohada	pillow
el balde	bucket
la fogata	campfire
el fósforo	match
el fuego	fire
la leña	firewood
la linterna	flashlight
la luz	light
la manta	blanket
la navaja	jackknife
la sábana	sheet
el saco de dormir	sleeping bag
la tienda de campaña	tent
las tijeras	scissors

DESCRIBE THE WEATHER

el aguacero	downpour
caluroso(a)	hot
centígrado(a)	centigrade
despejado(a)	clear, cloudless
húmedo(a)	humid
el huracán	hurricane
la llovizna	drizzle
la neblina	mist, fog
la nube	cloud
el pronóstico	forecast
el rayo	thunderbolt, flash of lightning
el relámpago	lightning
soleado(a)	sunny
el trueno	thunder
violento(a)	violent

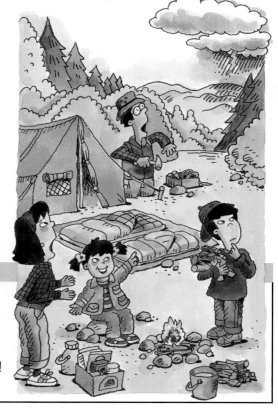

Juego

Cuando vas a acampar...

Si quieres dormir sin frío, necesitas un _ _ _ _ _ _ _ _ _ _ _ _.

Si vas a cocinar, tienes que hacer una _ _ _ _ _ _.

Y si hay un _ _ _ _ _ _ _ _, ¡ojalá que tengas una buena tienda de campaña!

ETAPA

3

¿Cómo será el futuro?

OBJECTIVES

- Comment on conservation and the environment

- Talk about how you would solve problems

¿Qué ves?

Mira la foto y contesta las preguntas.

1. ¿Dónde están Francisco y Fernando?

2. ¿Cuál es el título del mural? ¿Quién lo pintó?

3. ¿Cuál de las pinturas te gusta? ¿Por qué?

4. ¿Qué crees que Francisco va a hacer con el papel?

SALVEMOS

PAPEL

Use authentic materials when reading: short narratives

VIDEO DVD AUDIO

En contexto
VOCABULARIO

Lee lo que piensa Francisco sobre la contaminación.

A La **contaminación** del aire es un problema serio. Muchas industrias lo **contaminan** porque queman **combustibles** y **químicos.**

la lata

el vidrio

la botella

el cartón

B

¡Qué lío! ¡**Latas** de **aluminio,** botellas, **cartón** y **vidrio** por todas partes!

C Para conservar el medio ambiente, **echa** la basura al **basurero** o al cajón de **reciclaje**.

ALUMINIO

el basurero

LA TIERRA

D Si **reciclamos** y **mantenemos limpio** el medio ambiente, ¡podremos disfrutar de su belleza!

Preguntas personales

1. ¿Conoces algún lugar de tu comunidad que tenga contaminación? Explica.
2. ¿Quién de tus amigos(as) o familiares ayuda a mantener limpio el medio ambiente? ¿Qué hace?
3. ¿Qué materiales reciclan tú y tus amigos(as)?
4. ¿Qué pueden hacer tú y tus amigos(as) para limpiar el aire?

Listen to audio
or video texts

VIDEO   DVD   AUDIO

En vivo
DIÁLOGO

Francisco   Fernando   Amalia   Cecilia

¡Hay que actuar!

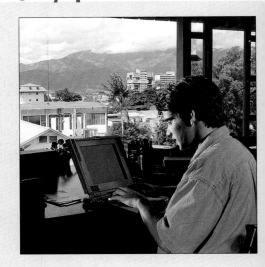

PARA ESCUCHAR • STRATEGY: LISTENING

Propose solutions A solution to a problem is a call for action. Listen for the key action word that best completes Francisco's ideas:

1. Debemos _____ los recursos naturales.
2. Hablar no es suficiente. Hay que _____ también.
3. Si, por ejemplo, _____ …, usaremos menos recursos.
4. Si todos _____ juntos, podemos cambiar muchas cosas.

Do you participate in any of these actions? How? When?

1 ▶ Francisco: Hoy en día, la protección del medio ambiente es un tema muy popular en los periódicos y las revistas. Debemos conservar los recursos naturales. Todos están a favor de reducir la contaminación.

5 ▶ Francisco: Los carros que manejamos queman gasolina, un combustible que produce contaminación. Si pudieras manejar menos, habría menos contaminación.

6 ▶ Francisco: ¡Fernando! ¿Cómo estás?
Fernando: Pura vida, ¿y vos?
Francisco: Bien, pero un poco triste. No quiero irme mañana. ¡Me encanta Costa Rica!

7 ▶ Fernando: Sí, es una pena. Pero sabés, si estudiás para ser periodista tal vez volvás un día. Bueno, ¿estás listo para ir a comer?
Francisco: Sí, un momento. Estoy terminando mi artículo.

374 trescientos setenta y cuatro
Unidad 5

2 ▶ Francisco: Hablar no es suficiente. Hay que actuar también. Muchas personas dirán: «No soy más que una persona. ¿Qué puedo hacer yo?» Pero hay mucho.

3 ▶ Francisco: ¡No lo echen todo al basurero! El reciclaje es fácil. Si, por ejemplo, reciclamos las latas de aluminio, las botellas de vidrio y plástico, y el papel y el cartón, usaremos menos recursos.

4 ▶ Francisco: Lo malo es que no son solamente las industrias las que son responsables por la contaminación. Cada ser humano comparte la responsabilidad.

8 ▶ *(Escribiendo su artículo)*
Francisco: Aunque la situación es difícil de resolver, si todos trabajamos juntos, podemos cambiar muchas cosas. ¿Por qué no participas tú también?

9 ▶ *(En el restaurante)*
Todos: ¡Buen viaje!
Amalia: Francisco, te deseamos todo lo mejor.
Cecilia: ¡Te vamos a visitar en Miami el año que viene! Vas a escribirnos, ¿verdad?

10 ▶ Fernando: Y yo te voy a mandar cartas por correo electrónico.
Francisco: Gracias a todos. No sé qué decir.
Amalia: No digás nada, hijo. Sentate, vamos a comer.

En acción

PARTE A

Comprensión del diálogo

For Activities 1–2, refer to the dialog on pages 374–375.

Francisco

Fernando

Amalia

Cecilia

1 Las soluciones

Escuchar/Escribir Indica si las oraciones son **ciertas** o **falsas** según el diálogo. Si son falsas, explica por qué.

1. Hablar del medio ambiente es suficiente.

2. Una persona sola no puede hacer nada para proteger el medio ambiente.

3. Francisco escribe que el reciclaje es fácil.

4. Los carros queman gasolina, un combustible que produce contaminación.

5. Francisco está emocionado porque se va de Costa Rica mañana.

6. Fernando imagina que Francisco será un gran ecólogo algún día.

7. Francisco escribe que podemos cambiar muchas cosas si todos trabajamos juntos.

8. Fernando le va a escribir a Francisco por correo electrónico.

2 Corrígela

Escuchar/Escribir Cada oración sobre el diálogo tiene una palabra incorrecta. Corrígela con una de estas expresiones.

encanta   industrias   contaminación
fiesta   botella   medio ambiente
reciclaje   visitar   reciclar   químicos

1. Todos están a favor de reducir la **llovizna.**

2. El **aluminio** es fácil y ayuda a conservar nuestros recursos naturales.

3. Para conservar, podemos **echar** el vidrio, el cartón y el plástico.

4. Un problema muy grande es la contaminación causada por las **linternas.**

5. A Francisco le **molesta** Costa Rica.

6. Francisco terminó su artículo sobre el **basurero.**

7. Los amigos costarricenses le hicieron una **lata** a Francisco.

8. Cecilia y su familia van a **caminar** a Francisco en Miami el próximo año.

Costa Rica

También se dice

Si un costarricense dice «palo de mango» o «palo de limón», ¿de qué habla? Habla de un árbol. En Costa Rica las palabras **palo** y **árbol** quieren decir lo mismo.

Objectives for Activities 3–5
• Comment on conservation and the environment • Talk about how you would solve problems

3 En la escuela

Hablar Lee los titulares de este periódico escolar. ¿Están ayudando a mejorar el medio ambiente? ¿Ocurren estas situaciones en tu escuela? Habla con un(a) compañero(a) de clase.

modelo

> Varios estudiantes están empezando un programa de limpieza en su escuela

Sí, creo que están ayudando a mejorar el medio ambiente. No tenemos un programa de limpieza todavía.

1. Dos estudiantes tiran basura en la tierra

2. Una secretaria echa botellas de vidrio en el basurero

3. Los niños reutilizan el cartón para crear su proyecto

4. Todos los estudiantes van a la escuela en su propio carro

5. Hay un programa nuevo para reciclar el papel

6. El director de la escuela trata de mantener limpios los corredores y jardines de la escuela

7. Todos reciclan latas de aluminio

8. Para limpiar la escuela, a veces usan químicos que pueden contaminar

4 ¡Qué lío!

STRATEGY: SPEAKING

Identify problems and your commitment to solving them Clearly state the environmental problems you see. Then state how you can help solve them. Indicate your level of commitment with these expressions: **Voy a…, Debo…, Es posible que…, Dudo…, No puedo…** Remember, if we are not part of the solution, we are part of the problem.

Hablar/*Escribir* ¿Qué cree la chica de la foto? ¿Estás de acuerdo? ¿Puedes sugerir soluciones?

No soy más que una persona. No puedo hacer nada.

Objectives for Activities 6–16
• Comment on conservation and the environment
• Talk about how you would solve problems

5 ¿Cómo será? ♻

Hablar/Escribir Tu mejor amigo(a) te dice cómo será su novio(a) ideal. ¿Qué dice?

modelo

ser (alto/a, bajo/a, ¿?)
Será muy alto/a.
(No será muy alto/a.)

1. tener (¿cuántos?) años
2. ser de (aquí, otro estado o país, ¿?)
3. saber (esquiar, tocar la guitarra, ¿?)
4. poder (manejar, hablar español, ¿?)
5. querer ir (al cine, a los restaurantes, ¿?) mucho
6. hacer cosas divertidas como (bailar, escalar montañas, ¿?)
7. ser (cómico/a, guapo/a, ¿?)
8. decir (la verdad, chistes, ¿?)
9. salir conmigo (los sábados, todos los fines de semana, ¿?)
10. practicar (baloncesto, muchos deportes, ¿?)

GRAMÁTICA   Choose Between por and para

♻ **¿RECUERDAS?** *pp. 336, 360* You now know that to say *for* in Spanish, you can use the prepositions **por** or **para**. Remember that each word has specific uses.

▷ You use **por** to indicate **causes** rather than purpose. Use **por** to indicate
  • the cause of or reason for an action
  • a means of transportation or communication
  • places to move through
  • periods of time

▷ Think of **para** as **moving you toward** the word, or destination, that follows. You use **para** to indicate
  • purposes to fulfill
  • goals to reach
  • places to move toward
  • deadlines to meet
  • the recipient of an action or object

▷ Referring to the guidelines above, compare the uses of **por** and **para** in the following sentences:

Por

Fui a Costa Rica **por curiosidad.**
*I went to Costa Rica **out of curiosity.***

Voy a Miami **por avión.**
*I am going to Miami **by plane.***

Salimos **por Nueva York** mañana.
*We leave **by way of New York** tomorrow.*

Francisco está en Costa Rica **por una semana.**
*Francisco is in Costa Rica **for a week.***

Para

Fui a Costa Rica **para investigar la conservación.**
*I went to Costa Rica **to research conservation.***

Muchas personas están trabajando **para proteger el medio ambiente.**
*Many people are working **to protect the environment.***

Salimos **para Nueva York** mañana.
*We are leaving **for New York** tomorrow.*

Tengo que terminar el artículo **para el viernes.**
*I have to finish the article **by (for) Friday.***

Practice: Actividades 6 7 8

Más práctica
cuaderno pp. 133–134
Para hispanohablantes
cuaderno pp. 131–132

 Online Workbook
CLASSZONE.COM

6 ¿Por o para?

Escribir Cecilia describe su viaje de camping. Completa sus oraciones con **por** o **para**.

modelo

Fuimos al campamento (dos días).

Fuimos al campamento por dos días.

1. Trajimos leña (el fuego).
2. Caminé (la selva).
3. Tocamos la guitarra y cantamos (dos horas).
4. Pusieron la tienda de campaña (la tarde).
5. Llegamos al campamento (tren).
6. El sábado salimos (el volcán).
7. Un amigo trajo su canoa (remar).
8. Regresamos al campamento a las cuatro (la lluvia).
9. Traje una guía (identificar los pájaros).
10. Guardamos las latas (reciclar).

7 Una carta

Leer/Escribir Francisco escribió todos los días sobre sus experiencias en Costa Rica. Completa su descripción con **por** o **para** para saber cómo pasó su último día en el país.

Sin título

Times | 10

0 | 1 | 2 | 3

14·de·julio¶

¿Cómo·estoy·aquí·en·Costa·Rica?·¡Pura·vida!·Escribo·esto
___1___·la·mañana·y·ya·caminé·en·un·aguacero.·Me·encanta·el
tiempo·aquí.·Estoy·terminando·mi·artículo·___2___·la·revista.
Tengo·que·terminarlo·___3___·el·viernes.·Aquí·la·gente·está
trabajando·___4___·la·conservación.·___5___·eso,·mi·artículo
trata·de·la·preservación·del·medio·ambiente.·Es·___6___·todas
las·personas·que·quieran·ayudar.¶

Ayer·fui·de·compras·y·tengo·regalos·___7___·todos.·También
buscaba·un·recuerdo·___8___·mí·y·compré·una·caja·de·madera
___9___·un·buen·precio.·Mañana·salimos·___10___·el·aeropuerto.
Me·pondré·triste·al·despedirme·de·Costa·Rica·y·de·mis·nuevos
amigos·pero·siempre·tendré·estos·preciosos·recuerdos.·¶

Nota cultural

Los campamentos Un modo de ver la riqueza única de la belleza natural costarricense es ir a un campamento. Gracias al sistema de ecoturismo, todo se encuentra dentro de los parques nacionales donde se puede acampar.

Activity 9: Understand and convey information about friends

8 **¿Qué foto?**

Hablar/Escribir Con un(a) compañero(a) describe las fotos de Costa Rica. Usa estas expresiones con **por** y **para** en tu conversación.

modelo
Compra gasolina por la tarde.

para el 30 de julio
por escribir
para cartón
por tierra mojada
para Francisco
por eso
para reciclar
por la mañana
para escribir

1. **2.**

3. **4.**

GRAMÁTICA **The Conditional Tense**

To talk about what you *should, could,* or *would do,* use the **conditional tense.**

Like the future tense, the **conditional tense** is formed by adding **endings** to the **infinitive** or the **irregular stem.**

infinitive +

-ía	-íamos
-ías	-íais
-ía	-ían

estudiar

estudiaría	estudiaríamos
estudiarías	estudiaríais
estudiaría	estudiarían

The **endings** are the same for **-ar, -er,** and **-ir** verbs.

Verbs that have irregular stems in the future have the same **irregular stems** in the **conditional.**

decir	→	dir-
haber	→	habr-
hacer	→	har-
poder	→	podr-
poner	→	pondr-
querer	→	querr-
saber	→	sabr-
salir	→	saldr-
tener	→	tendr-
valer	→	valdr-
venir	→	vendr-

In the **conditional** you can talk about what would happen under certain conditions and make polite requests.

¿Te **gustaría** proteger el medio ambiente?
Would you like to protect the environment?

Te **pondrías** en contacto con tus representantes políticos.
You would get in touch with your political representatives.

To be more polite, you could say:

Deberías ponerte en contacto con tus representantes políticos.
You should get in touch with your political representatives.

Practice:
Actividades
9 10 11
12 13

Más práctica
cuaderno pp. 135–136
Para hispanohablantes
cuaderno pp. 133–134

 Online Workbook
CLASSZONE.COM

9 ¿Qué piensas?

Leer/_Escribir_ Imagina las siguientes situaciones en tu ciudad. ¿Qué harías tú? ¿Qué harían tus amigos(as)?

1. Ves a un(a) amigo(a) echando basura en la calle. ¿Qué harías tú?
   a. Le diría algo a mi amigo(a).
   b. Pondría la basura en el basurero.
   c. No haría nada.

2. Una industria contamina un río con químicos tóxicos. ¿Qué harían tus amigos(as)?
   a. Le escribirían una carta al periódico.
   b. Llamarían a los representantes políticos.
   c. Protestarían enfrente de la industria.

3. Hay contaminación del aire en tu ciudad. ¿Qué harían tú y tus amigos?
   a. No saldría solo(a) en mi carro.
   b. Usaríamos transporte público.
   c. Andaríamos más a pie o en bicicleta.

10 ¿Sería buena idea?

Hablar/_Escribir_ Completa las siguientes oraciones sobre el medio ambiente. Luego habla con un(a) compañero(a). ¿Están de acuerdo?

modelo

(Ser) inútil reciclar cartón.

Tú: *(No) sería inútil reciclar cartón.*

Compañero(a): *Sí, (No, no) estoy de acuerdo. (No) sería inútil reciclarlo.*

1. Preservar la selva (proteger) las especies en peligro.
2. El reciclaje (reducir) la cantidad de basura.
3. Los nuevos programas de limpieza (contaminar) los ríos.
4. Reducir la pobreza (ayudar) a proteger los recursos naturales.
5. Quemar más combustibles (resolver) los problemas con la capa de ozono.
6. El planeta (ser) mejor sin la destrucción del medio ambiente de los animales.
7. No (ser) útil separar plástico y vidrio de la basura.
8. Reducir el uso de combustibles (ayudar) a resolver el problema del smog.

Vocabulario

El medio ambiente

la capa de ozono *ozone layer*
la destrucción *destruction*
increíble *incredible*
inútil *useless*
el planeta *planet*
la pobreza *poverty*
el problema *problem*

proteger las especies *to protect the species*
los recursos naturales *natural resources*
reducir *to reduce*
resolver (o→ue) *to resolve*
separar *to separate*
el smog *smog*
útil *useful*

¿Qué dices del reciclaje?

Activity 12: Use and understand learned expressions when speaking and listening

11 Si yo fuera profesor(a)...

Hablar/Escribir ¿Qué pasaría si tú fueras *(were)* profesor(a) de la clase de español? Haz oraciones afirmativas o negativas.

> **modelo**
>
> los estudiantes / poder comer en clase
>
> *Los estudiantes podrían comer en clase. (Los estudiantes no podrían comer en clase.)*

1. todos los estudiantes / sacar buenas notas
2. nosotros / hacer comidas en clase frecuentemente
3. el día escolar / ser más corto
4. tú / tener que hablar con el (la) director(a)
5. yo / querer darles mucha tarea
6. los estudiantes / poder salir temprano los viernes
7. haber / menos exámenes
8. la clase / saber hablar español
9. yo / venir a la escuela todos los días
10. ¿?

12 ¿Qué harías en Costa Rica?

Hablar/Escribir Si pudieras ir a Costa Rica, ¿qué harías? Usa los dibujos para darte ideas y habla con un grupo de compañeros(as).

> **modelo**
>
> *Si estuviera en la playa, caminaría a la orilla del mar con mis amigos(as).*

Nota: Gramática

To say what would happen under certain circumstances, use the conditional with a **si** clause:

Si estuviera en Costa Rica, **visitaría** todos los parques nacionales.
If I were in Costa Rica, ***I would visit*** all the national parks.

Si Francisco **fuera** político, **ayudaría** a proteger el medio ambiente.
If Francisco ***were*** a politician, ***he would help*** protect the environment.

Si pudieras manejar menos, **habría** menos contaminación del aire.
If you could drive less, ***there would be*** less air pollution.

1.
2.
3.
4.
5.
6.

More Practice: **Más comunicación** *p. R16*

13 El noticiero

Escuchar Escucha estas partes de un noticiero. ¿Qué opción escogerías?

1. **a.** Empezaría un programa de limpieza.
   b. Reduciría el smog.

2. **a.** Reduciría los químicos que echamos al aire.
   b. Protegería las especies en peligro.

3. **a.** Limpiaría el agua que sale de las industrias.
   b. Desarrollaría un programa de reciclaje.

4. **a.** Crearía un programa para proteger las selvas.
   b. Buscaría soluciones para la contaminación del aire.

5. **a.** Le sugeriría que todos podrían empezar en sus casas.
   b. Le diría que las industrias causan mucha contaminación.

Juego

Te gusta esquiar y hablar español y vives en el norte de Estados Unidos. ¿Adónde irías en agosto para practicar las dos actividades?

a. Belice
b. Cuba
c. Chile
d. China

14 ¡A todos nos toca!

Leer/*Escribir* Lee este póster e indica si las oraciones son **ciertas** o **falsas.** Luego haz un póster para tu causa favorita.

> **A todos nos toca...**
>
> Nuestro país es precioso. Pero nuestros recursos naturales no son infinitos. El desarrollo de la economía puede tener efectos graves para el medio ambiente. Necesitamos los dos. ¿Qué puedes hacer tú para proteger el medio ambiente?
>
>
>
> *Recicla aluminio, vidrio, plástico y cartón.* *Ofrécete de voluntario para plantar árboles y revitalizar las selvas en peligro.* *Contribuye con dinero para los programas de limpieza.* *Habla con los representantes políticos cuando veas abusos cometidos por las industrias.*
>
> **Cada ser humano puede ser parte de la solución.** **A todos nos toca...**

1. Es necesario balancear el desarrollo de la economía y la protección de los recursos naturales.
2. Las industrias tienen toda la responsabilidad.
3. Es importante estar en contra de los programas de reciclaje.
4. Cada ser humano debe cooperar.
5. Lo malo es que reciclamos aluminio, vidrio, plástico y cartón.

Vocabulario

Para hablar del medio ambiente

A todos nos toca… *It's up to all of us…*

los efectos *effects*

Lo malo es que… *The trouble is that…*

el ser humano *human being*

la situación *situation*

▶ ¿Cuáles de estas expresiones puedes encontrar en el póster?

Activity 17: Use and understand sentences and strings of sentences when speaking and listening

Activity 18: Create simple paragraphs when writing

15 Si estuviera...

Hablar/*Escribir* ¿Qué harían tú y otras personas en las siguientes situaciones? Con un(a) compañero(a), haz oraciones originales. Escribe cinco de tus favoritas.

modelo

Si estuviera enfermo(a), yo no iría a la escuela.

Si estuviera	en Costa Rica enfermo(a) celebrando mi cumpleaños escribiendo un libro comprando un disco compacto de vacaciones	yo mi amigo (*nombre*) usted mi madre mi padre mi hermano(a)	¿?

Nota cultural

La economía El turismo en Costa Rica contribuye a una economía que es básicamente agrícola. El país produce café, plátanos, caña de azúcar, arroz, frijoles y papas. El café y los plátanos son los dos productos de exportación más importantes.

16 Proyectos de limpieza

Escuchar Escucha a unas personas que están hablando de proyectos de limpieza. Pon las fotos en orden según las descripciones.

a.

b.

c.

d.

Activities 17–18 bring together all concepts presented.

17 Si yo fuera presidente(a)...

Hablar En un grupo de cinco a ocho compañeros(as), completen la frase «**Si yo fuera presidente(a)...**» Cada persona tiene que decir lo que haría y repetir lo que dicen las otras personas.

modelo

Tú: *Si yo fuera presidente(a), no habría pobreza.*

Compañero(a) 1: *Si yo fuera presidente(a), no habría pobreza y la universidad no costaría nada.*

Compañero(a) 2: *Si yo fuera presidente(a), no habría pobreza, la universidad no costaría nada y todos los niños tendrían...*

18 Si yo pudiera...

Hablar/Escribir En grupos, contesten estas preguntas. Luego escoge la opción que más te gustaría y escribe un párrafo explicando tu respuesta.

1. Si pudieras gastar dos millones de dólares, ¿qué comprarías?

2. Si pudieras conocer a una persona nueva, ¿quién sería?

3. Si pudieras ir a tu universidad favorita, ¿adónde irías?

4. Si pudieras viajar a otro período de la historia, ¿a qué año viajarías?

5. Si pudieras vivir en otro lugar, ¿dónde vivirías?

6. Si pudieras cambiar una cosa en tu vida, ¿qué cambiarías?

More Practice: Más comunicación *p. R16*

Online Workbook CLASSZONE.COM

Refrán

El mundo es un pañuelo.

Imagínate que viajas a Costa Rica en el verano y durante una visita al Volcán Poás, te encuentras con tu profesor(a) de español. ¡Qué casualidad! ¿Ya entiendes por qué se dice que el mundo es un pañuelo? ¿Qué característica tienen en común un pañuelo y el mundo?

AUDIO
En voces
LECTURA

La cascada de la novia

Costa Rica

Nota cultural

Las leyendas forman parte de la tradición oral de un pueblo. A veces explican el origen de las cosas naturales, como los ríos, los volcanes, las plantas y los animales. Esta leyenda costarricense explica el origen de «la cascada (*waterfall*) de la novia» que se encuentra cerca del pueblo de Paraíso, a unas veinte millas de San José.

A pocos minutos de Paraíso se encuentra una cascada de seiscientos pies de altura que se llama «la cascada de la novia». Se cuenta que la cascada recibió ese nombre a principios del siglo XX, cuando según la leyenda, se hizo un paseo a ese lugar.

Para celebrar una boda, una popular pareja de novios organizó un paseo al Valle de Orosí. El grupo de amigos muy alegres salió de Cartago en caballo.

Por fin llegaron al maravilloso Valle de Orosí, un lugar de belleza espectacular. Hubo bailes, risas, algunos versos, sonrisas cariñosas, mucha alegría y algunos brindis[1]. El novio brindó por la novia, por su sonrisa, por su vestido elegante con su velo bordado a mano[2], por sus ojos grandes y su belleza singular.

---

[1] toasts   [2] handmade veil

Como todo, lo bueno termina.
El grupo tuvo que regresar. Todos
montaron sus caballos y comenzaron
la caminata de regreso a sus casas.

Al pasar cerca de la cascada, de
repente el caballo de la novia, por una
razón ya olvidada [3], se asustó de tal
manera que se lanzó al abismo [4]. Se
llevó con él a la novia buena de los
grandes ojos.

Los detalles de la historia ya se
han olvidado [5]. Solamente se acuerda la
gente de cómo subió el velo blanco
bordado a mano de la novia hermosa.
Dicen que apareció como una cascada
de agua —«la cascada de la novia».

_____

[3] already forgotten   [5] have been forgotten
[4] hurled himself into the abyss

Online Workbook
CLASSZONE.COM

¿Comprendiste?

1. ¿Cuándo se originó la leyenda de «La cascada de la novia»?
2. ¿Por qué viajaron los novios y sus amigos al Valle de Orosí?
3. ¿Cómo viajaron?
4. Al llegar al valle, ¿qué hicieron?
5. ¿Qué le pasó a la novia?

¿Qué piensas?

1. ¿Cómo recibió su nombre «la cascada de la novia»?
2. La tragedia parece aún más fuerte porque la escena anterior es muy alegre. Explica.

En colores
CULTURA Y COMPARACIONES

PARA CONOCERNOS
STRATEGY: CONNECTING CULTURES

Prioritize Individual action is good; effective group action is better. Getting groups involved depends on what the local issues are. Rank in order of importance what you consider to be your local environmental issues, beginning with the most urgent: **agua, aire, animales, basura, energía, recursos naturales, tierra, otros.**

El medio ambiente: problemas locales

1._____
2._____
3._____

What organizations would be best to work on each of these issues? What connections can these groups make to one like **la Cumbre** (*summit*) **de la Ecología Centroamericana?**

Nombre:
Raúl Valdéz
Nacionalidad:
costarricense
Edad: **16 años**

La Cumbre de la Ecología Centroamericana

Nombre:
Francisca Peralta
Nacionalidad:
guatemalteca
Edad: **17 años**

La Cumbre de la Ecología Centroamericana

La Cumbre de la Ecología Centroamericana

CUMBRE ECOLÓGICA CENTROAMERICANA:
SE REÚNEN JÓVENES EN SAN JOSÉ

Los jóvenes hablan de la necesidad de proteger el medio ambiente.

Manuel Ocampo, San José

En el auditorio principal de la Universidad de Costa Rica se reúnen algunos jóvenes centroamericanos para la Cumbre de la Ecología Centroamericana. Los participantes, estudiantes de la escuela secundaria, representan varios países centroamericanos —Costa Rica, Panamá, Nicaragua, Honduras, Guatemala y El Salvador. Los representantes de los seis países comenzaron la primera de tres reuniones ayer, hablando sobre el medio ambiente y la contaminación.

Estudiante Raúl Valdéz, el representante costarricense, habló sobre los ecosistemas de su país y la importancia de proteger nuestros bosques tropicales.

Francisca Peralta, la representante guatemalteca, habló de la necesidad de proteger ciertas especies de animales. Peralta explicó que el Centro de Estudios Conservacionistas de Guatemala está estableciendo áreas especiales para proteger animales silvestres, como el quetzal, el ave que es el emblema nacional de su país y da nombre a su moneda.

Hoy los estudiantes de El Salvador y Honduras van a hablar sobre el petróleo, los combustibles y los recursos naturales. Se terminará la cumbre mañana con un discurso[1] del representante de Panamá sobre el agua y otro discurso de un estudiante de Nicaragua sobre el reciclaje. Los representantes esperan firmar[2] una declaración de recomendaciones a los jóvenes centroamericanos para la protección del medio ambiente. El público está invitado a la sesión final de la cumbre.

[1] speech   [2] to sign

More About Costa Rica
CLASSZONE.COM

¿Comprendiste?

1. ¿Quiénes participan en la Cumbre de la Ecología Centroamericana?
2. ¿Dónde tiene lugar la cumbre?
3. ¿Qué temas presentaron durante la primera sesión?
4. ¿De dónde son los representantes que pronuncian un discurso hoy?
5. ¿Cómo se terminará la cumbre?

¿Qué piensas?

1. En tu opinión, ¿cuáles son los temas más importantes de la cumbre?
2. ¿Crees que debe haber cumbres ecológicas de este tipo en Estados Unidos? ¿Por qué?

Hazlo tú

Con un grupo de compañeros(as), escríbeles una declaración de recomendaciones a los jóvenes centroamericanos (o a los jóvenes de tu región) para la protección del medio ambiente.

ETAPA 3

Activities 1–4: Show no significant pattern of error when understanding some ideas and familiar details

En uso
REPASO Y MÁS COMUNICACIÓN

OBJECTIVES

- Comment on conservation and the environment
- Talk about how you would solve problems

Now you can...

- comment on conservation and the environment.

To review

- the conditional tense, see p. 380.

1 En el mundo ideal

Francisco le describe su mundo ideal a Cecilia. Cambia los verbos al condicional.

¿Cómo __es__ mi mundo ideal? En primer lugar, los seres humanos
__ayudan__ a proteger el medio ambiente. Por ejemplo, nadie __echa__
basura fuera de los basureros. Y no __hay__ mucha basura porque
__podemos__ reciclar casi todos nuestros productos. Las industrias
tampoco __contaminan__ nuestro planeta. En fin, nosotros __vivimos__
en un mundo bonito y limpio. ¡Y yo no __tengo__ que escribir artículos
sobre la conservación porque todos __trabajamos__ juntos para
preservar la Tierra!

Tú __estás__ contenta viviendo en mi mundo ideal, ¿no?

Now you can...

- talk about how you would solve problems.

To review

- **por** or **para**, see p. 378.

2 ¡A resolver los problemas!

Todos buscan maneras de resolver los problemas de su comunidad. ¿Qué opinas tú de estas ideas? Usa **por** y **para.**

modelo

urgente / encontrar soluciones / todos los problemas

Es urgente encontrar soluciones para todos los problemas.

(No es urgente encontrar soluciones para todos los problemas.)

1. lógico / escribirles a los representantes políticos / correo electrónico
2. necesario / resolver los problemas / el año 2050
3. ridículo / mandar muchas cartas / correo
4. útil / preparar información / las personas de la comunidad
5. esencial / expresar nuestras opiniones / cambiar la situación
6. inútil / trabajar / un futuro mejor

3 **¡Qué problemas!**

Francisco está hablando con un grupo de jóvenes sobre los problemas ecológicos. ¿Cómo resolverían los problemas? ¿Estás de acuerdo con sus soluciones?

Now you can...

- comment on conservation and the environment.

- talk about how you would solve problems.

To review

- the conditional tense, see p. 380.

modelo

Lucía: caminar más

Tú: *Lucía caminaría más.*

Compañero(a): *Estoy de acuerdo. (No estoy de acuerdo.)*

1. los otros estudiantes: no hacer nada

2. tú: crear nuevos programas de limpieza

3. nosotros: trabajar juntos para reducir la contaminación

4. yo: escribir artículos sobre la conservación

5. Cecilia: buscar maneras de proteger las especies

6. mi familia y yo: reciclar muchos productos

7. ustedes: hablar con sus representantes políticos

8. ellos: no decirle nada a nadie

4 **Un mundo mejor**

Francisco explica sus soluciones para los problemas ecológicos. ¿Qué dice? Completa el párrafo con **por** o **para**.

Now you can...

- comment on conservation and the environment.

- talk about how you would solve problems.

To review

- **por** or **para,** see p. 378.

___1___ proteger el medio ambiente, hay que actuar. Todos podemos hacer algo ___2___ conservar nuestros recursos, como participar en programas de reciclaje y limpieza. También podemos hablar ___3___ teléfono con nuestros representantes políticos o mandarles cartas ___4___ correo electrónico ___5___ expresar nuestras opiniones. Ellos pueden trabajar ___6___ reducir la contaminación causada ___7___ las industrias. Todos los seres humanos somos responsables de los problemas ecológicos de nuestro planeta. ___8___ eso, tenemos que trabajar juntos ___9___ muchos años ___10___ resolver estos problemas. Así podremos crear un mundo mejor ___11___ nuestros hijos y nietos.

Activity 5: Show no significant pattern of error when obtaining information
Activity 6: Show no significant pattern of error when providing information

5 Si pudieras...

STRATEGY: SPEAKING

Hypothesize about the future Our goals reflect who we are and who we want to become. Get to know each other better by conjecturing about what you would do in the future (**¿qué harías?**) under certain conditions (**si pudieras / estuvieras / fueras…**).

Quieres conocer mejor a tu amigo(a). Hazle cinco preguntas sobre lo que haría o no haría en el futuro y por qué.

modelo

Tú: *Si tú pudieras viajar por todo el mundo, ¿lo harías?*

Amigo(a): *Sí, lo haría porque así podría conocer muchos países interesantes y no tendría que trabajar en una oficina. Me gustaría conocer…*

6 Si yo fuera...

Tú y tus amigos(as) quieren resolver los problemas ecológicos del mundo. ¿Qué harían en estas situaciones?

Si yo fuera periodista

> **presidente(a)**
>
> **maestro(a) de ciencias**
>
> **guía en un parque nacional**

modelo

Tú: *Si yo fuera periodista, escribiría muchos artículos sobre la conservación.*

Estudiante 1: *Es buena idea. Los artículos ayudarían a describir los problemas y explicar las soluciones.*

Estudiante 2: *Estoy de acuerdo, pero lo malo es que muchas personas no los leerían. Sería mejor producir programas de televisión.*

7 En tu propia voz

ESCRITURA ¿Cómo sería tu mundo ideal? Descríbelo en un mínimo de seis oraciones.

modelo

En mi mundo ideal, no habría…

CONEXIONES

Los estudios sociales ¿Has visto anuncios en la televisión que apoyan el reciclaje? Los tienen en los países hispanos también. Haz tu propio anuncio de 30 segundos para apoyar el medio ambiente. Presenta tu anuncio enfrente de la clase y haz un eslogan para tu campaña (*campaign*).

PONGA LA BASURA EN SU LUGAR

En resumen
REPASO DE VOCABULARIO

COMMENT ON CONSERVATION/THE ENVIRONMENT

Recycling and Conservation

el aluminio	aluminum
el basurero	trash can
la botella	bottle
el cartón	cardboard, cardboard box
el combustible	fuel
la lata	can
el químico	chemical
el vidrio	glass

Talk About the Environment

A todos nos toca…	It's up to all of us…
la capa de ozono	ozone layer
la contaminación	pollution
contaminar	to pollute
la destrucción	destruction
echar	to throw out
los efectos	effects
increíble	incredible
inútil	useless
mantener limpio(a)	to keep clean
el planeta	planet
la pobreza	poverty
el problema	problem
proteger las especies	to protect the species
¡Qué lío!	What a mess!
el reciclaje	recycling
reciclar	to recycle
los recursos naturales	natural resources
reducir	to reduce
separar	to separate
el ser humano	human being
el smog	smog
útil	useful

TALK ABOUT HOW YOU WOULD SOLVE PROBLEMS

Lo malo es que…	The trouble is that…
resolver (o→ue)	to resolve
Si estuviera…	If I/you/he/she were…
Si fuera…	If I/you/he/she were…
Si pudieras…	If you could…
la situación	situation

Juego

Si reciclaras una lata de aluminio, podrías ahorrar suficiente electricidad para que tu televisor pudiera funcionar por _____.

a. 5 minutos

b. 30 minutos

c. 1 hora

d. 3 horas

Write short
guided compositions

En tu propia voz
ESCRITURA

Cuentos y más cuentos

Your local library is compiling book reviews for a catalog to be used by Spanish-speaking members of the community. Review a book or short story that you have read for inclusion in the teen section of the catalog.

Function:	Review a book/short story	**Content:**	Opinion of book or story
Context:	Giving opinions to community	**Text type:**	Review

PARA ESCRIBIR • STRATEGY: WRITING

Present a thorough and balanced review An informative review helps readers decide if material will be useful to them. Be sure to **summarize** the text and then **discuss** its **positive** and **negative** attributes.

¿Qué te gusta leer?

Cuéntanos en español lo que te gusta leer. A ver si a los demás también les gusta.

Buscamos reseñas de varios párrafos.

Tu biblioteca local, tel. 981-2647

Modelo del estudiante

1

«La cascada de la novia»

The author states the **title** and tells the **main point** of the story.

«La cascada de la novia», una leyenda costarricense, explica el origen de la cascada de la novia, que queda cerca del pueblo de Paraíso, en el Valle de Orosí. Según la leyenda, para celebrar su boda, unos novios fueron de paseo al valle con sus amigos. Allá se divirtieron en una fiesta fenomenal. Pero cuando salieron, la novia sufrió una tragedia en el lugar donde ahora está la cascada.

A **summary** gives readers quick access to information, without using too many details or giving away the ending.

The writer gives a **personal perspective** on what was **enjoyable** about the story.

Me gustó leer esta leyenda. Cuando leí la descripción de la fiesta, me imaginé que estaba allí. Podía ver a la gente bailando y al novio admirando a la novia. Además, la explicación de la cascada es muy bonita.

The writer **balances** the review by reporting what was **bothersome**.

Pero me molestó que muchos detalles «se han olvidado». Me gustaría saber más sobre la historia de la cascada. ¿Qué causó la tragedia? ¿Cómo reaccionaron el novio y sus amigos? Para mí, la historia no está completa sin estos detalles.

2

In the **conclusion,** the writer explains what the reader will gain from reading the story, reviewing the positive and the negative.

Si lees esta leyenda, aprenderás un poco más sobre la naturaleza y las tradiciones de Costa Rica. Entenderás que una leyenda puede ser un cuento bonito. Desafortunadamente, también sabrás que las leyendas a veces no están completas.

Language Arts
Writing Standard 2.2b
Write responses to literature: Support
important ideas and viewpoints through
accurate and detailed references to the
text or to other works

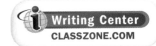

Estrategias para escribir

Antes de escribir...

Prepare to write your review by brainstorming the
purpose of the story, its main events (¿?), the
positive aspects (+), and the negative aspects (–).
Be sure to write down the title and author. Before
you begin to write, record your ideas on a chart
like this one.

¿?	+	–
• hubo una boda	• hay un elemento dramático	• el novio es demasiado romántico
• los novios y los amigos fueron al Valle de Orosí		
•		

Revisiones

Share your draft with a partner. Then ask:

- *How did you feel about the story?*
- *Would you like to read the story based on what I've written?*
- *What additional information would help you form a definite opinion about the story?*

You may want to make revisions based on your partner's
responses to these questions.

La versión final

Before you write the final draft, carefully mark errors in
grammar, spelling, usage, and punctuation, using the
proofreading symbols (p. 99). Look over your work with
the following questions in mind:

- *Did I use **por** and **para** correctly?*

Try this: Underline each use of **por** and **para.** Refer to
the grammar boxes to make sure the words are used
appropriately.

- *Is the future tense used appropriately?*

Try this: Circle your uses of the future tense. Use
irregular forms when necessary.

La cascada de la novia
Esta leyenda de Costa Rica
explica cómo nació la cascada
de la novia, que está cerca del
pueblo de Paraíso. Hace muchos
años, unos novios y sus amigos
fueron al Valle de Orosí ~~por~~ para
celebrar su boda. Todos
participaron en una fiesta
fantástica.

Si lees esta leyenda, tenerás -d-
una experiencia positiva. Les
gustarán los elementos
dramáticos

UNIDAD

6

STANDARDS

Communication
- Discussing jobs and professions
- Describing people, places, and things
- Completing an application
- Preparing for a job interview
- Evaluating situations and people
- Talking on the phone
- Reporting on past, present, and future events

Cultures
- The professions in Spanish
- Music from the Andes region
- The indigenous population in Ecuador

Connections
- Geography: Researching countries located on the equator
- Literature: Reading poetry in Spanish
- Music: Learning about music from the Andes region

Comparisons
- Job searches in Ecuador and the U.S.
- Job interviews in Spanish and English

Communities
- Using Spanish in a job interview and in the workplace
- Using Spanish for personal enjoyment in sports activities

INTERNET Preview
CLASSZONE.COM
- More About Ecuador
- Webquest
- Self-Check Quizzes
- Flashcards
- Writing Center
- Online Workbook
- eEdition Plus Online

396

QUITO
ECUADOR

EL MUNDO DEL TRABAJO

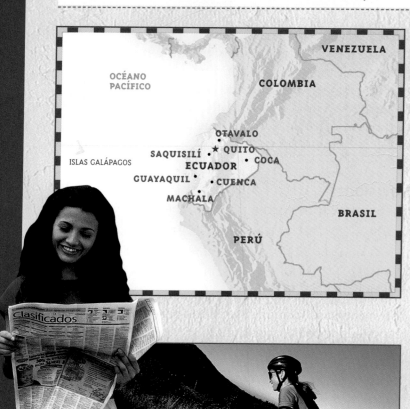

ANDAR EN BICICLETA DE MONTAÑA está de moda en Ecuador. Los ciclistas siguen los antiguos caminos que cruzan las montañas. ¿Sería fácil o difícil andar en bicicleta por los Andes? ¿Por qué?

POBLACIÓN: 1.610.800

ALTURA: 2.700 metros (8.775 pies)

CLIMA: 21°C (70°F) de día; 12°C (54°F) de noche

MONEDA: el dólar

COMIDA TÍPICA: cebiche, lechón hornado, choclo (maíz) con queso, helado de paila, empanadas de verde (plátano) o morocho (maíz blanco)

GENTE FAMOSA DE ECUADOR: Jorge Carrera Andrade (poeta), Camilo Egas (pintor), Gilda Holst (escritora), Jefferson Pérez (campeón olímpico)

¿VAS A QUITO? A 15 millas de Quito puedes poner un pie en el hemisferio norte y el otro en el hemisferio sur. Por allí pasa la línea ecuatorial que atraviesa todo el país y le da su nombre, Ecuador.

More About Ecuador
CLASSZONE.COM

LA MÚSICA ANDINA Conjuntos como Ñanda Mañachi y Siembra promueven la cultura indígena con sus melodías. Su música es popular a nivel internacional. ¿Qué crees que significa «música andina»?

LA TOQUILLA Este sombrero recibió su nombre por su uso durante la construcción del canal de Panamá. La verdad es que los sombreros se hacen a mano en el sur de Ecuador. ¿Sabes el nombre famoso de este sombrero?

ANTONIO JOSÉ DE SUCRE (1795–1830) fue líder de las fuerzas de independencia contra el ejército español. Ganaron la Batalla de Pichincha, en Quito, en mayo de 1822. ¿Qué guerra parecida hubo en Estados Unidos?

LLAPINGACHOS Este plato es típico de una región de los Andes que se llama la Sierra. Son papas cocidas (*cooked*) con queso y cebolla. Se fríen en aceite. ¿Qué platillos con papas comes tú?

LAS ISLAS GALÁPAGOS, de origen volcánico, forman un parque nacional. Este parque tiene especies de animales, pájaros, insectos y plantas que no se encuentran en otras partes del mundo. ¿Qué otros parques nacionales conoces?

AL MARISCAL SUCRE EL ECUADOR

397

6

EL MUNDO DEL TRABAJO

- Comunicación

- Culturas

- Conexiones

- Comparaciones

- **Comunidades**

Explore communities in Ecuador through guided Web activities.

Comunidades

Puedes hablar español para divertirte y también lo puedes usar para encontrar un buen puesto. En muchas comunidades de Estados Unidos es necesario hablar español para ciertos trabajos. Vas a aprender a solicitar empleo en español. ¡Qué útil!

Comunidades en acción **¿Tienes un puesto en alguna parte? Si tu respuesta es sí, ¿usas el español? ¿Cómo puede ser útil saber español en tu lugar de trabajo?**

Comparaciones

¿Cómo se busca empleo en Ecuador? Vas a descubrir las semejanzas y las diferencias entre buscar empleo en tu comunidad y en Ecuador. ¡Qué interesante!

CHICAS-CHICOS
Estudiantes jóvenes, fin de semana, recreadores fiestas infantiles. Entrevistas: Amazonas 5532 y Tomás de Berlanga. Lunes 3 p.m.

INSTRUCTORES
pesas, aeróbicos requiere prestigioso gimnasio, 537040, 351593

CANTANTES
mujer y hombre necesito, grupo música mexicana. 548802, 573590

JÓVENES
Empresa de comida rápida requiere jóvenes con motocicleta propia, para trabajar en servicio a domicilio. Ofrecemos: gasolina, seguro personal, atractivo sueldo, etc.

MECÁNICO
Automotriz necesito urgente con experiencia en electricidad y mecánica general. Telf.473402

CHOFER PRIMERA
Dispuesto trabajar doce horas diarias, edad máxima 30 años, experiencia vehículos. Ulloa 1167 Mariana de Jesús.

PROFESORES
El Centro Educativo Isaac Newton necesita contratar el siguiente personal:
a) profesor(a) de inglés
b) profesor(a) de grado para primaria
Interesados enviar currículum a dirección: Centro Educativo Experimental Isaac Newton, Calle de los Guayable N50-120 y de Los Alamos, El Inca.

PASTELERÍA
Requiere personal responsable. Para mostrador. teléfono: 402663.

AGENTE VENDEDOR
con vehículo, distribución productos panadería, teléfonos: 648770, 603951.

VENDEDORES
se necesita contratar los mejores vendedores con experiencia y deseos de superación, excelente remuneración, presentarse con su carpeta al Iñaquito UNP, edificio UNP, oficina 301.

CONTADOR
medio tiempo con experiencia, empresa grande casilla 17079742

Comunicación

En esta unidad vas a hablar de varios trabajos y vas a practicar cómo solicitar empleo en español. También vas a hablar por teléfono. Ya puedes hablar del pasado, del presente y del futuro. ¡Qué magnífico!

Conexiones

Cuando estudias español, tienes la oportunidad de estudiar la geografía de los países hispanohablantes. Acabas de aprender cómo recibió Ecuador su nombre. ¿Cómo se relaciona el clima del país con su ubicación en el globo terrestre? ¿Qué piensas?

Guayaquil es el centro comercial de Ecuador.

Culturas

En esta unidad vas a ver algunas contribuciones importantes de la población indígena en Ecuador. Hay instrumentos musicales especiales, festivales bonitos y mucho más que vas a conocer. ¡Qué chévere!

Fíjate

Cada una de las siguientes oraciones corresponde a una o más de las categorías de arriba. Escoge la categoría que mejor le corresponda a cada oración.

1. Es divertido hablar con un(a) compañero(a) sobre profesiones que les interesan.
2. El español te puede servir en el mundo de trabajo.
3. En Ecuador hay muchos festivales.
4. Muchas personas en Estados Unidos comen papas fritas, y muchas personas en Ecuador comen otro tipo de papas, llapingachos.
5. Los animales que viven en las islas Galápagos son fascinantes.

399

ETAPA
1

Se busca trabajo

OBJECTIVES

- Discuss jobs and professions

- Describe people, places, and things

- Complete an application

¿Qué ves?

Mira la foto. ¿Qué ves?

1. ¿Conoces a algunas personas de la foto? ¿Cómo se llaman?

2. ¿Dónde crees que están estas personas?

3. ¿Qué sección del periódico están leyendo?

400

En contexto

VIDEO DVD AUDIO

VOCABULARIO

Aquí Isabel busca información sobre unos trabajos en Internet.

¡Hola! Estoy buscando información por Internet sobre varios **empleos.** Como puedes ver, hay muchas maneras de **ganarse la vida.** Me interesa **una carrera** como periodista. ¿Hay **una profesión** aquí que a ti te interese?

| Regresar | Adelantar | Inicio | Recargar | Imágene |

Dirección: http://www.empleo.com

| ¿Novedades? | ¿Interesante? | Búsqueda |

ENCONTRAR UNA PROFESIÓN

ENTREGAR TUS DATOS

SOLICITAR UN PUESTO

A AGRICULTOR

¿Quieres trabajar al aire libre cuidando las plantas y los animales? Tal vez quieras ser **agricultor** o **agricultora.**

E CARTERA

¿Te gustaría darles las cartas a las personas? Quizás quieras ser **cartero** o **cartera.**

F DEPORTISTA

¿Te gusta el fútbol? ¿Qué tal una carrera como **deportista**?

J NIÑERA

Si te gusta jugar con los niños, ¿qué tal **un puesto** como **niñero** o **niñera**?

K PELUQUERO

Para ser **peluquero** o **peluquera,** tienes que saber cortar el pelo. ¿Estás tú **capacitado(a)** para este trabajo?

¿BUSCAS EMPLEO?

Abrir Imprimir Buscar Finalizar

Directorio Software

Take-Home Tutor

Use authentic materials when reading: short narratives

B ARQUITECTA

¿Te gusta diseñar edificios? Podrías ser **arquitecto** o **arquitecta**.

C BAILARINA

Una persona que asiste a clases de baile y practica mucho puede ser **bailarín** o **bailarina**.

D BOMBERO

¿Te interesa apagar fuegos y rescatar gatos? Podrías ser **bombero**.

G JUEZ

¿Te interesan el gobierno y la justicia? Tal vez quieras ser **juez** o **jueza**.

H MECÁNICO

¿Sabes reparar carros? Podrías tener una carrera como **mecánico** o **mecánica**.

I MÚSICO

¿Sabes tocar un instrumento musical? Es posible que vayas a ser **músico** o **música**.

L VETERINARIA

Si te gusta cuidar a los animales, quizás quieras ser **veterinario** o **veterinaria**.

Online Workbook
CLASSZONE.COM

Preguntas personales

1. ¿Conoces a alguien que tenga una de estas profesiones? ¿Cuáles?
2. En tu opinión, ¿qué trabajo es más difícil, el de un(a) juez(a) o el de un(a) deportista? ¿Por qué?
3. ¿Preferirías trabajar o ir a la escuela? ¿Por qué?
4. De las profesiones que están en esta página de Internet, ¿cuáles te interesan más? ¿Menos? Explica.
5. ¿Sabes qué quieres hacer después de graduarte de la escuela secundaria? ¿Qué es?

Listen to audio
or video texts

 En vivo

VIDEO   DVD   AUDIO

 DIÁLOGO

Se busca periodista

Isabel	Pablo	Recepcionista	Señor Montero

PARA ESCUCHAR • STRATEGY: LISTENING

Evaluate a plan Isabel has a goal: to have an interview **(tener una entrevista).** Listen and identify the three main steps of her plan:

1. Leer _____
2. Presentarse para _____
3. Preparar o escribir _____

Name any important steps that have been omitted. What do you consider her chances for success?

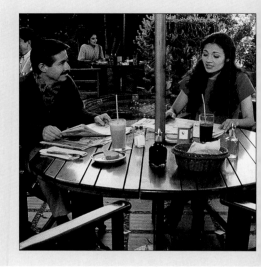

1 ▶ Isabel: No estoy capacitada para estos trabajos. Aquí necesitan un arquitecto o una arquitecta, y aquí necesitan un veterinario o una veterinaria. ¡No puedo solicitar esos trabajos!

5 ▶ Pablo: Los voy a llamar y les explico que estamos preparando un artículo sobre cómo se solicita un trabajo. Estoy seguro que nos ayudarán.
Isabel: Gracias, Pablo.

6 ▶ Isabel: ¡Quieren muchos datos personales! ¿Qué importancia tiene mi estado civil?
Recepcionista: ¿Señorita Palacios? Acaba de llamar el señor Montero. Va a llegar un poco tarde.
Isabel: Está bien. No hay ningún problema.

7 ▶ Señor Montero: ¿Así que usted trabaja con *Onda Internacional*?
Isabel: Sí, estoy trabajando como pasante. Me encanta. Estamos preparando un artículo sobre cómo se solicita un trabajo.

2 ▶ **Pablo:** ¡Ajá! Encontré algo. Ésta es una profesión en la que trabajas con la gente, el horario de trabajo es cómodo…
Isabel: ¿Sí? Léemelo.

3 ▶ **Pablo:** «Buscamos mecánico de carros.»
Isabel: ¡Pablo! Ay, nunca vamos a encontrar nada.
Pablo: Espérate. Este puesto está perfecto.
Isabel: No te lo creo. ¿Qué es? ¿Cartero?

4 ▶ **Pablo:** No, escucha. «Buscamos periodista para trabajar en una revista de viajes. Preferimos experiencia en otra revista o periódico. Infórmese al 452–890.»
Isabel: ¿En serio? ¡Es un trabajo ideal!

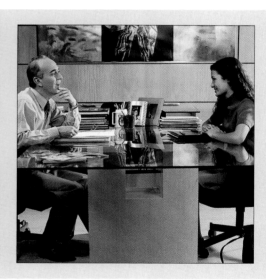

8 ▶ **Señor Montero:** Me parece una excelente idea. Muchas veces, la gente llega a una entrevista sin saber qué hacer.
Isabel: ¿Me puede explicar un poco más?

9 ▶ **Señor Montero:** Sí, cómo no. Por ejemplo, ésta es su solicitud. Por lo que veo, está bien escrita. Explicó claramente la experiencia que tiene. Sabe, es una lástima que usted no esté solicitando de verdad el trabajo. Sería una buena candidata.

10 ▶ **Señor Montero:** ¿Me puede contar un poco de usted? ¿Cómo se interesó en el periodismo? ¿De qué le gusta escribir?
Isabel: Sí, claro. Supe del concurso en *Onda Internacional* y decidí escribir un artículo…

En acción

Comprensión del diálogo

For Activities 1–2, refer to the dialog on pages 404–405.

 Isabel   Pablo   Recepcionista   Señor Montero

1 En orden

Escuchar/Escribir Pon las fotos en orden según el diálogo. Luego escribe una oración que describa lo que pasa en cada foto.

a.

b.

c.

d.

2 ¿Cómo lo sabes?

Escuchar/Escribir Todas estas oraciones son ciertas. Escribe una línea del diálogo que confirme cada una.

1. Isabel va a escribir un artículo sobre personas que quieren trabajar.

2. Pablo encontró un puesto que sería bueno para el artículo.

3. La solicitud requiere mucha información.

4. Hay muchas personas que no saben buscar trabajo.

5. Isabel está capacitada para el puesto.

Ecuador

También se dice

Isabel y el señor Montero hablan del **artículo** que escribe Isabel para *Onda Internacional.* Otras palabras para describir la comunicación periodística son **reportaje, informe, editorial** y **crónica.** Como sus equivalentes en inglés, estos términos se usan también para referirse a la televisión y el ciberespacio.

Objectives for Activities 3–5

• Discuss jobs and professions   • Describe people, places, and things

3 ¿Qué profesión?

Leer/*Escribir* Pablo lee las descripciones de varias profesiones. ¿Cuál es la profesión que corresponde a cada descripción?

> arquitecto(a)
> cartero(a)
> deportista
> músico(a)
> niñero(a)
> veterinario(a)
> agricultor(a)
> bombero
> mecánico(a)
> peluquero(a)

1. Tiene cartas y paquetes.
2. Lava y corta el pelo.
3. Diseña edificios y dibuja planos.
4. Cuida a los niños cuando los padres están trabajando.
5. Trabaja con animales enfermos.
6. Busca y controla fuegos peligrosos.
7. Toca un instrumento musical en la orquesta.
8. Cuida las plantas y los animales.
9. Juega al fútbol en el estadio.
10. Repara carros.

4 ¿Qué quieres ser?

Hablar ¿Qué quieres ser? Habla con un(a) compañero(a) sobre estas profesiones.

modelo

Tú: *¿Quieres ser músico(a)?*

Compañero(a): *Sí, me gustaría tocar la guitarra en una banda. ¿Y tú?*

Tú: *No, no quiero ser músico(a).*

1.   2.   3.

4.   5.   6.

Objectives for Activities 6–16
• Discuss jobs and professions • Describe people, places, and things
• Complete an application

5 Una cápsula del tiempo

Hablar/Escribir ¿Qué pondrías en una cápsula del tiempo? Habla con un grupo de compañeros(as) de lo que pondrías y por qué. Luego hagan una presentación para la clase.

modelo

Pondríamos esta revista de moda en la cápsula porque mostraría la ropa que llevábamos...

Cápsula del tiempo	
Objeto	¿Por qué?
1. revista de moda	mostrar la ropa del año
2.	
3.	

Nota cultural

Quito, fundada en 1534 sobre una ciudad inca, es un centro artístico y cultural de Ecuador, con tradiciones importantes de pintura, escultura y otras artes. La ciudad se conoce por sus edificios coloniales y sus numerosos museos.

REPASO   **The Present and Present Progressive Tenses**

¿RECUERDAS? *p. 17* To talk about things you do, use the **present tense.** Remember how to conjugate regular -ar, -er, and -ir verbs in the **present tense?**

estudiar		comer		vivir	
estudio	estudiamos	como	comemos	vivo	vivimos
estudias	estudiáis	comes	coméis	vives	vivís
estudia	estudian	come	comen	vive	viven

¿RECUERDAS? *p. 135* To describe an action that is actually going on at the time of the sentence, you use the **present progressive** tense. To form the **present progressive,** use:

the **present tense of estar** + **-ando** , **-iendo** / **-yendo** forms

becomes

estudi**ar** → estudi**ando**

com**er** → com**iendo**

viv**ir** → viv**iendo**

Los voy a llamar y les explico que **esta**mos **prepar**ando un artículo sobre cómo se solicita un trabajo.
I'm going to call them and explain to them that we are preparing an article on how to apply for a job.

Practice: Actividades 6 7 8 9

Más práctica *cuaderno p. 141*
Para hispanohablantes *cuaderno p. 139*

Online Workbook CLASSZONE.COM

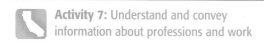
6 Las profesiones

Leer/Escribir Unas personas hablaron con Isabel sobre sus profesiones. Completa sus oraciones con la forma correcta de los siguientes verbos. ¡Ojo! Algunos verbos no son regulares.

ser
hacer
viajar
saber
deber
ir
escuchar
jugar
querer

1. Me encanta ser periodista porque _____ por todas partes.

2. Los maestros _____ todo lo posible por ayudar a sus estudiantes.

3. Tú _____ que es muy divertido ser niñera… ¡y mucho trabajo!

4. Nosotros, los bomberos, _____ adonde haya emergencias.

5. En su profesión como juez, usted _____ escuchar bien.

6. Como deportistas, nosotros _____ en partidos frecuentemente.

7. Mi esposo y yo _____ doctores y _____ ayudar a los enfermos.

8. Soy música y _____ las diferencias del ritmo en una canción.

7 Las carreras

Hablar/Escribir Todos hablan de su trabajo hoy. Completa las oraciones para saber cuáles son sus profesiones y qué están haciendo ahora. Sigue el modelo.

modelo

La (dueña / operadora) ayudar / a los clientes con problemas de teléfono

La operadora está ayudando a los clientes con problemas de teléfono.

1. La (técnica / secretaria) tomar / radiografías

2. Eres (ingeniero / voluntario) y por eso, no ganar / dinero hoy

3. El (taxista / contador) llevar / cuentas de un negocio

4. Somos (obreros / jefes) y hacer / trabajo manual

5. Aquí los (abogados / hombres de negocios) trabajar / en las cortes

6. Soy (gerente / asistente) y abrir / una tienda nueva

7. La (artesana / secretaria) crear / arte para vender

8. Los (operadores / dueños) leer / el contrato

Vocabulario

Más empleos

el (la) abogado(a) *lawyer*

el (la) artesano(a) *artisan*

el (la) asistente *assistant*

el (la) contador(a) *accountant*

el (la) dueño(a) *owner*

el (la) gerente *manager*

el (la) hombre (mujer) de negocios *businessman/businesswoman*

el (la) ingeniero(a) *engineer*

el (la) jefe(a) *boss*

el (la) obrero(a) *worker*

el (la) operador(a) *operator*

el (la) secretario(a) *secretary*

el (la) taxista *taxi driver*

el (la) técnico(a) *technician*

el (la) voluntario(a) *volunteer*

¿Qué te gustaría ser?

Práctica: gramática y vocabulario continuación

 Activity 9: Understand and convey information about schedules, family, home
Activity 10: Understand and convey information about geography

8 **El proyecto** 🎧

Escuchar/*Escribir* Para su proyecto, Isabel les hace preguntas a varias personas. Escribe una oración que describa lo que hace cada persona según lo que escuchas.

1. el taxista
2. el artesano
3. la voluntaria
4. el secretario
5. la ingeniera

Ecuador

Nota cultural

La ocarina es un instrumento musical de cerámica hecho a mano. Se toca como la flauta, soplando y tapando los huecos (*holes*). De origen precolombino, todavía se usan estos instrumentos en la música folklórica de Sudamérica.

9 **¿Qué hacen ustedes?** 👥

Hablar/*Escribir* Habla con un grupo de compañeros(as) de lo que haces en estas situaciones. Usa las fotos para darte ideas.

modelo
Por la tarde, juego al fútbol con el equipo de mi escuela. Corro y practico todos los días.

por la tarde

1. por la mañana

2. durante el día

3. durante el almuerzo

4. después de las clases

5. con mi familia

6. en mi casa

More Practice: **Más comunicación** *p. R17*

GRAMÁTICA | The Impersonal se

¿RECUERDAS? *p. 114* You already know that a
reflexive pronoun is used with a **verb** when only
the **subject** is involved in the action of the verb.

You can use the same se when the **subject**
does not refer to any specific person.
It's called the **impersonal se.**

> Aquí **se habla** español.
> *Spanish **is spoken** here.*

This phrase means someone speaks Spanish.
It doesn't specify who speaks it.

Señor Montero might say:

> —Aquí es donde **se escriben** los datos.
> *Here's where **one writes down** the information.*

Señor Montero points out where in the
application certain information is to be written.

Yo me **escondo.**
*I **hide** (myself).*

Tú te **escondes.**
*You **hide** (yourself).*

Carlos se **esconde.**
*Carlos **hides** (himself).*

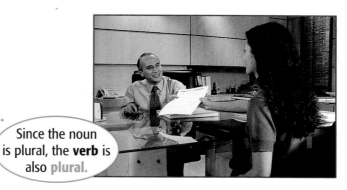

Since the noun
is plural, the **verb** is
also plural.

Practice: **Actividades** 10 11 12 13

Más práctica *cuaderno p. 142*
Para hispanohablantes *cuaderno p. 140*

Online Workbook
CLASSZONE.COM

10 En Ecuador

Hablar/Escribir Pablo le explica a Isabel lo que
se hace en los siguientes lugares de Ecuador.
¿Qué dice? Escribe oraciones afirmativas o
negativas según el mapa.

modelo

en Cuenca (hacer zapatos)

No se hacen zapatos en Cuenca.

1. en los Andes (escalar montañas)
2. en las islas Galápagos (ver tortugas)
3. en el centro de Quito (cultivar plátanos)
4. en Guayaquil (escalar montañas)
5. en el Oriente (ver plantas silvestres)

11 Datos personales

Hablar/Escribir Una empresa les pide a todos los empleados nuevos que completen esta tarjeta. ¿Dónde se escribe la información?

> 1. Nombre y apellido_____
> 2. Dirección_____
> 3. Número de teléfono_____
> 4. Ciudadanía _____
> 5. Fecha de nacimiento _____
> 6. Fecha de la solicitud original_____
> 7. Otros datos pertinentes _____
> 8. Firma _____

modelo

dónde recibe llamadas telefónicas

Se escribe el número de teléfono en la línea tres.

a. cómo se llama
b. el día en que nació
c. dónde vive
d. de dónde es
e. el nombre, en letra cursiva
f. cuándo solicitó el puesto
g. otra información importante

Vocabulario

La solicitud

la ciudadanía *citizenship*
los datos *facts, information*
la fecha de nacimiento *date of birth*

la firma *signature*
solicitar *to request, to apply for*
la solicitud *application*

▶ ¿Qué información le importa más a un(a) jefe(a)?

12 Se busca trabajo

Hablar/Escribir Con un(a) compañero(a), pongan en orden los pasos que se siguen para buscar trabajo. Exprésenlos usando expresiones con **se**.

a. buscar puestos en el periódico
b. escribir su firma
c. llenar una solicitud sin errores
d. escribir los datos personales
e. con buena suerte, aceptar el puesto
f. hacer una entrevista
g. escoger el tipo de empleo
h. pedir una solicitud

13 La entrevista

Escuchar/Escribir Juan Manuel acaba de graduarse de la universidad y está solicitando empleo. Escucha la entrevista. Luego escribe sobre la entrevista en tus propias palabras.

GRAMÁTICA   Past Participles Used as Adjectives

Some adjectives may be formed from verbs. The form you use is the **past participle**. Compare these **infinitives** with their form in the descriptions:

cerrar	La oficina está **cerrada.**
(to close)	*The office is closed.*
aburrir	Los empleados están **aburridos.**
(to bore)	*The employees are bored.*

When describing a noun using a past participle,

1. first form the **past participle** by dropping the **ending** from the **infinitive** and adding the appropriate **ending**:

   for -ar verbs:

     hablar ⟵ **-ado**   **habl**ado

   for -er and -ir verbs:

     comer or **viv**ir ⟵ **-ido**   **com**ido, **viv**ido

2. Then change the **past participle** to agree in number and gender with the noun being described the same as you would an adjective.

Isabel says: 1.   2.

—No estoy **capacitada** para estos trabajos.

I am not qualified for these jobs.

··

Many verbs have irregular **past participles**. Some are

infinitive	past participle	infinitive	past participle
abrir	**abierto**	morir	**muerto**
decir	**dicho**	poner	**puesto**
descubrir	**descubierto**	resolver	**resuelto**
escribir	**escrito**	romper	**roto**
hacer	**hecho**	ver	**visto**
ir	**ido**	volver	**vuelto**

Practice: **Actividades**

14 15 16

Más práctica
cuaderno pp. 143–144
Para hispanohablantes
cuaderno pp. 141–142

Online Workbook
CLASSZONE.COM

---

14 ¿Cómo están?

Leer/*Escribir***** Pablo habla de su familia y amigos con Isabel. Completa las frases según el modelo.

modelo

Mi hija tiene un examen mañana y estudia mucho. Creo que… (preparar)

Creo que está preparada.

1. Isabel, ¡terminaste el artículo sobre cómo se busca un trabajo! Veo que… (cansar)
2. Nuestros amigos miran un partido de fútbol. Creo que… (aburrir)
3. Mi sobrina jugó todo el día en el parque. Mírala… (dormir)
4. Mis primos ven una película de aventuras en el cine. Estoy seguro de que… (interesar)
5. Mi amiga Ana tiene un novio. Es evidente que… (enamorar)
6. Mi esposa tomó el sol todo el día. ¿Ves que…? (quemar)
7. Mi tío no conoce Quito. Creo que… (perder)
8. Mis padres no sabían las noticias. Pienso que… (sorprender)

Activity 17: Show no significant pattern of error when providing information

Activity 18: Show no significant pattern of error when obtaining information

15 Me imagino que...

Hablar/Escribir Es sábado e Isabel imagina lo que pasa en su casa. Mira el dibujo y completa sus descripciones.

dormir   aburrir   sentar   barrer

vestir   cerrar

ocupar   apagar

modelo

La ventana está _____.

La ventana está cerrada.

1. El televisor está _____.

2. Mis padres están _____ pagando las cuentas.

3. Mi hermana está _____ en el sillón leyendo una buena novela y no está _____.

4. Mi hermano está _____ en el sofá y está _____ con pantalones cortos.

5. El piso está _____.

16 Unas preguntas

Hablar/Escribir Completa las siguientes preguntas con el participio pasado. Luego házselas a un(a) compañero(a) de clase.

modelo

¿La puerta está (cerrar)?

Tú: *¿La puerta está cerrada?*

Compañero(a): *No, no está cerrada.*
(No, está abierta.)

1. ¿Quién está (sentar) cerca de la puerta?

2. ¿Quiénes están (vestir) con jeans?

3. ¿La cafetería está (abrir) para los estudiantes ahora?

4. ¿Tienes un(a) hermano(a) (casar)?

5. ¿Estás (ocupar) después de las clases?

6. ¿Qué ropa llevas (poner)?

7. ¿Hay algo (escribir) en el pizarrón?

8. ¿Está (hacer) la comida?

9. ¿Estás (cansar) hoy?

10. ¿Los estudiantes están (preparar) para un examen?

Activities **17–18** bring together all concepts presented.

17 La solicitud

Escribir Vas a solicitar un trabajo para este verano en un país de habla hispana. Escribe la información que se pide en esta solicitud.

Solicitud para empleo

Información personal

Nombre: _____
    (apellido)   (nombre)

Dirección: _____
    (calle y número)   (ciudad, estado, código postal)

Teléfono: _____

Edad (menor de 18): _____

Horas disponibles (número total de horas): _____

Horas cada día

	dom	lun	mar	miér	jue	vier	sáb
de							
a							

Educación

Colegio _____

Promedio de notas _____ Último año completado _____

Experiencia Trabajos más recientes (pagados o voluntarios)
_____
_____

Referencias _____
_____

Actividades _____

18 Una entrevista

STRATEGY: SPEAKING

Participate in an interview A job interview is important for providing valuable information about the job and the applicant. Both interviewer and interviewee share equal responsibilities to
- maintain a cordial atmosphere.
- ask for and give information about the job—duties, responsibilities, benefits, expectations.
- ask for and give information about the applicant—education, experience, qualifications.

At the end of the interview both participants should make it clear what the next step is.

Hablar Ya llenaste la solicitud. Es la hora de la entrevista. Una persona será el (la) jefe(a) y la otra será la persona que busca trabajo. Luego cambien de papel. ¡Ojo! Debes usar la forma de **usted** en la entrevista.

Incluye:
- Una introducción (saludo, información sobre el puesto)
- Preguntas sobre la solicitud
- Preguntas sobre el trabajo
- Preguntas sobre los planes para el futuro

More Practice:
Más comunicación *p. R17*

 Online Workbook
CLASSZONE.COM

Refrán

Lo que no se empieza, no se acaba.

Cuando tienes un montón de trabajo, ¿siempre lo haces en seguida o buscas razones para evitarlo? Según el refrán, ¿cuál es el mejor consejo que puedes darle a la mujer del dibujo? En grupos pequeños, hagan una lista de cuatro proyectos que sean fáciles de completar y cuatro que sean difíciles. Luego comparen su lista con la de otro grupo.

VIDEO DVD AUDIO

En voces
LECTURA

PARA LEER • **STRATEGY: READING**

Use context to find meaning Find the words in the reading that fit these meanings:

a. persona que acompaña a visitantes

b. el círculo máximo de la Tierra que separa el norte del sur

c. tranquilo o domesticado

d. sitio donde nadie vive

e. poner el pie sobre algo

f. el pie y la pierna de los animales

g. un animal del sexo masculino

Jaime Carrillo Ochoa te va a dar una excursión por la isla Santa Cruz.

Bienvenidos a la isla Santa Cruz

¡Buenos días! Me llamo Jaime Carrillo Ochoa y soy de Guayaquil, una ciudad en la costa del sur de Ecuador. Me gusta estudiar los animales silvestres. Trabajo de guía aquí en las Galápagos, donde hay muchos animales interesantes. Hoy voy a llevar a un grupo de turistas de excursión por la isla Santa Cruz. ¿Te gustaría acompañarnos? ¡Vámonos!

Santa Cruz es una de las islas más grandes de las Galápagos. Está muy lejos de Ecuador, a unas 600 millas al oeste del país en la línea ecuatorial. Los animales son mansos[1]; no tienen miedo porque

───────────
[1] tame

por muchos años estas islas estuvieron deshabitadas.

Comencemos, y por favor, tengan cuidado. Hay iguanas por todas partes y no debemos pisarlas [2].

En las Galápagos hay 58 tipos de aves. A la derecha pueden ver un ave que se llama el piquero patas azules. Como indica su nombre, estas aves tienen patas de color azul. Hay muchos pingüinos también.

Ah, ¡miren! Hay un pingüino encima de esa piedra. A algunos turistas les gusta bucear con respiración [3] para mirar los pingüinos nadando debajo del agua. Los pingüinos no pueden volar pero pueden nadar rápidamente.

Otro animal famoso es el león marino. Pueden ver algunos allí en el agua. A los bebés les gusta jugar con los humanos, pero cuidado, ¡los machos no son tan simpáticos!

Ahora vamos a ir a la reserva de tortugas en Santa Cruz. Van a ver la especie más conocida por los turistas: la tortuga gigante. Una de estas tortugas puede pesar 550 libras. Estos animales son vegetarianos. No comen carne. Su dieta parece ser saludable porque las tortugas gigantes viven aproximadamente 150 años. Los animales y las plantas de las Galápagos son diferentes de los del continente por la falta de contacto con otras especies. Muchas especies se encuentran solamente aquí. ¡Espero que disfruten de sus observaciones!

---

[2] to step on them   [3] to snorkel

Online Workbook
CLASSZONE.COM

¿Comprendiste?

1. ¿Qué trabajo tiene Jaime Carrillo Ochoa?
2. ¿Dónde queda exactamente el lugar donde trabaja Jaime?
3. ¿Qué animales se ven en Santa Cruz?
4. ¿Cuál es el animal más conocido por los turistas?

¿Qué piensas?

1. ¿Crees que le gusta a Jaime trabajar en las Galápagos? ¿Por qué?
2. ¿Cómo se explican las diferencias entre los animales de las Galápagos y los del continente?

Activities 1–4: Show no significant pattern of error when understanding some ideas and familiar details

En uso
REPASO Y MÁS COMUNICACIÓN

OBJECTIVES

- Discuss jobs and professions
- Describe people, places, and things
- Complete an application

Now you can...

- discuss jobs and professions.

To review

- present and present progressive tenses, see p. 408.

① ¡Es sábado!

Isabel habla con varias personas en el parque. ¿Cuáles son sus profesiones? ¿Qué están haciendo ahora?

> **modelo**
>
> *mi hermana: cuidar a muchos niños (descansar)*
>
> *Mi hermana es niñera. Cuida a muchos niños. Ahora está descansando.*

artesano(a)
cartero(a)
deportista
voluntario(a)
músico(a)
taxista
periodista
niñero(a)

1. mis hijos: tener que llevar cartas a todas partes (escribir cartas)
2. ese señor: ir en carro a muchas partes de la ciudad (almorzar)
3. yo: escribir muchos artículos (hacer entrevistas en el parque)
4. tú: jugar al fútbol con el equipo nacional (pescar)
5. nosotras: hacer jarras de cerámica (comer unos tacos)
6. aquella señora: ayudar a muchas personas (comprar un helado)
7. mi hermano y yo: ir a muchos conciertos (tocar la guitarra)

Now you can...

- discuss jobs and professions.

To review...

- the impersonal **se**, see p. 411.

② Buscando trabajo

Isabel y Pablo hablan de cómo se solicita trabajo. Completa sus ideas formando oraciones lógicas.

> **modelo**
>
> *(usar) ropa informal en las entrevistas*
>
> *No se usa ropa informal en las entrevistas.*

1. (necesitar) experiencia para los puestos importantes
2. (llegar) tarde a la primera entrevista
3. (pedir) datos personales en la solicitud
4. (escribir) el nombre de los padres en la solicitud
5. (solicitar) puestos profesionales en el parque

Now you can...

• describe people, places, and things.

To review

• past participles used as adjectives, see p. 413.

3 ¡A buscar trabajo!

Isabel habla con un amigo por teléfono. Completa lo que dicen usando el verbo **estar** y el participio pasado de cada verbo.

modelo

Mi experiencia _____ (explicar) aquí.

Mi experiencia está explicada aquí.

Isabel: Armando, la oficina de empleos __1__ (abrir). ¡Vamos! Tú y yo __2__ (capacitar) para muchos de los empleos que se ofrecen. Yo __3__ (preparar): todos mis datos personales __4__ (escribir) en mi cuaderno. Armando... ¿me oyes? ¿ __5__ (dormir)?

Armando: Te oigo, Isabel, pero yo __6__ (cansar). No puedo acompañarte. Mis planes ya __7__ (hacer) para hoy. ¡Voy a descansar! Habla con mi hermana. Ella __8__ (aburrir).

Now you can...

• complete an application.

To review

• application vocabulary, see p. 412.

4 Una solicitud

Estás leyendo la solicitud de alguien que busca trabajo. Identifica los datos.

ciudadanía   educación   experiencia

fecha de nacimiento   firma   número de teléfono

modelo

450-7225

número de teléfono

1. Trabajé como cajero en un supermercado por dos años.
2. Estados Unidos
3. Me gradué del colegio en el año 2000.
4. Daniel Sánchez
5. 2 de febrero de 1983

Conexiones: Understand and convey information about geography

5 ¡Alguien está dormido!

STRATEGY: SPEAKING

Check comprehension If you want to see whether others are paying attention and understand what you are saying, make statements that are obviously true or false. *Obvious* means observing *who, what,* or *where.* (*When, why,* and *how* are less clear.) As you hear statements about people or things in the classroom, decide whether the observation is **cierta, falsa** or whether it depends on interpretation **(no es cierta).** For example, can you tell the difference between a person who is **aburrida** and one who is **cansada**?

Mira a las personas y los objetos de tu clase y escribe cinco descripciones, usando participios pasados. Tu compañero(a) tiene que decir si son **ciertas** o **falsas.**

escritas   cansado   sentados   **capacitados**
dormida   ocupadas   **perdido**
preparados   hecho   **emocionado**   aburrida
preocupada   **puesto**
preocupada   abierta

modelo

Tú: *La puerta está abierta.*

Compañero(a): *Falso. La puerta está cerrada.*

6 ¿Quién es?

Describe lo que está haciendo alguna persona profesional. Tus compañeros(as) tienen que hacerte preguntas para identificar la profesión.

modelo

Tú: *Está buscando información en muchos libros.*

Estudiante 1: *¿Es profesor o profesora?*

Tú: *No. También está hablando por teléfono con sus clientes.*

Estudiante 2: *¿Es abogado o abogada?*

Tú: *¡Sí!*

7 En tu propia voz

ESCRITURA Describe tu trabajo ideal. Incluye la información que se pide abajo.

* qué quieres ser y por qué
* cómo se solicita este trabajo
* por qué tú estás capacitado(a) para el trabajo

modelo

Quiero ser… Para solicitar este trabajo, primero se lee el periódico…

CONEXIONES

La geografía En 1736, cerca de Quito, una expedición empezó a medir *(measure)* la línea ecuatorial. Mira un globo o mapa para saber qué países están en el ecuador. ¿Son estos países similares o diferentes? Haz una lista de los países e investígalos para comparar el terreno y el clima.

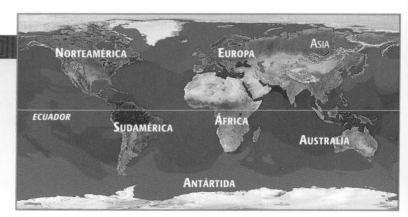

420 cuatrocientos veinte
Unidad 6

En resumen

REPASO DE VOCABULARIO

Jobs and Professions

el (la) abogado(a)	*lawyer*
el (la) agricultor(a)	*farmer*
el (la) arquitecto(a)	*architect*
el (la) artesano(a)	*artisan*
el (la) asistente	*assistant*
el bailarín, la bailarina	*dancer*
el bombero	*firefighter*
el (la) cartero(a)	*mail carrier*
el (la) contador(a)	*accountant*
el (la) deportista	*athlete*
el (la) dueño(a)	*owner*
el (la) gerente	*manager*
el (la) hombre (mujer) de negocios	*businessman/businesswoman*
el (la) ingeniero(a)	*engineer*
el (la) jefe(a)	*boss*
el (la) juez(a)	*judge*
el (la) mecánico(a)	*mechanic*
el (la) músico(a)	*musician*
el (la) niñero(a)	*child-care provider*
el (la) obrero(a)	*worker*
el (la) operador(a)	*operator*
el (la) peluquero(a)	*barber, hairstylist*
el (la) secretario(a)	*secretary*
el (la) taxista	*taxi driver*
el (la) técnico(a)	*technician*
el (la) veterinario(a)	*veterinarian*
el (la) voluntario(a)	*volunteer*

Aspects of Professional Life

la carrera	*career*
el empleo	*employment, job*
ganarse la vida	*to earn a living*
la profesión	*profession*
el puesto	*position*

capacitado(a)	*qualified*

la ciudadanía	*citizenship*
los datos	*facts, information*
la fecha de nacimiento	*date of birth*
la firma	*signature*
solicitar	*to request, to apply for*
la solicitud	*application*

Juego

Un policía y un cartero almuerzan en un restaurante. Uno pide el menú del día. El otro quiere comer a la carta.

¿Quién crees que come a la carta?

ETAPA

2

La entrevista

OBJECTIVES

- Prepare for an interview

- Interview for a job

- Evaluate situations and people

¿Qué ves?

Mira la página. ¿Qué ves?

1. ¿Quiénes son las personas principales de la foto?

2. ¿Qué hacen estas personas?

3. ¿Dónde crees que están?

4. ¿Qué es *Viajamundo*?

Tel.: (593-2) 452•890
Fax: (593-2) 893•257
Email: jmontero@vmundo.com

VIAJAMUNDO
Revista de viajes

Santiago Montero Díez
Editor ejecutivo

Av. 10 de Agosto y Aguirre
Casilla de Correo 15-24-985
Quito-Ecuador

VIDEO   DVD   AUDIO

En contexto
VOCABULARIO

Isabel busca trabajo en una revista.

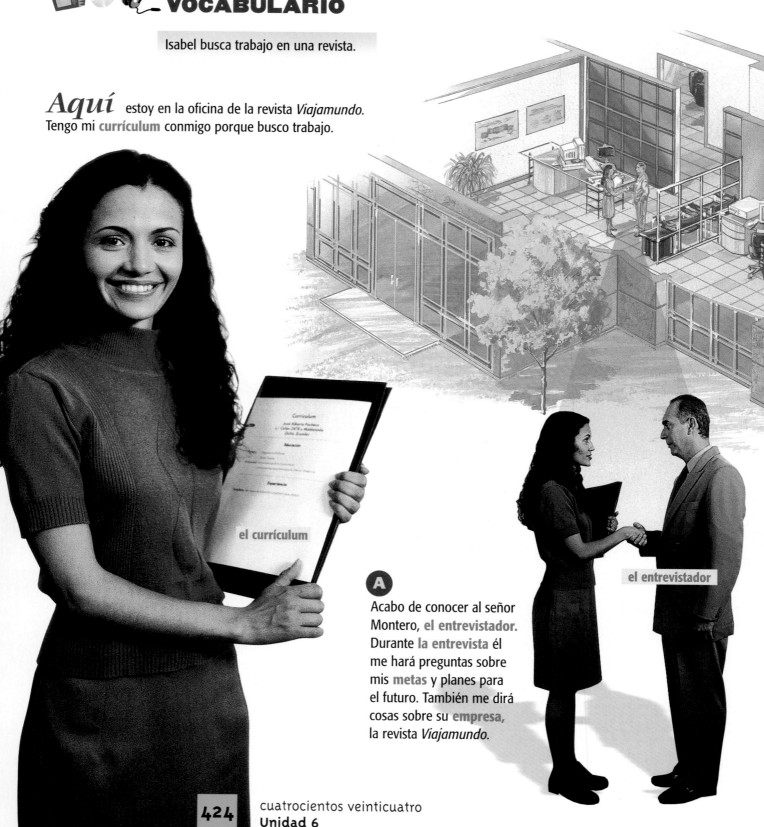

Aquí estoy en la oficina de la revista *Viajamundo*. Tengo mi **currículum** conmigo porque busco trabajo.

el currículum

A

Acabo de conocer al señor Montero, **el entrevistador**. Durante **la entrevista** él me hará preguntas sobre mis **metas** y planes para el futuro. También me dirá cosas sobre su **empresa**, la revista *Viajamundo*.

el entrevistador

el contrato

Información

CONTRATO: 6 meses

SUELDO: 400 dólares al mes

BENEFICIOS: Incluyen seguro médico

B El puesto de periodista que estoy solicitando no es permanente. Como puedes ver, **el contrato** es por solamente seis meses. **El sueldo** es 400 dólares al mes, y **los beneficios** incluyen **el seguro** médico.

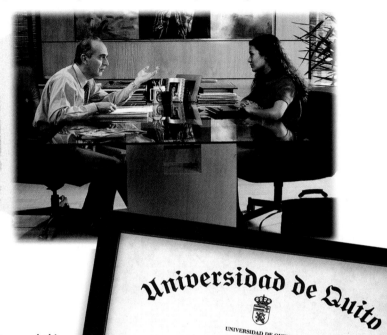

C

El señor Montero asistió a **la Universidad** de Quito. Dice que tener una buena **educación** es una gran **ventaja**. La falta de educación es **una desventaja**. Sin suficiente educación, puede ser difícil que una persona encuentre un buen trabajo.

Universidad de Quito

UNIVERSIDAD DE QUITO
ECUADOR

Certificamos que ___ SANTIAGO MONTERO DÍEZ ___

obtuvo la licenciatura en PERIODISMO.

Quito, 10 de junio de 1.972

Vº Bº EL RECTOR

D La entrevista terminó y ahora me voy. ¡Qué amable fue el señor Montero! Él **me cayó bien.** Pienso que yo le caí bien también, porque me dijo que soy una buena candidata para el puesto.

Online Workbook
CLASSZONE.COM

Preguntas personales

1. ¿Piensas que es una ventaja tener una educación universitaria?
2. ¿Preferirías un contrato de seis meses o un puesto permanente? ¿Por qué?
3. Para ti, ¿qué sería más importante, tener un trabajo con un buen sueldo o tener un trabajo que te guste? ¿Por qué?
4. En tu opinión, ¿cómo sería el trabajo perfecto?
5. ¿Tienes algunas metas, grandes o pequeñas, para el futuro? ¿Cuáles son?

VIDEO   DVD   AUDIO

En vivo
DIÁLOGO

Señor Montero   Isabel

La entrevista

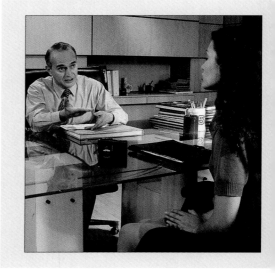

PARA ESCUCHAR • STRATEGY: LISTENING

Evaluate behavior Making a good impression depends on many factors. Assess Isabel's conduct in the interview. Would you rate Isabel **superior, regular,** or **no aceptable** in the following categories?

• **presentación**   • **manera de hablar**   • **metas**
• **lo que dice**   • **aptitudes**

1▶ Señor Montero: Hábleme un poco sobre sus metas, por favor.

Isabel: Primero, voy a terminar mi educación. Pienso estudiar periodismo. Me gustaría trabajar para una revista de viajes.

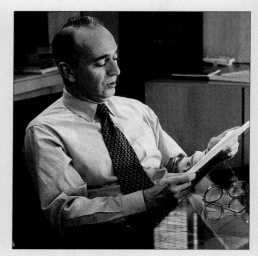

5▶ Señor Montero: Este trabajo tiene otros beneficios. Por ejemplo, el contrato incluye seguro médico. Debe escribir algo sobre la importancia del seguro médico. Es una gran ventaja.

6▶ Señor Montero: No es un sueldo muy alto, pero nuestra empresa es pequeña.

Isabel: No sólo me interesa el sueldo, señor Montero. La experiencia de trabajar para una revista como ésta vale mucho.

7▶ Señor Montero: Me alegra que usted lo vea así. Veo que usted tiene una recomendación del señor Pablo Barajas. Dice que usted es una persona puntual. La puntualidad es una cualidad importante.

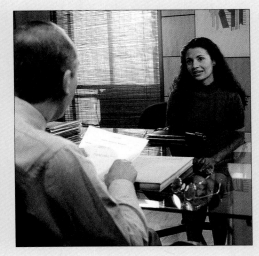

2 ▶ Señor Montero: ¿Le gusta viajar?

Isabel: Cuando era niña siempre les decía a mis padres que viajaría por todo el mundo. Viajé sola a Madrid este año…

3 ▶ Señor Montero: Bueno, tengo aquí su currículum. Usted ha dicho exactamente cuáles son sus aptitudes y habilidades. Usted ha puesto aquí que le gusta escribir sobre viajes. ¿Por qué le gusta?

4 ▶ Isabel: Viajar es una de las mejores maneras de entender a la gente de otras culturas. Y trabajar para una revista de viajes es una buena manera de hacer dos cosas que a mí me gustan —viajar y escribir.

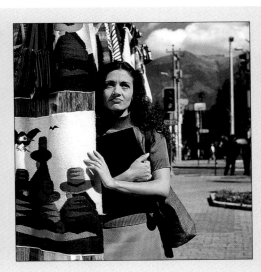

8 ▶ Señor Montero: Es una lástima que no solicite de verdad este trabajo. Usted me cae bien.

Isabel: Es usted muy amable. Creo que me gustaría mucho trabajar aquí.

9 ▶ Señor Montero: Pues, cuando termine sus estudios, ¿por qué no se pone en contacto conmigo? Si tenemos un puesto disponible, le daremos toda consideración.

Isabel: Muchas gracias. Me ha ayudado mucho con mi artículo.

10 ▶ Isabel: Esta experiencia con *Onda Internacional* ha sido muy buena. He aprendido mucho y he visto partes del mundo que antes no conocía. Estoy triste. Mañana tengo que volver a México. ¡Me ha gustado tanto Ecuador!

Activity 4: Understand and convey information about professions and work

En acción

Comprensión del diálogo

Señor Montero   Isabel

For Activities 1–2, refer to the dialog on pages 426–427.

1 ¿Qué pasó?

Escuchar/Escribir Completa las oraciones según el diálogo.

1. Isabel va a seguir con su (viaje, trabajo, educación).

2. Ella le dijo al señor Montero que viajó sola a (Madrid, Buenos Aires, Bogotá).

3. Después de terminar los estudios, Isabel quiere (regresar a Ecuador, trabajar para una revista de viajes, asistir a la universidad).

4. El señor Montero le explicó que (el sueldo, el seguro, el contrato) no es alto.

5. A Isabel le importa también (la empresa, la recomendación, la experiencia).

6. Isabel y el señor Montero piensan que vale mucho ser (dependiente, rico, puntual).

7. El señor Montero dice que es una lástima que Isabel no (solicite, sienta, salte) de verdad este trabajo.

8. Isabel está (emocionada, triste, enojada) porque sale de Ecuador mañana.

2 ¿Cuál corresponde?

Escuchar/Escribir Usa estas palabras para completar la descripción del diálogo.

artículo
recomendación
empresa
curriculum
metas
periodismo
entrevista
ventaja
puesto
beneficios

1. Isabel tiene una _____ con el señor Montero.

2. Una de las _____ de Isabel es terminar su educación.

3. Isabel piensa estudiar _____ .

4. En su _____ , Isabel escribió de sus aptitudes y habilidades.

5. El trabajo tiene buenos _____ , incluyendo seguro médico.

6. Según el señor Montero, el seguro médico es una gran _____ .

7. El sueldo es bajo porque la _____ es pequeña.

8. La _____ de Pablo Barajas dice que Isabel es una persona puntual.

9. Si *Viajamundo* tiene un _____ disponible cuando Isabel termine sus estudios, le dará toda consideración.

10. El señor Montero ayudó a Isabel con su _____ .

Objectives for Activities 3–4
• Prepare for an interview • Evaluate situations and people

③ ¿Qué se ve en el dibujo? ♻

Hablar/*Escribir* Pablo lee las tiras cómicas y se las describe a Isabel. ¿Qué dice? Sigue el modelo. Usa estos verbos para formar los participios.

esconder	cerrar
enamorar	cansar
abrir	enojar
ocupar	dormir
romper	

modelo

El joven no puede salir a jugar porque está ocupado.

1.
2.
3.
4. EL BUEN COMER
5.
6.

④ ¿Ventaja o desventaja?

Hablar/Leer Unos gerentes están considerando a varios candidatos para unos puestos en una empresa. Lee las descripciones y con un(a) compañero(a) decide si son una ventaja o desventaja para el (la) candidato(a).

1. Su currículum está bien escrito.
2. La candidata tiene metas muy claras.
3. Tiene más de la educación necesaria.
4. El entrevistador conoce al candidato.
5. Tiene un diploma del colegio pero no de la universidad.
6. Hay errores en su solicitud.
7. El candidato le cayó bien a la entrevistadora.
8. La candidata busca un sueldo alto y seguro médico.
9. Su currículum es demasiado largo.
10. El candidato es puntual.

Práctica: gramática y vocabulario

Objectives for Activities 5–15
• Prepare for an interview • Interview for a job • Evaluate situations and people

REPASO **The Preterite and the Imperfect**

♻ **¿RECUERDAS?** *p. 137* Remember that the preterite and the imperfect are two different verb forms for talking about the past.

• Use the preterite to describe a past action with a specific beginning and ending.

• Use the imperfect to tell about the past without reference to beginnings and endings.

Isabel says:

—Cuando **era** niña **me gustaba** tanto viajar que mis padres me **dieron** un mapa del mundo.

*When **I was** a little girl **I used to like** to travel so much that my parents **gave** me a map of the world.*

Practice: **Actividades** 5 6 7 8

Más práctica *cuaderno p. 149*
Para hispanohablantes *cuaderno p. 147*

Online Workbook
CLASSZONE.COM

---

5 **La voz estudiantil**

Leer/Escribir Isabel escribió un artículo para el periódico de su escuela sobre sus experiencias con *Onda Internacional*. Completa su artículo utilizando el pretérito o el imperfecto de cada verbo.

Onda Internacional —Un trabajo sensacional

Nunca olvidaré el día en que __1__ (saber) que __2__ (ganar) el concurso. Yo __3__ (estar) escribiendo una carta cuando una señora de la revista me __4__ (llamar) por teléfono. Ella me __5__ (decir) que yo __6__ (ir) a escribir artículos en la Ciudad de México, Madrid y Ecuador.

En mis viajes, __7__ (conocer) a muchos nuevos amigos. En la Ciudad de México, Ricardo y yo __8__ (ir) un día a la casa de un hombre que me __9__ (contar) sobre un temblor…

6 Sí, recuerdo...

Hablar Todo el mundo tiene problemas cuando busca trabajo. Habla con un(a) compañero(a) sobre los problemas que pueden ocurrir.

modelo

conducir a una entrevista

Tú: *Una vez tuve un problema cuando conducía a una entrevista.*

Compañero(a): *Sí, recuerdo que cuando conducías a una entrevista tuviste un accidente.*

Tú	Compañero(a)
conducir a una entrevista	perder un botón
vestirme con mi mejor traje	tener un accidente
irme a la oficina	olvidar la dirección
llenar la solicitud	darte cuenta de que no era suficiente
conocer a la jefa	contar mentiras
hablarme del sueldo	caerle mal
ofrecerme el trabajo	decirte que el contrato era solamente de seis meses

7 ¿Lo hacías? ¿Lo hiciste?

Hablar/*Escribir* Con un grupo de compañeros(as) habla de lo que hacías de niño(a) y compara aquellas actividades con las de la semana pasada. Luego escribe un resumen de siete oraciones o más.

modelo

Tú: *Cuando era niño(a), iba de compras con mi mamá. La semana pasada no fui de compras con ella.*

Resumen: *Antes, Teresa y yo íbamos de compras mucho con nuestras madres, pero la semana pasada no fuimos de compras con ellas...*

Nombre	De niño(a)...	La semana pasada...
yo	iba de compras...	no fui de compras...
Teresa	...	...
¿?	¿?	¿?

More Practice: **Más comunicación** *p. R18*

También se dice

Ecuador

En español la palabra **carrera** significa **profesión,** como en inglés, pero también se refiere al programa de estudios necesario para prepararse para una profesión. Si un estudiante habla de **terminar la carrera,** quiere decir que termina los estudios universitarios y empieza su vida profesional. Otros verbos que se usan son **titularse** (recibir un título), **licenciarse** (recibir una licencia, generalmente equivalente a la maestría) y **egresar** (salir de la universidad).

IMPORTANTE EMPRESA DEL SECTOR AUTOMOTRIZ
NECESITA CONTRATAR
UN VENDEDOR EXTERNO

Requisitos:
- Egresado o titulado en Administración de Empresas, Ingeniería comercial o carreras similares (no indispensable)
- Experiencia mínima de 3 años
- Buena predisposición para el trabajo
- Edad mínima 25 años

La empresa ofrece:
Sueldo, comisiones y beneficios de ley, estabilidad laboral, oportunidad de desarrollo profesional.

Personas interesadas enviar curriculum a la casilla 17-03-4662- Quito.

8 Buscando un trabajo

Escuchar Roberto habla de la primera vez que buscó un trabajo. Pon los dibujos en orden, según su descripción.

a.

b.

c.

d.

GRAMÁTICA   The Present Perfect

¿RECUERDAS? *p. 413* Remember the **past participle** form of the verb that is used as an adjective?

habl**ar**	→ **hablado**
com**er**	→ **comido**
viv**ir**	→ **vivido**

Past participles are also used with **haber** to form the present perfect tense. Just as in English, you use this tense to talk about things someone has done.

auxiliary verb **haber**

he	hemos
has	habéis
ha	han

+ **past participle** of the main verb

Isabel says:

—He **aprendido** mucho.
I have learned a lot.

The present perfect tense refers to actions **completed in the past** but that **relate to the present.**

—Esta experiencia con *Onda Internacional* ha **sido** muy buena.
This experience with Onda Internacional **has been** *very good.*

The **past participle** doesn't change to reflect gender or number. Only haber changes to agree with the subject.

When you use the object pronouns or reflexive pronouns with the present perfect, you put the pronoun before the conjugated form of haber.

Isabel says to Señor Montero:

—Me ha **ayudado** mucho con mi artículo.
You have helped me a lot with my article.

Practice: Actividades
9 10 11 12

Más práctica
cuaderno pp. 150–151
Para hispanohablantes
cuaderno pp. 148–149

 Online Workbook
CLASSZONE.COM

9 Bien preparados

Escribir Todos se han preparado para buscar un empleo. ¿Quién ha hecho bien y quién ha hecho mal?

modelo

tú / investigar la empresa

Tú has investigado la empresa. ¡Qué bien!

Rosa / vestirse con ropa sucia

Rosa se ha vestido con ropa sucia. ¡Qué mal!

1. yo / llegar tarde a la entrevista
2. nosotros / mirar los anuncios clasificados en el periódico
3. Pablo / molestar al entrevistador
4. ellas / llenar la solicitud con cuidado
5. yo / llevar jeans y una camiseta a la entrevista
6. tú / llamar a las personas que conoces en la compañía
7. tus amigos / venir a la entrevista contigo
8. ustedes / llevar su currículum a la entrevista
9. Cristina / llevar un traje a la entrevista
10. yo / perder mi currículum

10 Tus experiencias

Hablar/*Escribir* ¿Ya has conseguido un trabajo o te has preparado para ir a la universidad? Di si ya has hecho lo siguiente.

modelo

hablar con un(a) entrevistador(a) de mis habilidades

Ya he hablado con un(a) entrevistador(a) de mis habilidades. (No he hablado con un(a) entrevistador(a) de mis habilidades todavía.)

1. ir a una entrevista
2. valorar la puntualidad
3. tomar un examen para un trabajo o para la universidad
4. buscar recomendaciones
5. identificar mis habilidades
6. participar en cursos de capacitación
7. solicitar un contrato de trabajo
8. conseguir un trabajo
9. preguntar sobre los beneficios
10. graduarme de la escuela

Vocabulario

En la entrevista

la capacitación *training*
conseguir (e→i, i) *to get*
las habilidades *capabilities*
la puntualidad *punctuality*

las recomendaciones *recommendations*
requerir (e→ie, i) *to require*
el requisito *requirement*

▶ ¿Cuáles son tus habilidades?

Activity 11: Understand and convey
information about family and friends

11 ¿Qué han hecho?

Hablar/Escribir Habla con un grupo de compañeros(as) de lo que tú, tu familia y tus amigos(as) han hecho. Combina elementos de las dos columnas. Luego escribe seis oraciones basadas en su conversación.

mis padres
mis amigos(as) y yo
mi hermano(a)
yo
tú (*nombre*)
mi mejor amigo(a)
¿?

ganar dinero
viajar mucho
ir a una
  universidad
tener un(a) novio(a)
estar en el periódico
practicar un deporte
  en un equipo
  de la escuela
sacar
  (buenas / malas)
  notas
vivir en otro estado
¿?

12 ¿Ya?

Escuchar/Escribir La señora Aguilera llama a casa a ver qué ha hecho su familia mientras ella estaba trabajando. Escucha el diálogo. Luego escribe lo que contesta su hija según los dibujos.

1.

2.

3.

4.

Ecuador

Nota cultural

Los grupos indígenas En Ecuador viven unos diez grupos indígenas, cada uno con su propia lengua y cultura. La mayor parte de ellos hablan

quechua, la lengua indígena más conocida del país. Hoy en día la mayoría de la población indígena es bilingüe, pero en las zonas más remotas del país todavía se encuentran comunidades donde solamente se oyen lenguas indígenas.

GRAMÁTICA **The Present Perfect with Irregular Verbs**

♻ **¿RECUERDAS?** *p. 413* Remember how to form regular **past participles**?

-ar verbs add **-ado**

habl**ar** → habl**ado**

-er and **-ir** verbs add **-ido**

com**er** → com**ido**

viv**ir** → viv**ido**

▶ There is a written **accent** in the past participle of **-er** and **-ir** verbs whose stems end in **a, e,** or **o:**

c**a**er → ca**í**do

l**e**er → le**í**do

oír → o**í**do

▶ Some verbs have **irregular past participles** and do not follow this pattern. Use the chart below to review them.

infinitive	past participle	infinitive	past participle
abrir	abierto	morir	muerto
decir	dicho	poner	puesto
descubrir	descubierto	resolver	resuelto
escribir	escrito	romper	roto
hacer	hecho	ver	visto
ir	ido	volver	vuelto

▶ These **irregular past participles** are also used with the verb **haber** to form the **present perfect** tense.

Señor Montero says to Isabel:

—Usted **ha puesto** aquí que le gusta escribir sobre viajes.
*You **have put** here that you like to write about travel.*

Practice:
Actividades
⑬ ⑭ ⑮

Más práctica
cuaderno p. 152
Para hispanohablantes
cuaderno p. 150

 Online Workbook
CLASSZONE.COM

---

⑬ **Recientemente**

Hablar/*Escribir* ¿Qué han hecho recientemente tú y las personas que conoces? Contesta con oraciones afirmativas o negativas. Sigue el modelo.

> **modelo**
> *mis amigos y yo / volver / escuela primaria*
>
> *Mis amigos y yo (no) hemos vuelto a nuestra escuela primaria recientemente.*

I. yo / decirles / mentira / padres

2. mis amigos / ver / estreno de (*nombre*)

3. mi familia y yo / ir / parque juntos

4. mis amigos y yo / hacer / tarea

5. mi hermano(a) / poner / mesa

6. tú (*nombre*) / escribirme / carta

7. el (la) maestro(a) / abrir / ventana

8. un miembro de mi familia / romperse / brazo

9. yo / leer / novela

10. mi mejor amigo(a) / resolver / problema

Activity 15: Use authentic materials when reading: advertisements
Activities 15–17: Write short guided compositions

14 Una encuesta

Hablar/*Escribir* Tú y tus amigos buscan trabajo. Con un grupo de compañeros(as), pregúntense si han hecho las actividades de la lista. Luego haz una tabla para presentar los resultados.

modelo

hacer capacitación para un empleo

Tú: *¿Quién ha hecho capacitación para un empleo?*

Compañero(a): *Yo he hecho capacitación…*

Luego:

	sí	no
hacer capacitación	IIII	II
ir a una exposición de carreras	II	I
decir la verdad en la solicitud	IIII	II

1. escribir un currículum
2. ir a una exposición de carreras
3. decir la verdad en la solicitud
4. ver un contrato de empleo
5. tener miedo durante una entrevista
6. oír sobre puestos de amigos
7. romper una solicitud
8. leer los anuncios clasificados en el periódico
9. hacer una lista de habilidades
10. buscar recomendaciones

Nota cultural

Las empresas del mundo hispano Algunas de las normas empresariales del mundo hispano son diferentes de las de Estados Unidos. El respeto por el jefe es mucho más formal en varios países hispanos.

15 Se solicita un puesto

Leer/*Escribir* Lee estos anuncios del periódico *El Comercio*. Escoge un puesto que te gustaría solicitar y explica por qué estás capacitado(a).

CHICAS-CHICOS	PROFESORES
Estudiantes jóvenes, fin de semana, recreadores fiestas infantiles. Entrevistas: Amazonas 5532 y Tomás de Berlanga. Lunes 3 p.m.	El Centro Educativo Isaac Newton necesita contratar el siguiente personal: a) profesor(a) de inglés b) profesor(a) de grado para primaria Interesados enviar currículum a dirección: Centro Educativo Experimental Isaac Newton, Calle de los Guayable N50-120 y de Los Alamos, El Inca.

INSTRUCTORES
pesas, aeróbicos requiere prestigioso gimnasio, 537040, 351593

CANTANTES
mujer y hombre necesito, grupo música mexicana. 548802, 573590

JÓVENES
Empresa de comida rápida requiere jóvenes con motocicleta propia, para trabajar en servicio a domicilio. Ofrecemos: gasolina, seguro personal, atractivo sueldo, etc.

MECÁNICO
Automotriz necesito urgente con experiencia en electricidad y mecánica general. Telf.473402

CHOFER PRIMERA
Dispuesto trabajar doce horas diarias, edad máxima 30 años, experiencia vehículos. Ulloa 1167 Mariana de Jesús.

PASTELERÍA
Requiere personal responsable. Para mostrador. teléfono: 402663.

AGENTE VENDEDOR
con vehículo, distribución productos panadería, teléfonos: 648770, 603951.

VENDEDORES
se necesita contratar los mejores vendedores con experiencia y deseos de superación, excelente remuneración, presentarse con su carpeta al Iñaquito UNP, edificio UNP, oficina 301.

CONTADOR
medio tiempo con experiencia, empresa grande casilla 17079742

modelo

Me gustaría solicitar el puesto de mecánico. No he tenido un trabajo todavía pero he hecho otras cosas para prepararme y tengo todos los requisitos. Soy…

tener experiencia	**metas personales**
educación	**los requisitos**
valorar la puntualidad	**llegar a tiempo**
estar capacitado(a)	**participar**
ayudar a…	**ser voluntario(a)**

Activities 16–17 bring together all concepts presented.

16 Tu currículum

Escribir Quieres trabajar en una oficina donde se habla español y tienes que mandar tu currículum. Usa una computadora si es posible para hacer notas para tu currículum en español e incluye la siguiente información:

- tu nombre y apellido
- los datos personales
- tu objetivo (el trabajo que quieres conseguir)
- tu educación (las escuelas y fechas de estudio)
- las clases pertinentes al trabajo
- las habilidades que aprendiste en tus clases
- los trabajos y las experiencias como voluntario(a)
- las habilidades que aprendiste en otros trabajos
- tus metas para el futuro
- tus pasatiempos

17 Para conseguir un trabajo...

STRATEGY: SPEAKING

Give advice The best advice is brief and attention-getting. What verb form commands attention? Good advice can be made more dramatic by contrasting it with its opposite: **Llegue a tiempo a la entrevista. ¡Nunca llegue tarde!**

Help your classmates to experience your advice through seeing, hearing, and acting in addition to thinking.

Hablar/*Escribir* En grupos, hagan una lista de consejos para conseguir trabajo y escríbanla en un papel grande. Preséntenle cada regla a la clase. Consideren las siguientes preguntas:

1. ¿Dónde se buscan los puestos?
2. ¿Cómo se prepara para solicitarlos?
3. ¿Qué se escribe en un currículum?
4. ¿Cómo se llena la solicitud?
5. ¿Cómo se viste para una entrevista?
6. ¿Qué se debe hacer en el colegio para conseguir recomendaciones?
7. ¿Qué se debe hacer en la entrevista?
8. ¿Qué no se debe hacer?

More Practice:
Más comunicación *p. R18*

Online Workbook
CLASSZONE.COM

Refrán

Cortesía y bien hablar, cien puertas nos abrirán.

¿Eres muy cortés con los demás? En grupos pequeños hagan una lista de situaciones en que la cortesía es una ventaja. ¿Cuál podrá ser el resultado en cada situación?

Use authentic materials when reading: advertisements

En colores
CULTURA Y COMPARACIONES

Ciberespacio en Quito

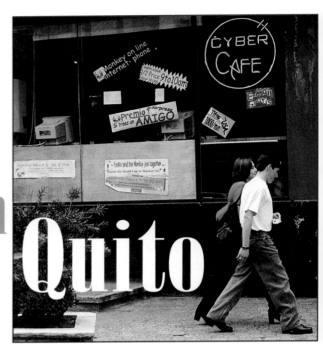

PARA CONOCERNOS
STRATEGY: CONNECTING CULTURES

Assess use of e-mail Are there places in your community where e-mail is available to the public? Would a café like the one in Quito be popular in your town? Survey your classmates to gather information.

1. ¿Usas correo electrónico?
2. Si lo usas, ¿dónde? ¿Qué cuota pagas?
3. Si no, ¿por qué? ¿Te gustaría usarlo?

Imagina que estás en Quito y quieres mandarle un mensaje a tu amigo en Texas o quieres leer tu correo electrónico. ¿Qué haces? Vas al Café Net, al Cyber-C@fe o al C@féWeb.par. Pagas la cuota[1] y te sientas en una de las computadoras que dan acceso a Internet. Desde uno de estos cafés puedes ponerte en contacto con tu familia en Estados Unidos. También puedes hablar con muchos amigos.

Los cafés que ofrecen servicio de Internet son un concepto nuevo que une[2] el café tradicional con el ciberespacio. Estos cafés son diferentes porque aparte de servir comida, ofrecen más. Tienen acceso a Internet por medio de las computadoras que están en las mesas.

---

[1] fee   [2] combines

POR FIN EN QUITO

Café NET

Y muy cerca de ti... el primer CYBERCAFE del Ecuador, podrás navegar en el Web, enviar e-mail con una de nuestras diez computadoras Pentium 166 MMX. Podrás hablar

Martes - Domingo
12h⁰⁰ - 24h⁰⁰

escuchado, música de Estados Unidos, Gran Bretaña, Ecuador, Argentina, México, Chile y otros países. Contarás con expertos para res...

Mientras mandas correo electrónico o haces tu tarea, puedes tomar un refresco y escuchar música de varios países: Estados Unidos, Inglaterra, Ecuador y más. ¡Te olvidas de que no estás en tu propia casa!

Ahora los cafés Internet son unos de los lugares más populares para los jóvenes de Quito. Allí se reúnen los amigos para conversar y usar las computadoras. ¿No te dan ganas de ir? ¡A teclear³, pues!

_____

³ Let's key in

More About Ecuador
CLASSZONE.COM

¿Comprendiste?

1. ¿En qué se diferencia el Café Net de los otros cafés en Quito?
2. ¿Qué acceso dan sus computadoras?
3. ¿Qué tiene que hacer uno para usar las computadoras de los cafés?
4. ¿Cuáles son las actividades posibles en el Café Net?

¿Qué piensas?

1. ¿Qué piensas del Café Net? ¿Es una buena idea? ¿Por qué?
2. ¿Usas Internet? ¿El correo electrónico? ¿Qué influencia tiene Internet en tu vida, en tus estudios y en la vida de tus compañeros?

Hazlo tú

En grupos, hagan un plan de un Café Internet para su colegio y luego preséntenselo a la clase. ¿Qué actividades se ofrecerán? ¿Cuántas computadoras habrá? ¿Qué buscarían los estudiantes en un «Café Net»?

ETAPA 2

Activities 1–4: Show no significant pattern of error when understanding some ideas and familiar details

En uso
REPASO Y MÁS COMUNICACIÓN

OBJECTIVES

- Prepare for an interview
- Interview for a job
- Evaluate situations and people

Now you can...

- prepare for an interview.
- evaluate situations and people.

To review

- preterite and imperfect tenses, see p. 430.

1 La entrevista de Pablo

Pablo describe su primera entrevista. ¿Qué dice? Cambia los verbos al pasado, usando el pretérito y el imperfecto. Luego di tu opinión sobre las situaciones.

modelo

Tengo algunas recomendaciones, pero no las traigo.

Tenía algunas recomendaciones, pero no las traje. (Fue una desventaja.)

1. Llego temprano porque me importa la puntualidad.
2. Cuando entro en la oficina, nadie está allí para recibirme.
3. El entrevistador está ocupado y no quiere pasar mucho tiempo conmigo.
4. Cuando el entrevistador me pregunta sobre mis habilidades, no sé qué decir y no digo nada.
5. El entrevistador me ofrece buenos beneficios.
6. Mientras hablo con el entrevistador, alguien llama por teléfono.
7. El entrevistador nunca me habla del sueldo.
8. Le caigo bien al entrevistador porque tengo metas claras.

Now you can...

- prepare for an interview.
- interview for a job.

To review

- preterite and imperfect tenses, see p. 430.

2 La entrevista de Isabel

Isabel describe su entrevista con el señor Montero. Completa la descripción con el pretérito o el imperfecto de los verbos indicados.

Ayer yo __1__ (hacer) la entrevista con el señor Montero. __2__ (Estar) un poco nerviosa al principio, pero todo __3__ (salir) bien.

Yo __4__ (llegar) a la oficina temprano. __5__ (Ser) una oficina bastante lujosa. Primero, __6__ (tener) que llenar la solicitud. ¡Ellos __7__ (querer) muchos datos personales! Mientras yo __8__ (escribir), el señor Montero __9__ (llamar) por teléfono. Él le __10__ (explicar) a la secretaria que __11__ (ir) a llegar tarde.

Cuando el señor Montero __12__ (llegar), yo __13__ (estar) bien preparada para sus preguntas. Nosotros __14__ (hablar) por media hora. ¡ __15__ (Ser) una experiencia estupenda!

Now you can...
• prepare for
  an interview.

To review
• present perfect
  with regular verbs,
  see p. 432.

3 **¡A prepararnos!**

¿Cómo se han preparado Isabel y sus amigos para su futuro trabajo? ¿Qué has hecho tú?

modelo

Francisco: explicarles sus planes a sus padres

Francisco les ha explicado sus planes a sus padres. Yo (no) les he explicado mis planes a mis padres.

1. Isabel: decidir asistir a la universidad
2. nosotros: preparar el currículum
3. tú: pedir una entrevista en una empresa
4. ustedes: terminar la escuela
5. ellos: conocer a personas importantes en la ciudad
6. Cristina: pensar en sus metas
7. él y yo: estudiar los requisitos para varios puestos
8. tú: conseguir la capacitación necesaria para tu futuro empleo

Now you can...
• interview for a job.

To review
• present perfect
  with irregular
  verbs, see p. 435.

4 **Las experiencias de Isabel**

Piensa en las experiencias de Isabel en Ecuador. ¿Cuáles de estas cosas le han pasado?

modelo

Isabel (ver) a Pablo en la oficina del señor Montero.

Isabel no ha visto a Pablo en la oficina del señor Montero.

1. Isabel (poner) sus datos personales en la solicitud.
2. El señor Montero (decir) algo sobre sus planes para el futuro.
3. Pablo (escribir) el currículum de Isabel.
4. Isabel y Pablo (abrir) el periódico en la sección de empleos.
5. Isabel (hacer) capacitación para el puesto de periodista.
6. Pablo (ver) el contrato de empleo para la revista del señor Montero.
7. El entrevistador (romper) la solicitud de Isabel.
8. Isabel (volver) para una segunda entrevista.

5 ¡A entrevistar!

STRATEGY: SPEAKING

Refine interview skills Both the interviewer and the candidate must be able to ask and answer clear, worthwhile questions and seek follow-up for more details. Good questions and answers reveal the nature of the job, employer expectations, and employee qualifications, such as education, experience, and personal qualities. Use the ideas listed in the table to guide you in forming questions and answers for your interview.

Entrevista a tu compañero(a) para un puesto en tu empresa. Después cambien de papel. El (La) entrevistador(a) y el (la) candidato(a) tienen que hacerse preguntas sobre las cosas en la tabla.

Entrevistador(a)	Candidato(a)
• la puntualidad	• los requisitos
• el currículum	• las responsabilidades
• la educación	• la capacitación
• las recomendaciones	• el sueldo
• las habilidades	• los beneficios

6 ¡Fue horrible!

Todos acaban de entrevistarse y tuvieron entrevistas malas. Compartan sus experiencias negativas y decidan quién tuvo la peor entrevista.

modelo

Estudiante 1: *Fue horrible. Llegué muy tarde, pero no había nadie en la oficina. Entonces…*

Estudiante 2: *Eso no es nada. Yo le caí muy mal a la entrevistadora porque…*

Estudiante 3: *Mi entrevista fue la peor. Mientras esperaba…*

7 En tu propia voz

ESCRITURA Imagínate que solicitas un trabajo de verano en una empresa donde se habla español. En una carta, explica cómo te has preparado para el puesto que se ofrece.

modelo

Estimados señores:

Me interesa el puesto de… He estudiado español por dos años y…

CONEXIONES

La música La flauta de pan, o rondador, es una flauta de origen antiguo que es parte de la música andina de Ecuador hoy en día. Aparte de los grupos indígenas de Ecuador, ¿qué otros grupos tienen una música con su propio estilo e instrumentos? Usa Internet o tu biblioteca para encontrar la respuesta a esta pregunta y compártela con la clase. Si encuentras un casete de la música, ¡no te olvides de traerlo!

En resumen
REPASO DE VOCABULARIO

Flashcards CLASSZONE.COM

PREPARE FOR AN INTERVIEW

el currículum	résumé, curriculum vitae
la educación	education
la entrevista	interview
la meta	goal
la universidad	university

EVALUATE SITUATIONS AND PEOPLE

caerle bien (mal) a alguien	to make a good (bad) impression on someone
la desventaja	disadvantage
la ventaja	advantage

INTERVIEW FOR A JOB

los beneficios	benefits
la capacitación	training
conseguir (e→i, i)	to get
el contrato	contract
la empresa	business, company
el (la) entrevistador(a)	interviewer
las habilidades	capabilities
la puntualidad	punctuality
las recomendaciones	recommendations
requerir (e → ie, i)	to require
el requisito	requirement
el seguro	insurance
el sueldo	salary

1. _ _ _ ○ _ _ _ _
2. _ ○ _ _ _ _ _ _ _ _
3. _ _ ○ _ _ _ _ _ _ _ _
4. ○ _ _ _ _ _ _ _
5. _ ○ _ _ _ _ _
6. _ _ _ _ ○ _ _ _ _
7. ○ _ _ _ _ _ _
8. _ _ _ _ _ _ ○ _ _ _ _ _
9. _ ○ _ _ _ _ _ _ _
10. _ _ _ _ _ ○ _ _
11. _ _ _ ○ _ _

Juego

Copia los espacios en blanco en una hoja de papel. Llena los espacios en blanco para completar las oraciones con las palabras apropiadas de esta etapa. Las letras en los círculos van a deletrear algo que es una meta para muchos estudiantes.

1. Saber usar la computadora es un _____ para muchos trabajos.

2. Muchos trabajos tienen _____ que incluyen el seguro médico.

3. Isabel escribe muy bien. Es una de sus _____ .

4. Tener una buena educación es una _____ .

5. Estudiar periodismo es una _____ importante de Isabel.

6. Cuando un puesto no es permanente, un empleado tiene un _____ .

7. El _____ médico está incluido en un contrato.

8. El señor Montero es el _____ que le hace preguntas a Isabel.

9. Isabel va a la universidad para continuar su _____ .

10. La revista *Viajamundo* es la _____ del señor Montero.

11. Isabel no quiere mucho dinero o _____ si puede trabajar para una revista.

ETAPA

3

¡A trabajar!

OBJECTIVES

- Talk on the telephone

- Report on past, present, and future events

- Describe duties, people, and surroundings

¿Qué ves?

Mira la foto. ¿Qué ves?

1. ¿Dónde tiene lugar la foto?

2. ¿Reconoces el juego?

3. ¿Qué hace esta gente?

4. ¿Con quién crees que habla Isabel?

En contexto

VOCABULARIO ♻

VIDEO DVD AUDIO

Aprendiste mucho este año.
¿Recuerdas todo lo que ves aquí?

¡Hola! Este año ustedes aprendieron mucho español. ¿Se acuerdan de lo que han aprendido? Pues, vamos a ver un poco de todo.

CHICAGO
SAN JUAN
SAN JOSÉ
CIUDAD DE MÉXICO
QUITO

CHICAGO

Talk about the past

Pedro: **Viniste** directamente de Los Ángeles, ¿no?

Francisco: Sí, **estuve** con mi familia. **Vi** a mis abuelos y mis tíos, y **salí** con mi prima Verónica.

CIUDAD DE MÉXICO

Narrate in the past

Don Miguel: Pero después **ocurrió** algo increíble, algo maravilloso. Todo el mundo **respondió** a la emergencia con acciones positivas. Todos **ayudaban** a sus vecinos.

MADRID

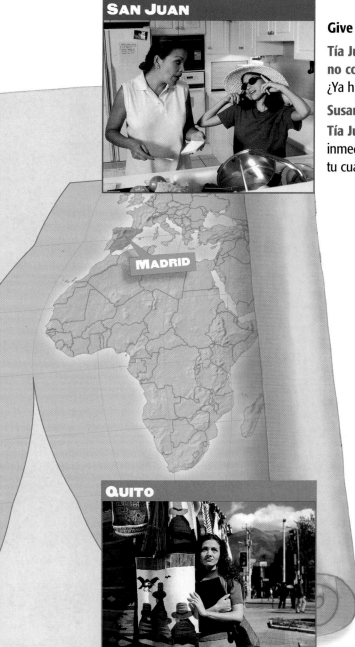

SAN JUAN

Give commands

Tía Julia: Susana, por favor, **no corras** por la casa. ¿Ya hiciste la cama?

Susana: No, no la hice.

Tía Julia: Vete y **haz** la cama inmediatamente. ¡Y **limpia** tu cuarto!

MADRID

Express wishes and doubts

Isabel: ¡Uy! La dependienta está de mal humor.

Andrea: Ella espera que los clientes **gasten** mucho dinero, y duda que tú y yo **vayamos** a comprar hoy.

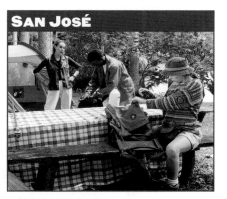

SAN JOSÉ

Talk about the future

Fernando: A ver, aquí están los fósforos, la linterna, la navaja. ¡Hay muchísimas cosas!

Amalia: Habrá un uso para todo. Ya **verás**.

QUITO

Talk about what you have done

Isabel: Esta experiencia con *Onda Internacional* **ha sido** muy buena. **He aprendido** mucho y **he visto** partes del mundo que antes no conocía. Estoy triste. Mañana tengo que volver a México. ¡Me **ha gustado** tanto Ecuador!

Online Workbook
CLASSZONE.COM

Preguntas personales

1. ¿Qué hiciste la última vez que tuviste vacaciones escolares?
2. ¿Qué has hecho durante otras vacaciones?
3. ¿Qué harás cuando termine este año escolar?
4. ¿Qué te gustaría hacer en el futuro?

En vivo

VIDEO DVD AUDIO

DIÁLOGO

Isabel   Pablo   Rosario   Cristina

¡Buen viaje!

PARA ESCUCHAR • STRATEGY: LISTENING

Report what others said Sometimes it is necessary to pass on to others what someone else said. Such a message usually starts with **dijo que.** Hearing accurately is important. What does Isabel report that Señor Montero said?

1 ▶ Isabel: Hola, Pablo. Soy Isabel.
Pablo: ¡Isabel! ¿Cómo estuvo la entrevista?
Isabel: Estuvo muy bien. Tengo mucha información. ¡Qué buena onda es el señor Montero!

5 ▶ Cristina: Cómo no. ¿Quieres que traiga también las cucharas?
Rosario: No, ya las tengo aquí. Pero gracias.

6 ▶ Pablo: Isabel llegará en cualquier momento. Ustedes se quedarán aquí, muy quietos. Isabel entrará, y todos le gritarán «¡Buen viaje!»
Rosario: Muy bien, capitán. ¿Y nos dirás qué hacer después?

7 ▶ Pablo: Lo siento. Es que quiero que todo salga bien. Isabel se siente un poco triste. ¡Chht! Es Isabel.
Todos: ¡Buen viaje!

2 ▶ Isabel: Dijo que buscaban un periodista para un contrato de seis meses y que necesitaban una persona con experiencia en otra revista. Sabes, el puesto sería perfecto para mí.

3 ▶ Pablo: Isabel, tienes que graduarte del colegio primero. Regresa a casa y podemos hablar de tu futuro. ¿Dónde estás?

Isabel: Estoy en una cabina telefónica en la avenida Amazonas. Muy bien, voy para allá. Nos vemos pronto. Chao.

4 ▶ Pablo: Isabel está en la avenida Amazonas. Estará aquí muy pronto. ¡Vamos, tenemos prisa!

Rosario: Cristina, ¿me puedes hacer un favor? Ve a la cocina y trae el pastel. Lo pondremos aquí en la mesa.

8 ▶ Rosario: Isabel, ha sido un enorme placer llegar a conocerte. Te deseamos todo lo mejor.

Cristina: ¿Puedo ir a México a visitarte algún día?

Isabel: Me encantaría.

9 ▶ Pablo: Isabel, sabes que siempre tendrás aquí en Ecuador amigos que te quieren. ¡Espero que vuelvas pronto!

Rosario: Claro que va a volver. ¡Es una futura periodista que viajará por el mundo!

10 ▶ Isabel: Gracias… ay, gracias a todos. Los quiero muchísimo. Quién sabe, tal vez trabajaré aquí algún día como periodista. ¡Después de terminar con mis estudios, claro! Pero estoy segura de que regresaré a Ecuador.

En acción

For Activities 1–2, refer to the dialog on pages 448–449.

| Isabel | Pablo | Rosario | Cristina |

PARTE A — Comprensión del diálogo

1 ¿Lo comprendiste?

Escuchar/*Escribir* Escoge las respuestas correctas, según el diálogo. ¡Ojo! Algunas oraciones tienen más de una respuesta correcta.

1. Isabel…
   a. llamó a Pablo de la avenida Amazonas.
   b. dijo que el puesto sería perfecto para Pablo.
   c. regresará a Ecuador algún día.

2. Pablo…
   a. habló con Isabel por teléfono.
   b. planeó cómo sorprender a Isabel.
   c. dijo que Isabel llegaría a la casa en una hora.

3. Rosario…
   a. es la hija de Pablo.
   b. trajo las cucharas a la sala.
   c. dijo que Isabel viajaría por el mundo como periodista.

4. El señor Montero…
   a. le cayó bien a Isabel.
   b. hizo una entrevista con Isabel.
   c. buscaba un periodista para un contrato de nueve meses.

2 ¿Quién habla?

Escuchar Según el diálogo, ¿quién habla: Isabel, Pablo, Rosario o Cristina? ¡Ojo! Puede ser más de una persona.

1. «¿Cómo estuvo la entrevista?»
2. «Sabes, el puesto sería perfecto para mí.»
3. «… tienes que graduarte del colegio primero.»
4. «¡Vamos, tenemos prisa!»
5. «Ve a la cocina y trae el pastel.»
6. «¿Quieres que traiga también las cucharas?»
7. «Muy bien, capitán.»
8. «¡Buen viaje!»
9. «¿Puedo ir a México a visitarte algún día?»
10. «Gracias… ay, gracias a todos.»

También se dice

Después de la entrevista, Isabel regresa a la casa de Pablo. Aparte de **casa,** en Ecuador mucha gente usa la palabra **departamento** para referirse al **apartamento** o edificio donde vive. Otras palabras que puedes oír por el mundo de habla hispana incluyen **vivienda** y **piso.**

Objectives for Activities 3–4
• Report on past, present, and future events

3 **¿Nunca?**

Hablar/*Escribir* Habla con un grupo de compañeros(as) sobre la frecuencia con que has hecho las siguientes actividades. Luego escribe un resumen.

nunca	una vez	varias veces	muchas veces

modelo

esquiar en el agua

Tú: *¿Han esquiado en el agua?*

Compañero(a) 1: *Sí, he esquiado en el agua una vez. ¿Y tú, Cristina?*

Compañero(a) 2: *No, nunca he esquiado…*

Resumen: *Andrew y yo hemos esquiado en el agua, pero Cristina todavía no ha esquiado en el agua.*

1. conocer a una persona famosa

2. escalar una montaña

3. ver una obra de teatro

4. manejar un carro

5. leer un buen libro

6. comprar un disco compacto en español

7. estudiar más de dos horas seguidas

8. ir a un partido de un equipo profesional

9. jugar al ajedrez

10. bajar un río en canoa

4 **¿Quién lo ha hecho?**

Hablar/*Escribir* Habla con un grupo de compañeros(as) para saber quiénes han hecho las siguientes actividades. Escribe los resultados, usando elementos de las cuatro columnas.

modelo

*Los padres de Emilia han visto la película **Casablanca**.*

mi amigo(a) (*nombre*)			un buen lugar para bailar a su escuela primaria
yo		ver	la película
mis amigos y yo	he	descubrir	(*nombre*)
mis compañeros(as) (*nombres*)	has	hacer	la computadora
	ha	escribir	una diferencia
mi padre/madre	hemos	volver	en mi vida
los padres/amigos(as) de (*nombre*)	han	poner	la mesa esta semana
nadie		romper	una cartita
¿?			¿?

Juego

Cuando tú manejas hay algo que te dirá cuándo debes detenerte y cuándo debes continuar.

¿Qué es?

a.   b.   c.

Objectives for Activities 5–16
• Report on past, present, and future events • Talk on the telephone • Describe duties, people, and surroundings

The Future Tense

▶ To talk about something that will happen in the future, you can use the **future tense.** Remember that the endings you use are the same for **-ar, -er,** and **-ir** verbs.

-é	-emos
infinitive + -ás	-éis
-á	-án

—Estoy segura de que **regresaré** a Ecuador.
*I am sure that **I will return** to Ecuador.*

Rosario **traerá** los refrescos.
*Rosario **will bring** the soft drinks.*

Cristina **irá** a México algún día.
*Cristina **will go** to Mexico someday.*

▶ Verbs that are irregular in the future all have some change to the **infinitive** before the **future endings** are added.

Infinitive	Future Stem
decir	dir-
haber	habr-
hacer	har-
poder	podr-
poner	pondr-
querer	querr-
saber	sabr-
salir	saldr-
tener	tendr-
valer	valdr-
venir	vendr-

—Muy bien, capitán. ¿Y nos **dirás** qué hacer después?
*Very good, captain. And **will you tell** us what to do after that?*

—Isabel, sabes que siempre **tendrás** aquí en Ecuador amigos que te quieren.
*Isabel, you know that here in Ecuador **you will** always **have** friends who love you.*

Practice:
Actividades
5 6 7 8

Más práctica
cuaderno p. 157
Para hispanohablantes
cuaderno p. 155

🅘 **Online Workbook**
CLASSZONE.COM

5 El futuro

Escribir Los amigos de Cristina están en la oficina de consejeros hablando de sus futuras profesiones. ¿Qué dicen? Di lo que serán según las fotos e indica si tendrán que ir a la universidad para serlo.

modelo
Carina será profesora y tendrá que ir a la universidad.

Carina

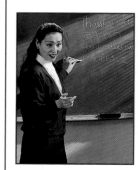

1. Ciro y José María

2. yo

3. tú

4. Andrés

6 La reunión

Hablar/*Escribir* Ya pasaron veinte años y estás en una reunión con tus compañeros(as) de la escuela secundaria. ¿Cómo será la vida de tus compañeros(as) y profesores(as) en ese tiempo? Compara tus respuestas con las de un(a) compañero(a).

modelo

(nombre) y (nombre) (venir) de otro país para ir a la fiesta

Rebecca y Ryan vendrán de otro país para ir a la fiesta.

1. (nombre) y (nombre) (ser) ricos
2. (nombre) (vivir) en una isla remota
3. (nombre) y (nombre) (estar) casados
4. (nombre) (tener) cinco o más hijos
5. (nombre) y (nombre) (contar) muchos chistes
6. (nombre de un/a profesor/a) (trabajar) en la escuela todavía
7. (nombre) (decir) mentiras sobre su vida
8. (nombre) (ser) político(a)
9. (nombre) (ser) estudiante de la universidad todavía
10. (nombre) (salir) en los periódicos

7 ¿Qué harás?

Hablar Haz una entrevista con un(a) compañero(a) de clase sobre sus planes para el año que viene. Luego preséntale sus planes a la clase.

modelo

Tú: ¿Serás voluntario(a) el año que viene?

Compañero(a): Sí, seré voluntario(a) para…

ser voluntario(a)

trabajar…

tener que…

ver…

viajar a…

jugar…

poder…

ir a…

salir con…

hacer

¿?

Nota cultural

Guayaquil tiene el puerto más grande y activo de la costa del Pacífico de Sudamérica y es el centro comercial del país. En los últimos años, por su proximidad a las playas ecuatorianas, se ha convertido también en un destino para los turistas.

Activity 10: Use and understand
questions when speaking and listening

8 ¿En qué orden?

Escuchar/*Escribir* Isabel habla de sus planes para el futuro en la fiesta de despedida.
Ponlos en orden y completa las oraciones.

modelo

Primero, regresará a México.

a. asistir a la universidad

b. volver a Ecuador

c. viajar a Texas

d. buscar un puesto de periodista

e. graduarse del colegio

f. regresar a México

g. tomar el sol en la playa

More Practice: Más comunicación *p. R19*

REPASO **The Conditional Tense**

▸ You use the conditional to talk about what you
should, could, or *would do,* and to describe
what would happen under certain conditions.

To form the conditional, you add the
conditional endings to the **infinitive**. The
endings are the same for **-ar, -er,** and **-ir** verbs.

infinitive +	-ía	-íamos
	-ías	-íais
	-ía	-ían

—Sabes, el puesto
sería perfecto para mí.
*You know, the job **would be**
perfect for me.*

Rosario dijo que Isabel
viajaría por el mundo.
*Rosario said that Isabel **would
travel** the world.*

▸ The verbs that have **irregular stems** in the **future** have
the same **irregular stems** in the **conditional**.

Algún día Isabel **podr**ía trabajar en Ecuador
como periodista. *Someday Isabel **could** work in Ecuador as
a journalist.*

Infinitive	Conditional Stem
decir	dir-
haber	habr-
hacer	har-
poder	podr-
poner	pondr-
querer	querr-
saber	sabr-
salir	saldr-
tener	tendr-
valer	valdr-
venir	vendr-

Practice:
9 **10** **11**

Más práctica *cuaderno p. 158*
Para hispanohablantes *cuaderno p. 156*

Online Workbook
CLASSZONE.COM

9 Si vivieras en Ecuador...

Escribir Si vivieras en Ecuador, ¿cómo sería tu vida? Completa las oraciones con el condicional.

modelo

nosotros: manejar (más / menos)

Nosotros manejaríamos menos.

1. yo: tener (más / menos) clases
2. mis amigos: vivir (cerca / lejos) de mí
3. mi casa: ser (similar / muy diferente)
4. hacer (menos / más) calor
5. mis abuelos: (venir / no venir) con nosotros
6. mi madre: ir de compras a un (mercado / supermercado)
7. nosotros: esquiar (más / menos)
8. mi familia: hablar (español / inglés) todos los días

10 ¿Qué harías?

Hablar Pregúntales a tus compañeros(as) de clase si harían las siguientes cosas.

modelo

ir a la Luna

Tú: ¿Irías a la Luna?

Compañero(a) 1: Sí, (No, no) iría a la Luna.

Compañero(a) 2: Sí, (No, no)…

1. comprar un carro de 30 mil dólares
2. darles dinero a los pobres
3. vivir en Australia
4. pintar tu cuarto de rojo
5. trabajar con animales feroces
6. comer caracoles (snails)
7. trabajar de maestro(a) en tu escuela
8. ser presidente(a) de Estados Unidos
9. cantar en público
10. salir todas las noches

Nota cultural

Los festivales La mayoría de los coloridos festivales que se celebran en Ecuador corresponden a los días festivos del calendario. En muchos de ellos se incorporan tradiciones indígenas relacionadas con la celebración del cambio de estaciones, cosechas (harvests) y otros eventos importantes del ciclo solar y de la vida en el campo.

Activity 11: Write short guided compositions

11 Con tres deseos...

Hablar/*Escribir* Imagínate que tú, como Aladino, puedes pedir tres deseos. ¿Qué pedirías? Haz un póster que explique lo que desearías y preséntaselo a un grupo de compañeros(as). (¡No puedes pedir más de tres deseos!)

modelo

Con mi primer deseo...
pediría un castillo.
Sería muy grande y bonito.
Habría una piscina y jardines
elegantes. Los muebles
serían cómodos y bonitos.
El castillo sería mágico.
Todos mis amigos y mi
familia vivirían felices en mi
castillo. Para mi segundo
deseo...

- el medio ambiente
- la profesión perfecta
- los quehaceres
- soluciones a los problemas del mundo
- pasatiempos y viajes
- la salud
- ¿?

GRAMÁTICA · Reported Speech

In English when you "report" or summarize what someone has said or is saying, you say "He says that…" or "She said that…" In Spanish, to report what someone else has said, you use the verb **decir** followed by **que**.

When using the **present tense**, dice que…, the **second verb** tense is either the **present** or the **future**.

Señor Montero says:	Isabel reports:
—Eres una candidata perfecta.	—El señor Montero dice que **soy** una candidata perfecta.
You are a perfect candidate.	*Señor Montero **says I am** a perfect candidate.*

Isabel says:	Pablo reports:
—Estaré allí muy pronto.	—Isabel dice que **estará** aquí muy pronto.
I will be there very soon.	*Isabel **says she will be** here very soon.*

When using dijo que…, you use a **past tense** or the **conditional** for the information being reported.

Isabel says:	Pablo reports:
—Estoy en la avenida Amazonas.	—Dijo que **estaba** en la avenida Amazonas.
I am on Amazonas Avenue.	*She said she **was** on Amazonas Avenue.*

Isabel says:	Pablo reports:
—La entrevista estuvo muy bien.	—Dijo que la entrevista **estuvo** muy bien.
The interview went very well.	***She said** the interview **went** very well.*

Isabel says:	Pablo reports:
—Estaré allí muy pronto.	—Isabel dijo que **estaría** aquí muy pronto.
I will be there very soon.	*Isabel **said she would be** here very soon.*

When you want to stress that the reported action is still going on, the second verb should be in the **present** tense:

Dijo que **buscan** periodistas.
*He said **they are looking for** journalists.*

Practice: Actividades
12 13 14

Más práctica
cuaderno pp. 159–160
Para hispanohablantes
cuaderno pp. 157–158

 Online Workbook
CLASSZONE.COM

12 Llamadas por teléfono

Escuchar Escucha estas llamadas de teléfono que se recibieron en la casa Ramírez. Luego escoge la letra que corresponde a cada llamada.

a.

b.

MENSAJES

Sr.(a): Meche
Hora: 4:00
De:
☒ Le llamó Verónica
☐ Estuvo aquí
☒ Contestar al número 3-47-38
☐ Vendrá a las ___
☐ Llamará a las ___
Mensaje: ___

Telefonista: ___ Fecha: 6/7

c.

MENSAJES

Sr.(a): Meche
Hora: 4:45
De:
☒ Le llamó Verónica
☐ Estuvo aquí
☐ Contestar al número ___
☐ Vendrá a las ___
☐ Llamará a las ___
Mensaje: Estaría en la casa de Juana.

Telefonista: ___ Fecha: 6/7

d.

La línea está **ocupada.** Llama más tarde.

13 La máquina contestadora

Leer/Escribir La señora Ramírez escucha los mensajes para su familia en la máquina contestadora. ¿Qué les dirá a todos?

modelo

«Oye, soy Jaime. Quiero dejar un mensaje para Meche. Vamos a estudiar en la biblioteca a las tres.»

Meche, Jaime dijo que iban a estudiar en la biblioteca a las tres.

1. «Muy buenas, habla José Calvo. Este mensaje es para el señor Antonio Ramírez. La reunión de mañana será a las dos.»
2. «Hola. Soy Chela. Quiero jugar con Juanita.»
3. «Oye, Meche. Habla Jaime otra vez. Cambiamos la hora de estudiar. Estudiaremos a las cuatro.»
4. «Soy Édgar Cruz y busco al señor Antonio Ramírez. Lo llamo más tarde.»
5. «Soy Mónica. Dígale a Meche que compré los boletos.»

Apoyo para estudiar

Reported Speech

When you hear reported speech, you will often hear a shift of tenses in the second verb. Notice what happens:

Isabel dice: «Estoy en la avenida Amazonas.»
Isabel dijo que estaba en la avenida Amazonas.

Pablo dice: «Isabel llegará en cualquier momento.»
Pablo dijo que Isabel llegaría en cualquier momento.

What was reported may shift from present tense to imperfect, from future tense to conditional. Since reported speech in Spanish and English is similar, use the tense that best expresses your meaning.

Activity 15: Write letters **Activity 17:** Communicate effectively with some pattern of error, which may interfere slightly with full comprehension when understanding and expressing important ideas and some detail

14 Los mensajes telefónicos

Hablar/Escribir Deja tres mensajes imaginarios en la máquina contestadora de un(a) compañero(a). Él (Ella) escribirá los mensajes. Luego combínense con otro grupo. Repite las llamadas para que ellos escojan el mensaje que corresponda a cada llamada. Cambien de papel.

MENSAJES

Sr.(a):_____

Hora:_____

De:_____

☐ Lo llamó _____

☐ Estuvo aquí _____

☐ Contestar al número _____

☐ Vendrá a las _____

☐ Llamará a las _____

Mensaje:_____
_____
_____
_____

Telefonista:_____ Fecha:_____

15 Una cartita de agradecimiento

Escribir Escríbele una cartita de agradecimiento (*thanks*) a una persona de la clase de español o a otra persona que hable español. Puede ser estudiante o adulto... ¡hasta una persona famosa! Trata de usar todo lo que aprendiste este año. Describe lo que ha hecho esta persona que te haya ayudado o inspirado.

Estimado(a) / Querido(a) (*nombre*):

Gracias por...   Ojalá qué...

Es bueno que...   Tú has...

Eres...   Siempre...

modelo

Estimado David:

Gracias por ayudarme en la clase de español. Cuando no tenía papel, tú me lo dabas. Y cuando no comprendía la lección, me ayudabas. Siempre escuchabas cuando te contaba chistes malos... y te reías también.

Es bueno tener un amigo como tú en esta clase. Ha sido muy divertido. Eres muy paciente y simpático. Ojalá que tengas buena suerte el año que viene.

¡Hasta pronto!

Luis

16 El salón de la fama

STRATEGY: SPEAKING

Persuade or convince others It is not enough to assert that something is true. One must offer convincing proof. To justify your nominations to **«el salón de la fama»,** you can give reasons based on what they usually do, have done, or would do in certain circumstances. You can report what others have said or tell a story that illustrates your claim to their fame.

Hablar/*Escribir* Haz un «salón de la fama» para la clase de español. Escribe oraciones superlativas, escogiendo a un chico y a una chica para cada categoría. No uses el mismo nombre más de dos veces. Luego forma un grupo de tres a cinco personas para votar y hacer una lista del grupo.

modelo

alegre

Pablo y Marta son los estudiantes más alegres.

1. animado(a)	**7.** trabajador(a)
2. alto(a)	**8.** divertido(a)
3. cómico(a)	**9.** serio(a)
4. pelo largo	**10.** paciente
5. pelo rizado	**11.** simpático(a)
6. creativo(a)	**12.** ojos expresivos

17 Ya se van

Hablar/*Escribir* Prepara una presentación de dos a cuatro minutos sobre tu vida y tus opiniones. Éste es tu «mensaje al mundo» antes de salir de vacaciones. Practica tu presentación y finalmente, preséntasela a la clase. Expresa tu personalidad y diviértete.

Empieza con este formato y luego escoge las partes que te gusten más para incluir en tu presentación.

A. ¿Cómo eres?
  1. Haz una descripción de tu personalidad.
  2. Describe algo importante de tu niñez.

B. ¿Qué te importa?
  1. Describe cómo pasas el tiempo.
  2. Describe las cosas que te importan.
  3. Describe lo que haces para ayudar a otros.

C. ¿Qué quieres para el futuro?
  1. ¿Cuáles son tus metas personales?
  2. ¿Qué planes tienes?
  3. ¿Qué te gustaría hacer?

D. Un mensaje personal
  1. ¿Qué quieres para los otros estudiantes?
  2. ¿Qué vas a recordar siempre de tus experiencias en la escuela?

More Practice:
Más comunicación *p. R19*

Online Workbook
CLASSZONE.COM

Refrán

Querer es poder.

En grupos pequeños hablen del significado del refrán. Luego identifiquen a unos personajes históricos que personifiquen este refrán. Hagan una lista de los esfuerzos que hizo cada persona para llegar a su meta. Léanle la lista a otro grupo para ver si ellos pueden identificar a los personajes.

En voces

LECTURA

Understand important ideas and some details in highly contextualized authentic texts when reading

PARA LEER

STRATEGY: READING

Observe characteristics of poems A single line of poetry is called **un verso.** Several lines **(versos)** comprise a stanza **(una estrofa).** Words **(palabras)** form images **(imágenes)** that may also be symbols **(símbolos)** of other ideas. Like songs, poetry is meant to be performed aloud. So read it aloud and listen for rhythm **(ritmo)**, rhyme **(rima),** and repetition **(repetición).**

Sobre el autor

Jorge Carrera Andrade (1903–1978), poeta ecuatoriano, es considerado uno de los mejores poetas de lengua española del siglo XX. En sus poemas hay muchas imágenes inspiradas por la belleza natural de Ecuador.

Carrera Andrade viajó mucho durante su vida. Fue cónsul o embajador ecuatoriano en veinte países, entre ellos Estados Unidos, Francia y Japón. Escribió una autobiografía, *El volcán y el colibrí* [1], y varias antologías de poesía. También hizo traducciones de poesía francesa. En 1976 la Academia de la Lengua del Ecuador propuso su nombre para el Premio Nóbel de Literatura. Ahora vas a leer unos versos de su poema «Hombre planetario».

---

[1] hummingbird

«Pasajero del planeta»

Eternidad, te busco en cada cosa:
en la piedra quemada por los siglos
en el árbol que muere y que renace,
en el río que corre
sin volver atrás nunca.

. . . .

Eternidad, te busco en el minuto
disfrazado de[2] pájaro
pero que es gota[3] de agua
que cae y se renueva
sin extinguirse nunca.
Eternidad: tus signos me rodean[4]
mas yo soy transitorio,
un simple pasajero del planeta.

. . . .

Soy hombre, mineral y planta a un tiempo,
relieve del planeta, pez del aire,
un ser terrestre en suma.
Árbol del Amazonas mis arterias,
mi frente de París, ojos del trópico,
mi lengua americana y española

---

[2] disguised as   [3] drop   [4] surround

¿Comprendiste?

1. ¿Qué trabajos tuvo Jorge Carrera Andrade?
2. ¿De qué temas habla su poesía?
3. ¿Dónde busca el poeta la eternidad?
4. ¿Qué palabras indican que el poeta no es eterno?

¿Qué piensas?

1. ¿Cómo emplea el poeta las imágenes del cuerpo en los tres últimos versos? ¿Qué significan?
2. ¿Crees que esta poesía es optimista o pesimista? Explica.

Hazlo tú

Escribe un poema corto sobre la naturaleza, la amistad u otro tema. No tienes que usar rima.

Understand and convey information about cultural and historical figures

En colores
CULTURA Y COMPARACIONES

PARA CONOCERNOS
STRATEGY: CONNECTING CULTURES

Reflect on music How do you suppose the earliest musical instruments were made? How did they change over time? Identify groups that fuse old music and new instruments or vice versa. Present your thoughts in a time line, a mind map, or a series of drawings. Show how a group like Ñanda Mañachi fits into your ideas and your visual.

música

La música andina tiene sus raíces[1] en la civilización de los incas y otras poblaciones indígenas que vivieron en los Andes hace más de mil años. Hoy este tipo de música es conocida en muchas partes del mundo. Hay grupos contemporáneos de Bolivia, Perú, Argentina, Chile y Ecuador que dan conciertos de música andina en Estados Unidos, Europa y Asia. La mayoría de estos grupos cantan en español, pero algunos también cantan en quechua, una lengua indígena de los Andes que todavía se habla en esa región. Y aunque usan guitarras eléctricas y equipo de sonido, los instrumentos originales son lo característico de su música.

[1] roots

El instrumento de percusión que se usa más en la música andina es el **bombo**. El bombo tradicional se hace del tronco ahuecado (*hollowed out*) de un árbol y de la piel de llama.

La quena es uno de los instrumentos de viento más antiguos del mundo y una parte central de la música andina. Generalmente las quenas se hacen de caña.

La flauta de pan es otro instrumento de viento andino.

462 cuatrocientos sesenta y dos
Unidad 6

Música de las montañas

Se conoce el grupo musical Ñanda Mañachi por sus versiones modernas de la música andina. Aunque sus canciones se han pasado de una generación a otra, las palabras han cambiado. Y ahora estas palabras muestran los sentimientos de los músicos de hoy. Ésta es una de las razones principales por las que la música andina nunca se perdió.

More About Ecuador
CLASSZONE.COM

¿Comprendiste?

1. ¿De qué países son los grupos de música andina?
2. ¿Cuáles son los nombres de algunos instrumentos andinos? ¿Son instrumentos de viento, de cuerda o de percusión?
3. ¿Puedes nombrar dos cosas sobre la música andina que muestren una influencia española?

¿Qué piensas?

1. ¿Cómo ha cambiado el uso de instrumentos en la música andina?
2. Se oye la música de los Andes en las calles y en los clubes de muchos países del mundo. ¿Por qué crees que ahora esta música es tan popular?

Hazlo tú

Busca un casete o un disco compacto de música andina. Escoge una canción cantada en español que te guste y tócala para la clase. Con la clase, transcriban la letra de la canción.

Activities 1–4: Show no significant pattern of error when understanding some ideas and familiar details

OBJECTIVES

- Talk on the telephone
- Report on past, present, and future events
- Describe duties, people, and surroundings

En uso
REPASO Y MÁS **COMUNICACIÓN**

Now you can...

- talk on the telephone.

To review

- the future tense, see p. 452.

1 ¿Qué pasará?

Isabel habla por teléfono con su madre sobre sus planes para el futuro. ¿Qué dice? ¿Lo crees tú?

> **modelo**
>
> *yo: volver a Ecuador en un año*
>
> *Yo volveré a Ecuador en un año. (Lo creo. / No lo creo.)*

1. yo: asistir a la universidad en México
2. Pablo y yo: escribir otro artículo juntos
3. el señor Montero: ofrecerme un puesto en México
4. mis amigos mexicanos: invitarme a salir mucho
5. yo: trabajar para la empresa del señor Montero algún día
6. Cristina: venir a visitarme algún día
7. Pablo y su familia: mandarme cartas todas las semanas
8. tú: acompañarme a Ecuador la próxima vez
9. yo: ganar otro concurso
10. tú y yo: poder viajar por todo el mundo algún día

Now you can...

- describe duties, people, and surroundings.

To review

- the conditional tense, see p. 454.

2 ¡Sería ideal!

Isabel habla por teléfono con su padre sobre el puesto con *Viajamundo*. Completa su descripción con el condicional de los verbos indicados.

El puesto con la revista *Viajamundo* __1__ (ser) perfecto para mí. Yo __2__ (tener) un contrato de seis meses con buenos beneficios. Así que __3__ (trabajar) aquí por seis meses y después __4__ (volver) a México. ¿Qué te parece?

Sí, sí... Yo sé que ustedes __5__ (estar) tristes, pero __6__ (poder) venir a visitarme, ¿no? Por favor, papá. En este puesto yo __7__ (ganar) 400 dólares al mes y __8__ (trabajar) en una oficina bonita con personas muy amables. Nosotros __9__ (escribir) artículos de viaje y __10__ (conocer) varios países de Sudamérica.

Now you can...

• report on past, present, and future events.

To review

• the conditional tense, see p. 454.

• reported speech, see p. 456.

3 Alguien dijo...

Cristina habla por teléfono con una amiga sobre lo que le han dicho varias personas. ¿Qué dice?

modelo

papá: él / ayudarme a buscar trabajo

Papá dijo que él me ayudaría a buscar trabajo.

1. Isabel: ella / llamarme desde México el jueves
2. mamá: nosotras / hacer flan esta tarde
3. papá: él / venir a casa temprano hoy
4. la vecina: ella / enseñarme sus fotos de la fiesta
5. Diego: él y yo / ir al cine este fin de semana
6. mi prima: ellos / visitarnos en diciembre
7. Saúl: todos nuestros amigos / asistir al concierto el domingo
8. mamá: tú y yo / poder cocinar aquí mañana

Now you can...

• report on past, present, and future events.

To review

• reported speech, see p. 456.

4 ¿Lo dijo Isabel?

Pablo habla con su familia sobre su conversación por teléfono con Isabel, pero no todo lo que dice es correcto. Di si la información es **cierta** o **falsa.** (Si te olvidas, lee otra vez el diálogo en las páginas 448 y 449.)

modelo

«Estoy en una cabina telefónica en la avenida Amazonas.»

Isabel dijo que estaba en una cabina telefónica en la avenida Amazonas. (cierto)

1. «La entrevista estuvo muy mala.»
2. «Tengo mucha información.»
3. «La compañía busca un periodista.»
4. «El contrato es de un año.»
5. «Ellos quieren una persona con experiencia.»
6. «Tendré que hacer otra entrevista mañana.»
7. «El señor Montero me cayó mal.»
8. «Estoy lista para volver a México.»
9. «La compañía me dará otro puesto en el futuro.»
10. «Trabajaré aquí algún día como abogada.»

Activity 5: Show no significant pattern of error when engaging in conversations

5 Tu vida

STRATEGY: SPEAKING

Report on events An important language skill is the ability to trace personal experiences across time. Think of ideas or events that took place in the past, that are happening now, or that may be part of your future. As you retell them, use expressions to place them in time (**hace dos años, en este momento, en cuatro años,** etc.), to sequence them (**antes, después, por fin,** etc.), and perhaps to contrast differences **(más / menos que…).**

Completa la tabla con tres eventos importantes de tu pasado, de tu presente y de tu futuro. Luego habla con un(a) compañero(a) sobre los eventos.

El pasado	El presente	El futuro
1.	1.	1.
2.	2.	2.
3.	3.	3.

modelo

Tú: *¿Fuiste a la fiesta del club de español en septiembre?*

Compañero(a): *Sí, me encantó. Comí…*

6 ¿Quién llamó?

Imagínate que un personaje de este libro acaba de llamarte por teléfono. Explícales a tus compañeros(as) lo que dijo este personaje. Ellos(as) tienen que adivinar quién era.

modelo

Tú: *Dijo que ya no trabajaba como guía, pero que todavía le gustaba visitar los parques nacionales de su país.*

Compañero(a) 1: *¿Era Fernando?*

Tú: *No, no era Fernando.*

Compañero(a) 2: *¿Era Cecilia?*

Tú: *Sí, era Cecilia.*

7 En tu propia voz

ESCRITURA Imagínate que han pasado diez años y que le escribes una carta a tu profesor(a) de español. ¿Qué le dices? Incluye la siguiente información.

• Preséntate y descríbete.
• Describe tu trabajo.
• Explica cómo te preparaste para tu trabajo.
• Describe tus planes para el futuro.
• Termina la carta con un mensaje personal.

TÚ EN LA COMUNIDAD

Judy es una joven hispana que tiene diecisiete años y vive en Arkansas. Es estudiante del tercer año del colegio y es deportista. Le encanta jugar a todos los deportes, como el baloncesto, el golf y sobre todo el fútbol. Es la mejor jugadora de su equipo. Habla español en casa con su familia y cuando sale con sus amigos. Y claro, ¡le gusta hablar en español cuando juega al fútbol! ¿Cuándo y con quién te gusta hablar en español?

En resumen
YA SABES ♻

TALK ON THE TELEPHONE

Hola, Pablo. Soy Isabel. Estoy en una cabina telefónica en la avenida Amazonas.
Hello, Pablo. It's Isabel. I'm in a phone booth on Amazonas Avenue.

DESCRIBE DUTIES, PEOPLE, AND SURROUNDINGS

La dependienta está de mal humor.
The salesperson is in a bad mood.

¡Qué buena onda es el señor Montero!
What a good person Mr. Montero is!

Isabel se siente un poco triste.
Isabel feels a little sad.

REPORT ON PAST, PRESENT, AND FUTURE EVENTS

Present Tense

Tengo mucha información.
I have a lot of information.

Isabel está en la avenida Amazonas.
Isabel is on Amazonas Avenue.

Preterite Tense

Viniste directamente de Los Ángeles, ¿no?
You came straight from Los Angeles, didn't you?

Todo el mundo respondió a la emergencia con acciones positivas.
Everyone responded to the emergency with positive actions.

¿Cómo estuvo la entrevista?
How was the interview?

Imperfect Tense

Dijo que buscaban un periodista para un contrato de seis meses y que necesitaban una persona con experiencia en otra revista.
He said that they were looking for a journalist for a six-month contract and that they needed a person with experience on another magazine.

Future Tense

Estará aquí muy pronto.
She will be here very soon.

Lo pondremos aquí en la mesa.
We will put it here on the table.

Ustedes se quedarán aquí, muy quietos.
You will stay here and be very quiet.

Juego

Lee y relee este trabalenguas en voz alta.
¿Cuántos cuentos cuentas?

Cuando cuentes cuentos,
cuenta cuántos cuentos cuentas,
porque si no cuentas
cuántos cuentos cuentas
nunca sabrás
cuántos cuentos sabes contar.

Write letters

En tu propia voz
ESCRITURA

¡A trabajar!

Your family is going to live in a Spanish-speaking country for a semester and you have the opportunity to work while you're there. Write a cover letter to the placement agency that offers positions to foreign students.

Function: Apply for a job
Context: Contacting potential employer

Content: Employment
Text type: Cover letter

PARA ESCRIBIR • STRATEGY: WRITING

State your message using a positive tone Most formal letters are effective because the writer uses a positive, polite, and businesslike tone. Make your cover letter effective by beginning with a strong opening statement. Then provide details that make clear your value as an employee. Conclude by reemphasizing your enthusiasm.

Modelo del estudiante

136 Berkeley Street
Boston, MA 02116
21 de abril

Sr. Ramón Unzueta, Director
Agencia de empleo Valdez
5 de Junio Nº 26
Quito, Ecuador

Estimado Sr. Unzueta:

> The writer makes a **strong opening statement** about his interests.

Como mi familia y yo vamos a vivir en Quito entre septiembre y enero del año que viene, me interesa mucho solicitar empleo en la Escuela Primaria Bilingüe. Mi área de interés es la enseñanza de niños.

Me encanta mi trabajo en Boston como tutor de inglés para los niños recién llegados a Estados Unidos. Trabajo cinco horas a la semana en nuestro Centro de la Comunidad cerca de mi casa. Mis supervisores me han dicho que soy un maestro muy dedicado y que tengo un talento excepcional para enseñar.

> The writer adds information about his **skills.**

> Additional **examples** of employment qualifications are provided by the writer.

> The final section shows the writer's enthusiasm and professional nature by **linking** the employment to his **future.**

Pienso estudiar la enseñanza en la universidad. La oportunidad de enseñarles inglés a los niños de Quito y prepararme para el futuro sería excelente. Además, podré entrenar a los estudiantes de mi ciudad para servir conmigo como tutores de inglés.

Atentamente,

Mark Benjamin
Mark Benjamin

**Language Arts
Writing Standard 2.5b**
Write business letters: Use appropriate
vocabulary, tone, and style to take into
account the nature of the relationship
with, and the knowledge and interests
of, the recipients

Estrategias para escribir

Antes de escribir...

An impressive cover letter convinces your reader that
you are an excellent, qualified candidate for a specific job.
The letter gives clear examples of your suitability for the job.
Before beginning the first draft of your cover letter, brainstorm
the details using a word web like the one at the right.

Revisiones

Share your draft with a partner. Then ask:

- *Did I state my purpose simply and concisely?*
- *Did I provide necessary details about my background?*
- *Did I convey my message in a positive manner?*

You can revise your draft based on your partner's responses
to these questions.

La versión final

Before you write your final draft
of your letter, carefully correct all
errors using the proofreading
symbols (p. 99). Look over your
work with the following question
in mind:

- *Did I remember special spellings
  of irregular past participles?*

Try this: Circle past participles
used with **haber** and note if they
are regular or irregular. Be sure
you have used the correct forms.

> Estimado Director:
>
> Mi familia y yo vamos a vivir 6 meses en Caracas. seis
> He leído mucho sobre los oportunidades que hay ⌐a⌐
> allá. Me gustaría solicitar trabajo como ayudante en el
> Centro Bilingüe de Computación.
>
> Tengo mucha experiencia con las computadoras.
> He usado muchos programas diferentes y he hacido hecho
> algunos websites. Estoy preparada para ayudar a los
> estudiantes del centro

cuatrocientos sesenta y nueve
Quito Unidad 6

469

RECURSOS

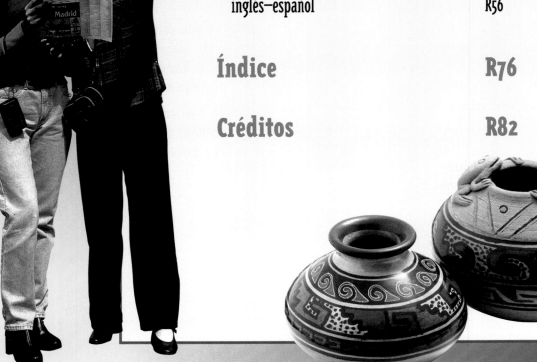

1 Etapa preliminar p. 23
¿Quién es?

Andrés Jorge María

Estudiante A Es necesario identificar a las personas de la foto para el periódico de la escuela. Si no sabes un nombre, describe a la persona. *(Hint: Describe the people to find out their names.)*

modelo
Estudiante A: ¿Quién es baja y tiene una camisa azul?
Estudiante B: …

Estudiante B Es necesario identificar a las personas de la foto para el periódico de la escuela. Si no sabes un nombre, describe a la persona. *(Hint: Describe the people to find out their names.)*

modelo

Estudiante A: ¿Quién es baja y tiene una camisa azul?
Estudiante B: Pilar es baja y tiene una camisa azul.

Catalina Pilar Alicia

2 Etapa preliminar p. 23
Información sobre estudiantes

nombre	edad	almuerzo	talento
Meche	16		jugar al golf
Guillermo		11:15	
tú			
tu compañero(a)			

Estudiante A Tu profesor(a) busca información sobre los estudiantes de la clase. Completa la tabla con tu compañero(a). *(Hint: Complete the chart.)*

modelo
Estudiante A: ¿A qué hora almuerza Meche?
Estudiante B: Ella almuerza a las…

Estudiante B Tu profesor(a) busca información sobre los estudiantes de la clase. Completa la tabla con tu compañero(a). *(Hint: Complete the chart.)*

modelo

Estudiante A: ¿A qué hora almuerza Meche?
Estudiante B: Ella almuerza a las doce y diez.

nombre	edad	almuerzo	talento
Meche		12:10	
Guillermo	17		escribir
tú			
tu compañero(a)			

Estudiante A (3 — El fin del verano)

Estudiante A Usa estas expresiones para preguntarle a tu compañero(a) qué hizo Beatriz. Luego usa los dibujos para contestar sus preguntas sobre las actividades de Armando. *(Hint: Ask what Beatriz did. Tell what Armando did.)*

almorzar con amigos   **jugar al ajedrez**
tocar el piano   **tomar un curso de natación**
bajar un río en canoa

Estudiante B (3 — El fin del verano)

Estudiante B Usa los dibujos para contestar las preguntas de tu compañero(a) sobre las actividades de Beatriz. Luego usa las expresiones para preguntarle a tu compañero(a) qué hizo Armando. *(Hint: Tell what Beatriz did. Ask what Armando did.)*

acampar en las montañas   **cantar en el coro**
sacar fotos   **estudiar las artes marciales**
comer en un restaurante

Estudiante A (4 — ¿Adónde?)

Estudiante A Quieres saber adónde fue Raquel. Hazle preguntas a tu compañero(a) para saber adónde fue. Luego usa las pistas para contestar sus preguntas sobre las actividades de Juan. *(Hint: Ask if Raquel went to these places. Answer questions about Juan.)*

modelo

el aeropuerto

Estudiante A: *¿Fue Raquel al aeropuerto?*

Estudiante B: …

1. el aeropuerto   4. un campo de deportes
2. un café   5. el cine
3. una piscina   6. una clase de piano

Pistas sobre Juan	
Pasó por la aduana.	Buscó un libro.
Le dio información al agente.	Disfrutó con los amigos.

Estudiante B (4 — ¿Adónde?)

Estudiante B Quieres saber adónde fue Juan, y tu compañero(a) quiere saber adónde fue Raquel. Usa las pistas para contestar sus preguntas, y hazle preguntas para saber adónde fue Juan. *(Hint: Answer questions about Raquel. Ask if Juan went to these places.)*

modelo

el aeropuerto

Estudiante A: *¿Fue Raquel al aeropuerto?*

Estudiante B: *Sí, fue al aeropuerto.*

7. una agencia de viajes   10. otro país
8. las montañas   11. un río
9. una fiesta   12. la biblioteca

Pistas sobre Raquel	
Vio una película.	Jugó al fútbol.
Abordó un avión.	Tocó un instrumento musical.

3 El fin del verano
Unidad 1 Etapa 1 p. 42

4 ¿Adónde?
Unidad 1 Etapa 1 p. 45

MÁS COMUNICACIÓN

5 Unidad 1 Etapa 2 p. 62
¿Qué pide?

Estudiante A Tu compañero(a) sabe qué pide Sabrina cuando va al centro, y tú lo quieres saber. Hazle preguntas, usando las expresiones útiles, para aprender qué pide Sabrina. *(Hint: Ask about Sabrina.)*

modelo

Estudiante A: *¿Pide algo de beber?*

Estudiante B: …

algo de beber	algo para leer
algo de comer	algo para manejar
algo para ponerse	algo para mirar

Estudiante B Tú sabes lo que pide Sabrina cuando va al centro, y tu compañero(a) lo quiere saber. Contesta las preguntas de tu compañero(a). *(Hint: Tell what Sabrina does.)*

modelo

Estudiante A: *¿Pide algo de beber?*

Estudiante B: *Sí, pide un refresco.*

Lo que pide Sabrina

unos zapatos	una hamburguesa
una novela	un refresco
una pintura	

6 Unidad 1 Etapa 2 p. 67
Una excursión

Estudiante A Sabes cuatro cosas que hicieron Iván y Linda ayer pero no sabes en qué orden las hicieron. En oraciones, dile a tu compañero(a) lo que sabes. Cambien de papel. Luego pongan en orden las ocho oraciones. Finalmente, completen la historia (story). *(Hint: Make sentences and put them in order.)*

- (Venir) los padres de Linda a casa. (Ver) la vaca y…
- Linda (comprar) una escultura de una vaca.
- Ellos le (decir) a la vendedora: —Queremos una escultura.
- El sábado pasado, Linda (estar) sola en su casa, pensando en el arte.

Estudiante B Sabes cuatro cosas que hicieron Iván y Linda ayer pero no sabes en qué orden las hicieron. En oraciones, dile a tu compañero(a) lo que sabes. Cambien de papel. Luego pongan en orden las ocho oraciones. Finalmente, completen la historia (story). *(Hint: Make sentences and put them in order.)*

- Ellos (llevar) la vaca a la casa de Linda.
- Iván y Linda (ir) a la tienda.
- (Llamar) a Iván por teléfono y lo (invitar) a ir de compras a la tienda de artesanía.
- De repente, (querer) comprar una escultura.

MÁS COMUNICACIÓN

7 — Unidad 1 Etapa 3 p. 83
Unas nacionalidades

Estudiante A En voz alta, lee estas selecciones de las noticias. Tu compañero(a) va a decirte las nacionalidades de las personas mencionadas. *(Hint: Find out the nationalities of the people in the news.)*

argentino(a)   salvadoreño(a)   estadounidense   venezolano(a)

modelo

Estudiante A: *Una princesa nació en Madrid.*

Estudiante B: *La princesa es…*

1. En Madrid, un señor capturó a un ladrón.
2. Unos pintores hicieron una exposición en París.
3. En Toronto, dos señoras rescataron a un niño.
4. Todas las personas cantaron el himno nacional en Bogotá.

Estudiante B Escucha las selecciones de las noticias y dile a tu compañero(a) las nacionalidades de las personas. Luego léele tus selecciones para que las adivine. *(Hint: Tell the nationalities of the people in the news.)*

colombiano(a)   español(a)   francés(esa)   canadiense

modelo

Estudiante A: *Una princesa nació en Madrid.*

Estudiante B: *La princesa es española.*

5. Unas escultoras mostraron sus obras en la galería de Boston.
6. Trajeron a las víctimas a un hospital de San Salvador.
7. El actor empezó su carrera en Caracas.
8. Susana de Silva abrió una tienda de arte en Buenos Aires.

8 — Unidad 1 Etapa 3 p. 89

¡Caramba!

Estudiante A Tú y tu compañero(a) hicieron actividades diferentes durante las vacaciones. Dile a tu compañero(a) qué hiciste. Tu compañero(a) va a decirte qué prefiere hacer. Cambien de papel. *(Hint: Tell what you did. Say what you like.)*

modelo

leer las noticias en el periódico

Estudiante A: *Leí las noticias en el periódico.*

Estudiante B: *…*

1. leer las noticias en el periódico
2. pedir un asiento de pasillo en el avión
3. dormir en un hotel lujoso
4. competir en un juego de tenis
5. comer la especialidad de la casa

Estudiante B Tú y tu compañero(a) hicieron actividades diferentes durante las vacaciones. Dile a tu compañero(a) qué hiciste. Tu compañero(a) va a decirte qué prefiere hacer. Cambien de papel. *(Hint: Tell what you did. Say what you like.)*

modelo

leer las tiras cómicas

Estudiante A: *Leí las noticias en el periódico.*

Estudiante B: *Prefiero leer las tiras cómicas.*

1. leer las tiras cómicas
2. pedir un asiento de ventanilla en el avión
3. dormir en las montañas
4. ver un juego de tenis
5. comer pollo asado

MÁS COMUNICACIÓN

9 ¿Son tuyos o suyos?

Unidad 2 Etapa 1 p. 116

Los objetos de Jaime | Tus objetos

Estudiante A Imagínate que unos objetos son tuyos y otros son de Jaime. Dale pistas a tu compañero(a) para que adivine de quién son. *(Hint: Give clues for your partner to guess to whom each object belongs.)*

modelo

Estudiante A: A mí me gusta pelear.

Estudiante B: ¿Los guantes son tuyos?

Estudiante A: Sí, son míos.

Estudiante B Todos los objetos son de Jaime o de tu compañero(a). Adivina de quién son según las pistas de tu compañero(a). *(Hint: Guess who owns these objects according to your partner's clues.)*

modelo

Estudiante A: A mí me gusta pelear.

Estudiante B: ¿Los guantes son tuyos?

Estudiante A: …

---

10 La niñez

Unidad 2 Etapa 1 p. 119

Estudiante A Pregúntale a tu compañero(a) sobre la niñez de Nicolás utilizando los elementos de abajo. Luego contesta las preguntas de tu compañero(a). *(Hint: Take turns asking and answering questions.)*

modelo

ser obediente

Estudiante A: ¿Era obediente?

Estudiante B: …

1. ser obediente
2. saltar la cuerda
3. tener un muñeco de peluche preferido
4. portarse mal en clase

Ahora contesta las preguntas de tu compañero(a).

5. Era muy sociable.
6. No le gustaba estar en lugares altos.
7. Tenía miedo de los animales.
8. Era muy amable con su hermano.

Estudiante B Lee estas descripciones de la niñez de Nicolás y contesta las preguntas de tu compañero(a). Luego hazle tú otras preguntas. *(Hint: Take turns asking and answering questions.)*

modelo

No hacía lo que decían sus padres.

Estudiante A: ¿Era obediente?

Estudiante B: No, no era obediente. No hacía lo que decían sus padres.

1. No hacía lo que decían sus padres.
2. Hacía actividades atléticas.
3. Siempre llevaba su gatito de peluche.
4. Escuchaba bien a sus maestros.

Ahora hazle otras preguntas a tu compañero(a).

5. ser tímido
6. trepar a los árboles
7. asustarse de los perros
8. pelearse con su hermano

11 En la fiesta
Unidad 2 Etapa 2 p. 136

Estudiante A Viste una foto de una fiesta y quieres saber qué estaban haciendo las personas. Pregúntale a tu compañero(a). *(Hint: Find out who was doing what.)*

modelo

Estudiante A: ¿Quién estaba tocando la guitarra?

Estudiante B: …

Estudiante B Tu compañero(a) acaba de ver una foto de una fiesta tuya. Contesta las preguntas con los nombres de las personas. *(Hint: Identify who was doing each activity.)*

modelo

Estudiante A: ¿Quién estaba tocando la guitarra?

Estudiante B: Diego estaba tocando la guitarra.

Roberto Bárbara Diego Dani Carlota Micaela Jorge

12 Mientras
Unidad 2 Etapa 2 p. 141

Estudiante A Pregúntale a tu compañero(a) qué hizo Roberto mientras Catalina hacía otra cosa. *(Hint: Ask your partner what Roberto did.)*

modelo

jugar al tenis

Estudiante A: ¿Qué hizo Roberto mientras Catalina jugaba al tenis?

Estudiante B: Mientras Catalina jugaba al tenis, Roberto…

1. jugar al tenis
2. buscar información en Internet
3. hacer un experimento
4. disfrutar con las amigas
5. leer su libro

Estudiante B Dile a tu compañero(a) qué hizo Roberto mientras Catalina hacía otra cosa. *(Hint: Tell your partner what Roberto did.)*

modelo

ganar un premio

Estudiante A: ¿Qué hizo Roberto mientras Catalina jugaba al tenis?

Estudiante B: Mientras Catalina jugaba al tenis, Roberto ganó un premio.

1. ganar un premio
2. tener un accidente
3. ver el leopardo
4. oír música
5. comprar una limonada

13 Unidad 2 Etapa 3 p. 161
¿Lo hace?

Estudiante A Pregúntale a tu compañero(a) si a estas personas les gusta hacer las siguientes cosas. Luego haz una lista de sus respuestas.
(Hint: Ask your classmate about activities.)

modelo

Carlos / encantar / bailar

Estudiante A: *¿A Carlos le encanta bailar?*

Estudiante B: ...

1. Carlos / encantar / bailar
2. Ana / interesar / las noticias
3. Jorge / molestar / las matemáticas
4. Catalina / fascinar / los deportes
5. Juan / gustar / la carne

Estudiante B Tu compañero(a) te va a preguntar si a unas personas les gusta hacer varias cosas. Contesta las preguntas y responde con los verbos de abajo. Luego haz una lista de sus respuestas.
(Hint: Answer your classmate about activities.)

encantar gustar importar interesar

modelo

Carlos va a la discoteca.

Estudiante A: *¿A Carlos le encanta bailar?*

Estudiante B: *Sí, le encanta bailar. Le gusta ir a la discoteca.*

1. Carlos va a la discoteca.
2. Ana lee el periódico.
3. Jorge no estudia las matemáticas.
4. Catalina juega al fútbol.
5. Juan come muchas hamburguesas.

14 Unidad 2 Etapa 3 p. 163
En tu restaurante preferido

1. pollo asado
2. bistec
3. pescado
4. limonada
5. leche

Estudiante A Pregúntale a tu compañero(a) si le sirven estas comidas en el Restaurante Pirámide. Luego, usa los dibujos para contestar sus preguntas sobre las comidas que te sirven en el Restaurante Mucho Gusto. *(Hint: Talk about what foods are served in restaurants.)*

modelo

Estudiante A: *¿Te sirven pollo asado en el restaurante?*

Estudiante B: ...

Estudiante B Usa los dibujos para contestar las preguntas de tu compañero(a) sobre las comidas que te sirven en el Restaurante Pirámide. Luego, pregúntale si le sirven varias comidas en el Restaurante Mucho Gusto. *(Hint: Talk about what foods are served in restaurants.)*

modelo

Estudiante A: *¿Te sirven pollo asado en el restaurante?*

Estudiante B: *Sí, me lo sirven.*

6. plátanos
7. papas fritas
8. tacos
9. pasta
10. pan

15 — Unidad 3 Etapa 1 p. 188
¿Está haciéndolo?

Estudiante A María se prepara para la escuela. Pregúntale a tu compañero(a) si ella necesita hacer las siguientes actividades o si ya está haciéndolas. (*Hint: Find out if María is doing or needs to do the following activities.*)

modelo

maquillarse

Estudiante A: *¿Se está maquillando María?*

Estudiante B: …

1. maquillarse
2. arreglarse
3. lavarse
4. secarse el pelo
5. mirarse

Estudiante B María se prepara para la escuela. Dile a tu compañero(a) si María necesita hacer las actividades mencionadas o si ya está haciéndolas. (*Hint: Tell your partner if María is doing or needs to do certain things.*)

modelo

maquillarse

Estudiante A: *¿Se está maquillando María?*

Estudiante B: *No. Necesita maquillarse.*

16 — Unidad 3 Etapa 1 p. 193
¿Ahora dónde estás?

Estudiante A Una persona famosa viene a tu escuela. Dale direcciones a las siguientes partes de la escuela. Tu compañero(a) (la persona famosa) va a adivinar el lugar. Cambien de papel. (*Hint: Use usted commands to give directions to the following places in your school. Identify places according to your partner's directions.*)

modelo

la clase de arte

Estudiante A: *Salga de la clase y doble a la izquierda. Camine hasta el auditorio, doble a la derecha y busque la próxima puerta.*

Persona famosa: *Es la clase de arte.*

1. el gimnasio
2. el auditorio
3. la biblioteca
4. el laboratorio de ciencias

Estudiante B Identifica los lugares de la lista de tu compañero(a) según sus direcciones. Luego cambien de papel y dale direcciones para ir a las siguientes partes de la escuela. (*Hint: Identify places in your school according to your partner's directions. Use usted commands to give directions to the places on your list.*)

modelo

la clase de arte

Estudiante A: *Salga de la clase y doble a la izquierda. Camine hasta el auditorio, doble a la derecha y busque la próxima puerta.*

Persona famosa: *Es la clase de arte.*

5. la cafetería
6. el estadio
7. la oficina
8. el salón de computadoras

17 Unidad 3 Etapa 2 p. 211
¿Qué recuerdas?

Estudiante A Dile a tu compañero(a) que tiene que hacer las siguientes actividades. Él (Ella) te va a decir si es necesario hacerlas según el dibujo. *(Hint: Use* tú *commands to tell your partner to do these chores.)*

modelo

barrer el piso

Estudiante A: *Barre el piso.*
Estudiante B: ...

1. barrer el piso
2. poner la mesa
3. sacar la basura
4. lavar los platos
5. quitar la mesa
6. pasar la aspiradora

18 Unidad 3 Etapa 2 p. 215
¿Cómo?

Estudiante A ¿Cómo son estas personas en casa? Pregúntale a tu compañero(a) qué hacen, usando adverbios con **-mente**. *(Hint: Ask what people do.)*

modelo

Juana / inmediatamente

Estudiante A: *En casa, ¿qué hace Juana inmediatamente?*
Estudiante B: ...

1. Juana / inmediatamente
2. Jorge / rápidamente
3. Catalina / tranquilamente
4. Andrés / normalmente
5. Alicia / lentamente
6. David / difícilmente

Estudiante B Dile a tu compañero(a) si es necesario hacer las actividades mencionadas según el dibujo. *(Hint: Decide if the chores should be done.)*

modelo

Estudiante A: *Barre el piso.*
Estudiante B: *No es necesario.*

Estudiante B Contesta las preguntas de tu compañero(a). *(Hint: Tell your partner what people do.)*

modelo

hacer la tarea

Estudiante A: *En casa, ¿qué hace Juana inmediatamente?*
Estudiante B: *Hace la tarea inmediatamente.*

1. hacer la tarea
2. estirarse
3. hacer la cama
4. leer el periódico
5. lavar los platos
6. acostarse temprano

19 Unidad 3 Etapa 3 p. 233
En el consultorio

Estudiante A Una enfermera escribió la información en la tabla de abajo. ¿Cuánto tiempo hace que les afectan las situaciones a las personas? Habla con tu compañero(a) para completar la tabla. *(Hint: Complete the chart.)*

modelo

Estudiante A: ¿Cuánto tiempo hace que Andrés se lastimó?

Estudiante B: Hace... que se lastimó.

Paco	Tiene tos.	
Pepa	Lleva yeso.	5 semanas
Pedro	Está resfriado.	
Julia	Se cortó el dedo.	3 horas
Andrés	Se lastimó.	
María	Le duelen los dientes.	2 meses

Estudiante B Una enfermera escribió la información en la tabla de abajo. ¿Cuánto tiempo hace que les afectan las situaciones a las personas? Habla con tu compañero(a) para completar la tabla. *(Hint: Complete the chart.)*

modelo

Estudiante A: ¿Cuánto tiempo hace que Andrés se lastimó?

Estudiante B: Hace un año que se lastimó.

María	Le duelen los dientes.	
Andrés	Se lastimó.	1 año
Julia	Se cortó el dedo.	
Pedro	Está resfriado.	6 días
Pepa	Lleva yeso.	
Paco	Tiene tos.	1 semana

20 Unidad 3 Etapa 3 p. 237
La telenovela

Estudiante A Imagínate que tu vida es como una telenovela y le vas a decir varias situaciones a tu compañero(a). Te va a responder con una expresión impersonal y su reacción. *(Hint: Tell your partner the following and listen for the response.)*

modelo

Estudiante A: Mi hermana se cayó cuando se ponía los pantalones y está en la sala de emergencia.

Estudiante B: .....

1. Mi hermana se cayó cuando se ponía los pantalones y está en la sala de emergencia.
2. Hubo un temblor y mi casa está destruida.
3. Mi profesor va a ser mi padrastro.
4. Acabo de darme cuenta de que tengo una gemela.
5. Hace mucho calor y no tengo desodorante.

Estudiante B Imagínate que la vida de tu compañero(a) es como una telenovela y te va a describir varias situaciones. Responde con una expresión impersonal y tu reacción. *(Hint: Listen to your partner's situations, and then react.)*

Es triste que...	Es ridículo que...
Es probable que...	Es importante que...
Es bueno que...	Es una lástima que...

modelo

Estudiante A: Mi hermana se cayó cuando se ponía los pantalones y está en la sala de emergencia.

Estudiante B: Es importante que tu hermana tenga cuidado cuando se pone los pantalones.

21 Unidad 4 Etapa 1 p. 265
Quiero que vayamos a…

Estudiante A Contesta preguntas sobre tu hotel. Luego hazle estas preguntas a tu compañero(a). Trata de convencerle de hospedarse en tu hotel. *(Hint: Ask and answer questions about a hotel.)*

Tu hotel tiene:
- baños grandes
- habitaciones hermosas
- muebles antiguos
- una vista del mar
- comida maravillosa

modelo

Estudiante B: *¿Tiene habitaciones hermosas?*
Estudiante A: *Sí.*
Estudiante B: *Ojalá que nos hospedemos…*

5. ¿Tiene cocinas en las habitaciones?
6. ¿Tiene televisor en las habitaciones?
7. ¿Tiene piscina?
8. ¿Tiene gimnasio?

Estudiante B Pregúntale a tu compañero(a) sobre su hotel y contesta preguntas sobre el tuyo. Luego trata de convencerle de hospedarse en tu hotel. *(Hint: Ask and answer questions about a hotel.)*

modelo

Estudiante B: *¿Tiene habitaciones hermosas?*
Estudiante A: *….*
Estudiante B: *Ojalá que nos hospedemos…*

1. ¿Tiene habitaciones hermosas?
2. ¿Tiene muebles antiguos o modernos?
3. ¿Tiene baños grandes?
4. ¿Tiene servicio excepcional?

Tu hotel tiene:
- una piscina grande
- aire acondicionado
- un gimnasio

habitaciones con…
- cocinas
- televisores

22 Unidad 4 Etapa 1 p. 267
Siempre lo contrario

Estudiante A Tú y tu compañero(a) no están de acuerdo hoy. Cuando tú sugieres algo, él (ella) tiene otra idea. *(Hint: Suggest activities.)*

modelo

preparar el almuerzo en el horno microondas

Estudiante A: *Ojalá que preparemos el almuerzo en el horno microondas.*
Estudiante B: *…*

1. preparar el almuerzo en el horno microondas
2. poner la calefacción
3. dar una vuelta
4. ir a la librería
5. ir al centro comercial
6. lavar el perro en el lavabo
7. levantarse tarde
8. alquilar un video cómico

Estudiante B Tú y tu compañero(a) no están de acuerdo hoy. Cuando él (ella) sugiere algo, tú tienes otra idea. *(Hint: Suggest alternate activities.)*

modelo

usar la estufa

Estudiante A: *Ojalá que preparemos el almuerzo en el horno microondas.*
Estudiante B: *Prefiero que usemos la estufa.*

lavarlo en la bañera

ir a un mercado

usar un despertador

usar la estufa

sacar libros de la biblioteca

alquilar uno de horror

andar en bicicleta

poner el aire acondicionado

23 Unidad 4 Etapa 2 p. 285
¿Puedes ayudarme?

Estudiante A Estás en la Plaza Mayor y quieres ir a otros lugares de Madrid. Pregúntale a tu compañero(a) cómo llegar. *(Hint: Ask for directions.)*

modelo

Estudiante A: ¿Cómo llego a la Puerta del Sol?

Estudiante B: *Sugiero que sigas…*

1. la Puerta del Sol
2. el Teatro Español
3. el Banco de España
4. las Cortes Españolas
5. la Catedral de San Isidro
6. la Academia de Bellas Artes

Estudiante B Estás en la Plaza Mayor y tu compañero(a) quiere ir a otros lugares de Madrid. Dale direcciones. *(Hint: Give directions to your partner.)*

modelo

Estudiante A: ¿Cómo llego a la Puerta del Sol?

Estudiante B: Sugiero que sigas esta calle hacia…

24 Unidad 4 Etapa 2 p. 289
Mejor tú

Estudiante A Pregúntale a tu compañero(a) si quiere hacer las siguientes actividades. Luego cambien de papel y responde según la lista. Una contraseña (*check mark*) indica que sí quieres hacerlo. Si no hay contraseña, sugiere que otra persona lo haga. *(Hint: Find out if your partner wants to do the following.)*

modelo

hacer la limpieza

Estudiante A: *¿Te gustaría hacer la limpieza?*

Estudiante B: …

1. hacer la limpieza
2. ver la película
3. ir a un partido de béisbol
4. revisar la tarea
   (nombre)

Estudiante B Tu compañero(a) quiere saber si te gustaría hacer las siguientes actividades. Responde según la siguiente lista. Una contraseña (*check mark*) indica que sí quieres hacerlo. Si no hay contraseña, sugiere que otra persona lo haga. Luego cambien de papel.

(Hint: Say whether you want to do these activities or if you want someone else to.)

modelo

hacer la limpieza

Estudiante A: *¿Te gustaría hacer la limpieza?*

Estudiante B: *No, sugiero que mi hermana la haga.*

5. sacar la basura
6. divertirte en una fiesta
7. jugar al baloncesto
8. ir a la taquilla

25 Unidad 4 Etapa 3 p. 305
¿Qué compraste?

26 Unidad 4 Etapa 3 p. 311
Comprando ropa

Estudiante A Imagínate que compraste las siguientes cosas. Compara lo que compraste con lo que compró tu compañero(a) para hacer oraciones utilizando las frases de abajo.

(Hint: Compare what you bought.)

modelo

suéter / talla

Estudiante A: *Mi suéter es talla 14.*

Estudiante B: *...*

Estudiante A: *Mi suéter es más...*

suéter	talla 14	$38
chaleco	talla 10	$35
traje	talla 6	$127

1. suéter / talla
2. chaleco / talla
3. traje / precio

más grande   **es tan grande como**   **cuesta tanto como**

menos caro(a)   **más pequeño(a)**   **más caro(a)**

Estudiante A Imagínate que eres un(a) cliente(a) en una tienda de ropa y tu compañero(a) es el (la) dependiente(a). Usa las siguientes oraciones para hacer una conversación. ¡Ojo! No están en orden. Tú empiezas. *(Hint: Create a conversation.)*

a. *(Te pones el chaleco.)* ¿Cómo me veo?

b. Dudo que haya lo que quiero. Busco un chaleco.

c. ¿Me puede atender?

d. Quiero uno que haga juego con estos pantalones.

e. Bueno, me lo llevo.

f. Sí, el color oscuro es perfecto, pero no creo que me quede bien.

Estudiante B Imagínate que compraste las siguientes cosas. Compara lo que compraste con lo que compró tu compañero(a) para hacer oraciones utilizando las frases de abajo.

(Hint: Compare what you bought.)

modelo

suéter / talla

Estudiante A: *Mi suéter es talla 14.*

Estudiante B: *Mi suéter es talla 16.*

Estudiante A: *Mi suéter es más pequeño.*

4. suéter / precio
5. chaleco / precio
6. traje / talla

suéter	talla 16	$38
chaleco	talla 12	$20
traje	talla 14	$96

más grande

es tan grande como

cuesta tanto como

menos caro(a)

más pequeño(a)

más caro(a)

Estudiante B Imagínate que eres un(a) dependiente(a) en una tienda de ropa. Y tu compañero(a) es el (la) cliente(a). Usa las siguientes oraciones para hacer una conversación. ¡Ojo! No están en orden. Tu compañero(a) empieza. *(Hint: Create a conversation.)*

a. Te ves fantástico(a).

b. Me alegro de que tengamos varios estilos… con rayas, oscuros… ¿Qué prefieres?

c. Sí, ¿en qué te puedo servir?

d. Recomiendo que te lo pongas.

e. Bueno, algo sencillo, entonces. ¿Te gusta éste?

f. Excelente, espero que te guste.

27 Unidad 5 Etapa 1 p. 336 — Dibujos animados

Estudiante A Tu compañero(a) vio la propaganda (*preview*) de un programa de dibujos animados. Pregúntale qué animales harán las siguientes actividades. Cambien de papel.

modelo

comer una salchicha

Estudiante A: ¿Qué animal comerá una salchicha?

Estudiante B: El león la comerá. (El león comerá una salchicha.)

1. bailar sobre una hoja
3. vestirse en ropa formal
5. beber un refresco
7. dormirse bajo el sol

28 Unidad 5 Etapa 1 p. 341 — ¡Vámonos!

nadar

sacar unas fotos en el parque nacional

ponernos impermeables

hacer algo divertido

Estudiante A Dile las siguientes situaciones a tu compañero(a) quien va a recomendar que ustedes hagan ciertas actividades. Cambien de papel.

modelo

Estoy cansado(a).

Estudiante A: Estoy cansado(a).

Estudiante B: …

1. Estoy cansado(a).
2. Me gusta la naturaleza.
3. Debemos ayudar el medio ambiente.
4. Me molesta la altitud.

Estudiante B Viste la propaganda (*preview*) de un programa de dibujos animados. Tu compañero(a) quiere saber qué animales harán las actividades mencionadas. Cambien de papel.

modelo

Estudiante A: ¿Qué animal comerá una salchicha?

Estudiante B: El león la comerá. (El león comerá una salchicha.)

2. escuchar música rock
4. reírse mucho
6. correr lejos
8. ser feroz

Estudiante B Tu compañero(a) te va a describir varias situaciones. Para cada situación, sugiere una actividad que ustedes puedan hacer. Cambien de papel.

bajar por el sendero

ir al parque nacional

trabajar como voluntarios(as)

dormir una siesta

modelo

dormir una siesta

Estudiante A: Estoy cansado(a).

Estudiante B: ¡Durmamos una siesta!

5. Estoy aburrido(a).
6. Va a llover.
7. Tengo calor.
8. Quiero fotos de los animales.

29 Unidad 5 Etapa 2 p. 358
Planes para diez años

Estudiante A Estas personas describieron sus planes para diez años en el futuro. Habla con tu compañero(a) para completar la tabla.

modelo

Estudiante A: ¿Qué será Margarita?

Estudiante B: Margarita...

nombre	profesión	edad	pasatiempo
Felipe	bombero		escalar montañas
Amanda		27	
Andrés	profesor		viajar
Margarita		31	

Estudiante B Estas personas describieron sus planes para diez años en el futuro. Habla con tu compañero(a) para completar la tabla.

modelo

Estudiante A: ¿Qué será Margarita?

Estudiante B: Margarita será doctora.

nombre	profesión	edad	pasatiempo
Margarita	doctora		pescar
Andrés		24	
Amanda	escritora		montar a caballo
Felipe		19	

30 Unidad 5 Etapa 2 p. 363
¿Hace buen tiempo?

Estudiante A Tú y tu compañero(a) tienen información sobre el tiempo de algunos días de la semana. Túrnense con preguntas sobre el tiempo que no sepan. ¡Ojo! Hay un día en que ustedes tienen información diferente.

modelo

lunes

Estudiante A: ¿Hace buen tiempo el lunes?

Estudiante B: ...

lunes	
martes	llovizna
miércoles	
jueves	húmedo
viernes	relámpago
sábado	
domingo	nubes

Estudiante B Tú y tu compañero(a) tienen información sobre el tiempo de algunos días de la semana. Túrnense con preguntas sobre el tiempo que no sepan. ¡Ojo! Hay un día en que ustedes tienen información diferente.

modelo

lunes

Estudiante A: ¿Hace buen tiempo el lunes?

Estudiante B: Sí, es un día caluroso.

lunes	caluroso
martes	
miércoles	neblina
jueves	huracán
viernes	
sábado	aguacero
domingo	

Estudiante A (31 Adivina)

Estudiante A Hazle a tu compañero(a) las siguientes preguntas. Tu compañero(a) va a dramatizar sus respuestas sin hablar. Adivina la actividad que preferiría hacer según sus acciones. Cambien de papel. Dramatiza lo que preferirías de las dos opciones.

modelo

¿Qué harías en el parqué?

Estudiante A: *¿Qué harías en el parque?*

Estudiante B: *(Dramatiza la actividad.)*

Estudiante A: *(Adivina la actividad.)*

1. ¿Qué harías en el parque?
2. ¿Qué comprarías con veinte dólares?
3. ¿Qué animal preferirías tener?

acampar / sacar fotos
volar / manejar
ajedrez / voleibol

Estudiante A (32 ¿Quién adivinó mejor?)

Estudiante A Lee las siguientes preguntas y adivina cómo responderá tu compañero(a). Escribe tus respuestas. Luego túrnense para hacer y contestar preguntas. ¿Quién adivinó mejor?

modelo

Si fueras director(a) de la escuela, ¿qué harías?

Estudiante A: *Si fueras director(a) de la escuela, ¿qué harías?*

Estudiante B: …

1. Si fueras director(a) de la escuela, ¿qué harías?
2. Si estuvieras escuchando música, ¿qué harías?
3. Si pudieras cambiar el color de tus ojos, ¿qué harías?

comer «sushi»
esquiar mucho   nadar todos los días

Estudiante B (31 Adivina)

Estudiante B Cuando tu compañero(a) te pregunte, dramatiza lo que preferirías de las opciones. ¡Ojo! No puedes hablar. Tu compañero(a) va a adivinarlo usando el condicional. Cambien de papel.

patinar / leer un libro
un disco compacto / una camiseta
un perro / un mono

modelo

patinar / leer un libro

Estudiante A: *¿Qué harías en el parque?*

Estudiante B: *(Dramatiza la actividad.)*

Estudiante A: …

4. ¿Qué harías en un bosque?
5. ¿Cómo irías a otro país?
6. ¿A qué jugarías con tus amigos?

Estudiante B (32 ¿Quién adivinó mejor?)

Estudiante B Lee las siguientes preguntas y adivina cómo responderá tu compañero(a). Escribe tus respuestas. Luego túrnense para hacer y contestar preguntas. ¿Quién adivinó mejor?

modelo

hacer una fiesta cada viernes

Estudiante A: *Si fueras director(a) de la escuela, ¿qué harías?*

Estudiante B: *Haría una fiesta cada viernes.*

poner música de los años setenta
tener ojos marrones
hacer una fiesta cada viernes

4. Si estuvieras en un restaurante japonés, ¿qué harías?
5. Si estuvieras en una isla desierta, ¿qué harías?
6. Si estuvieras en las montañas, ¿qué harías?

32 ¿Quién adivinó mejor? Unidad 5 Etapa 3 p. 385

31 Adivina Unidad 5 Etapa 3 p. 382

MÁS COMUNICACIÓN

33 Unidad 6 Etapa 1 p. 410
En su tiempo libre

el obrero	jugar al baloncesto
la mecánica	escribir cartas
el bombero	
el cartero	
la artesana	jugar al fútbol
el operador	

Estudiante B: …

Estudiante A: ¿Qué hace el operador en su tiempo libre?

modelo

el operador

Estudiante A Quieres saber qué hacen tres de estas personas en su tiempo libre. Pregúntale a tu compañero(a). Luego cambien de papel.

Estudiante B Tu compañero(a) quiere saber qué hacen tres de estas personas en su tiempo libre. Contesta las preguntas. Luego cambien de papel.

modelo

el operador

Estudiante A: ¿Qué hace el operador en su tiempo libre?

Estudiante B: El operador lee.

el operador	leer
la artesana	
el cartero	nadar
el bombero	cocinar
la mecánica	
el obrero	

---

34 Unidad 6 Etapa 1 p. 415
Una solicitud

Solicitud para empleo

Firma _Carmen Julieta Vásquez_

Actividades _____

Horas disponibles (número total por semana) _10_

Ciudadanía _Ecuatoriana_

Fecha de nacimiento _____

Teléfono _555-98-80_

Dirección _____

Nombre _____

Estudiante B: …

Estudiante A: ¿Cuál es el nombre de esta persona?

modelo

Estudiante A Tienes una solicitud que no está completa. Pregúntale a tu compañero(a) si tiene la información. Luego cambien de papel.

Estudiante B Tienes una solicitud que no está completa. Pregúntale a tu compañero(a) si tiene la información. Luego cambien de papel.

modelo

Estudiante A: ¿Cuál es el nombre de esta persona?

Estudiante B: Su nombre es…

Solicitud para empleo

Nombre _Carmen Julieta Vásquez_

Dirección _4216 Contra Costa, Quito_

Teléfono _____

Fecha de nacimiento _21 de marzo de 1984_

Ciudadanía _____

Horas disponibles (número total por semana) _____

Actividades _jugar al baloncesto, cantar en el coro_

Firma _____

35 Unidad 6 Etapa 2 p. 431
¿Qué hizo?

Estudiante A Dile a tu compañero(a) lo que hacía Timoteo cuando era niño. Tu compañero(a) sabe lo que hizo ayer. Túrnense con preguntas.

modelo

trepar a los árboles

Estudiante A: *Cuando era niño, Timoteo trepaba a los árboles todos los días. ¿Qué hizo ayer?*

Estudiante B: ...

1. trepar a los árboles
2. saltar la cuerda
3. construir con bloques
4. jugar con sus primos
5. cantar

Estudiante B Tu compañero(a) sabe lo que hacía Timoteo cuando era niño. Dile qué hizo ayer. Túrnense con preguntas.

modelo

nadar en la piscina

Estudiante A: *Cuando era niño, Timoteo trepaba a los árboles todos los días. ¿Qué hizo ayer?*

Estudiante B: *Ayer Timoteo nadó en la piscina.*

1. nadar en la piscina
2. jugar al baloncesto
3. comer tacos
4. contarles cuentos a los niños
5. cantar en el coro

36 Unidad 6 Etapa 2 p. 437
Una entrevista

Estudiante A Eres el (la) entrevistador(a) y tu compañero(a) busca empleo. Hagan una conversación poniendo las oraciones en orden y conjugando los verbos en el presente perfecto. Tú empiezas.

a. Sí, la puntualidad es muy importante. ¿Por qué (buscar) un puesto con nuestra empresa?

b. Buenas tardes, señor (señorita). ¿Ya ——— (tener) otro empleo?

c. Bueno, yo (ver) su currículum y estoy de acuerdo. ¿Sabe que el contrato es por seis meses?

d. ¿(Ver) los requisitos para este puesto?

e. Muy bien. ¿Qué (hacer) en el restaurante?

Estudiante B Tu compañero(a) es el (la) entrevistador(a) y tú buscas empleo. Hagan una conversación poniendo las oraciones en orden y conjugando los verbos en el presente perfecto. Tu compañero(a) empieza.

f. Sí, (tener) mucha experiencia. Generalmente soy puntual.

g. Pues, (trabajar) con dinero y (servir) comida.

h. Sí, (trabajar) en un restaurante por dos años.

i. Sí, (ver) el contrato y es perfecto porque salgo para la universidad en seis meses.

j. (Querer) trabajar aquí por mucho tiempo y creo que (demostrar) las habilidades que usted busca.

37 Unidad 6 Etapa 3 p. 454
En el verano

(Estudiante A — texto invertido)

1. **lunes**	5. **viernes**
2. **martes** ser voluntaria	6. **sábado** limpiar el cuarto
3. **miércoles** ir de compras	7. **domingo**
4. **jueves** jugar al voleibol	

modelo

Estudiante A: *¿Qué hará el lunes?*

Estudiante B: *…*

Estudiante A Margarita ha planeado un horario para sus actividades este verano. Conversa con tu compañero(a) para completar el horario.

Estudiante B Margarita ha planeado un horario para sus actividades este verano. Conversa con tu compañero(a) para completar el horario.

modelo

Estudiante A: *¿Qué hará el lunes?*

Estudiante B: *Practicará las artes marciales.*

1. **lunes** practicar las artes marciales	5. **viernes** tomar un curso de computadoras
2. **martes**	6. **sábado**
3. **miércoles**	7. **domingo** bajar el río en canoa
4. **jueves**	

38 Unidad 6 Etapa 3 p. 459
¿Quién lo dijo?

(Estudiante A — texto invertido)

modelo

Estudiante A: *¿De quién es el primer mensaje? ¿Qué dijo?*

Estudiante B: *Es de … Dijo que necesitaría…*

Estudiante A Tienes varios mensajes pero te falta información. Con tu compañero(a), completa los mensajes.

Estudiante B Tienes varios mensajes pero te falta información. Con tu compañero(a), completa los mensajes.

modelo

Estudiante A: *¿De quién es el primer mensaje? ¿Qué dijo?*

Estudiante B: *Es de Carlitos. Dijo que necesitaría dinero.*

Vocabulario adicional

Here is some additional vocabulary that you may want to use in conversation. If you do not find a word here, it may be listed in the glossaries.

Más clases

el alemán	German
el álgebra (fem.)	algebra
la biología	biology
el cálculo	calculus
la composición	writing
la contabilidad	accounting
la economía doméstica	home economics
la educación vial	driver's education
la física	physics
el francés	French
la geografía	geography
la geometría	geometry
la hora de estudio	study hall
la instrucción cívica	civics
el latín	Latin
la mecanografía	typing
la química	chemistry
el ruso	Russian
la salud	health
la trigonometría	trigonometry

Más frutas y verduras

el aguacate	avocado
la alcachofa	artichoke
el apio	celery
el arándano	blueberry
la banana	banana
la berenjena	eggplant
el bróculi	broccoli
el calabacín	zucchini
la calabaza	squash
la ciruela	plum
la col	cabbage
la coliflor	cauliflower
el espárrago	esparagus
la espinaca	spinach
la frambuesa	raspberry
la guayaba	guava
el kiwi	kiwi
el limón	lemon
la mora	blackberry
el melocotón	peach
la naranja	orange
el pepino	cucumber
la sandía	watermelon
la toronja	grapefruit

Más profesiones

el (la) agente de bolsa	stockbroker
el (la) banquero(a)	banker
el (la) bibliotecario(a)	librarian
el (la) carnicero(a)	butcher
el (la) carpintero(a)	carpenter
el (la) científico(a)	scientist
el (la) cocinero(a)	chef
el (la) consejero(a)	counselor
el (la) decorador(a) de interiores	interior decorator
el (la) dentista	dentist
el (la) director(a)	principal; director
el (la) electricista	electrician
el (la) farmacéutico(a)	pharmacist
el (la) florista	florist
el (la) jardinero(a)	gardener
el (la) joyero(a)	jeweler
el (la) militar	soldier
el (la) panadero(a)	baker
el (la) plomero(a)	plumber
el (la) portero(a)	janitor
el (la) programador(a)	programmer
el (la) traductor(a)	translator
el (la) vendedor(a)	salesperson

Más animales

el buey	ox
el burro	donkey
el conejillo de Indias	guinea pig
el conejo	rabbit
el elefante	elephant
el gerbo	gerbil
el hámster	hamster
el hurón	ferret
la jirafa	giraffe
la lechuza	barn owl
el leopardo	leopard
el (la) oso(a)	bear
la oveja	sheep
la paloma	pigeon, dove
el puma	American panther
la rata	rat
el ratón	mouse

Los deportes

el árbitro	referee, umpire
el arquero	goalie
el (la) bateador(a)	batter
el boxeo	boxing
el (la) campeón(ona)	champion
el campeonato	championship
la carrera	race
el cesto	basket
el (la) entrenador(a)	trainer, coach
el esquí	ski
la gimnasia	gymnastics
el golf	golf
los juegos olímpicos	Olympics
el (la) lanzador(a)	pitcher
el marcador	scoreboard
el palo	stick, club
el (la) parador(a)	catcher
la patineta para nieve	snowboard
la pista	racetrack
la red	net
la tabla hawaiana	surfboard
el trofeo	trophy
el uniforme	uniform

Más nacionalidades

africano(a)	African
asiático(a)	Asian
australiano(a)	Australian
brasileño(a)	Brazilian
camboyano(a)	Cambodian
coreano(a)	Korean
danés(esa)	Danish
egipcio(a)	Egyptian
escocés(esa)	Scottish
europeo(a)	European
filipino(a)	Filipino
galés(esa)	Welsh
griego(a)	Greek
haitiano(a)	Haitian
holandés(esa)	Dutch
húngaro(a)	Hungarian
indio(a)	Indian
irlandés(esa)	Irish
israelita	Israeli
libanés(esa)	Lebanese
marroquí	Moroccan
nigeriano(a)	Nigerian
noruego(a)	Norwegian
paquistaní	Pakistani
portugués(esa)	Portuguese
ruso(a)	Russian
saudita	Saudi
sirio(a)	Syrian
sudafricano(a)	South African
sueco(a)	Swedish
suizo(a)	Swiss
turco(a)	Turkish
vietnamita	Vietnamese

Instrumentos musicales

el acordeón	accordion
la armónica	harmonica
el arpa (fem.)	harp
el bajo	bass
la batería	drum set
el clarinete	clarinet
el corno francés	French horn
el corno inglés	English horn
la flauta	flute
la flauta dulce	recorder
el flautín	piccolo
la mandolina	mandolin

el oboe	oboe
el órgano	organ
la pandereta	tambourine
el saxofón	saxophone
el tambor	drum
el trombón	trombone
la trompeta	trumpet
la tuba	tuba
la viola	viola
el violín	violin
el violonchelo	cello
el xilófono	xylophone

Juegos-respuestas

ETAPA PRELIMINAR

En resumen, p. 25: 9, 2, 2

UNIDAD 1

Etapa 1   **En uso,** p. 51: Pablo: acampar; Tania: ajedrez; Luis: coro; Josefa: artes marciales

Etapa 2   **En uso,** p. 73: El pato pintó un retrato del gato.

Etapa 3   **En acción,** p. 83: el inglés: pan francés; el francés: sándwich cubano; el mexicano: arroz mexicano; **En uso,** p. 97: el (la) reportero(a)

UNIDAD 2

Etapa 1   **En acción,** p. 116: 1. se sonríe 2. me divierto 3. se aburren 4. te caes 5. se enoja; Respuesta: me río; **En uso,** p. 125: un muñeco de peluche

Etapa 2   **En uso,** p. 147: el primero: Javier; el cuarto: Jorge; la tercera: Julia; el segundo: José

Etapa 3   **En uso,** p. 171: una obra de teatro

UNIDAD 3

Etapa 1   **En acción,** p. 188: Es mi trompeta. **En uso,** p. 199: Marta: el secador de pelo; Antonio: el reloj; Beatriz: el jabón

Etapa 2   **En uso,** p. 221: arena; protegernos; loción protectora

Etapa 3   **En uso,** p. 245: la muñeca

UNIDAD 4

Etapa 1   **En uso,** p. 273: detrás del televisor

Etapa 2   **En acción,** p. 282: 1. perdamos 2. cuesten 3. despierten 4. vuelvas; Respuesta: luna; **En uso,** p. 295: Busca su perro.

Etapa 3   **En uso,** p. 319: Sus zapatos son demasiado grandes, sus pantalones son flojos y su chaleco le queda apretado.

UNIDAD 5

Etapa 1   **En uso,** p. 347: el jaguar

Etapa 2   **En uso,** p. 369: saco de dormir; fogata; aguacero

Etapa 3   **En acción,** p. 383: c. Chile; **En uso,** p. 393: d. 3 horas

UNIDAD 6

Etapa 1   **En uso,** p. 421: el cartero

Etapa 2   **En uso,** p. 443: requisito 2. beneficios 3. habilidades 4. ventaja 5. meta 6. contrato 7. seguro 8. entrevistador 9. educación 10. empresa 11. sueldo; Respuesta: universidad

Etapa 3   **En acción,** p. 451: c. el semáforo

Gramática—resumen

Grammar Terms

Adjective (pp. 7, 304, 413): a word that describes a noun

Adverb (p. 212): a word that modifies a verb, an adjective, or another adverb

Command (pp. 188, 190, 208, 210, 338): a verb form used to tell someone to do something

Comparative (p. 304): a phrase that compares two different things

Conditional Tense (pp. 380, 454): a verb form that indicates that the action in a sentence could happen at a future time

Demonstrative (p. 84): an adjective or a pronoun that points out someone or something

Direct Object (pp. 156, 158, 161, 186): a noun or pronoun that receives the action of the main verb in a sentence

Future Tense (pp. 334, 356, 452): a verb form that indicates that the action in a sentence will happen in the future

Gender (p. 7): a term that categorizes a noun or pronoun as masculine or feminine

Imperfect Tense (pp. 116, 137, 430): a verb form that indicates that an action in a sentence happened over an extended period of time or repeatedly in the past

Impersonal se (p. 411): the pronoun **se** used when the subject's identity is not important

Indirect Object (pp. 158, 161, 186): a noun or pronoun that tells to whom/what or for whom/what the action in a sentence is done

Infinitive (pp. 5, 286): the basic form of a verb, ending in **-ar**, **-er**, or **-ir**

Interrogative (p. 13): a word that asks a question

Noun (p. 7): a word that names a person, an animal, a place, or a thing

Number (p. 7): a term that categorizes a noun or pronoun as singular or plural

Possessive (p. 112): an adjective or a pronoun that tells to whom the noun it describes belongs

Preposition (pp. 336, 360, 378): a word that shows the relationship between its object and another word in the sentence

Present Perfect Tense (pp. 432, 435): a verb form that indicates that the action in a sentence has been done in the past

Present Tense (pp. 17, 60, 408): a verb form that indicates that the action in a sentence is happening now

Preterite Tense (pp. 38, 40, 42, 63, 86, 137, 430): a verb form that indicates that the action in a sentence happened at a particular time in the past

Progressive Tenses (pp. 135, 408): compound present and past tenses that indicate action going on at the time of the sentence

Pronoun (pp. 156, 158, 161, 186, 190): a word that takes the place of a noun

Reflexive Pronoun (p. 114): a pronoun that is used with reflexive verbs

Reflexive Verb (p. 114): a verb of which the subject receives the action

Subject (p. 10): the noun, pronoun, or noun phrase in a sentence that tells whom or what the sentence is about

Subjunctive Mood (pp. 232, 260, 263, 282, 284, 286, 306, 309): a form that indicates that a sentence expresses an opinion, a hope or wish, doubt, or emotion

Superlative (p. 304): a phrase that describes which item has the most or least of a quality

Verb (p. 9): a word that expresses action or a state of being

Nouns, Articles, and Pronouns

Nouns

Nouns identify people, animals, places, or things. Spanish nouns are either **masculine** or **feminine.** They are also either **singular** (identifying one thing) or **plural** (identifying more than one thing). **Masculine nouns** usually end in **-o** and **feminine nouns** usually end in **-a.**

To make a noun **plural**, add **-s** to a word ending in a vowel and **-es** to a word ending in a consonant.

Singular Nouns	
Masculine	**Feminine**
amigo	amiga
chico	chica
hombre	mujer
suéter	blusa
zapato	falda

Plural Nouns	
Masculine	**Feminine**
amigos	amigas
chicos	chicas
hombres	mujeres
suéteres	blusas
zapatos	faldas

Articles

Articles identify the class of a noun: masculine or feminine, singular or plural. **Definite articles** are the equivalent of the English word *the.* **Indefinite articles** are the equivalent of *a, an,* or *some.*

Definite Articles	**Masculine**	**Feminine**
Singular	**el** amigo	**la** amiga
Plural	**los** amigos	**las** amigas

Indefinite Articles	**Masculine**	**Feminine**
Singular	**un** amigo	**una** amiga
Plural	**unos** amigos	**unas** amigas

Pronouns

A **pronoun** takes the place of a noun. The choice of pronoun is determined by how it is used in the sentence.

Subject Pronouns	
yo	nosotros(as)
tú	vosotros(as)
usted	ustedes
él, ella	ellos(as)

Pronouns Used After Prepositions	
de **mí**	de **nosotros(as)**
de **ti**	de **vosotros(as)**
de **usted**	de **ustedes**
de **él**, de **ella**	de **ellos(as)**

Direct Object Pronouns	
me	nos
te	os
lo, la	los, las

Indirect Object Pronouns	
me	nos
te	os
le	les

Reflexive Pronouns	
me	nos
te	os
se	se

Demonstrative Pronouns	
éste(a), esto	éstos(as)
ése(a), eso	ésos(as)
aquél(la), aquello	aquéllos(as)

Adjectives

Adjectives describe nouns. In Spanish, adjectives must match the **number** and **gender** of the nouns they describe. When an adjective describes a group containing both genders, the masculine form is used. To make an adjective plural, apply the same rules that are used for making a noun plural. Most adjectives are placed after the noun.

Adjectives		
	Masculine	**Feminine**
Singular	el chico **guapo**	la chica **guapa**
	el chico **paciente**	la chica **paciente**
	el chico **fenomenal**	la chica **fenomenal**
	el chico **trabajador**	la chica **trabajadora**
Plural	los chicos **guapos**	las chicas **guapas**
	los chicos **pacientes**	las chicas **pacientes**
	los chicos **fenomenales**	las chicas **fenomenales**
	los chicos **trabajadores**	las chicas **trabajadoras**

Adjectives cont.

Sometimes adjectives are placed **before** the noun and **shortened**. **Grande** is shortened before any singular noun. Several others are shortened before a masculine singular noun.

Shortened Forms			
alguno	**algún** chico	primero	**primer** chico
bueno	**buen** chico	tercero	**tercer** chico
malo	**mal** chico		
ninguno	**ningún** chico	grande	**gran** chico(a)

Possessive adjectives identify to whom something belongs. They agree in gender and number with the noun possessed, not with the person who possesses it.

Possessive Adjectives				
	Masculine		**Feminine**	
Singular	**mi** amigo	**nuestro** amigo	**mi** amiga	**nuestra** amiga
	tu amigo	**vuestro** amigo	**tu** amiga	**vuestra** amiga
	su amigo	**su** amigo	**su** amiga	**su** amiga
Plural	**mis** amigos	**nuestros** amigos	**mis** amigas	**nuestras** amigas
	tus amigos	**vuestros** amigos	**tus** amigas	**vuestras** amigas
	sus amigos	**sus** amigos	**sus** amigas	**sus** amigas

Demonstrative adjectives point out which noun is being referred to. Their English equivalents are *this*, *that*, *these*, and *those*.

Demonstrative Adjectives		
	Masculine	**Feminine**
Singular	**este** amigo	**esta** amiga
	ese amigo	**esa** amiga
	aquel amigo	**aquella** amiga
Plural	**estos** amigos	**estas** amigas
	esos amigos	**esas** amigas
	aquellos amigos	**aquellas** amigas

Interrogatives

Interrogative words are used to ask questions.

Interrogatives		
¿Adónde?	¿Cuándo?	¿Por qué?
¿Cómo?	¿Cuánto(a)? ¿Cuántos(as)?	¿Qué?
¿Cuál(es)?	¿Dónde?	¿Quién(es)?

Comparatives and Superlatives

Comparatives

Comparatives are used when comparing two different things.

Comparatives		
más (+) **más** interesante **que…** Me gusta correr **más que** nadar.	menos (−) **menos** interesante **que…** Me gusta nadar **menos que** correr.	tan(to) (=) **tan** interesante **como…** Me gusta leer **tanto como** escribir.

There are a few irregular comparatives. When talking about people, use **mayor** and **menor.** When talking about quality, use **mejor** and **peor.**

Age	Quality
mayor menor	mejor peor

When talking about numbers, **de** is used instead of **que.**

> **más de** cien…
> **menos de** cien…

Superlatives

Superlatives are used to distinguish one item from a group. They describe which item has the most or least of a quality.

The ending **-ísimo(a)** can be added to an adjective to form a superlative.

Superlatives		Masculine	Feminine
Singular		**el** chico **más** alto **el** chico **menos** alto	**la** chica **más** alta **la** chica **menos** alta
Plural		**los** chicos **más** altos **los** chicos **menos** altos	**las** chicas **más** altas **las** chicas **menos** altas
Singular		mole buen**ísimo**	pasta buen**ísima**
Plural		frijoles buen**ísimos**	enchiladas buen**ísimas**

Affirmative and Negative Words

Affirmative words are used to talk about something or someone, or to say that an event also or always happens. **Negative** words are used to refer to no one or nothing, or to say that events do not happen. Remember, to make a sentence negative, you must have **no** or another negative word before the verb.

Affirmative	Negative
algo	nada
alguien	nadie
algún (alguna)	ningún (ninguna)
alguno(a)	ninguno(a)
siempre	nunca
también	tampoco

Adverbs

Adverbs modify a verb, an adjective, or another adverb. Many adverbs in Spanish are made by changing an existing adjective.

Adjective	→	Adverb
reciente	→	reciente**mente**
frecuente	→	frecuente**mente**
fácil	→	fácil**mente**
normal	→	normal**mente**
especial	→	especial**mente**
feliz	→	feliz**mente**
cuidadoso(a)	→	cuidadosa**mente**
rápido(a)	→	rápida**mente**
lento(a)	→	lenta**mente**
tranquilo(a)	→	tranquila**mente**

Verbs: Regular Verbs

Simple Tenses

		Indicative					Subjunctive	
		Present	**Imperfect**	**Preterite**	**Future**	**Conditional**	**Present**	**Commands**
Infinitive *Present Participle* *Past Participle*	habl**ar** habl**ando** habl**ado**	habl**o** habl**as** habl**a** habl**amos** habl**áis** habl**an**	habl**aba** habl**abas** habl**aba** habl**ábamos** habl**abais** habl**aban**	habl**é** habl**aste** habl**ó** habl**amos** habl**asteis** habl**aron**	hablar**é** hablar**ás** hablar**á** hablar**emos** hablar**éis** hablar**án**	hablar**ía** hablar**ías** hablar**ía** hablar**íamos** hablar**íais** hablar**ían**	habl**e** habl**es** habl**e** habl**emos** habl**éis** habl**en**	habl**a** **no** habl**es** habl**e** habl**emos** habl**en**
Infinitive *Present Participle* *Past Participle*	com**er** com**iendo** com**ido**	com**o** com**es** com**e** com**emos** com**éis** com**en**	com**ía** com**ías** com**ía** com**íamos** com**íais** com**ían**	com**í** com**iste** com**ió** com**imos** com**isteis** com**ieron**	comer**é** comer**ás** comer**á** comer**emos** comer**éis** comer**án**	comer**ía** comer**ías** comer**ía** comer**íamos** comer**íais** comer**ían**	com**a** com**as** com**a** com**amos** com**áis** com**an**	com**e** **no** com**as** com**a** com**amos** com**an**
Infinitive *Present Participle* *Past Participle*	viv**ir** viv**iendo** viv**ido**	viv**o** viv**es** viv**e** viv**imos** viv**ís** viv**en**	viv**ía** viv**ías** viv**ía** viv**íamos** viv**íais** viv**ían**	viv**í** viv**iste** viv**ió** viv**imos** viv**isteis** viv**ieron**	vivir**é** vivir**ás** vivir**á** vivir**emos** vivir**éis** vivir**án**	vivir**ía** vivir**ías** vivir**ía** vivir**íamos** vivir**íais** vivir**ían**	viv**a** viv**as** viv**a** viv**amos** viv**áis** viv**an**	viv**e** **no** viv**as** viv**a** viv**amos** viv**an**

Note: The following regular verbs have irregular past participles:
abrir → abierto, descubrir → descubierto, escribir → escrito, romper → roto

Compound Tenses

Present Perfect		Present Progressive		Past Progressive	
he has ha hemos habéis han	hablado comido vivido	estoy estás está estamos estáis están	hablando comiendo viviendo	estaba estabas estaba estábamos estabais estaban	hablando comiendo viviendo

Stem-Changing Verbs

Infinitive in -ar	Present Indicative	Present Subjunctive
cerrar e→ie	cierro cierras cierra cerramos cerráis cierran	cierre cierres cierre cerremos cerréis cierren
probar o→ue	pruebo pruebas prueba probamos probáis prueban	pruebe pruebes pruebe probemos probéis prueben
jugar u→ue	juego juegas juega jugamos jugáis juegan	juegue juegues juegue juguemos juguéis jueguen
like **cerrar:** comenzar, despertarse, empezar, merendar, nevar, pensar, recomendar, sentarse like **probar:** acostarse, almorzar, contar, costar, encontrar(se), mostrar, recordar, volar		

GRAMÁTICA—RESUMEN

Stem–Changing Verbs cont.

Infinitive in -er	Present Indicative	Present Subjunctive
perder **e→ie**	pierdo pierdes pierde perdemos perdéis pierden	pierda pierdas pierda perdamos perdáis pierdan
poder **o→ue**	puedo puedes puede podemos podéis pueden	pueda puedas pueda podamos podáis puedan

like **perder:** atender, entender, querer
like **poder:** devolver (past participle: **devuelto**), doler, llover, mover, resolver (past participle: **resuelto**), volver (past participle: **vuelto**)

Infinitive in -ir	Indicative		Subjunctive
	Present	**Preterite**	**Present**
pedir **e→i, i** present participle: pidiendo	pido pides pide pedimos pedís piden	pedí pediste pidió pedimos pedisteis pidieron	pida pidas pida pidamos pidáis pidan
dormir **o→ue, u** present participle: durmiendo	duermo duermes duerme dormimos dormís duermen	dormí dormiste durmió dormimos dormisteis durmieron	duerma duermas duerma durmamos durmáis duerman
sentir **e→ie, i** present participle: sintiendo	siento sientes siente sentimos sentís sienten	sentí sentiste sintió sentimos sentisteis sintieron	sienta sientas sienta sintamos sintáis sientan

like **pedir:** competir, conseguir (consigo), despedirse, repetir, seguir (sigo), servir, vestirse
like **dormir:** morir (past participle: **muerto**)
like **sentir:** divertirse, preferir, requerir, sugerir

GRAMÁTICA–RESUMEN

Spell-Changing Verbs

buscar

Preterite: bus**qu**é, buscaste, buscó, buscamos, buscasteis, buscaron
Present Subjunctive: bus**que**, bus**ques**, bus**que**, bus**que**mos, bus**qu**éis, bus**qu**en

like **buscar:** explicar, identificar, marcar, practicar, pescar, sacar, secar(se), tocar

conducir

Present Indicative: conduzco, conduces, conduce, conducimos, conducís, conducen
Preterite: conduje, condujiste, condujo, condujimos, condujisteis, condujeron
Present Subjunctive: conduzca, conduzcas, conduzca, conduzcamos, conduzcáis, conduzcan

like **conducir:** producir, reducir, traducir

conocer

Present Indicative: conozco, conoces, conoce, conocemos, conocéis, conocen
Present Subjunctive: conozca, conozcas, conozca, conozcamos, conozcáis, conozcan

like **conocer:** crecer, nacer, ofrecer, pertenecer

construir

Present Indicative: construyo, construyes, construye, construimos, construís, construyen
Preterite: construí, construiste, construyó, construimos, construisteis, construyeron
Present Subjunctive: construya, construyas, construya, construyamos, construyáis, construyan
Present Participle: construyendo

creer

Preterite: creí, creíste, creyó, creímos, creísteis, creyeron
Present Participle: creyendo
Past Participle: creído

like **creer:** leer

cruzar

Preterite: crucé, cruzaste, cruzó, cruzamos, cruzasteis, cruzaron
Present Subjunctive: cru**c**e, cru**c**es, cru**c**e, cru**c**emos, cru**c**éis, cru**c**en

like **cruzar:** almorzar (o→ue), comenzar (e→ie), empezar (e→ie)

escoger

Present Indicative: esco**j**o, escoges, escoge, escogemos, escogéis, escogen
Present Subjunctive: esco**j**a, esco**j**as, esco**j**a, esco**j**amos, esco**j**áis, esco**j**an

like **escoger:** proteger

esquiar

Present Indicative: esquío, esquías, esquía, esquiamos, esquiáis, esquían
Present Subjunctive: esquíe, esquíes, esquíe, esquiemos, esquiéis, esquíen

llegar

Preterite: lle**gu**é, llegaste, llegó, llegamos, llegasteis, llegaron
Present Subjunctive: lle**gu**e, lle**gu**es, lle**gu**e, lle**gu**emos, lle**gu**éis, lle**gu**en

like **llegar:** apagar, jugar (u → ue), pagar

reunir

Present Indicative: reúno, reúnes, reúne, reunimos, reunís, reúnen
Present Subjunctive: reúna, reúnas, reúna, reunamos, reunáis, reúnan

Irregular Verbs

andar

Preterite: anduve, anduviste, anduvo, anduvimos, anduvisteis, anduvieron

caer

Present Indicative: caigo, caes, cae, caemos, caéis, caen
Preterite: caí, caíste, cayó, caímos, caísteis, cayeron
Present Subjunctive: caiga, caigas, caiga, caigamos, caigáis, caigan
Present Participle: cayendo
Past Participle: caído

dar

Present Indicative: doy, das, da, damos, dais, dan
Preterite: di, diste, dio, dimos, disteis, dieron
Present Subjunctive: dé, des, dé, demos, deis, den

decir

Present Indicative: digo, dices, dice, decimos, decís, dicen
Preterite: dije, dijiste, dijo, dijimos, dijisteis, dijeron
Future: diré, dirás, etc.
Conditional: diría, dirías, etc.
Present Subjunctive: diga, digas, diga, digamos, digáis, digan
Commands: di (tú), no digas (neg. tú), diga (Ud.), digamos (nosotros), digan (Uds.)
Present Participle: diciendo
Past Participle: dicho

estar

Present Indicative: estoy, estás, está, estamos, estáis, están
Preterite: estuve, estuviste, estuvo, estuvimos, estuvisteis, estuvieron
Present Subjunctive: esté, estés, esté, estemos, estéis, estén

haber

Present Indicative: he, has, ha, hemos, habéis, han
Preterite: hube, hubiste, hubo, hubimos, hubisteis, hubieron
Future: habré, habrás, etc.
Conditional: habría, habrías, etc.
Present Subjunctive: haya, hayas, haya, hayamos, hayáis, hayan

hacer

Present Indicative: hago, haces, hace, hacemos, hacéis, hacen
Preterite: hice, hiciste, hizo, hicimos, hicisteis, hicieron
Future: haré, harás, etc.
Conditional: haría, harías, etc.
Present Subjunctive: haga, hagas, haga, hagamos, hagáis, hagan
Commands: haz (tú), no hagas (neg. tú), haga (Ud.), hagamos (nosotros), hagan (Uds.)
Past Participle: hecho

ir

Present Indicative: voy, vas, va, vamos, vais, van
Imperfect: iba, ibas, iba, íbamos, ibais, iban
Preterite: fui, fuiste, fue, fuimos, fuisteis, fueron
Present Subjunctive: vaya, vayas, vaya, vayamos, vayáis, vayan
Commands: ve (tú), no vayas (neg. tú), vaya (Ud.), vamos (nosotros), vayan (Uds.)
Present Participle: yendo
Past Participle: ido

oír

Present Indicative: oigo, oyes, oye, oímos, oís, oyen
Preterite: oí, oíste, oyó, oímos, oísteis, oyeron
Present Subjunctive: oiga, oigas, oiga, oigamos, oigáis,
   oigan
Present Participle: oyendo
Past Participle: oído

poder (o→ue)

Present Indicative: puedo, puedes, puede, podemos,
   podéis, pueden
Preterite: pude, pudiste, pudo, pudimos, pudisteis,
   pudieron
Future: podré, podrás, etc.
Conditional: podría, podrías, etc.
Present Subjunctive: pueda, puedas, pueda, podamos,
   podáis, puedan
Present Participle: pudiendo

poner

Present Indicative: pongo, pones, pone, ponemos,
   ponéis, ponen
Preterite: puse, pusiste, puso, pusimos, pusisteis,
   pusieron
Future: pondré, pondrás, etc.
Conditional: pondría, pondrías, etc.
Present Subjunctive: ponga, pongas, ponga,
   pongamos, pongáis, pongan
Commands: pon (tú), no pongas (neg. tú), ponga
   (Ud.), pongamos (nosotros), pongan (Uds.)
Past Participle: puesto

querer (e→ie)

Present Indicative: quiero, quieres, quiere, queremos,
   queréis, quieren
Preterite: quise, quisiste, quiso, quisimos, quisisteis,
   quisieron
Future: querré, querrás, etc.
Conditional: querría, querrías, etc.
Present Subjunctive: quiera, quieras, quiera, queramos,
   queráis, quieran

reír (e→i, i)

Present Indicative: río, ríes, ríe, reímos, reís, ríen
Preterite: reí, reíste, rió, reímos, reísteis, rieron
Present Subjunctive: ría, rías, ría, riamos, riáis, rían
Present Participle: riendo
Past Participle: reído

like **reír:** sonreír

saber

Present Indicative: sé, sabes, sabe, sabemos, sabéis,
   saben
Preterite: supe, supiste, supo, supimos, supisteis, supieron
Future: sabré, sabrás, etc.
Conditional: sabría, sabrías, etc.
Present Subjunctive: sepa, sepas, sepa, sepamos, sepáis,
   sepan

salir

Present Indicative: salgo, sales, sale, salimos, salís, salen
Future: saldré, saldrás, etc.
Conditional: saldría, saldrías, etc.
Present Subjunctive: salga, salgas, salga, salgamos,
   salgáis, salgan
Commands: sal (tú), no salgas (neg. tú), salga (Ud.),
   salgamos (nosotros), salgan (Uds.)

ser

Present Indicative: soy, eres, es, somos, sois, son
Imperfect: era, eras, era, éramos, erais, eran
Preterite: fui, fuiste, fue, fuimos, fuisteis, fueron
Present Subjunctive: sea, seas, sea, seamos, seáis, sean
Commands: sé (tú), no seas (neg. tú), sea (Ud.), seamos
   (nosotros), sean (Uds.)

tener

Present Indicative: tengo, tienes, tiene, tenemos, tenéis, tienen
Preterite: tuve, tuviste, tuvo, tuvimos, tuvisteis, tuvieron
Future: tendré, tendrás, etc.
Conditional: tendría, tendrías, etc.
Present Subjunctive: tenga, tengas, tenga, tengamos, tengáis, tengan
Commands: ten (tú), no tengas (neg. tú), tenga (Ud.), tengamos (nosotros), tengan (Uds.)

like **tener:** mantener(se), obtener

traer

Present Indicative: traigo, traes, trae, traemos, traéis, traen
Preterite: traje, trajiste, trajo, trajimos, trajisteis, trajeron
Present Subjunctive: traiga, traigas, traiga, traigamos, traigáis, traigan
Present Participle: trayendo
Past Participle: traído

valer

Present Indicative: valgo, vales, vale, valemos, valéis, valen
Future: valdré, valdrás, etc.
Conditional: valdría, valdrías, etc.
Present Subjunctive: valga, valgas, valga, valgamos, valgáis, valgan
Commands: val *or* vale (tú), no valgas (neg. tú), valga (Ud.), valgamos (nosotros), valgan (Uds.)

venir

Present Indicative: vengo, vienes, viene, venimos, venís, vienen
Preterite: vine, viniste, vino, vinimos, vinisteis, vinieron
Future: vendré, vendrás, etc.
Conditional: vendría, vendrías, etc.
Present Subjunctive: venga, vengas, venga, vengamos, vengáis, vengan
Commands: ven (tú), no vengas (neg. tú), venga (Ud.), vengamos (nosotros), vengan (Uds.)
Present Participle: viniendo

ver

Present Indicative: veo, ves, ve, vemos, veis, ven
Imperfect: veía, veías, veía, veíamos, veíais, veían
Preterite: vi, viste, vio, vimos, visteis, vieron
Present Subjunctive: vea, veas, vea, veamos, veáis, vean
Past Participle: visto

GLOSARIO
español-inglés

This Spanish-English glossary contains all of the active vocabulary words that appear in the text as well as passive vocabulary from readings, culture sections, and extra vocabulary lists. Most inactive cognates have been omitted. The active words are accompanied by the number of the unit and etapa in which they are presented. For example, **el campamento** can be found in **5.2** *(Unidad 5, Etapa 2)*. **EP** refers to the *Etapa preliminar.* Roman numeral **I** refers to words or expressions taught in Level 1. For verbs, stem changes are indicated: **dormir (ue, u),** as are verbs that are irregular only in the **yo** form of the present tense: **hacer (hago).**

a to, at
  A la(s)… At … o'clock. **I**
  a la derecha (de)
    to the right (of) **I**
  a la izquierda (de)
    to the left (of) **I**
  a pie on foot **I**
  ¿A qué hora es…?
    (At) What time is…? **I**
  A todos nos toca…
    It is up to all of us… **5.3**
  a veces sometimes **I, 2.1**
abajo down **I, 4.2**
abierto(a) open **I, 4.3**
el (la) abogado(a) lawyer **6.1**
abordar to board (a plane) **1.1**
el abrazo hug **2.2**
el abrelatas can opener **5.2**
el abrigo coat **I**
abril April **I**
abrir to open **I**
la abuela grandmother **I**
el abuelo grandfather **I**
los abuelos grandparents **I**
aburrido(a) boring **I**
aburrirse to get bored **2.1**

acá here **I**
acabar de to have just **I, 3.2**
acampar en las montañas
    to camp in the mountains **1.1**
el aceite oil **I, 2.3**
las aceitunas olives **I**
la acera sidewalk **4.2**
aconsejar to advise **3.1**
acostarse (ue) to lie down,
    to go to bed **I, 3.1**
el actor actor **2.3**
la actriz actress **2.3**
Adiós. Goodbye. **I**
adivinar to guess
adónde (to) where **I**
los adornos decorations **2.2**
la aduana customs **1.1**
la aerolínea airline **1.1**
el aeropuerto airport **I**
afeitarse to shave oneself **I, 3.1**
el (la) agente de viajes
    travel agent **1.1**
agosto August **I**
el (la) agricultor(a) farmer **6.1**
el agua (fem.) water **I**
el agua de coco
    coconut milk **3.2**
el aguacero downpour **5.2**
ahora now **I**

¡Ahora mismo! Right now! **I**
ahorrar to save **4.3**
ahuecado(a) hollowed out
el aire acondicionado
    air conditioning **4.1**
el ajedrez
    jugar (ue) al ajedrez
      to play chess **1.1**
al to the **I**
    al aire libre outdoors **I**
    al contrario
      on the contrary **2.2**
    al lado (de) beside, next to **I**
alegrarse de que
    to be glad that **4.3**
alegre happy **I**
alemán(ana) German **1.3**
algo something **I**
alguien someone **I**
    conocer a alguien to know,
      to be familiar with
      someone **I**
alguno(a) some **I**
la alimentación
    nourishment **3.1**
el alimento food **3.1**
allá there **I**
allí there **I**
la almohada pillow **5.2**

almorzar (ue) to eat lunch **I, 1.1**
el almuerzo lunch **I**
alquilar un video to rent
   a video **I**
alrededor (de) around **4.2**
alto(a) tall **I**
la altura altitude, height **5.1**
el aluminio aluminum **5.3**
amable nice **2.1**
el (la) amante lover
amarillo(a) yellow **I**
el ambiente atmosphere
la ambulancia ambulance **3.3**
el (la) amigo(a) friend **I**
la amistad acquaintance,
   friendship **2.1**
el amor love **2.2**
anaranjado(a) orange **I**
ancho(a) wide **I, 4.3**
andar to walk **1.2**
   andar en bicicleta
     to ride a bike **I**
   andar en patineta
     to skateboard **I**
el anillo ring **I**
animado(a) lively, animated **2.1**
el animal animal **I**
el aniversario anniversary **2.2**
anoche last night **I, 2.2**
anteayer
   day before yesterday **I, 2.2**
antes (de) before **I**
antiguo(a) old **I, 1.2**
el anuncio commercial **1.3**
el año year **I**
   el año escolar
     the school year
   el año pasado last year **I, 2.2**
   ¿Cuántos años tiene…?
     How old is…? **I**
   Tiene… años.
     He/She is… years old. **I**

apagar la luz to turn off the
   light **I**
el apartamento apartment **I**
aparte separate
   Es aparte. Separate checks. **I**
el apellido
   last name, surname **I**
apenas scarcely **4.3**
el apoyo support
aprender to learn **I**
apretado(a) tight **4.3**
apuntar to note
los apuntes notes
aquel(la) that (over there) **I**
aquél(la) that one (over there) **I**
aquello that (over there) **I**
aquí here **I**
el árbol tree **I**
   trepar a un árbol
     to climb a tree **2.1**
la arena sand **3.2**
el arete earring **I**
argentino(a) Argentine **1.3**
el armario
   closet, wardrobe **I, 4.1**
el (la) arquitecto(a)
   architect **I, 6.1**
la arquitectura architecture **I**
el arrebato rage
arreglarse to get ready **3.1;**
   to get dressed up **4.3**
arriba up **I, 4.2**
el arroz rice **I**
el arroz con gandules
   rice with peas
el arte art **I**
la artesanía handicraft **I**
el (la) artesano(a) artisan **I, 6.1**
el artículo article **1.3**
los artículos de cuero
   leather goods **I**
el (la) artista artist **1.2**

el ascensor elevator **4.1**
así fue que
   and so it was that **2.2**
el asiento seat **1.1**
el (la) asistente assistant **6.1**
asistir (a) to attend
el asopao
   chicken and tomato soup
la aspiradora vacuum cleaner **I**
   pasar la aspiradora
     to vacuum **I**
la aspirina aspirin **3.3**
asustarse (de)
   to be scared (of) **2.1**
el atletismo athletics **3.1**
el atún tuna **1.2**
el auditorio auditorium **I**
aunque even though **2.2**
el autobús bus **I**
la autonomía
   autonomy, freedom
el (la) autor(a) author **1.3**
el (la) auxiliar de vuelo
   flight attendant **1.1**
la avenida avenue **I**
las aventuras adventures **2.3**
el avión airplane **I**
ayer yesterday **I, 2.2**
ayudar (a) to help **I**
   ¿Me ayuda a pedir? Could
     you help me order? **I**
el azúcar sugar **I**
azul blue **I**

bailar to dance **I**
el (la) bailarín/bailarina
   dancer **6.1**

bajar (por)
to go down, to descend **4.2**
bajar un río en canoa to go down a river by canoe **1.1**
bajo(a) short (height) **I**
balanceado(a) balanced **3.1**
el balde bucket **5.2**
el baloncesto basketball **I**
el banco bank **I**
bañarse to take a bath **I, 3.1**
la bañera bathtub **4.1**
el baño bathroom **I, 4.1**
barato(a) cheap, inexpensive **I**
el barco ship **I**
barrer to sweep **I**
barrer el piso
to sweep the floor **3.2**
bastante enough **2.3**
la basura trash **I**
sacar la basura
to take out the trash **I**
el basurero trash can **5.3**
el bate bat **I**
el batido milk shake **1.2**
el bebé baby **2.1**
beber to drink **I**
¿Quieres beber…?
Do you want to drink…? **I**
Quiero beber…
I want to drink… **I**
la bebida beverage, drink **I**
el béisbol baseball **I**
las bellas artes fine arts **1.2**
la belleza beauty **5.1**
los beneficios benefits **6.2**
el beso kiss **2.2**
la biblioteca library **I**
la bicicleta bike
andar en bicicleta
to ride a bike **I**
bien well **I**
(No muy) Bien, ¿y tú/usted?
(Not very) Well, and you? **I**
el bienestar well-being **3.1**
bienvenido(a) welcome **I**
el (la) bisabuelo(a)
great-grandfather/
great-grandmother **2.1**

el bistec steak **I**
blanco(a) white **I**
la blusa blouse **I**
la boca mouth **I, 3.3**
la boda wedding **2.2**
la bola ball **I**
el boleto ticket **1.1**
boliviano(a) Bolivian **1.3**
la bolsa bag, handbag **I**
el bombero firefighter **I, 6.1**
bonito(a) pretty **I**
el borrador eraser **I**
el bosque forest **I**
el bosque nuboso
cloud forest
las botas boots **I**
el bote boat **3.2**
el bote de remos rowboat
la botella bottle **I, 5.3**
el brazo arm **I, 3.3**
el brindis toast
el bronceador suntan lotion **I**
bucear to scuba-dive
bucear con respiración
to snorkel
bueno(a) good **I**
Buenas noches.
Good evening. **I**
Buenas tardes.
Good afternoon. **I**
Buenos días.
Good morning. **I**
Es bueno que…
It's good that… **3.3**
Hace buen tiempo.
It is nice outside. **I**
la bufanda scarf **I**
buscar to look for, to search **I, 1.1**
el buzón mailbox **4.2**

el caballo horse **I**
la cabeza head **I, 3.3**
lavarse la cabeza
to wash one's hair **I**

cada each, every **I**
la cadena chain
caer (caigo) to fall
caerle bien (mal) a alguien
to make a good (bad) impression on someone **6.2**
caerse (me caigo) to fall down **2.1**
el café café; coffee **I**
la cafetería
cafeteria, coffee shop **I**
la caja registradora
cash register **4.3**
el (la) cajero(a) cashier **4.3**
el cajero automático ATM **4.3**
los calamares squid **I**
el calcetín sock **I**
la calculadora calculator **I**
la calefacción heat, heating **4.1**
la calidad quality **I**
caliente hot, warm **I**
¡Cállate! Be quiet! **I**
la calle street **I**
el calor
Hace calor. It is hot. **I**
tener calor to be hot **I**
la caloría calorie **3.1**
caluroso(a) hot **5.2**
la cama bed **I, 4.1**
hacer la cama
to make the bed **I**
la cámara camera **I, 1.3**
cambiar
to change, to exchange **I**
el cambio
change, money exchange **I**
caminar con el perro
to walk the dog **I**
el camino road **I**
la camisa shirt **I**
la camiseta T-shirt **I**
el campamento camp **5.2**
el campeón champion
el campo
field; countryside, country **I**
canadiense Canadian **1.3**
el canal channel, station **1.3**

la **cancha** court **I**
la **canoa** canoe
cansado(a) tired **I**
cansarse to get tired **2.1**
el (la) **cantante** singer **2.3**
cantar to sing **I**
  cantar en el coro
    to sing in the chorus **1.1**
la **capa de ozono**
  ozone layer **5.3**
la **capacitación** training **6.2**
capacitado(a) qualified **6.1**
la **cara** face **I, 3.3**
el **caracol** shell **3.2**
la **carne** meat **I**
  la **carne de res** beef **I, 2.3**
la **carnicería** butcher's shop **I**
caro(a) expensive **I**
  ¡Es muy caro(a)!
    It's very expensive! **I**
la **carrera** career **6.1**
el **carro** car **I**
la **carta** letter
  mandar una carta
    to send a letter **I**
la **cartera** wallet **I**
el (la) **cartero(a)**
  mail carrier **I, 6.1**
el **cartón** cardboard,
  cardboard box **5.3**
la **casa** house **I**
casarse (con) to get married
  (to) **2.2**
el **casco** helmet **I**
el **casete** cassette **I**
casi almost **2.2**
castaño(a) brown (hair) **I**
las **cataratas** waterfalls
catorce fourteen **I**
la **causa** cause **1.3**
el **cebiche** raw fish marinated
  in lemon juice
la **cebolla** onion **I, 2.3**
el **cedro** cedar
celebrar to celebrate
la **cena** supper, dinner **I**
cenar to eat dinner **I, 2.3**
la **ceniza** ash
centígrado(a) centigrade **5.2**

el **centro** center, downtown **I**
  el **centro comercial**
    shopping center **I**
cepillarse el pelo
  to brush one's hair **3.1**
el **cepillo** brush;
  hairbrush **I, 3.1**
  el **cepillo de dientes**
    toothbrush **I, 3.1**
la **cerámica** ceramics **I**
la **cerca** fence **I**
cerca (de) near (to) **I**
el **cerdo** pig **I**
el **cereal** cereal **I, 1.2**
la **cereza** cherry **2.3**
cero zero **I**
cerrado(a) closed **I, 4.3**
cerrar (ie) to close **I**
el **chaleco** vest **4.3**
el **champú** shampoo **I, 3.1**
la **chaqueta** jacket **I**
charlar to chat
los **cheques** checks **4.3**
  los **cheques de viajero**
    traveler's checks **4.3**
chévere awesome
  ¡Qué chévere!
    How awesome! **I**
los **chicharrones** pork rinds **I**
  comer chicharrones
    to eat pork rinds **I**
el (la) **chico(a)** boy/girl **I**
chileno(a) Chilean **1.3**
los **chiles rellenos** stuffed
  chile peppers
chino(a) Chinese **1.3**
el **choclo con queso** corn on
  the cob with cheese
el **chorizo** sausage **I**
la **chorreada** a sweet dish from
  Costa Rica, made of corn and
  served with sour cream
los **churros con chocolate**
  sweet, fried dough served
  with hot chocolate
cien one hundred **I**
la **ciencia ficción**
  science fiction **2.3**
las **ciencias** science **I**

cierto(a) true
  no es cierto que... it is not
    certain that... **4.3**
la **cima** peak
cinco five **I**
cincuenta fifty **I**
el **cine** movie theater
  ir al cine
    to go to the movies **I**
el **cinturón** belt **I**
la **cita** appointment **I**
la **ciudad** city **I**
la **ciudadanía** citizenship **6.1**
¡Claro que sí! Of course! **I**
la **clase** class, classroom **I**
el (la) **cliente(a)** customer **4.3**
el **clima** climate **5.1**
el **cocido madrileño** a stew
  commonly served in Spain
la **cocina** kitchen **I, 4.1;** cuisine
cocinar to cook **I**
el **coco** coconut
el **codo** elbow **3.3**
el **colibrí** hummingbird
la **colina** hill **5.1**
el **collar** necklace **I**
colombiano(a) Colombian **1.3**
el **color** color **I**
  ¿De qué color...?
    What color...? **I**
el **combustible** fuel **5.3**
la **comedia** comedy **2.3**
el (la) **comediante**
  comedian/comedienne **2.3**
el **comedor** dining room **I, 4.1**
comenzar (ie) to start **1.1**
comer to eat **I, 1.1**
  comer chicharrones
    to eat pork rinds **I**
  darle(s) de comer to feed **I**
  ¿Quieres comer...?
    Do you want to eat...? **I**
  Quiero comer...
    I want to eat... **I**
cómico(a) funny, comical **I**
la **comida** food, meal **I**
como like, as
cómo how **I**

¿Cómo es?
What is he/she like? **I**

¿Cómo está usted?
How are you? (formal) **I**

¿Cómo estás?
How are you? (familiar) **I**

¿Cómo me veo?
How do I look? **4.3**

¡Cómo no! Of course! **I**

¿Cómo se llama?
What is his/her name? **I**

¿Cómo te llamas?
What is your name? **I**

¿Cómo te queda? How does
it fit you? **4.3**

Perdona(e), ¿cómo llego a…?
Pardon, how do I get to…? **I**

cómodo(a) comfortable **3.3**

el (la) compañero(a)
companion, classmate **2.1**

la compañía company **I**

compartir to share **I**

competir (i, i) to compete **1.2, 1.3**

complicado(a) complicated **5.2**

el compositor composer

comprar to buy **I**

comprender to understand **I**

la computación
computer science **I**

la computadora computer **I**

común common **2.2**

la comunidad community **I**

con with **I**

con rayas striped **I**

Con razón. That's why. **I**

el concierto concert **I**

el concurso contest **I**

conducir (conduzco)
to drive **1.2**

el (la) conductor(a) driver **4.2**

el congelador freezer **I, 4.1**

el conjunto group (musical)

conmigo with me **I**

conocer (conozco) to know, to
be familiar with, **I, 1.3**

conocer a alguien
to know, to be familiar
with someone **I**

conseguir (i, i) (consigo)
to get **6.2**

el (los) consejo(s) advice **3.1**

conservar to conserve **5.1**

construir to construct **2.1**

la consulta consultation **3.3**

el consultorio
office (doctor's) **3.3**

el (la) contador(a) accountant
I, 6.1

la contaminación pollution **5.3**

la contaminación del aire
air pollution **I**

contaminar to pollute **5.3**

contar (ue)
to count, to tell or retell **I**

contar chistes to tell jokes **2.1**

el contenido table of contents

contento(a)
content, happy, pleased **I**

contestar to answer **I**

contigo with you **I**

el contrabajo bass

el contrato contract **6.2**

el corazón heart **I**

el corral corral, pen **I**

corregir (i, i) (corrijo) to correct

el correo post office **I**

correr to run **I**

cortar el césped
to cut the grass **3.2**

cortarse to cut oneself **3.3**

corto(a) short (length) **I**

la cosa thing **I**

costar (ue) to cost **I**

¿Cuánto cuesta(n)…?
How much is (are)…? **I**

costarricense Costa Rican **1.3**

crear to create **5.2**

crecer (crezco) to grow **3.1**

creer to think, to believe **I, 1.3**

Creo que sí/no.
I think/don't think so. **I**

no creer que… not to believe
that… **4.3**

¿Tú crees?
Do you think so? **1.3**

la crema cream **I, 1.2**

la crítica criticism, review **1.3**

el cruce crossing **4.2**

cruzar to cross **I**

el cuaderno notebook **I**

la cuadra city block **I**

cuadriculado(a) square

cuál(es) which (ones), what **I**

¿Cuál es la fecha?
What is the date? **I**

¿Cuál es tu teléfono?
What is your phone
number? **I**

cuando when, whenever **I**

cuando era niño(a) when
I/he/she was young **2.1**

cuándo when **I**

cuánto how much **I**

¿A cuánto está(n)…?
How much is (are)…? **I**

¿Cuánto cuesta(n)…?
How much is (are)…? **I**

¿Cuánto es?
How much is it? **I**

¿Cuánto le doy de propina?
How much do I tip? **I**

¿Cuánto tiempo hace que…?
How long has it been
since…? **3.3**

cuántos(as) how many **I**

¿Cuántos años tiene…?
How old is…? **I**

cuarenta forty **I**

cuarto(a) quarter **I**; fourth **I, 2.2**

y cuarto quarter past **I**

el cuarto room

limpiar el cuarto
to clean the room **I**

cuatro four **I**

el cuatro type of guitar

un cuatro templado
a tuned guitar

cuatrocientos(as)
four hundred **I**

cubano(a) Cuban **1.3**

los cubiertos silverware **2.3**

la cuchara spoon **I**

el cuchillo knife **I**

el cuello neck **3.3**

la cuenta bill, check **I, 2.3**
    la cuenta de ahorros
      savings account **4.3**
    La cuenta, por favor.
      The check, please. **I**
la cuerda rope
    saltar la cuerda to jump
      rope **2.1**
el cuero leather
    los artículos de cuero
      leather goods **I**
el cuerpo body **I, 3.3**
la cueva cave
cuidado
    tener cuidado to be careful
    I, 2.1
cuidadosamente carefully **I**
cuidadoso(a) careful **I**
cuidar to take care of **I**
la cumbre summit (meeting)
el cumpleaños birthday **I**
el (la) cuñado(a) brother-in-
    law, sister-in-law **2.1**
la cuota fee
el currículum résumé,
    curriculum vitae **6.2**

dañar to damage
dar (doy) to give **I, 1.1**
    dar una vuelta to take a
      walk, stroll, or ride **2.3**
    darle(s) de comer to feed **I**
    darse cuenta de to realize **2.1**
los datos facts; information **6.1**
de of, from **I**
    de buen humor
      in a good mood **4.3**
    de cuadros
      plaid, checked **I**
    de la mañana
      in the morning **I**
    de la noche at night **I**
    de la tarde in the afternoon **I**

    de mal humor
      in a bad mood **4.3**
    de maravilla marvelous **2.2**
    De nada. You're welcome. **I**
    de repente suddenly **1.3**
    ¿De veras? Really? **1.3**
    de vez en cuando
      once in a while **I**
debajo de under(neath) **I, 4.2**
deber should, ought to **I, 3.1**
decidir to decide **I**
la décima ballad
décimo(a) tenth **I, 2.2**
decir to say, to tell **I, 1.2**
la decoración interior decor
los dedos fingers **3.3**
dejar to leave (behind)
    dejar la propina
      to leave the tip **2.3**
    dejar un mensaje
      to leave a message **I**
    Deje un mensaje después
      del tono. Leave a message
      after the tone. **I**
    Le dejo… en…
      I'll give… to you for… **I**
    Quiero dejar un mensaje
      para… I want to leave a
      message for… **I**
del from the **I**
delante de in front of **I, 4.2**
delgado(a) thin **I**
delicioso(a) delicious **I**
los demás
    the rest of the people **2.2**
demasiado(a) too much **I, 2.3**
dentro de inside **I, 2.1**
el (la) dependiente(a)
    salesperson **4.3**
el deporte sport
    practicar deportes
      to play sports **I**
el (la) deportista athlete **6.1**
deprimido(a) depressed **I**
la derecha right

    a la derecha (de)
      to the right (of) **I**
derecho straight ahead **I**
desafortunadamente
    unfortunately **3.2**
desarrollar to develop
el desarrollo development **5.1**
desayunar to have breakfast **I**
el desayuno breakfast **I**
descansar to rest **I**
descubrir to discover **5.1**
desde from **I**
    desde allí from there **4.2**
desear to desire **1.2, 4.1**
el desierto desert **I**
el desodorante deodorant **3.1**
despedirse (i, i) de
    to say goodbye to **2.1**
despejado(a) clear, cloudless
    5.2
el despertador
    alarm clock **I, 4.1**
despertarse (ie)
    to wake up **I, 3.1**
después (de) after, afterward **I**
la destrucción destruction **5.3**
destruido(a) destroyed
la desventaja disadvantage **6.2**
el detalle detail **1.3**
detener to stop
detrás (de) behind **I**
devolver (ue)
    to return (an item) **I**
el día day **I**
    Buenos días.
      Good morning. **I**
    ¿Qué día es hoy?
      What day is today? **I**
    Tal vez otro día.
      Maybe another day. **I**
    todos los días every day **I**
diario(a) daily **2.2**
dibujar to draw **2.1**
el diccionario dictionary **I**
diciembre December **I**
diecinueve nineteen **I**

dieciocho eighteen I
dieciséis sixteen I
diecisiete seventeen I
el diente tooth I, 3.3
   lavarse los dientes
      to brush one's teeth I
la dieta diet 3.1
diez ten I
difícil difficult, hard I
el dinero money I
la dirección address, direction I
el disco compacto
   compact disc I
disculparse to apologize 2.1
el discurso speech
disfrazar
   disfrazado(a) de
      disguised as
disfrutar con los amigos
   to enjoy time with friends 1.1
la distancia distance 4.2
diverso(a) diverse 5.1
divertido(a) enjoyable, fun,
   entertaining I, 2.1
divertirse (ie, i)
   to enjoy (oneself) 2.1
doblar to turn I
doce twelve I
la docena dozen I
el (la) doctor(a) doctor I
el dólar dollar I
doler (ue) to hurt 3.3
el dolor de cabeza
   headache 3.3
domingo Sunday I
dominicano(a) Dominican 1.3
don/doña Don/Doña (titles of
   respect)
dónde where I
   ¿De dónde eres?
      Where are you from? I
   ¿De dónde es?
      Where is he/she from? I
   ¿Dónde tiene lugar? Where
      does it take place?
dormir (ue, u) to sleep I, 1.3
dormirse (ue, u) to fall asleep I

dos two I
doscientos(as) two hundred I
ducharse to take a shower I, 3.1
dudar que…
   to doubt that… 4.3
el (la) dueño(a) owner 6.1
dulce sweet I
durante during I
duro(a) hard, tough I

echar to throw out 5.3
   echa humo emits smoke
   échate una siesta take a nap
ecuatoriano(a) Ecuadorian 1.3
la edad age I
la edición edition 1.3
el edificio building I
el (la) editor(a) editor I, 1.3
la educación education 6.2
   la educación física
      physical education I
el efectivo cash I
los efectos effects 5.3
el ejercicio exercise
   hacer ejercicio to exercise I
él he I
la electricidad electricity 4.1
elegante elegant 4.3
ella she I
ellos(as) they I
emocionado(a) excited I
la empanada a stuffed pastry
empezar (ie) to begin I, 1.1
el empleo
   employment, job 6.1
la empresa
   business, company 6.2
en in I
   en cuanto a as for
   en seguida at once 2.2
enamorarse (de)
   to fall in love (with) 2.2
encantar to delight 2.3

Encantado(a). Delighted/
   Pleased to meet you. I
la enchilada enchilada I
encima de on top of I, 4.2
encontrar (ue) to find, to meet I
la energía energy 3.1
enero January I
la enfermedad sickness 3.3
el (la) enfermero(a) nurse 3.3
enfermo(a) sick I
enfrente (de) facing I
enojado(a) angry I
enojarse con
   to get angry with 2.1
enorme huge, enormous I, 1.2
la ensalada salad I
enseñar to teach I
entender (ie) to understand I
entonces then, so I
entrar (a, en) to enter I
entre between I
entrenarse to train 3.1
la entrevista interview I, 6.2
el (la) entrevistador(a)
   interviewer 6.2
el equipaje luggage 1.1
el equipo team I
el equipo de sonido
   sound equipment
escalar montañas
   to climb mountains 5.2
las escaleras stairs, staircase 4.1
la escena scene 2.3
escoger (escojo) to choose 4.3
esconderse to hide 2.1
escribir to write I
   fue escrita was written
el (la) escritor(a) writer I, 1.3
el escritorio desk I
la escritura writing
escuchar to listen (to) I
la escuela school I
el (la) escultor(a) sculptor 1.2
la escultura sculpture 1.2
ese(a) that I
ése(a) that one I
eso that I

el español Spanish I
español(a) Spaniard **1.3**
especial special I
la especialidad de la casa
  specialty of the house **1.2**
especialmente specially,
  especially **I, 3.2**
el espejo mirror **I, 4.1**
esperar to wait for, to expect,
  to hope **I, 4.1**
  esperar que…
    to hope that… **4.3**
la esposa wife
el esposo husband
esquiar to ski I
la esquina corner I
la estación de autobuses
  bus station I
el estacionamiento
  parking space **4.2**
las estaciones seasons I
la estadidad statehood
el estadio stadium I
estadounidense
  from the United States **1.3**
estar to be **I, EP, 1.2**
  ¿A cuánto está(n)…?
    How much is (are)…? I
  ¿Cómo está usted?
    How are you? (formal) I
  ¿Cómo estás?
    How are you? (familiar) I
  ¿Está incluido(a)…?
    Is… included? I
  estar a favor de
    to be in favor of **5.2**
  estar bien informado(a)
    to be well informed **1.3**
  estar de acuerdo
    to agree **I, 1.2**
  estar en contra de
    to be against **5.3**
  estar resfriado(a)
    to have a cold **3.3**
el este east **4.2**
este(a) this I
éste(a) this one I
estirarse to stretch **3.1**

esto this I
el estómago stomach **I, 3.3**
estrecho(a) narrow **I, 4.3**
la estrella star I
el estreno new release **2.3**
el estrés stress **3.1**
el (la) estudiante student I
estudiar to study I
  estudiar las artes marciales
    to study martial arts **1.1**
los estudios sociales
  social studies I
la estufa stove **I, 4.1**
la etapa step
el examen test I
el exceso de equipaje
  excess luggage **1.1**
exclamar to exclaim **2.2**
el éxito hit
explicar to explain **1.1**
la exposición exhibit **1.2**
el (la) extranjero(a)
  foreigner **4.1**

fácil easy I
fácilmente easily **I, 3.2**
la falda skirt I
falso(a) false
faltar to lack **2.3**
la familia family I
la farmacia
  pharmacy, drugstore I
fascinar to fascinate **2.3**
fastidiar to annoy **4.3**
favorito(a) favorite I
febrero February I
la fecha date I
  ¿Cuál es la fecha?
    What is the date? I
  la fecha de nacimiento
    date of birth **6.1**
la felicidad happiness **2.2**
felicidades congratulations I
feliz happy I

felizmente happily I
feo(a) ugly I
feroz ferocious **5.1**
la fiebre fever **3.3**
la fiesta party **I, 2.2**
fíjate take a look
el fin de semana weekend
la firma signature **6.1**
firmar to sign
el flan caramel custard
  dessert I
la flauta de pan panpipe
flojo(a) loose **4.3**
la flor flower I
la fogata campfire **5.2**
formal formal **I, 1.2**
el fósforo match **5.2**
la foto
  sacar fotos
    to take pictures I
el (la) fotógrafo(a)
  photographer **I, 1.3**
francés(esa) French **1.3**
frecuente frequent I
frecuentemente often,
  frequently **I, 3.2**
la frente forehead
frente a facing, opposite **4.2**
la fresa strawberry **1.2**
el frigorífico refrigerator I
los frijoles beans **2.3**
frío
  Hace frío. It is cold. I
  tener frío to be cold I
la fruta fruit I
el fuego fire **5.2**
fuera de outside **I, 2.1**
fuerte strong I
funcionar to work, to run **4.1**
el fútbol soccer I
el fútbol americano football I

las gafas de sol sunglasses I
la galería gallery **1.2;** mall

la galleta cookie, cracker **I, 1.2**
la gallina hen **I**
el gallo rooster **I**
el gallo pinto a Costa Rican breakfast dish of beans, rice, and onions
el (la) ganadero(a) rancher, farmer **I**
el (la) ganador(a) winner **I**
ganar to win **I**
ganarse la vida to earn a living **6.1**
la ganga bargain **4.2**
el garaje garage **4.1**
la garganta throat **3.3**
gastar to spend **4.3**
los gastos expenses **4.3**
el (la) gato(a) cat **I**
los (las) gemelos(as) twins **2.1**
la gente people **I**
el (la) gerente manager **I, 6.1**
el gimnasio gymnasium **I**
girar to turn **4.2**
el gitano Romany Gypsy dialect
el (la) gitano(a) Gypsy
los globos balloons **2.2**
el gobierno government
el gol goal **I**
gordo(a) fat **I**
la gorra baseball cap **I**
el gorro cap **I**
la gota drop
la grabadora tape recorder **I**
Gracias. Thank you. **I**
Gracias, pero no puedo. Thanks, but I can't. **I**
el grado degree **I**
el gramo gram **I**
grande big, large; great **I**
la granja farm **I**
la gripe flu **3.3**
gritar to scream **3.3**
el guante glove **I**
guapo(a) good-looking **I**
guardar to hold, to keep **4.3**
guatemalteco(a) Guatemalan **1.3**
la guía telefónica phone directory **I**
la guitarra guitar
tocar la guitarra to play the guitar **I**
gustar to like **I, EP, 4.3**
Le gusta… He/She likes… **I**
Me gusta… I like… **I**
Me gustaría… I would like… **I**
Te gusta… You like… **I**
¿Te gustaría…? Would you like…? **I**
el gusto pleasure
El gusto es mío. The pleasure is mine. **I**
Mucho gusto. Nice to meet you. **I**

haber to have
ha tenido has had
han vendido have sold
había there was, there were **2.1**
las habichuelas coloradas red beans **1.2**
las habilidades capabilities **6.2**
la habitación bedroom, room **I, 4.1**
hablar to talk, to speak **I, 1.1**
¿Puedo hablar con…? May I speak with…? **I**
hacer (hago) to make, to do **I, 1.1**
Hace buen tiempo. It is nice outside. **I**
Hace calor. It is hot. **I**
Hace fresco. It is cool. **I**
Hace frío. It is cold. **I**
Hace mal tiempo. It is bad outside. **I**
hace… que ago **3.3**
Hace sol. It is sunny. **I**
Hace viento. It is windy. **I**
hacer ejercicio to exercise **I**
hacer juego con… to match with… **4.3**
hacer la cama to make the bed **I**
hacer la limpieza to do the cleaning **3.2**
hacer las maletas to pack
¿Qué tiempo hace? What is the weather like? **I**
hacia toward **4.2**
la hamburguesa hamburger **I**
la harina flour **I, 2.3**
hasta until, as far as **I, 4.2**
Hasta luego. See you later. **I**
Hasta mañana. See you tomorrow. **I**
hay there is, there are **I**
hay que one has to, one must **I**
Hay sol. It's sunny. **I**
Hay viento. It's windy. **I**
el hecho fact **1.3**
la heladería ice-cream parlor **4.2**
el helado ice cream **I, 1.2**
el helado de paila ice cream made in a large copper pan
el helecho fern
el (la) hermanastro(a) stepbrother/stepsister **2.1**
el (la) hermano(a) brother/sister **I**
los hermanos brother(s) and sister(s) **I**
el héroe hero **1.3**
la heroína heroine **1.3**
el hielo ice
sobre hielo on ice **I**
la hija daughter **I**
el hijo son **I**
los hijos son(s) and daughter(s), children **I**
los hispanohablantes speakers of Spanish
la historia history **I**; story **2.2**
el hockey hockey **I**
la hoja leaf **5.1**
Hola. Hello. **I**
el hombre man **I**
el hombre de negocios businessman **I, 6.1**
el hombro shoulder **3.3**

hondureño(a) Honduran **1.3**
honrar to honor
    honra (it) honors
la hora hour
    ¿A qué hora es…?
        (At) What time is…? **I**
    ¿Qué hora es?
        What time is it? **I**
el horario schedule **I**
la horchata a sweet beverage
    commonly served in Spain
la hormiga ant
el horno oven **I, 4.1**
el horno microondas
    microwave oven **4.1**
el horror horror **2.3**
hospedarse (en) to stay (at) **4.1**
el hotel hotel **I**
hoy today **I**
    Hoy es… Today is… **I**
    ¿Qué día es hoy?
        What day is it? **I**
hubo there was, there were **1.3**
el (la) huésped(a) guest **4.1**
el huevo egg **I, 1.2**
húmedo(a) humid **5.2**
el huracán hurricane **5.2**

la identificación
    identification **1.1**
la iglesia church **I**
Igualmente. Same here. **I**
el imán magnet
impaciente impatient **2.1**
el imperativo
    imperative verb form
el impermeable raincoat **I**
importante important
    Es importante que… It's
        important that… **3.3**
importar to be important, to
    matter **2.3**
la impresora printer **I**
incluido(a) included

¿Está incluido(a)…?
    Is… included? **I**
increíble incredible **5.3**
la infección infection **3.3**
informal informal **I**
informar to inform
    estar bien informado(a)
        to be well informed **1.3**
el (la) ingeniero(a) engineer **6.1**
el inglés English **I**
inglés(esa) English **1.3**
inmediatamente
    immediately **3.2**
insistir (en) to insist **4.1, 4.2**
instalarse
    se instala is set up
inteligente intelligent **I**
interesante interesting **I**
interesar to interest **2.3**
internacional international **1.3**
inútil useless **5.3**
el invierno winter **I**
la invitación invitation **I, 2.2**
invitar to invite
    Te invito. I'll treat you.
        I invite you. **I**
la inyección injection **3.3**
ir to go **I, EP, 1.1**
    ir a… to be going to… **I**
    ir al cine
        to go to the movies **I**
    ir al supermercado
        to go to the supermarket **I**
    ir de compras to go
        shopping **I**
    Vamos a… Let's… **I**
iridiscente iridescent
irse to leave, to go away **I**
la isla island **5.1**
italiano(a) Italian **1.3**
la izquierda left
    a la izquierda (de)
        to the left (of) **I**

el jabón soap **I, 3.1**
el jaguar jaguar **5.1**
el jamón ham **I, 1.2**
japonés(esa) Japanese **1.3**
el jardín garden **I, 4.1**
la jarra pitcher **I**
los jeans jeans **I**
el (la) jefe(a) boss **I, 6.1**
joven young **I**
el (la) joven young person
las joyas jewelry **I**
la joyería jewelry store **I**
el juego game
    los juegos mecánicos
        amusement rides
jueves Thursday **I**
el (la) juez(a) judge **6.1**
jugar (ue) to play **I, 1.1, 1.2**
    jugar al ajedrez
        to play chess **1.1**
el jugo juice **1.2**
el juguete toy **2.1**
la juguetería toy store **4.2**
julio July **I**
junio June **I**
junto a next to **4.2**
juntos together **I**

el kilo kilogram **I**

L

lacio straight (hair) **3.1**
el lado side
    al lado (de) beside, next to **I**
el (la) ladrón(ona) thief **1.3**
el lago lake **I**
la laguna lake
    la laguna caliente hot lake

la lámpara lamp I, 4.1
la lana wool I
lanzar to hurl
   se lanzó al abismo hurled
     himself into the abyss
el lápiz pencil I
largo(a) long I
la lástima
   Es una lástima que…
     It's a pity that… 3.3
   ¡Qué lástima!
     What a shame! I
lastimarse to hurt oneself 3.3
la lata can I, 5.3
el lavabo bathroom sink 4.1
el lavaplatos dishwasher I, 4.1
lavar los platos to wash the
   dishes I, 3.2
lavarse to wash oneself I, 3.1
   lavarse la cabeza
     to wash one's hair I
   lavarse los dientes to brush
     one's teeth I, 3.1
la lección lesson I
la leche milk I, 1.2
el lechón hornado roasted pig
la lechuga lettuce I
la lectura reading
leer to read I, 1.3
lejos (de) far (from) I
   ¿Queda lejos? Is it far? I
la lengua language I
lentamente slowly I, 3.2
lento(a) slow I
la leña firewood 5.2
el león lion 5.1
el letrero sign 1.1
levantar pesas to lift weights I
levantarse to get up I, 3.1
   (sin) levantarte
     (without) getting out
libre free
   el tiempo libre free time I
la librería bookstore I
el libro book I
ligero(a) light

la limonada lemonade I
limpiar el cuarto to clean the
   room I, 3.2
limpio(a) clean I, 3.2
la linterna flashlight 5.2
listo(a) ready I
la literatura literature I
el litro liter I
la llama llama I
la llamada call I
llamar to call I
   Dile/Dígale que me llame.
     Tell (familiar/formal) him
     or her to call me. I
   llama la atención
     catches your eye
   Me llamo… My name is… I
   Se llama…
     His/Her name is… I
la llave key I, 4.1
la llegada arrival 1.1
llegar to arrive I, 1.1
llenar to fill 2.3
lleno(a) full 2.3
llevar to wear, to carry;
   to take along I
llevarse bien
   to get along well 2.2
llorar to cry 3.3
llover (ue) to rain I
la llovizna drizzle 5.2
la lluvia rain I
Lo siento. I'm sorry. I
el lobo wolf 5.1
local local 1.3
la loción after-shave lotion 3.1
la loción protectora
   sunscreen 3.2
loco(a) crazy I
lógico
   Es lógico que…
     It's logical that… 3.3
el loro parrot 5.1
luego later I
   Hasta luego. See you later. I
el lugar place I

lujoso(a) luxurious I, 1.2
lunes Monday I
la luz light 5.2
   apagar la luz
     to turn off the light I

la madrastra stepmother 2.1
la madre mother I
los madrileños
   people from Madrid
el (la) maestro(a) teacher I
el maíz corn
la maleta suitcase 1.1
el (la) maletero(a) porter 4.1
malo(a) bad I
   Es malo que…
     It's bad that… 3.3
   Hace mal tiempo.
     It is bad outside. I
   Lo malo es que…
     The trouble is that… 5.3
mandar una carta to send a
   letter I
el mandato command
manejar to drive I
la mano hand I, 3.3
manso(a) tame
la manta blanket I, 5.2
el mantel tablecloth 2.3
mantener limpio(a) to keep
   clean 5.3
mantenerse sano(a)
   to be healthy 3.1
la mantequilla butter I, 1.2
la mantequilla de cacahuate
   peanut butter 1.2
la manzana apple 2.3
mañana tomorrow I
   Hasta mañana.
     See you tomorrow. I
   Mañana es…
     Tomorrow is… I
la mañana morning I

de la mañana
  in the morning **I**
por la mañana
  during the morning **I**
el mapa map **I**
el maquillaje makeup **3.1**
maquillarse
  to put on makeup **I, 3.1**
la máquina contestadora
  answering machine **I**
el mar sea **I**
marcar to dial **I**
la marioneta marionette **2.1**
la mariposa butterfly **5.1**
marrón brown **I**
martes Tuesday **I**
marzo March **I**
mas but
más more **I**
  más de more than **I**
  más que more than **I, 4.3**
las matemáticas mathematics **I**
la materia subject **I**
mayo May **I**
mayor older **I**
  mayor que older than **4.3**
la mayoría majority **2.2**
el (la) mecánico(a)
  mechanic **6.1**
la medianoche midnight **I**
la medicina medicine **3.3**
medio(a) half **I**
  la media hermana
    half-sister
  el medio hermano
    half-brother
el medio ambiente
  environment **5.1**
el mediodía noon **I**
mejor better **I**
  Es mejor que… It's better
    that… **3.3**
  mejor que better than **4.3**
el melón melon **1.2**
menor younger **I**
  menor que younger than **4.3**
menos to, before (time); less **I**

menos de less than **I**
menos que less than **I, 4.3**
el mensaje message
  dejar un mensaje
    to leave a message **I**
  **Deje un mensaje después
    del tono.** Leave a message
    after the tone. **I**
  **Quiero dejar un mensaje
    para…** I want to leave a
    message for… **I**
la mentira lie **2.2**
el menú menu **I**
el mercado market **I**
merendar (ie) to have a snack **I**
la merienda snack **I**
el mes month **I**
  el mes pasado last month **I**
la mesa table **I, 4.1**
  poner (pongo) la mesa
    to set the table **I**
  quitar la mesa
    to clear the table **I**
el (la) mesero(a) waiter
  (waitress) **I**
la meta goal **6.2**
el metro subway **I**
mexicano(a) Mexican **1.3**
mi my **I**
el microondas microwave **I**
miedo fear
  tener miedo
    to be afraid **I, 4.3**
mientras while **2.2**
miércoles Wednesday **I**
mil one thousand **I**
un millón one million **I**
mirar to watch, to look at **I**
mismo(a) same **I**
la mochila backpack **I**
moderno(a) modern **I, 1.2**
mojado(a) wet **2.3**
molestar to bother **2.3, 4.3**
el momento moment
  Un momento. One moment. **I**
la moneda currency
el mono monkey **5.1**

la montaña mountain **I**
el montañismo
  mountaineering **5.2**
morado(a) purple **I**
moreno(a) dark (hair and skin) **I**
morir (ue, u) to die **1.3**
el mostrador counter **1.1**
mostrar (ue) to show **1.2**
la moto(cicleta) motorcycle **I**
mover (ue) to move
  mover los muebles
    to move the furniture **I**
la muchacha girl **I**
el muchacho boy **I**
mucho often **I**
mucho(a) much, many **I**
los muebles furniture **I, 4.1**
  mover (ue) los muebles
    to move the furniture **I**
la mujer woman **I**
la mujer de negocios
  businesswoman **I, 6.1**
el mundo world **I**
la muñeca doll **2.1**; wrist **3.3**
el muñeco de peluche stuffed
  animal **2.1**
el murciélago bat
el museo museum **I**
la música music **I**
el musical musical **2.3**
el (la) músico(a) musician **6.1**
muy very **I**

nacer (nazco) to be born
nada nothing **I**
  De nada.
    You're welcome. **I**
nadar to swim **I**
nadie no one **I**
la nariz nose **I, 3.3**
las natillas custard
la naturaleza nature **5.1**
la navaja jackknife **5.2**
la neblina mist, fog **5.2**

necesario necessary

   Es necesario que…

      It's necessary that… **3.3**

necesitar to need **I, 4.1**

negociar to negotiate

   negoció (he/she) negotiated

negro(a) black **I**

nervioso(a) nervous **I**

nevar (ie) to snow **I**

la neverita cooler **3.2**

ni nor, neither, not even **4.2**

nicaragüense Nicaraguan **1.3**

la nieta granddaughter

el nieto grandson

la nieve snow **I**

ninguno(a) none, not any **I**

la niña girl

el (la) niñero(a)

   child-care provider **6.1**

el niño boy

no no, not **I**

   ¡No digas eso!

      Don't say that! **I**

   No es cierto que…

      It is not certain that… **4.3**

   ¡No me digas!

      Don't tell me! **1.3**

   no sólo not only

   ¡No te preocupes!

      Don't worry! **I**

la noche night, evening

   Buenas noches.

      Good evening. **I**

   de la noche at night **I**

   por la noche

      during the evening **I**

el nombre name, first name **I**

normal normal **I**

normalmente normally **I, 3.2**

el norte north **4.2**

nosotros(as) we **I**

la nota grade

   sacar una buena nota

      to get a good grade **I**

las noticias news **1.3**

el noticiero news program **1.3**

novecientos(as) nine hundred **I**

la novela novel **I**

noveno(a) ninth **I, 2.2**

noventa ninety **I**

noviembre November **I**

el (la) novio(a) boyfriend/
girlfriend; groom/bride **2.1**

la nube cloud **5.2**

nublado cloudy

   Está nublado. It is cloudy. **I**

nuestro(a) our **I**

nueve nine **I**

nuevo(a) new **I**

el número

   number **I;** shoe size **4.3**

nunca never **I**

nutritivo(a) nutritious **3.1**

o or **I**

obediente obedient **2.1**

la obra work of art **1.2**

   la obra de teatro

      theatrical production **2.3**

el (la) obrero(a) worker **6.1**

la obsidiana

   hard, black volcanic rock

obtener to obtain, to get **4.2**

el océano ocean **3.2**

ochenta eighty **I**

ocho eight **I**

ochocientos(as) eight hundred **I**

octavo(a) eighth **I, 2.2**

octubre October **I**

ocupado(a) busy **I**

ocurrir to occur **2.2**

el oeste west **4.2**

la oficina office **I**

ofrecer (ofrezco) to offer **I, 2.3**

   Le puedo ofrecer…

      I can offer you… **I**

   ¿Se le(s) ofrece algo más?

      May I offer you anything
more? **2.3**

el oído inner ear **3.3**

oír to hear **I, 1.3**

ojalá que I hope that, hopefully
4.1

el ojo eye **I, 3.3**

la ola wave **3.2**

la olla pot **I**

olvidar to forget **I, 4.2**

   ya olvidada

      already forgotten

once eleven **I**

el (la) operador(a)

   operator **I, 6.1**

la oración sentence

ordenar to arrange **I**

ordinario(a) ordinary **I**

la oreja ear **I, 3.3**

la orilla edge, shore **3.2**

el oro gold **I**

oscuro(a) dark **4.3**

el otoño fall **I**

otro(a) other, another **I**

paciente patient **I**

pacífico(a) peaceful

el padrastro stepfather **2.1**

el padre father **I**

los padres parents **I**

pagar to pay **I, 1.1**

el país country **I**

el paisaje landscape

el pájaro bird **I**

la palabra word

la palma palm tree **3.2**

el palmar palm tree grove **3.2**

el pan bread **I, 2.3**

el pan dulce sweet roll **I**

la panadería bread bakery **I**

panameño(a) Panamanian **1.3**

la pantalla screen **I**

los pantalones pants **I**

   los pantalones cortos shorts

el pañuelo scarf **4.3**

la papa potato **2.3**

   las papas fritas French fries **I**

el papel paper **I;** role **2.3**

la papelería stationery store **I**

el paquete package **I**

el par pair

  un par de a pair of **4.3**

para for, in order to **I**

  para empezar to begin with **2.2**

la parada stop, stand **4.2**

el paraguas umbrella **I**

paraguayo(a) Paraguayan **1.3**

parar to stop **4.2**

parecido(a) similar

la pared wall **I, 4.1**

el (la) pariente(a) relative **2.1**

el parque park **I**

el partido game **I**

los partidos political parties

el (la) pasajero(a) passenger **1.1**

el pasaporte passport **1.1**

pasar to happen, to pass, to pass by **I**

  pasar la aspiradora to vacuum **I, 3.2**

  pasar un rato con los amigos to spend time with friends **I**

el pasatiempo hobby, pastime

pasear to go for a walk **I**

el pasillo aisle **1.1**

el paso step

la pasta pasta **I, 2.3**

la pasta de dientes toothpaste **I, 3.1**

la pasta de guayaba guava paste

el pastel cake **I**; tamale-like mixture of plantain, yucca, and meat

la pastelería pastry shop **I**

la pastilla pill **3.3**

el (la) pastor(a) shepherd(ess) **I**

la patata potato **I**

patinar to skate **I**

los patines skates **I**

la patineta skateboard **I**

  andar en patineta to skateboard **I**

el peatón pedestrian **4.2**

el pedazo piece **I**

pedir (i, i) to ask for, to order **I, 1.2, 1.3**

  ¿Me ayuda a pedir? Could you help me order? **I**

peinarse to comb one's hair **I, 3.1**

el peine comb **I, 3.1**

pelearse to fight **2.1**

la película movie **I**

peligroso(a) dangerous **I, 5.1**

  Es peligroso que… It's dangerous that… **3.3**

pelirrojo(a) redhead **I**

el pelo hair **I**

la pelota baseball **I**

el (la) peluquero(a) barber, hairstylist **6.1**

pensar (ie) to think, to plan **I**

la pensión pension, boarding house **4.1**

peor worse **I**

  peor que worse than **4.3**

pequeño(a) small **I**

la pera pear **2.3**

perder (ie) to lose **I**

Perdona(e)… Pardon…

  Perdona(e), ¿cómo llego a…? Pardon, how do I get to…? **I**

perezoso(a) lazy **I**

perfecto(a) perfect **I**

el perfume perfume **3.1**

el periódico newspaper **I**

el periodismo journalism **1.3**

el (la) periodista journalist **I, 1.3**

el permiso permission **5.2**

permitir to permit **5.2**

el pernil cut of pork

pero but **I**

el (la) perro(a) dog **I**

  caminar con el perro to walk the dog **I**

pertenecer (pertenezco) to belong, to pertain **5.2**

peruano(a) Peruvian **1.3**

la pesa weight

levantar pesas to lift weights **I**

el pescado fish **I, 2.3**

el (la) pescador(a) fisherman **3.2**

pescar to fish **5.2**

el pez fish **I**

el piano piano

  tocar el piano to play the piano **I**

picante spicy **I**

el pie foot **I, 3.3**

  a pie on foot **I**

la piedra stone **5.1**

la piel skin **3.2**

la pierna leg **I, 3.3**

el piloto pilot **1.1**

la pimienta pepper **I, 2.3**

pintar to paint **I**

el (la) pintor(a) painter **1.2**

pintoresco(a) picturesque

la pintura painting **1.2**

pisar

  pisarlas to step on them

la piscina swimming pool **I**

el piso floor, story **4.1**

el pizarrón chalkboard **I**

el placer pleasure **I**

  Es un placer. It's a pleasure. **I**

el plan maestro master plan

planchar to iron **I, 3.2**

el planeta planet **5.3**

la planta plant **I**

  la planta silvestre wild plant **5.1**

la planta baja ground floor **4.1**

la plata silver **I**

el plátano verde plantain **1.2**

el plato plate **I**

la playa beach **I**

la plaza town square **I**

la pluma pen **I**

la población population **5.1**

pobre poor **2.1**

la pobreza poverty **5.3**

poco a little **I**

poder (ue) to be able, can **I, 1.2**
   Gracias, pero no puedo.
      Thanks, but I can't. **I**
   Le puedo ofrecer…
      I can offer you… **I**
   ¿Me puede atender? Can
      you help (wait on) me? **4.3**
   ¿Puedes (Puede usted)
      decirme dónde queda…?
      Could you tell me
      where… is? **I**
   ¿Puedo hablar con…?
      May I speak with…? **I**
el poema poem **I**
la poesía poetry **I**
el (la) policía police officer **I**
el pollo chicken **I**
   el pollo asado roast chicken
   1.2
el polvo dust
   quitar el polvo to dust **I, 3.2**
poner (pongo) to put **I, 1.2**
   poner la mesa
      to set the table **I**
ponerse (me pongo) to put on **I**
   ponerse la ropa
      to get dressed **I, 3.1**
por for, by, around **I**
   por eso that's why
   por favor please **I**
   por fin finally **I, 2.2**
   por la mañana
      during the morning **I**
   por la noche
      during the evening **I**
   por la tarde
      during the afternoon **I**
   ¿por qué? why? **I**
   por todas partes
      everywhere **5.1**
porque because **I**
portarse bien/mal
   to behave well/badly **2.1**
posible
   Es posible que…
      It's possible that… **3.3**
el postre dessert **I**
el pozole corn and meat stew

practicar to play, to
   practice **1.1**
   practicar deportes
      to play sports **I**
el precio price **I**
preferir (ie, i)
   to prefer **I, 1.3, 4.1**
la pregunta question
preguntar to ask
preocupado(a) worried **I**
preocuparse por
   to be worried about **2.1**
preparar to prepare **I**
presentar to introduce
   Te/Le presento a…
      Let me introduce you
      (familiar/formal) to… **I**
preservar to preserve **5.1**
el préstamo loan **4.3**
prestar to lend **4.3**
la primavera spring **I**
primero first **I**
el primero first of the month **I**
primero(a) first **I, 2.2**
el (la) primo(a) cousin **I**
prisa
   tener prisa to be in a hurry **I**
probable
   Es probable que…
      It's probable that… **3.3**
el problema problem **I, 5.3**
producir (produzco)
   to produce **1.2**
la profesión profession **I, 6.1**
el programa program **1.3**
el pronóstico forecast **5.2**
pronto soon **I**
la propina tip **I**
   ¿Cuánto le doy de propina?
      How much do I tip? **I**
proteger (protejo) to protect **3.2**
   proteger las especies
      to protect the species **5.3**
la prueba quiz **I**
el pueblo town, village **I**
el puente bridge **4.2**
el puerco pork **I**
la puerta door **I, 4.1**

puertorriqueño(a)
   Puerto Rican **1.3**
pues well **I**
el puesto position **6.1**
la pulsera bracelet **I**
la puntualidad punctuality **6.2**
¡Pura vida! Doing great!

qué what? **I**
   ¿A qué hora es…?
      (At) What time is…? **I**
   ¿Qué desea(n)?
      What would you like? **2.3**
   ¿Qué día es hoy?
      What day is today? **I**
   ¡Qué (divertido)! How (fun)! **I**
   ¿Qué hora es?
      What time is it? **I**
   ¡Qué lástima! What a shame! **I**
   ¿Qué lío! What a mess! **5.3**
   ¿Qué lleva?
      What is he/she wearing? **I**
   ¿Qué me (nos) recomienda?
      What do you recommend?
      2.3
   ¿Qué pasa?
      What's happening?
   ¿Qué tal? How is it going? **I**
   ¿Qué tiempo hace?
      What is the weather like? **I**
quedar (en) to be (in a specific
   place); to agree on **I**
   ¿Puedes (Puede usted)
      decirme dónde queda…?
      Could you tell me
      where…is? **I**
   ¿Queda lejos? Is it far? **I**
los quehaceres chores **I, 3.2**
quemado(a) burned
la quemadura burn **3.2**
quemar to burn **3.2**
querer (ie) to want, to love **I,**
   1.2, 4.1
   ¿Quieres beber…?
      Do you want to drink…? **I**

¿Quieres comer…?
Do you want to eat…? **I**
Quiero beber…
I want to drink… **I**
Quiero comer…
I want to eat… **I**
Quiero dejar un mensaje para… I want to leave a message for… **I**
el queso cheese **I**
Quetzalcóatl an Aztec god
¿quién(es)? who? **I**
¿De quién es…?
Whose is…? **I**
¿Quién es? Who is it? **I**
¿Quiénes son?
Who are they? **I**
el químico chemical **5.3**
quince fifteen **I**
quinientos(as) five hundred **I**
quinto(a) fifth **I, 2.2**
el quiosco kiosk, newsstand **4.2**
Quisiera… I would like… **I**
quitar
quitar el polvo to dust **I, 3.2**
quitar la mesa
to clear the table **I**
quitarse la ropa to take off one's clothes **3.1**
quizás perhaps **4.3**

el radio radio **I**
el radiocasete
radio-tape player **I**
la radiografía x-ray **3.3**
la raíz
las raíces roots
la rana frog **5.1**
las ranas venenosas fosforescentes neon-colored poison dart frogs
rápidamente quickly **I, 3.2**
rápido(a) fast, quick **I**
la raqueta racket **I**

rara vez rarely **I**
raro(a) rare, strange **1.2**
Es raro que…
It's rare (strange) that… **3.3**
el ratón mouse **I**
las rayas stripes **4.3**
el rayo thunderbolt, flash of lightning **5.2**
la razón reason **I**
Con razón. That's why. **I**
tener razón to be right **I**
la rebaja sale **4.2**
la recepción
reception/front desk **4.1**
el (la) recepcionista
receptionist **I**
el receso break **I**
la receta prescription **3.3**
recibir to receive **I**
el reciclaje recycling **5.3**
reciclar to recycle **5.3**
reciente recent **I**
recientemente
lately, recently **I, 3.2**
las recomendaciones
recommendations **6.2**
recomendar (ie)
to recommend **1.2**
recordar (ue) to remember **I**
recuperarse to get better **3.3**
el recurso resource
los recursos naturales
natural resources **5.3**
reducir (reduzco) to reduce **5.3**
el refrán saying
el refresco soft drink **I**
el refrigerador refrigerator **4.1**
el refugio de aves
bird sanctuary
el regalo gift **I**
regatear to bargain **I**
regresar
to return, to go back **I, 4.2**
Regresa más tarde.
He/She will return later. **I**
Regular. So-so. **I**

reírse (i, i) to laugh **2.1**
relajarse to relax **3.1**
el relámpago lightning **5.2**
el relieve relief, projection
el reloj clock, watch **I**
remar to row **5.2**
renovar
se renueva is renewed
el repaso review
repetir (i, i) to repeat **1.2, 1.3**
el reportaje report **1.3**
el (la) reportero(a) reporter **1.3**
requerir (ie, i) to require **6.2**
el requisito requirement **6.2**
rescatar to rescue **1.3**
el rescate rescue **1.3**
la reserva reservation **4.1**
resolver (ue) to resolve **5.3**
respirar to breathe **3.3**
la respuesta answer
el restaurante restaurant **I**
el resumen summary
el retrato portrait **1.2**
la reunión gathering **2.2**
reunirse to get together **2.1**
revelar to develop
revisar to review, to check **4.2**
la revista magazine **I**
rico(a) tasty **I;** rich **2.1**
ridículo
Es ridículo que…
It's ridiculous that… **3.3**
el río river **I**
riquísimo(a) very tasty **I**
la risa laugh, laughter **2.1**
rizado curly (hair) **3.1**
robar to steal **1.3**
el robo robbery **1.3**
rodear
rodean surround
la rodilla knee **3.3**
rojo(a) red **I**
romántico(a) romantic **2.3**
romper la piñata to break the piñata **2.2**
la ropa clothing **I**
ponerse la ropa

to get dressed **I, 3.1**
rosado(a) pink **I**
rubio(a) blond **I**

sábado Saturday **I**
la sábana sheet **5.2**
saber (sé) to know **I, 1.2, 1.3**
el sabio sage, wise man
el sabor flavor, taste **1.2**
sabroso(a) tasty **I, 1.2**
sacar to take **1.1**
   sacar fotos to take pictures **I**
   sacar la basura
     to take out the trash **I, 3.2**
   sacar una buena nota
     to get a good grade **I**
el saco de dormir
   sleeping bag **5.2**
la sal salt **I, 2.3**
la sala living room **I, 4.1**
la sala de emergencia
   emergency room **3.3**
la salchicha
   sausage **I**; hot dog **2.3**
la salida departure **1.1**
salir (salgo)
   to go out, to leave **I**
la salsa salsa **I**
saltar to jump
   saltar la cuerda
     to jump rope **2.1**
¡Salud! Cheers! **2.3**
saludable healthy **3.1**
saludar to greet
el saludo greeting
salvadoreño(a) Salvadoran **1.3**
salvaje wild **5.1**
las sandalias sandals **3.2**
la sangre blood **3.3**
el secador de pelo
   hair dryer **I, 3.1**
secarse to dry oneself **I, 3.1**
seco(a) dry **2.3**
el (la) secretario(a)

secretary **I, 6.1**
seguir (i, i) (sigo)
   to follow, to continue **4.2**
según according to
segundo(a) second **I, 2.2**
   de segunda mano
     used, secondhand
la seguridad security **1.1**
el seguro insurance **6.2**
seguro(a)
   no es seguro que... it is not
     certain that... **4.3**
seis six **I**
seiscientos(as) six hundred **I**
la selva jungle **5.1**
el semáforo
   traffic light/signal **4.2**
la semana week **I**
   la semana pasada
     last week **I**
el semestre semester **I**
sencillo(a) simple, plain **I, 4.3**
el sendero path, trail **5.1**
sentarse (ie) to sit down **2.1**
sentir (ie, i) que to be sorry
   that **4.3**
sentirse (ie, i) to feel **2.1**
el señor Mr. **I**
la señora Mrs. **I**
la señorita Miss **I**
separar to separate **5.3**
septiembre September **I**
séptimo(a) seventh **I, 2.2**
ser to be **I, EP, 1.1**
   Es la.../Son las...
     It is... o'clock. **I**
   ser de... to be from... **I**
el ser humano human being **5.3**
la serie series **2.3**
serio(a) serious **I**
la serpiente snake **5.1**
los servicios bathrooms **4.1**
la servilleta napkin **2.3**
servir (i, i) to serve **I, 1.2, 1.3**
sesenta sixty **I**
setecientos(as) seven hundred **I**
setenta seventy **I**

sexto(a) sixth **I, 2.2**
los shorts shorts **I**
si if **I**
   Si estuviera...
     If I/you/he/she were...
     5.3
   Si fuera... If I/you/he/she
     were... **5.3**
   Si pudieras... If you could...
     5.3
sí yes **I**
   ¡Claro que sí! Of course! **I**
   Sí, me encantaría.
     Yes, I would love to. **I**
siempre always **I**
siete seven **I**
el siglo century
   del siglo III o IV
     third or fourth century
siguiente next, following **2.2**
la silla chair **I, 4.1**
el sillón armchair **I, 4.1**
simpático(a) nice **I**
sin without **I**
sino también but also
la situación situation **5.3**
el smog smog **5.3**
sobre on **4.2**
   sobre hielo on ice **I**
el (la) sobrino(a)
   nephew/niece **2.1**
sociable sociable **2.1**
¡Socorro! Help! **3.3**
el sofá sofa, couch **I, 4.1**
el sol sun **I**
   las gafas de sol sunglasses **I**
   Hace sol. It's sunny. **I**
   Hay sol. It's sunny. **I**
   tomar el sol to sunbathe **I**
soleado(a) sunny **5.2**
solicitar
   to request, to apply for **6.1**
la solicitud application **6.1**
sólo only **I**
solo(a) alone **I**
la sombra shade, shadow **5.1**
el sombrero hat **I**

la sombrilla de playa
beach umbrella **3.2**
sonreírse (i, i) to smile **2.1**
la sopa soup **I**
sorprender to surprise **I, 2.2,
4.3**
la sorpresa surprise **I, 2.2**
su your, his, her, its, their **I**
subir por to go up, to climb **4.2**
sucio(a) dirty **I, 3.2**
la sucursal
sucursales branches
sudar to sweat **3.1**
el sueldo salary **6.2**
el suelo floor **I, 4.1**
barrer el suelo
to sweep the floor **I**
sueño sleep; dream
felices sueños sweet dreams
tener sueño to be sleepy **I**
suerte luck
tener suerte to be lucky **I**
el suéter sweater **I**
suficiente enough **4.3**
la sugerencia suggestion
sugerir (ie, i) to suggest **4.1, 4.2**
el supermercado supermarket
ir al supermercado
to go to the supermarket **I**
el sur south **4.2**
el surfing surfing **I**

tacaño(a) stingy **4.3**
el taco taco **2.3**
tal vez maybe **4.3**
Tal vez otro día.
Maybe another day. **I**
el talento talent **1.2**
la talla size (clothing) **4.3**
el taller workshop **I**
los tamales cornmeal dough
and filling wrapped in corn
husks and steamed
también also, too **I**

también se dice you can also
say
tampoco neither, either **I**
tan as
tan… como as… as **I, 4.3**
tanto as much
tanto como as much as **I, 4.3**
tanto(a, os, as)… como as
much/many… as **4.3**
las tapas appetizers **I**
la taquería taco restaurant **2.3**
la taquilla box office **4.2**
tarde late **I**
Regresa más tarde.
He/She will return later. **I**
la tarde afternoon **I**
Buenas tardes.
Good afternoon. **I**
de la tarde in the afternoon **I**
por la tarde
during the afternoon **I**
la tarea homework **I**
la tarjeta de crédito
credit card **I**
el taxi taxi, cab **I**
el (la) taxista taxi driver **I, 6.1**
la taza cup **I**
el té tea **I**
el teatro theater **I**
el teclado keyboard **I**
teclear
¡A teclear! Let's key in! **I**
el (la) técnico(a) technician **6.1**
el teleférico aerial tram
el teléfono telephone **I**
¿Cuál es tu teléfono? What is
your phone number? **I**
la telenovela soap opera **2.3**
el (la) televidente viewer **1.3**
la televisión television
ver la televisión
to watch television **I**
el televisor television set **I, 4.1**
el tema theme, subject **2.3**
el temblor earthquake
la temperatura temperature **I**
temprano early **I**
el tenedor fork **I**

tener to have **I, EP, 1.2**
¿Cuántos años tiene…?
How old is…? **I**
tener calor to be hot **I**
tener cuidado
to be careful **I, 2.1**
tener envidia
to be envious **2.1**
tener éxito
to be successful **2.1**
tener frío to be cold **I**
tener ganas de…
to feel like… **I**
tener hambre to be hungry **I**
tener miedo to be afraid **I,
4.3**
tener prisa to be in a hurry **I**
tener que to have to **I**
tener razón to be right **I**
tener sed to be thirsty **I**
tener sueño to be sleepy **I**
tener suerte to be lucky **I**
tener vergüenza
to be ashamed **2.1**
Tiene… años.
He/She is… years old. **I**
el tenis tennis **I**
tercero(a) third **I, 2.2**
terminar to finish **I**
terrible terrible, awful **I**
la tía aunt **I**
el tiempo time; weather **I**
Hace buen tiempo.
It is nice outside. **I**
Hace mal tiempo.
It is bad outside. **I**
¿Qué tiempo hace?
What is the weather like? **I**
el tiempo libre free time **I**
la tienda store **I**
la tienda de deportes
sporting goods store **I**
la tienda de música y videos
music and video store **I**
la tienda de campaña tent **5.2**
la tierra land **5.1**
las tijeras scissors **I, 5.2**
tímido(a) shy **2.1**

la tintorería dry cleaner **4.2**
el tío uncle **I**
los tíos uncle(s) and aunt(s) **I**
típicamente typically **3.2**
la tira cómica comic strip **1.3**
el titular headline **1.3**
la tiza chalk **I**
la toalla towel **I, 3.2**
el tobillo ankle **3.3**
tocar to play (an
    instrument), to touch **I, 1.1**
    tocar el piano
        to play the piano **I**
    tocar la guitarra
        to play the guitar **I**
todavía still, yet **I**
todo(a) all **I**
    todo el mundo everyone **2.2**
    todos los días every day **I**
tomar to take, to eat, to drink **I**
    tomar el sol to sunbathe **I**
    tomar un curso de natación
        to take a swimming class **1.1**
el tomate tomato **I, 2.3**
la tormenta storm **I**
el toro bull **I**
la torta sandwich (sub) **I, 2.3**
la tortilla española
    potato omelet **I**
la tortuga turtle **5.1**
la tos cough **3.3**
los tostones fried plantains **1.2**
trabajador(a) hard-working **I**
trabajar to work **I**
tradicional traditional **I, 1.2**
traducir (traduzco)
    to translate **1.2**
traer (traigo) to bring **I, 1.2**
    ¿Me trae…?
        Could you bring me…? **I**
el tráfico traffic **I**
el traje suit **4.3**
    el traje de baño
        bathing suit **I**
tranquilamente calmly **I, 3.2**
tranquilo(a) calm **I**

tratar to treat **3.3**
trece thirteen **I**
treinta thirty **I**
el tren train **I**
trepar a un árbol to climb a
    tree **2.1**
tres three **I**
trescientos(as) three hundred **I**
triste sad **I**
    Es triste que…
        It's sad that… **3.3**
la tristeza sadness **2.2**
el trueno thunder **5.2**
tu your (familiar) **I**
tú you (familiar singular) **I**
el tucán toucan **5.1**
el turismo tourism **4.1**

último(a) last **I**
la unidad unit
unir
    une combines
unirse
    se unen unite
la universidad university **6.2**
uno one **I**
uruguayo(a) Uruguayan **1.3**
usar to use **I**; to wear, to take
    a size **4.3**
el uso use
usted you (formal singular) **I**
ustedes you (plural) **I**
útil useful **5.3**
la uva grape **1.2**

la vaca cow **I**
vacío(a) empty **2.3**
valer (valgo) to be worth **4.3**
el valle valley **5.1**
valorar to appreciate **5.1**

el vaso glass
    el vaso de glass of **I**
el vecindario neighborhood **4.2**
el (la) vecino(a) neighbor
vegetariano(a) vegetarian **I**
veinte twenty **I**
veintiuno twenty-one **I**
las velas candles **2.2**
el velo
    el velo bordado a mano
        handmade veil
el venado deer **5.1**
vender to sell **I**
venezolano(a) Venezuelan **1.3**
venir to come **I, 1.2**
la ventaja advantage **6.2**
la ventana window **I, 4.1**
la ventanilla window **1.1**
ver (veo) to see **I, 1.1**
    ¿Me deja ver…?
        May I see…? **I**
    Nos vemos. See you later. **I**
    ver la televisión
        to watch television **I**
el verano summer **I**
la verdad truth **I**
    Es verdad. It's true. **I**
    No es verdad que…
        It's not true that… **4.3**
verde green **I**
la verdura vegetable **I, 2.3**
el vestido dress **I**
vestirse (i, i)
    to dress oneself **4.3**
el (la) veterinario(a)
    veterinarian **6.1**
viajar to travel **I**
el viaje trip **I, 1.1**
los viajeros travelers
la vida life **I**
el video video **I**
    alquilar un video
        to rent a video **I**
la videograbadora VCR **I**
el videojuego video game **I**
el vidrio glass **5.3**

viejo(a) old **I**

el viento wind **I**
   Hace viento. It's windy. **I**
   Hay viento. It's windy. **I**

viernes Friday **I**

violento(a) violent **5.2**

visitar to visit **I**

vivir to live **I, 1.1**
   Vive en…
      He/She lives in… **I**
   Vivo en… I live in… **I**

vivo(a) alive

volar (ue) to fly **5.1**

el voleibol volleyball **I**

el (la) voluntario(a)
   volunteer **6.1**

volver (ue)
   to return, to come back **I**

vosotros(as)
   you (familiar plural) **I**

la voz voice

el vuelo flight **1.1**

vuestro(a)
   your (familiar plural) **I**

y and **I**
   y cuarto quarter past **I**
   y media half past **I**

ya already **3.2**
   ¡Ya lo sé! I already know! **1.3**
   ya no no longer **I**

el yeso cast **3.3**

yo I **I**

el yogur yogurt **I, 1.2**

la zanahoria carrot **I, 2.3**

la zapatería shoe store **I**

el zapato shoe **I**
   el zapato de tacón
      high-heeled shoe **4.3**

el zumo juice **I**

GLOSARIO
inglés–español

This English–Spanish glossary contains all of the active vocabulary words that appear in the text as well as passive vocabulary from readings, culture sections, and extra vocabulary lists.

able
  to be able poder (ue) **I, 1.2**
according to según
accountant
  el (la) contador(a) **I, 6.1**
acquaintance la amistad **2.1**
actor el actor **2.3**
actress la actriz **2.3**
address la dirección **I**
advantage la ventaja **6.2**
adventures las aventuras **2.3**
advice el (los) consejo(s) **3.1**
to advise aconsejar **3.1**
aerial tram el teleférico
afraid
  to be afraid tener miedo **I, 4.3**
after después (de) **I**
afternoon la tarde **I**
  during the afternoon
    por la tarde **I**
  Good afternoon.
    Buenas tardes. **I**
  in the afternoon de la tarde **I**
after-shave lotion la loción **3.1**
afterward después **I**
against
  to be against

    estar en contra de **5.2**
age la edad **I**
ago hace... que **3.3**
to agree (on) quedar (en) **I**;
  estar de acuerdo **I, 1.2**
air conditioning
  el aire acondicionado **4.1**
air pollution la contaminación
  del aire **I**
airline la aerolínea **1.1**
airplane el avión **I**
airport el aeropuerto **I**
aisle el pasillo **1.1**
alarm clock el despertador **I, 4.1**
alive vivo(a)
all todo(a) **I**
  It is up to all of us…
    A todos nos toca… **5.3**
almost casi **2.2**
alone solo(a) **I**
already ya **3.2**
also también **I**
altitude la altura **5.1**
aluminum el aluminio **5.3**
always siempre **I**
ambulance la ambulancia **3.3**
ancient antiguo(a) **I**
and y **I**
  and so it was that
    así fue que **2.2**
angry enojado(a) **I**

  to get angry with
    enojarse con **2.1**
animal el animal **I**
animated animado(a) **2.1**
ankle el tobillo **3.3**
anniversary el aniversario **2.2**
to annoy fastidiar **4.3**
another otro(a) **I**
answer la respuesta
to answer contestar **I**
answering machine
  la máquina contestadora **I**
ant la hormiga
apartment el apartamento **I**
to apologize disculparse **2.1**
appetizers las tapas **I**
apple la manzana **2.3**
application la solicitud **6.1**
to apply for solicitar **6.1**
appointment la cita **I**
to appreciate valorar **5.1**
April abril **I**
architect
  el (la) arquitecto(a) **I, 6.1**
architecture la arquitectura **I**
Argentine argentino(a) **1.3**
arm el brazo **I, 3.3**
armchair el sillón **I, 4.1**
around alrededor (de) **4.2**; por **I**
to arrange ordenar **I**
arrival la llegada **1.1**

to arrive llegar **I, 1.1**
art el arte **I**
article el artículo **1.3**
artisan el (la) artesano(a) **I, 6.1**
artist el (la) artista **1.2**
as como
    as… as tan… como **I, 4.3**
    as far as hasta **I**
    as for en cuanto a
    as much as tanto como **I, 4.3**
    as much/many… as tanto(a,
      os, as)… como **4.3**
ash la ceniza
ashamed
    to be ashamed tener
      vergüenza **2.1**
to ask preguntar
to ask for pedir (i, i) **I, 1.2, 1.3**
aspirin la aspirina **3.3**
assistant el (la) asistente **6.1**
at a
    At… o'clock. A la(s)… **I**
    at once en seguida **2.2**
athlete el (la) deportista **6.1**
athletics el atletismo **3.1**
ATM el cajero automático **4.3**
atmosphere el ambiente
to attend asistir a
auditorium el auditorio **I**
August agosto **I**
aunt la tía **I**
author el (la) autor(a) **1.3**
autonomy la autonomía
avenue la avenida **I**
awesome chévere
    How awesome!
      ¡Qué chévere! **I**
awful terrible **I**

baby el bebé **2.1**
backpack la mochila **I**
bad malo(a) **I**
    It is bad (weather) outside.

    Hace mal tiempo. **I**
    It's bad that…
      Es malo que… **3.3**
bag la bolsa **I**
balanced balanceado(a) **3.1**
ball la bola, la pelota **I**
balloons los globos **2.2**
bank el banco **I**
barber el (la) peluquero(a) **6.1**
bargain la ganga **4.2**
to bargain regatear **I**
baseball el béisbol **I**
baseball cap la gorra **I**
basketball el baloncesto **I**
bass el contrabajo
bat el bate **I**; el murciélago
bathing suit el traje de baño **I**
bathroom el baño **I, 4.1**
bathrooms los servicios **4.1**
bathtub la bañera **4.1**
to be estar **I, EP, 1.2;**
    ser **I, EP, 1.1**
    to be worth valer (valgo) **4.3**
beach la playa **I**
    beach umbrella
      la sombrilla de playa **3.2**
beans los frijoles **2.3**
beauty la belleza **5.1**
because porque **I**
bed la cama **I, 4.1**
    to go to bed acostarse (ue) **I,**
      3.1
    to make the bed
      hacer (hago) la cama **I**
bedroom la habitación **I, 4.1**
beef la carne de res **I, 2.3**
before antes (de) **I**
to begin empezar (ie) **I, 1.1**
    to begin with para empezar
      2.2
to behave well/badly
    portarse bien/mal **2.1**
behind detrás (de) **I**
to believe creer **I, 1.3**
    not to believe that… no
      creer que… **4.3**

to belong
    pertenecer (pertenezco) **5.2**
belt el cinturón **I**
benefits los beneficios **6.2**
beside al lado (de) **I**
better mejor **I**
    better than mejor que **4.3**
    It's better that…
      Es mejor que… **3.3**
between entre **I**
beverage la bebida **I**
big grande **I**
bike la bicicleta
    to ride a bike
      andar en bicicleta **I**
bill la cuenta **I, 2.3**
bird el pájaro **I**
    bird sanctuary
      el refugio de aves
birthday el cumpleaños **I**
black negro(a) **I**
blanket la manta **I, 5.2**
blond rubio(a) **I**
blood la sangre **3.3**
blouse la blusa **I**
blue azul **I**
to board (a plane) abordar **1.1**
boarding house la pensión **4.1**
boat el bote **3.2**
body el cuerpo **I, 3.3**
Bolivian boliviano(a) **1.3**
book el libro **I**
bookstore la librería **I**
boots las botas **I**
bored
    to get bored aburrirse **2.1**
boring aburrido(a) **I**
born
    to be born nacer (nazco)
boss el (la) jefe(a) **I, 6.1**
to bother molestar **2.3, 4.3**
bottle la botella **I, 5.3**
box office la taquilla **4.2**
boy el chico; el muchacho **I**;
    el niño
boyfriend el novio **2.1**

bracelet la pulsera **I**
branch la sucursal
    branches las sucursales
bread el pan **I, 2.3**
bread bakery la panadería **I**
break el receso **I**
to break the piñata
    romper la piñata **2.2**
breakfast el desayuno **I**
    to have breakfast
      desayunar **I**
to breathe respirar **3.3**
bride la novia **2.1**
bridge el puente **4.2**
to bring traer (traigo) **I, 1.2**
    Could you bring me…?
      ¿Me trae…? **I**
brother el hermano **I**
brother(s) and sister(s)
    los hermanos **I**
brother-in-law el cuñado **2.1**
brown marrón **I**
brown (hair) castaño(a) **I**
brush el cepillo **I, 3.1**
to brush one's hair cepillarse el
    pelo **3.1**
to brush one's teeth
    lavarse los dientes **I, 3.1**
bucket el balde **5.2**
building el edificio **I**
bull el toro **I**
burn la quemadura **3.2**
to burn quemar **3.2**
bus el autobús **I**
bus station
    la estación de autobuses **I**
business la empresa **6.2**
businessman
    el hombre de negocios **I, 6.1**
businesswoman
    la mujer de negocios **I, 6.1**
busy ocupado(a) **I**
but pero **I;** mas
    but also sino también
butcher's shop la carnicería **I**

butter la mantequilla **I, 1.2**
butterfly la mariposa **5.1**
to buy comprar **I**
by por **I**

cab el taxi **I**
café el café **I**
cafeteria la cafetería **I**
cake el pastel **I**
calculator la calculadora **I**
call la llamada **I**
to call llamar **I**
    Tell him or her to call me.
      Dile/Dígale que me
      llame. **I**
calm tranquilo(a) **I**
calmly tranquilamente **I, 3.2**
calorie la caloría **3.1**
camera la cámara **I, 1.3**
camp el campamento **5.2**
to camp in the mountains
    acampar en las montañas **1.1**
campfire la fogata **5.2**
can la lata **I, 5.3**
    can opener el abrelatas **5.2**
can poder (ue) **I, 1.2**
    Can you help (wait on) me?
      ¿Me puede atender? **4.3**
    I can offer you…
      Le puedo ofrecer… **I**
    Thanks, but I can't.
      Gracias, pero no puedo. **I**
Canadian canadiense **1.3**
candles las velas **2.2**
canoe la canoa
cap el gorro **I**
    baseball cap la gorra **I**
capabilities las habilidades **6.2**
car el carro **I**
cardboard, cardboard box
    el cartón **5.3**
career la carrera **6.1**

careful cuidadoso(a) **I**
    to be careful tener cuidado **I,**
    2.1
carefully cuidadosamente **I**
carrot la zanahoria **I, 2.3**
to carry llevar **I**
cash el efectivo **I**
cash register
    la caja registradora **4.3**
cashier el (la) cajero(a) **4.3**
cassette el casete **I**
cast el yeso **3.3**
cat el (la) gato(a) **I**
to catch
    catches your eye
      llama la atención
cause la causa **1.3**
cave la cueva
cedar el cedro
to celebrate celebrar
center el centro **I**
    shopping center
      el centro comercial **I**
centigrade centígrado(a) **5.2**
century el siglo
    third or fourth century
      del siglo III o IV
ceramics la cerámica **I**
cereal el cereal **I, 1.2**
certain
    It is not certain that…
      No es cierto que… **4.3,** No
      es seguro que… **4.3**
chain la cadena
chair la silla **I, 4.1**
chalk la tiza **I**
chalkboard el pizarrón **I**
champion el campeón
change el cambio **I**
to change cambiar **I**
channel el canal **1.3**
to chat charlar
cheap barato(a) **I**

check la cuenta **I**

    Separate checks. Es aparte. **I**

    The check, please.

        La cuenta, por favor. **I**

to check revisar **4.2**

checked de cuadros **I**

checks los cheques **4.3**

Cheers! ¡Salud! **2.3**

cheese el queso **I**

chemical el químico **5.3**

cherry la cereza **2.3**

chess

    to play chess

        jugar (ue) al ajedrez **1.1**

chicken el pollo **I**

    roast chicken el pollo asado

    1.2

child-care provider

    el (la) niñero(a) **6.1**

Chilean chileno(a) **1.3**

Chinese chino(a) **1.3**

to choose escoger (escojo) **4.3**

chores los quehaceres **I, 3.2**

church la iglesia **I**

citizenship la ciudadanía **6.1**

city la ciudad **I**

city block la cuadra **I**

class la clase **I**

classmate

    el (la) compañero(a) **2.1**

classroom la clase **I**

clean limpio(a) **I, 3.2**

to clean hacer la limpieza **3.2**

    to clean the room

        limpiar el cuarto **I, 3.2**

clear (weather) despejado(a) **5.2**

climate el clima **5.1**

to climb subir por **4.2**

    to climb a tree

        trepar a un árbol **2.1**

    to climb mountains

        escalar montañas **5.2**

clock el reloj **I**

to close cerrar (ie) **I**

closed cerrado(a) **I, 4.3**

closet el armario **I, 4.1**

clothing la ropa **I**

cloud la nube **5.2**

cloudless despejado(a) **5.2**

cloudy nublado

    It is cloudy. Está nublado. **I**

coat el abrigo **I**

coconut milk

    el agua de coco **3.2**

coffee el café **I**

coffee shop la cafetería **I**

cold

    to be cold tener frío **I**

    It is cold. Hace frío. **I**

Colombian colombiano(a) **1.3**

color el color **I**

    What color…?

        ¿De qué color…? **I**

comb el peine **I, 3.1**

to comb one's hair

    peinarse **I, 3.1**

to combine unir

    combines une

to come venir **I, 1.2**

to come back volver (ue) **I**

comedian, comedienne

    el (la) comediante **2.3**

comedy la comedia **2.3**

comfortable cómodo(a) **3.3**

comic strip la tira cómica **1.3**

comical cómico(a) **I**

command el mandato

commercial el anuncio **1.3**

common común **2.2**

community la comunidad **I**

compact disc

    el disco compacto **I**

companion

    el (la) compañero(a) **2.1**

company la compañía **I**, la

    empresa **6.2**

to compete competir (i, i)

    1.2, 1.3

complicated complicado(a) **5.2**

composer el compositor

computer la computadora **I**

computer science

    la computación **I**

concert el concierto **I**

congratulations felicidades **I**

to conserve conservar **5.1**

to construct construir **2.1**

consultation la consulta **3.3**

content contento(a) **I**

contest el concurso **I**

to continue

    seguir (i, i) (sigo) **4.2**

contract el contrato **6.2**

contrary

    on the contrary

        al contrario **2.2**

to cook cocinar **I**

cookie la galleta **I, 1.2**

cool

    It is cool. Hace fresco. **I**

cooler la neverita **3.2**

corn el maíz

corner la esquina **I**

corral el corral **I**

to correct corregir (i, i) (corrijo)

to cost costar (ue) **I**

Costa Rican costarricense **1.3**

couch el sofá **I**

cough la tos **3.3**

to count contar (ue) **I**

counter el mostrador **1.1**

country el país; el campo **I**

countryside el campo **I**

court la cancha **I**

cousin el (la) primo(a) **I**

cow la vaca **I**

cracker la galleta **I**

crazy loco(a) **I**

cream la crema **I, 1.2**

to create crear **5.2**

credit card

    la tarjeta de crédito **I**

criticism la crítica **1.3**

to cross cruzar **I**

crossing el cruce **4.2**

to cry llorar **3.3**
Cuban cubano(a) **1.3**
cuisine la cocina
cup la taza **I**
curly (hair) rizado **3.1**
currency la moneda
curriculum vitae
   el currículum **6.2**
customer el (la) cliente(a) **4.3**
customs la aduana **1.1**
to cut cortar
   to cut oneself cortarse **3.3**
   to cut the grass cortar
      el césped **3.2**

daily diario(a) **2.2**
to damage dañar
to dance bailar **I**
dancer
   el (la) bailarín/bailarina **6.1**
dangerous peligroso(a) **I, 5.1**
   It's dangerous that…
      Es peligroso que… **3.3**
dark oscuro(a) **4.3**
   dark hair and skin
      moreno(a) **I**
date la fecha **I**
   date of birth
      la fecha de nacimiento **6.1**
   What is the date?
      ¿Cuál es la fecha? **I**
daughter la hija **I**
day el día **I**
   day before yesterday
      anteayer **I, 2.2**
   What day is today?
      ¿Qué día es hoy? **I**
December diciembre **I**
to decide decidir **I**
decor
   interior decor la decoración
decorations los adornos **2.2**
deer el venado **5.1**

degree el grado **I**
delicious delicioso(a) **I**
to delight encantar **2.3**
Delighted to meet you.
   Encantado(a). **I**
deodorant el desodorante **3.1**
departure la salida **1.1**
depressed deprimido(a) **I**
to descend bajar (por) **4.2**
desert el desierto **I**
to desire desear **1.2, 4.1**
desk el escritorio **I**
dessert el postre **I**
destroyed destruido(a)
destruction la destrucción **5.3**
detail el detalle **1.3**
to develop desarrollar; revelar
development el desarrollo **5.1**
to dial marcar **I**
dictionary el diccionario **I**
to die morir (ue, u) **1.3**
diet la dieta **3.1**
difficult difícil **I**
dining room el comedor **I, 4.1**
dinner la cena **I**
   to eat dinner cenar **I, 2.3**
direction la dirección **I**
dirty sucio(a) **I, 3.2**
disadvantage la desventaja **6.2**
to discover descubrir **5.1**
disguised as disfrazado(a) de
dishwasher el lavaplatos **I, 4.1**
distance la distancia **4.2**
diverse diverso(a) **5.1**
to do hacer (hago) **I, 1.1**
doctor el (la) doctor(a) **I**
dog el (la) perro(a) **I**
   to walk the dog
      caminar con el perro **I**
doll la muñeca **2.1**
dollar el dólar **I**
Dominican dominicano(a) **1.3**
door la puerta **I, 4.1**
to doubt that dudar que **4.3**
down abajo **I, 4.2**
downpour el aguacero **5.2**

downtown el centro **I**
dozen la docena **I**
to draw dibujar **2.1**
dream
   sweet dreams felices sueños
dress el vestido **I**
to dress oneself vestirse (i, i) **4.3**
dressed
   to get dressed
      ponerse (me pongo) la
      ropa **I, 3.1**
   to get dressed up
      arreglarse **4.3**
drink la bebida **I**
to drink beber; tomar **I**
   Do you want to drink…?
      ¿Quieres beber…? **I**
   I want to drink…
      Quiero beber… **I**
to drive conducir (conduzco)
   1.2; manejar **I**
driver el (la) conductor(a) **4.2**
drizzle la llovizna **5.2**
drop la gota
drugstore la farmacia **I**
dry seco(a) **2.3**
dry cleaner la tintorería **4.2**
to dry oneself secarse **I, 3.1**
during durante **I**
to dust quitar el polvo **I, 3.2**

each cada **I**
ear la oreja **I, 3.3**
early temprano **I**
to earn a living
   ganarse la vida **6.1**
earring el arete **I**
earthquake el temblor
easily fácilmente **I, 3.2**
east el este **4.2**
easy fácil **I**
to eat comer **I, 1.1**; tomar **I**
   Do you want to eat…?

¿Quieres comer…? **I**
to eat breakfast desayunar **I**
to eat dinner cenar **I, 2.3**
to eat lunch
almorzar (ue) **I, 1.1**
I want to eat…
Quiero comer… **I**
Ecuadorian ecuatoriano(a) **1.3**
edge la orilla **3.2**
edition la edición **1.3**
editor el (la) editor(a) **I, 1.3**
education la educación **6.2**
effects los efectos **5.3**
egg el huevo **I, 1.2**
eight ocho **I**
eight hundred ochocientos(as) **I**
eighteen dieciocho **I**
eighth octavo(a) **I, 2.2**
eighty ochenta **I**
elbow el codo **3.3**
electricity la electricidad **4.1**
elegant elegante **4.3**
elevator el ascensor **4.1**
eleven once **I**
emergency room
la sala de emergencia **3.3**
to emit
emits smoke echa humo
employment el empleo **6.1**
empty vacío(a) **2.3**
enchilada la enchilada **I**
energy la energía **3.1**
engineer el (la) ingeniero(a) **6.1**
English inglés(esa) **1.3;**
el inglés **I**
to enjoy
to enjoy oneself
divertirse (ie, i) **2.1**
to enjoy time with friends
disfrutar con
los amigos **1.1**
enjoyable divertido(a) **I**
enormous enorme **I, 1.2**
enough
bastante **2.3;** suficiente **4.3**

to enter entrar (a, en) **I**
entertaining divertido(a) **2.1**
envious
to be envious tener envidia
2.1
environment
el medio ambiente **5.1**
equipment
sound equipment
el equipo de sonido
eraser el borrador **I**
especially especialmente **I, 3.2**
even though aunque **2.2**
evening la noche
during the evening
por la noche **I**
Good evening.
Buenas noches. **I**
every cada **I**
every day todos los días **I**
everyone todo el mundo **2.2**
everywhere por todas partes
5.1
excess luggage
el exceso de equipaje **1.1**
to exchange cambiar **I**
excited emocionado(a) **I**
to exclaim exclamar **2.2**
to exercise hacer (hago)
ejercicio **I**
exhibit la exposición **1.2**
to expect esperar **I**
expenses los gastos **4.3**
expensive caro(a) **I**
It's very expensive!
¡Es muy caro(a)! **I**
to explain explicar **1.1**
eye el ojo **I, 3.3**

F

face la cara **I, 3.3**
facing enfrente (de) **I;** frente
a **4.2**

fact el hecho **1.3**
facts los datos **6.1**
fall el otoño **I**
to fall caer (caigo)
to fall asleep dormirse (ue, u) **I**
to fall down
caerse (me caigo) **2.1**
to fall in love (with)
enamorarse (de) **2.2**
false falso(a)
family la familia **I**
far (from) lejos (de) **I**
Is it far? ¿Queda lejos? **I**
farm la granja **I**
farmer el (la) agricultor(a) **6.1;**
el (la) ganadero(a) **I**
to fascinate fascinar **2.3**
fast rápido(a) **I**
fat gordo(a) **I**
father el padre **I**
favor
to be in favor of estar a
favor de **5.2**
favorite favorito(a) **I**
February febrero **I**
fee la cuota
to feed darle(s) de comer **I**
to feel sentirse (ie, i) **2.1**
to feel like tener ganas de **I**
fence la cerca **I**
fern el helecho
ferocious feroz **5.1**
fever la fiebre **3.3**
field el campo **I**
fifteen quince **I**
fifth quinto(a) **I, 2.2**
fifty cincuenta **I**
to fight pelearse **2.1**
to fill llenar **2.3**
finally por fin **I, 2.2**
to find encontrar (ue) **I**
fine arts las bellas artes **1.2**
fingers los dedos **3.3**
to finish terminar **I**
fire el fuego **5.2**

firefighter el bombero I, 6.1
firewood la leña 5.2
first primero(a) I, 2.2
first name el nombre I
fish el pescado I, 2.3; el pez I
to fish pescar 5.2
fisherman el (la) pescador(a) 3.2
five cinco I
five hundred quinientos(as) I
flash (of lightning) el rayo 5.2
flashlight la linterna 5.2
flavor el sabor 1.2
flight el vuelo 1.1
    flight attendant
        el (la) auxiliar de vuelo 1.1
floor el suelo I, 4.1; el piso 4.1
flour la harina I, 2.3
flower la flor I
flu la gripe 3.3
to fly volar (ue) 5.1
fog la neblina 5.2
to follow seguir (i, i) (sigo) 4.2
following siguiente 2.2
food el alimento 3.1;
    la comida I
foot el pie I, 3.3
    on foot a pie I
football el fútbol americano I
for por; para I
forecast el pronóstico 5.2
forehead la frente
foreigner el (la) extranjero(a) 4.1
forest el bosque I
    cloud forest
        el bosque nuboso
to forget olvidar I, 4.2
    already forgotten
        ya olvidada
    have been forgotten
        se han olvidado
fork el tenedor I
formal formal I, 1.2
forty cuarenta I
four cuatro I
four hundred cuatrocientos(as) I

fourteen catorce I
fourth cuarto(a) I, 2.2
free time el tiempo libre I
freedom la autonomía
freezer el congelador I, 4.1
French francés(esa) 1.3
French fries las papas fritas I
frequent frecuente I
frequently
    frecuentemente I, 3.2
Friday viernes I
friend el (la) amigo(a) I
    to spend time with friends
        pasar un rato con los
        amigos I
friendship la amistad 2.1
frog la rana 5.1
    neon-colored poison dart
        frogs las ranas venenosas
        fosforescentes
from de; desde I
    from there desde allí 4.2
front desk la recepción 4.1
fruit la fruta I
fuel el combustible 5.3
full lleno(a) 2.3
fun divertido(a) I, 2.1
funny cómico(a) I
furniture los muebles I, 4.1

gallery la galería 1.2
game el partido I; el juego
garage el garaje 4.1
garden el jardín I, 4.1
gathering la reunión 2.2
German alemán(ana) 1.3
to get obtener 4.2, conseguir
    (i, i) (consigo) 6.2
to get along well
    llevarse bien 2.2
to get better recuperarse 3.3
to get dressed
    ponerse (me pongo) la ropa

I, 3.1
to get out
    (without) getting out
        (sin) levantarte
to get up levantarse I, 3.1
gift el regalo I
girl la chica; la muchacha I;
    la niña
girlfriend la novia 2.1
to give dar (doy) I, 1.1
    I'll give.... to you for…
        Le dejo… en… I
glad
    to be glad that alegrarse de
        que 4.3
glass el vaso I; el vidrio 5.3
    glass of el vaso de I
glove el guante I
to go ir I, EP, 1.1
    to be going to… ir a… I
    to go away irse I
    to go back regresar 4.2
    to go down bajar (por) 4.2
    to go down a river by canoe
        bajar un río en canoa 1.1
    to go for a walk pasear I
    to go out salir (salgo) I
    to go shopping
        ir de compras I
    to go to bed
        acostarse (ue) I, 3.1
    to go to the movies
        ir al cine I
    to go to the supermarket
        ir al supermercado I
    to go up subir por 4.2
goal el gol I; la meta 6.2
gold el oro I
good bueno(a) I
    Good afternoon.
        Buenas tardes. I
    Good evening.
        Buenas noches. I
    Good morning.
        Buenos días. I
    It's good that…

Es bueno que… **3.3**
Goodbye. Adiós. **I**
good-looking guapo(a) **I**
government el gobierno
grade la nota
   to get a good grade
     sacar una buena nota **I**
gram el gramo **I**
grandchildren los nietos
granddaughter la nieta
grandfather el abuelo **I**
   great-grandfather
     el bisabuelo **2.1**
grandmother la abuela **I**
   great-grandmother
     la bisabuela **2.1**
grandparents los abuelos **I**
grandson el nieto
grape la uva **1.2**
great grande **I**
green verde **I**
to greet saludar
greeting el saludo
groom el novio **2.1**
ground floor la planta baja **4.1**
group (musical) el conjunto
to grow crecer (crezco) **3.1**
Guatemalan
   guatemalteco(a) **1.3**
to guess adivinar
guest el (la) huésped(a) **4.1**
guitar la guitarra **I**
   to play the guitar tocar la
     guitarra **I**
gymnasium el gimnasio **I**
Gypsy el (la) gitano(a)

hair el pelo **I**
hair dryer
   el secador de pelo **I, 3.1**
hairbrush el cepillo **I, 3.1**
hairstylist

el (la) peluquero(a) **6.1**
half medio(a) **I**
   half past y media **I**
half-brother
   el medio hermano
half-sister
   la media hermana
ham el jamón **I, 1.2**
hamburger la hamburguesa **I**
hand la mano **I, 3.3**
handbag la bolsa **I**
handicraft la artesanía **I**
to happen pasar **I**
happily felizmente **I**
happiness la felicidad **2.2**
happy alegre; contento(a); feliz **I**
hard difícil; duro(a) **I**
hard-working trabajador(a) **I**
hat el sombrero **I**
to have tener **I, EP, 1.2**
   to have a cold
     estar resfriado(a) **3.3**
   to have a snack
     merendar (ie) **I**
   to have just… acabar de… **I,
     3.2**
   to have to tener que **I**
   one has to hay que **I**
to have (aux. verb) haber
   has had ha tenido
   have sold han vendido
he él **I**
head la cabeza **I, 3.3**
headache el dolor de cabeza **3.3**
headline el titular **1.3**
healthy saludable **3.1**
   to be healthy
     mantenerse sano(a) **3.1**
to hear oír **I, 1.3**
heart el corazón **I**
heat la calefacción **4.1**
heating la calefacción **4.1**
height la altura **5.1**
Hello. Hola. **I**
helmet el casco **I**
Help! ¡Socorro! **3.3**

to help ayudar (a) **I**
   Could you help me order?
     ¿Me ayuda a pedir? **I**
hen la gallina **I**
her su **I**
here acá; aquí **I**
hero el héroe **1.3**
heroine la heroína **1.3**
to hide esconderse **2.1**
hill la colina **5.1**
his su **I**
history la historia **I**
hit el éxito
hobby el pasatiempo
hockey el hockey **I**
to hold guardar **4.3**
hollowed out ahuecado(a)
homework la tarea **I**
Honduran hondureño(a) **1.3**
to honor honrar
   (it) honors honra
to hope esperar **I, 4.1**
   to hope that esperar que **4.3**
   I hope that ojalá que **4.1**
hopefully ojalá que **4.1**
horror el horror **2.3**
horse el caballo **I**
hot caliente **I**; caluroso(a) **5.2**
   to be hot tener calor **I**
   It is hot. Hace calor. **I**
hot dog la salchicha **2.3**
hotel el hotel **I**
house la casa **I**
how cómo **I**
   How are you? (familiar)
     ¿Cómo estás? **I**
   How are you? (formal)
     ¿Cómo está usted? **I**
   How awesome!
     ¡Qué chévere! **I**
   How do I look?
     ¿Cómo me veo? **4.3**
   How does it fit you? ¿Cómo
     te queda? **4.3**
   How is it going? ¿Qué tal? **I**
   How long has it been

since…? ¿Cuánto tiempo hace que…? **3.3**
How old is…?
¿Cuántos años tiene…? **I**
Pardon, how do I get to…?
Perdona(e), ¿cómo llego a…? **I**
how much cuánto **I**
How much do I tip?
¿Cuánto le doy de propina? **I**
How much is (are)…?
¿Cuánto cuesta(n)…?; ¿A cuánto está(n)…? **I**
hug el abrazo **2.2**
huge enorme **I**
human being
el ser humano **5.3**
humid húmedo(a) **5.2**
hummingbird el colibrí
hungry
to be hungry tener hambre **I**
to hurl
hurled himself into the abyss
se lanzó al abismo
hurricane el huracán **5.2**
hurry
to be in a hurry tener prisa **I**
to hurt doler (ue) **3.3**
to hurt oneself lastimarse **3.3**
husband el esposo

I yo **I**
ice el hielo
on ice sobre hielo **I**
ice cream el helado **I, 1.2**
ice-cream parlor
la heladería **4.2**
identification
la identificación **1.1**
if si **I**
If I/you/he/she were… Si estuviera… **5.3**; Si fuera… **5.3**

If you could... Si pudieras... **5.3**
immediately
inmediatamente **3.2**
impatient impaciente **2.1**
important importante
to be important importar **2.3**
It's important that… Es importante que… **3.3**
impression
to make a good (bad) impression on someone
caerle bien (mal) a alguien **6.2**
in en **I**
in a bad mood
de mal humor **4.3**
in a good mood
de buen humor **4.3**
in front of delante de **I, 4.2**
in order to para **I**
included incluido(a)
Is… included?
¿Está incluido(a)…? **I**
incredible increíble **5.3**
inexpensive barato(a) **I**
infection la infección **3.3**
to inform informar
to be well informed estar bien informado(a) **1.3**
informal informal **I**
information los datos **6.1**
injection la inyección **3.3**
inner ear el oído **3.3**
inside (of) dentro de **I, 2.1**
to insist insistir (en) **4.1, 4.2**
insurance el seguro **6.2**
intelligent inteligente **I**
to interest interesar **2.3**
interesting interesante **I**
international internacional **1.3**
interview la entrevista **I, 6.2**
interviewer
el (la) entrevistador(a) **6.2**
to introduce presentar
Let me introduce you

(familiar/formal) to…
Te/Le presento a… **I**
invitation la invitación **I, 2.2**
to invite invitar
I invite you. Te invito. **I**
iridescent iridiscente
to iron planchar **I, 3.2**
island la isla **5.1**
Italian italiano(a) **1.3**
its su **I**

jacket la chaqueta **I**
jackknife la navaja **5.2**
jaguar el jaguar **5.1**
January enero **I**
Japanese japonés(esa) **1.3**
jeans los jeans **I**
jewelry las joyas **I**
jewelry store la joyería **I**
job el empleo **6.1**
journalism el periodismo **1.3**
journalist
el (la) periodista **I, 1.3**
judge el (la) juez(a) **6.1**
juice el jugo **1.2**; el zumo **I**
July julio **I**
to jump rope saltar la cuerda **2.1**
June junio **I**
jungle la selva **5.1**

to keep guardar **4.3**
to keep clean
mantener limpio(a) **5.3**
key la llave **I, 4.1**
keyboard el teclado **I**
kilogram el kilo **I**
kiosk el quiosco **4.2**
kiss el beso **2.2**

kitchen la cocina **I, 4.1**
knee la rodilla **3.3**
knife el cuchillo **I**
to know conocer (conozco)
  I, 1.3; saber (sé) **I, 1.2, 1.3**
  I already know! ¡Ya lo sé! **1.3**
  to know someone
    conocer a alguien **I**

to lack faltar **2.3**
lake el lago **I;** laguna
  hot lake la laguna caliente
lamp la lámpara **I, 4.1**
land la tierra **5.1**
landscape el paisaje
language la lengua **I**
large grande **I**
last último(a) **I**
last month el mes pasado **I**
last name el apellido **I**
last night anoche **I, 2.2**
last week la semana pasada **I**
last year el año pasado **I, 2.2**
late tarde **I**
lately recientemente **I**
later luego **I**
  See you later.
    Hasta luego.; Nos vemos. **I**
laugh la risa **2.1**
to laugh reírse (i, i) **2.1**
laughter la risa **2.1**
lawyer el (la) abogado(a) **6.1**
lazy perezoso(a) **I**
leaf la hoja **5.1**
to learn aprender **I**
leather goods
  los artículos de cuero **I**
to leave salir (salgo); irse **I;**
  (behind) dejar **I**
  to leave a message
    dejar un mensaje **I**
  Leave a message after the

  tone. Deje un mensaje
    después del tono. **I**
  to leave the tip
    dejar la propina **2.3**
left la izquierda
  to the left (of)
    a la izquierda (de) **I**
leg la pierna **I, 3.3**
lemonade la limonada **I**
to lend prestar **4.3**
less menos
  less than menos de **I;**
    menos que **I, 4.3**
lesson la lección **I**
Let's… Vamos a… **I**
  Let's key in! ¡A teclear!
letter la carta
  to send a letter
    mandar una carta **I**
lettuce la lechuga **I**
library la biblioteca **I**
lie la mentira **2.2**
to lie down acostarse (ue) **3.1**
life la vida **I**
to lift weights levantar pesas **I**
light la luz **5.2**
light ligero(a)
lightning el relámpago **5.2**
like como
to like gustar **I, EP, 4.3**
  He/She likes… Le gusta… **I**
  I like… Me gusta… **I**
  I would like…
    Me gustaría… **I**
  Would you like…?
    ¿Te gustaría…? **I**
  You like… Te gusta… **I**
lion el león **5.1**
to listen (to) escuchar **I**
liter el litro **I**
literature la literatura **I**
to live vivir **I, 1.1**
lively animado(a) **2.1**
living room la sala **I, 4.1**
llama la llama **I**

loan el préstamo **4.3**
local local **1.3**
logical
  It's logical that…
    Es lógico que… **3.3**
long largo(a) **I**
to look at mirar **I**
to look for buscar **I, 1.1**
loose flojo(a) **4.3**
to lose perder (ie) **I**
love el amor **2.2**
to love querer (ie) **1.2**
lover el (la) amante
lucky
  to be lucky tener suerte **I**
luggage el equipaje **1.1**
lunch el almuerzo **I**
  to eat lunch almorzar (ue) **I**
luxurious lujoso(a) **I, 1.2**

Madrid
  people from Madrid
    los madrileños
magazine la revista **I**
magnet el imán
mail carrier
  el (la) cartero(a) **I, 6.1**
mailbox el buzón **4.2**
majority la mayoría **2.2**
to make hacer (hago) **I, 1.1**
  to make the bed
    hacer la cama **I**
makeup el maquillaje **3.1**
  to put on makeup
    maquillarse **I, 3.1**
mall la galería
man el hombre **I**
manager el (la) gerente **I, 6.1**
many mucho(a) **I**
map el mapa **I**
March marzo **I**
marionette la marioneta **2.1**

market el mercado **I**
to marry
    to get married (to) casarse
        (con) **2.2**
marvelous de maravilla **2.2**
match el fósforo **5.2**
to match with
    hacer juego con **4.3**
mathematics las matemáticas **I**
to matter importar **2.3**
May mayo **I**
maybe tal vez **4.3**
    Maybe another day.
        Tal vez otro día. **I**
meal la comida **I**
meat la carne **I**
mechanic el (la)
    mecánico(a) **6.1**
medicine la medicina **3.3**
to meet encontrar (ue) **I**,
    conocer (conozco) **1.3**
melon el melón **1.2**
menu el menú **I**
message el mensaje
    I want to leave a message
        for… Quiero dejar un
        mensaje para… **I**
    to leave a message
        dejar un mensaje **I**
    Leave a message after the
        tone. Deje un mensaje
        después del tono. **I**
Mexican mexicano(a) **1.3**
microwave el microondas **I**
microwave oven
    el horno microondas **4.1**
midnight la medianoche **I**
milk la leche **I**, **1.2**
milk shake el batido **1.2**
million un millón **I**
mirror el espejo **I**, **4.1**
Miss la señorita **I**
mist la neblina **5.2**
modern moderno(a) **I**, **1.2**
moment el momento

One moment.
    Un momento. **I**
Monday lunes **I**
money el dinero **I**
money exchange el cambio **I**
monkey el mono **5.1**
month el mes **I**
more más **I**
    more than
        más de **I**; más que **I**, **4.3**
morning la mañana **I**
    during the morning
        por la mañana **I**
    Good morning.
        Buenos días. **I**
    in the morning
        de la mañana **I**
mother la madre **I**
motorcycle la moto(cicleta) **I**
mountain la montaña **I**
mountaineering
    el montañismo **5.2**
mouse el ratón **I**
mouth la boca **I**, **3.3**
to move mover (ue)
    to move the furniture
        mover los muebles **I**
movie la película **I**
    to go to the movies ir al
        cine **I**
Mr. el señor **I**
Mrs. la señora **I**
much mucho(a) **I**
    as much as tanto como **I**
museum el museo **I**
music la música **I**
    music and video store la
        tienda de música y
        videos **I**
musical el musical **2.3**
musician el (la) músico(a) **6.1**
must
    one must hay que **I**
my mi **I**

name el nombre **I**
    His/Her name is… Se
        llama… **I**
    My name is…
        Me llamo… **I**
    What is his/her name?
        ¿Cómo se llama? **I**
    What is your name?
        ¿Cómo te llamas? **I**
nap
    take a nap échate una siesta
napkin la servilleta **2.3**
narrow estrecho(a) **I**, **4.3**
natural resources
    los recursos naturales **5.3**
nature la naturaleza **5.1**
near (to) cerca (de) **I**
necessary
    It's necessary that…
        Es necesario que… **3.3**
neck el cuello **3.3**
necklace el collar **I**
to need necesitar **I**, **4.1**
to negotiate negociar
    (he/she) negotiated negoció
neighbor el (la) vecino(a)
neighborhood el vecindario **4.2**
neither tampoco **I**; ni **4.2**
nephew el sobrino **2.1**
nervous nervioso(a) **I**
never nunca **I**
new nuevo(a) **I**
new release el estreno **2.3**
news las noticias **1.3**
news program el noticiero **1.3**
newspaper el periódico **I**
newsstand el quiosco **4.2**
next siguiente **2.2**
next to al lado de **I**; junto a **4.2**
Nicaraguan nicaragüense **1.3**
nice amable **2.1**; simpático(a) **I**

INGLÉS–ESPAÑOL

It's nice outside.
  Hace buen tiempo. **I**
Nice to meet you.
  Mucho gusto. **I**
niece la sobrina **2.1**
night la noche **I**
  at night de la noche **I**
nine nueve **I**
nine hundred novecientos(as) **I**
nineteen diecinueve **I**
ninety noventa **I**
ninth noveno(a) **I, 2.2**
no no **I**
no longer ya no **I**
no one nadie **I**
none ninguno(a) **I**
noon el mediodía **I**
nor ni **4.2**
normal normal **I**
normally normalmente **I, 3.2**
north el norte **4.2**
nose la nariz **I, 3.3**
not no **I**
not even ni **4.2**
not only no sólo **I**
to note apuntar
notebook el cuaderno **I**
notes los apuntes
nothing nada **I**
nourishment
  la alimentación **3.1**
novel la novela **I**
November noviembre **I**
now ahora **I**
  Right now! ¡Ahora mismo! **I**
number el número
  What is your phone number?
    ¿Cuál es tu teléfono? **I**
nurse el (la) enfermero(a) **3.3**
nutritious nutritivo(a) **3.1**

obedient obediente **2.1**
to obtain obtener **4.2**
to occur ocurrir **2.2**
ocean el océano **3.2**
October octubre **I**
of de
  Of course!
    ¡Claro que sí!; ¡Cómo no! **I**
to offer ofrecer (ofrezco) **I, 2.3**
  May I offer you anything
    more? ¿Se le(s) ofrece algo
    más? **2.3**
office la oficina **I; (doctor's)**
  el consultorio **3.3**
often mucho; frecuentemente **I**
oil el aceite **I, 2.3**
old antiguo(a) **I, 1.2;** viejo(a) **I**
  How old is…?
    ¿Cuántos años tiene…? **I**
older mayor **I**
  older than mayor que **4.3**
olives las aceitunas **I**
on en **I;** sobre **4.2**
  on ice sobre hielo **I**
  on top of encima de **I, 4.2**
once in a while
  de vez en cuando **I**
one uno **I**
one hundred cien **I**
onion la cebolla **I, 2.3**
only sólo **I**
open abierto(a) **I, 4.3**
to open abrir **I**
operator
  el (la) operador(a) **I, 6.1**
opposite frente a **4.2**
or o **I**
orange anaranjado(a) **I**
to order pedir (i, i) **I, 1.2, 1.3**
  Could you help me order?
    ¿Me ayuda a pedir? **I**

ordinary ordinario(a) **I**
other otro(a) **I**
ought to deber **I, 3.1**
our nuestro(a) **I**
outdoors al aire libre **I**
outside (prep.) fuera de **I, 2.1**
oven el horno **I, 4.1**
owner el (la) dueño(a) **6.1**
ozone layer
  la capa de ozono **5.3**

to pack hacer (hago) las
  maletas
package el paquete **I**
to paint pintar **I**
painter el (la) pintor(a) **1.2**
painting la pintura **1.2**
pair
  a pair of un par de **4.3**
palm tree la palma **3.2**
palm tree grove el palmar **3.2**
Panamanian panameño(a) **1.3**
panpipe la flauta de pan
pants los pantalones **I**
paper el papel **I**
Paraguayan paraguayo(a) **1.3**
Pardon, how do I get to…?
  Perdona(e), ¿cómo llego
  a…? **I**
parents los padres **I**
park el parque **I**
parking space
  el estacionamiento **4.2**
parrot el loro **5.1**
party la fiesta **I, 2.2**
to pass (by) pasar **I**
passenger el (la) pasajero(a) **1.1**
passport el pasaporte **1.1**
pasta la pasta **I, 2.3**
pastime el pasatiempo
pastry shop la pastelería **I**

path el sendero **5.1**
patient paciente **I**
to pay pagar **I, 1.1**
peaceful pacífico(a)
peak la cima
peanut butter la mantequilla de cacahuate **1.2**
pear la pera **2.3**
pedestrian el peatón **4.2**
pen el corral **I**; la pluma **I**
pencil el lápiz **I**
pension la pensión **4.1**
people la gente **I**
pepper la pimienta **I, 2.3**
perfect perfecto(a) **I**
perfume el perfume **3.1**
perhaps quizás **4.3**
permission el permiso **5.2**
to permit permitir **5.2**
to pertain
  pertenecer (pertenezco) **5.2**
Peruvian peruano(a) **1.3**
pharmacy la farmacia **I**
phone directory
  la guía telefónica **I**
photographer
  el (la) fotógrafo(a) **I, 1.3**
physical education
  la educación física **I**
piano el piano
  to play the piano
    tocar el piano **I**
picturesque pintoresco(a)
piece el pedazo **I**
pig el cerdo **I**
pill la pastilla **3.3**
pillow la almohada **5.2**
pilot el piloto **1.1**
pink rosado(a) **I**
pitcher la jarra **I**
pity
  It's a pity that… Es una lástima que… **3.3**
place el lugar **I**
plaid de cuadros **I**

plain sencillo(a) **I**
plan
  master plan el plan maestro
to plan pensar (ie) + *infinitive* **I**
planet el planeta **5.3**
plant la planta **I**
plantain el plátano verde **1.2**
  fried plantains
    los tostones **1.2**
plate el plato **I**
to play jugar (ue) **I, 1.1, 1.2**; practicar **I**; **(an instrument)** tocar **I, 1.1**
  to play chess
    jugar al ajedrez **1.1**
  to play sports
    practicar deportes **I**
  to play the guitar
    tocar la guitarra **I**
  to play the piano
    tocar el piano **I**
please por favor **I**
pleased contento(a) **I**
  Pleased to meet you.
    Encantado(a). **I**
pleasure
  It's a pleasure.
    Es un placer. **I**
  The pleasure is mine.
    El gusto es mío. **I**
poem el poema **I**
poetry la poesía **I**
police officer el (la) policía **I**
political parties los partidos
to pollute contaminar **5.3**
pollution la contaminación **5.3**
poor pobre **2.1**
population la población **5.1**
pork el puerco **I**
pork rinds los chicharrones **I**
  to eat pork rinds
    comer chicharrones **I**
porter el (la) maletero(a) **4.1**
portrait el retrato **1.2**
position el puesto **6.1**

possible
  It's possible that…
    Es posible que… **3.3**
post office el correo **I**
pot la olla **I**
potato la patata **I**; la papa **2.3**
poverty la pobreza **5.3**
to practice practicar **I, 1.1**
to prefer
  preferir (ie, i) **I, 1.3, 4.1**
to prepare preparar **I**
prescription la receta **3.3**
to preserve preservar **5.1**
pretty bonito(a) **I**
price el precio **I**
printer la impresora **I**
probable
  It's probable that…
    Es probable que… **3.3**
problem el problema **I, 5.3**
to produce
  producir (produzco) **1.2**
profession la profesión **I, 6.1**
program el programa **1.3**
projection el relieve
to protect proteger (protejo) **3.2**
  to protect the species
    proteger las especies **5.3**
Puerto Rican
  puertorriqueño(a) **1.3**
punctuality la puntualidad **6.2**
purple morado(a) **I**
to put poner (pongo) **I, 1.2**
  to put on (clothes)
    ponerse **I**
  to put on makeup
    maquillarse **I, 3.1**

qualified capacitado(a) **6.1**
quality la calidad **I**
quarter cuarto(a) **I**
  quarter past y cuarto **I**

question la pregunta
quick rápido(a) **I**
quickly rápidamente **I, 3.2**
quiet
    Be quiet! ¡Cállate! **I**
quiz la prueba **I**

racket la raqueta **I**
radio el radio **I**
radio-tape player
    el radiocasete **I**
rage el arrebato
rain la lluvia **I**
to rain llover (ue) **I**
raincoat el impermeable **I**
rancher el (la) ganadero(a) **I**
rare raro(a) **1.2**
    It's rare that… Es raro
      que… **3.3**
rarely rara vez **I**
to read leer **I, 1.3**
reading la lectura
ready listo(a) **I**
    to get ready (dressed)
      arreglarse **3.1**
to realize darse (me doy)
    cuenta de **2.1**
Really? ¿De veras? **1.3**
reason la razón **I**
to receive recibir **I**
recent reciente **I**
recently recientemente **I, 3.2**
reception desk la recepción **4.1**
receptionist
    el (la) recepcionista **I**
to recommend
    recomendar (ie) **1.2**
recommendations
    las recomendaciones **6.2**
to recycle reciclar **5.3**
recycling el reciclaje **5.3**

red rojo(a) **I**
red beans
    las habichuelas coloradas **1.2**
redhead pelirrojo(a) **I**
to reduce reducir (reduzco) **5.3**
refrigerator el frigorífico **I**; el
    refrigerador **4.1**
relative el (la) pariente(a) **2.1**
to relax relajarse **3.1**
relief (map) el relieve
to remember recordar (ue) **I**
to renew renovarse (ue)
    is renewed se renueva
to rent a video alquilar un
    video **I**
to repeat repetir (i, i) **1.2, 1.3**
report el reportaje **1.3**
reporter el (la) reportero(a) **1.3**
to request solicitar **6.1**
to require requerir (ie, i) **6.2**
requirement el requisito **6.2**
rescue el rescate **1.3**
to rescue rescatar **1.3**
reservation la reserva **4.1**
to resolve resolver (ue) **5.3**
resource el recurso
to rest descansar **I**
the rest of the people
    los demás **2.2**
restaurant el restaurante **I**
résumé el currículum **6.2**
to retell contar (ue) **I**
to return regresar **4.2**; volver
    (ue) **I**; **(an item)** devolver
    (ue) **I**
    He/She will return later.
      Regresa más tarde. **I**
review el repaso; la crítica **1.3**
to review revisar **4.2**
rice el arroz **I**
rich rico(a) **2.1**
ride
    amusement rides
      los juegos mecánicos
ridiculous

    It's ridiculous that…
      Es ridículo que… **3.3**
right
    to be right tener razón **I**
    to the right (of)
      a la derecha (de) **I**
ring el anillo **I**
river el río **I**
road el camino **I**
robbery el robo **1.3**
role el papel **2.3**
romantic romántico(a) **2.3**
Romany Gypsy dialect
    el gitano
room el cuarto **I**;
    la habitación **4.1**
rooster el gallo **I**
root la raíz
    roots las raíces
rope la cuerda
    to jump rope saltar
      la cuerda **2.1**
to row remar **5.2**
rowboat el bote de remos
to run correr **I**; funcionar **4.1**

sad triste **I**
    It's sad that…
      Es triste que… **3.3**
sadness la tristeza **2.2**
sage el sabio
salad la ensalada **I**
salary el sueldo **6.2**
sale la rebaja **4.2**
salesperson
    el (la) dependiente(a) **4.3**
salsa la salsa **I**
salt la sal **I, 2.3**
Salvadoran salvadoreño(a) **1.3**
same mismo(a) **I**
sand la arena **3.2**

sandals las sandalias **3.2**
sandwich (sub) la torta **I, 2.3**
Saturday sábado **I**
sausage el chorizo **I**; la salchicha **I, 2.3**
to save ahorrar **4.3**
savings account la cuenta de ahorros **4.3**
to say decir **I, 1.2**
  Don't say that!
    ¡No digas eso! **I**
  to say goodbye to despedirse (i, i) de **2.1**
saying el refrán
scarcely apenas **4.3**
scared
  to be scared (of) asustarse (de) **2.1**
scarf la bufanda **I**; el pañuelo **4.3**
scene la escena **2.3**
schedule el horario **I**
school la escuela **I**
science las ciencias **I**
science fiction la ciencia ficción **2.3**
scissors las tijeras **I, 5.2**
to scream gritar **3.3**
screen la pantalla **I**
to scuba-dive bucear
sculptor el (la) escultor(a) **1.2**
sculpture la escultura **1.2**
sea el mar **I**
to search buscar **I, 1.1**
seasons las estaciones **I**
seat el asiento **1.1**
second segundo(a) **I, 2.2**
secondhand de segunda mano
secretary el (la) secretario(a) **I, 6.1**
security la seguridad **1.1**
to see ver (veo) **I, 1.1**
  May I see…?
    ¿Me deja ver…? **I**
to sell vender **I**

semester el semestre **I**
to send a letter mandar una carta **I**
sentence la oración
to separate separar **5.3**
September septiembre **I**
series la serie **2.3**
serious serio(a) **I**
to serve servir (i, i) **I, 1.2, 1.3**
to set the table poner la mesa **I**
to set up instalarse
  is set up se instala
seven siete **I**
seven hundred setecientos(as) **I**
seventeen diecisiete **I**
seventh séptimo(a) **I, 2.2**
seventy setenta **I**
shade la sombra **5.1**
shadow la sombra **5.1**
shame
  What a shame!
    ¡Qué lástima! **I**
shampoo el champú **I, 3.1**
to share compartir **I**
to shave afeitarse **I, 3.1**
she ella **I**
sheet la sábana **5.2**
shell el caracol **3.2**
shepherd(ess) el (la) pastor(a) **I**
ship el barco **I**
shirt la camisa **I**
shoe el zapato **I**
  high-heeled shoe el zapato de tacón **4.3**
  shoe size el número **4.3**
  shoe store la zapatería **I**
shopping
  to go shopping ir de compras **I**
  shopping center el centro comercial **I**
shore la orilla **3.2**
short (height) bajo(a) **I**; **(length)** corto(a) **I**

shorts los shorts **I**; los pantalones cortos
should deber **I, 3.1**
shoulder el hombro **3.3**
to show mostrar (ue) **1.2**
shower
  to take a shower ducharse **I, 3.1**
shy tímido(a) **2.1**
sick enfermo(a) **I**
sickness la enfermedad **3.3**
sidewalk la acera **4.2**
sign el letrero **1.1**
to sign firmar
signature la firma **6.1**
silver la plata **I**
silverware los cubiertos **2.3**
similar parecido(a)
simple sencillo(a) **I, 4.3**
to sing cantar **I**
  to sing in the chorus cantar en el coro **1.1**
singer el (la) cantante **2.3**
sink (bathroom) el lavabo **4.1**
sister la hermana **I**
sister-in-law la cuñada **2.1**
to sit down sentarse (ie) **2.1**
situation la situación **5.3**
six seis **I**
six hundred seiscientos(as) **I**
sixteen dieciséis **I**
sixth sexto(a) **I, 2.2**
sixty sesenta **I**
size (clothing) la talla **4.3**
to skate patinar **I**
skateboard la patineta **I**
to skateboard andar en patineta **I**
skates los patines **I**
to ski esquiar **I**
skin la piel **3.2**
skirt la falda **I**
to sleep dormir (ue, u) **I, 1.3**
sleeping bag el saco de dormir **5.2**

sleepy
    to be sleepy tener sueño I
slow lento(a) I
slowly lentamente I, 3.2
small pequeño(a) I
to smile sonreírse (i, i) 2.1
smog el smog 5.3
smoke
    emits smoke echa humo
snack la merienda I
to snack merendar (ie) I
snake la serpiente 5.1
to snorkel
    bucear con respiración
snow la nieve I
to snow nevar (ie) I
so entonces I
So-so. Regular. I
soap el jabón I, 3.1
soap opera la telenovela 2.3
soccer el fútbol I
sociable sociable 2.1
social studies
    los estudios sociales I
sock el calcetín I
sofa el sofá I, 4.1
soft drink el refresco I
some alguno(a) I
someone alguien I
something algo I
sometimes a veces I, 2.1
son el hijo I
son(s) and daughter(s)
    los hijos I
soon pronto I
sorry
    to be sorry that … sentir
      (ie, i) que… 4.3
    I'm sorry. Lo siento. I
soup la sopa I
south el sur 4.2
Spaniard español(a) 1.3
Spanish el español I
    speakers of Spanish
      los hispanohablantes

to speak hablar I, 1.1
    May I speak with…?
      ¿Puedo hablar con…? I
special especial I
specially especialmente I
specialty of the house
    la especialidad de la casa 1.2
speech el discurso
to spend gastar 4.3
spicy picante I
spoon la cuchara I
sport el deporte
    to play sports
      practicar deportes I
sporting goods store
    la tienda de deportes I
spring la primavera I
square cuadriculado(a)
squid los calamares I
stadium el estadio I
staircase las escaleras 4.1
stairs las escaleras 4.1
stand la parada 4.2
star la estrella I
to start comenzar (ie) 1.1
statehood la estadidad
station el canal 1.3
stationery store la papelería I
to stay (at) hospedarse (en) 4.1
steak el bistec I
to steal robar 1.3
step el paso
to step on them pisarlas
stepbrother
    el hermanastro 2.1
stepfather el padrastro 2.1
stepmother la madrastra 2.1
stepsister la hermanastra 2.1
still todavía I
stingy tacaño(a) 4.3
stomach el estómago I, 3.3
stone la piedra 5.1
stop la parada 4.2
to stop parar 4.2; detener
store la tienda I

storm la tormenta I
story la historia 2.2; (of
    building) el piso 4.1
stove la estufa I, 4.1
straight ahead derecho I
straight (hair) lacio 3.1
strange raro(a) 1.2
    It's strange that... Es raro
      que... 3.3
strawberry la fresa 1.2
street la calle I
stress el estrés 3.1
to stretch estirarse 3.1
striped con rayas I
stripes las rayas 4.3
strong fuerte I
student el (la) estudiante I
to study estudiar I
    to study martial arts
      estudiar las artes
      marciales 1.1
stuffed animal
    el muñeco de peluche 2.1
subject la materia I; el tema 2.3
subway el metro I
successful
    to be successful tener éxito
      2.1
suddenly de repente 1.3
sugar el azúcar I
to suggest sugerir (ie, i) 4.1, 4.2
suggestion la sugerencia
suit el traje 4.3
suitcase la maleta 1.1
summary el resumen
summer el verano I
summit (meeting) la cumbre
sun el sol I
to sunbathe tomar el sol I
Sunday domingo I
sunglasses las gafas de sol I
sunny soleado(a) 5.2
    It is sunny.
      Hace sol.; Hay sol. I
sunscreen la loción protectora

3.2
suntan lotion el bronceador **I**
supermarket el supermercado
   to go to the supermarket
     ir al supermercado **I**
supper la cena **I**
   to have supper cenar **I**
surfing el surfing **I**
surname el apellido **I**
surprise la sorpresa **I, 2.2**
to surprise sorprender **I, 2.2, 4.3**
to surround rodear
   (they) surround rodean
to sweat sudar **3.1**
sweater el suéter **I**
to sweep barrer **I**
   to sweep the floor
     barrer el piso **3.2**
sweet dulce **I**
   sweet roll el pan dulce **I**
to swim nadar **I**
swimming pool la piscina **I**

T-shirt la camiseta **I**
table la mesa **I, 4.1**
   to clear the table
     quitar la mesa **I**
   to set the table
     poner (pongo) la mesa **I**
tablecloth el mantel **2.3**
taco el taco **2.3**
taco restaurant la taquería **2.3**
to take tomar **I**; sacar **1.1**
   to take along llevar **I**
   to take a bath bañarse **I, 3.1**
   to take care of cuidar (a) **I**
   to take off one's clothes
     quitarse la ropa **3.1**
   to take out the trash
     sacar la basura **I, 3.2**
   to take pictures
     sacar fotos **I**

to take a shower
   ducharse **I, 3.1**
to take a size usar **4.3**
to take a swimming class
   tomar un curso de
   natación **1.1**
to take a walk, stroll, or ride
   dar (doy) una vuelta **2.3**
talent el talento **1.2**
to talk hablar **I, 1.1**
tall alto(a) **I**
tame manso(a)
tape recorder la grabadora **I**
taste el sabor **1.2**
tasty rico(a) **I,** sabroso(a) **I, 1.2**
taxi el taxi **I**
taxi driver el (la) taxista **I, 6.1**
tea el té **I**
to teach enseñar **I**
teacher el (la) maestro(a) **I**
team el equipo **I**
technician el (la) técnico(a) **6.1**
telephone el teléfono **I**
television la televisión
   to watch television
     ver (veo) la televisión **I**
television set el televisor **I, 4.1**
to tell decir **I, 1.2**; contar (ue) **I**
   Don't tell me!
     ¡No me digas! **1.3**
   Tell him or her to call me.
     Dile/Dígale que me
     llame. **I**
   to tell jokes
     contar (ue) chistes **2.1**
temperature la temperatura **I**
ten diez **I**
tennis el tenis **I**
tent la tienda de campaña **5.2**
tenth décimo(a) **I, 2.2**
terrible terrible **I**
test el examen **I**
Thank you. Gracias. **I**
that ese(a), eso **I**
   that (over there)

aquel(la); aquello **I**
that one ése(a) **I**
   that one (over there)
     aquél(la) **I**
theater el teatro **I**
theatrical production
   la obra de teatro **2.3**
their su **I**
theme el tema **2.3**
then entonces **I**
there allá/allí **I**
there is/are hay **I**
there was/were
   había **2.1**; hubo **1.3**
they ellos(as) **I**
thief el (la) ladrón(ona) **1.3**
thin delgado(a) **I**
thing la cosa **I**
to think pensar (ie); creer **I**
   Do you think so?
     ¿Tú crees? **1.3**
   I think so. / I don't think so.
     Creo que sí/no. **I**
third tercero(a) **I, 2.2**
thirsty
   to be thirsty tener sed **I**
thirteen trece **I**
thirty treinta **I**
this este(a); esto **I**
this one éste(a) **I**
thousand mil **I**
three tres **I**
three hundred trescientos(as) **I**
throat la garganta **3.3**
to throw out echar **5.3**
thunder el trueno **5.2**
thunderbolt el rayo **5.2**
Thursday jueves **I**
ticket el boleto **1.1**
tight apretado(a) **4.3**
time el tiempo
   free time el tiempo libre **I**
   to spend time with friends
     pasar un rato con los
     amigos **I**

(At) What time is…?
¿A qué hora es…? **I**
What time is it?
¿Qué hora es? **I**
tip la propina **I**
How much do I tip?
¿Cuánto le doy de
propina? **I**
tired cansado(a) **I**
to get tired cansarse **2.1**
to a
to the left (of)
a la izquierda (de) **I**
to the right (of)
a la derecha (de) **I**
toast el brindis
today hoy **I**
Today is… Hoy es… **I**
What day is today?
¿Qué día es hoy? **I**
together juntos **I**
to get together reunirse **2.1**
tomato el tomate **I, 2.3**
tomorrow mañana **I**
See you tomorrow.
Hasta mañana. **I**
Tomorrow is…
Mañana es… **I**
too también **I**
too much demasiado(a) **I, 2.3**
tooth el diente **I, 3.3**
toothbrush
el cepillo de dientes **I, 3.1**
toothpaste
la pasta de dientes **I, 3.1**
toucan el tucán **5.1**
to touch tocar **1.1**
tough duro(a) **I**
tourism el turismo **4.1**
toward hacia **4.2**
towel la toalla **I, 3.2**
town el pueblo **I**
town square la plaza **I**
toy el juguete **2.1**
toy store la juguetería **4.2**

traditional tradicional **I, 1.2**
traffic el tráfico **I**
traffic light/signal
el semáforo **4.2**
trail el sendero **5.1**
train el tren **I**
to train entrenarse **3.1**
training la capacitación **6.2**
to translate
traducir (traduzco) **1.2**
trash la basura **I**
trash can el basurero **5.3**
to travel viajar **I**
travel agent
el (la) agente de viajes **1.1**
travelers los viajeros
traveler's checks
los cheques de viajero **4.3**
to treat tratar **3.3**
I'll treat you. Te invito. **I**
tree el árbol **I**
trip el viaje **I, 1.1**
trouble
The trouble is that…
Lo malo es que… **5.3**
true cierto(a)
It's not true that…
No es verdad que… **4.3**
It's true. Es verdad. **I**
truth la verdad **I**
Tuesday martes **I**
tuna el atún **1.2**
to turn doblar **I**; girar **4.2**
to turn off the light
apagar la luz **I**
turtle la tortuga **5.1**
twelve doce **I**
twenty veinte **I**
twenty-one veintiuno **I**
twins los (las) gemelos(as) **2.1**
two dos **I**
two hundred doscientos(as) **I**
typically típicamente **3.2**

ugly feo(a) **I**
umbrella el paraguas **I**
beach umbrella
la sombrilla de playa **3.2**
uncle el tío **I**
uncle(s) and aunt(s) los tíos **I**
under(neath) debajo (de) **I, 4.2**
to understand
comprender; entender (ie) **I**
unfortunately
desafortunadamente **3.2**
to unite unirse
(they) unite se unen
university la universidad **6.2**
until hasta **I, 4.2**
up arriba **I, 4.2**
Uruguayan uruguayo(a) **1.3**
to use usar **I, 4.3**
used de segunda mano
useful útil **5.3**
useless inútil **5.3**

to vacuum
pasar la aspiradora **I, 3.2**
vacuum cleaner la aspiradora **I**
valley el valle **5.1**
VCR la videograbadora **I**
vegetable la verdura **I, 2.3**
vegetarian vegetariano(a) **I**
veil el velo
handmade veil
el velo bordado a mano
Venezuelan venezolano(a) **1.3**
very muy **I**
vest el chaleco **4.3**
veterinarian el (la)
veterinario(a) **6.1**
video el video **I**

to rent a video
    alquilar un video **I**
video game el videojuego **I**
viewer el (la) televidente **1.3**
village el pueblo **I**
violent violento(a) **5.2**
to visit visitar **I**
volleyball el voleibol **I**
volunteer
    el (la) voluntario(a) **6.1**

to wait for esperar **I**
waiter el mesero **I**
waitress la mesera **I**
to wake up
    despertarse (ie) **I, 3.1**
to walk andar **1.2**
    to walk the dog
        caminar con el perro **I**
wall la pared **I, 4.1**
wallet la cartera **I**
to want querer (ie) **I, 1.2, 4.1**
    Do you want to drink…?
        ¿Quieres beber…? **I**
    Do you want to eat…?
        ¿Quieres comer…? **I**
    I want to drink…
        Quiero beber… **I**
    I want to eat…
        Quiero comer… **I**
    **I want to leave a message
    for…** Quiero dejar un
        mensaje para… **I**
wardrobe el armario **I, 4.1**
warm caliente **I**
to wash lavar
    to wash the dishes
        lavar los platos **I, 3.2**
    to wash one's hair lavarse la
        cabeza **I**
    to wash oneself lavarse **I, 3.1**

watch el reloj **I**
to watch mirar **I**
    to watch television
        ver (veo) la televisión **I**
water el agua (fem.) **I**
waterfalls las cataratas
wave la ola **3.2**
we nosotros(as) **I**
to wear llevar **I**; usar **4.3**
    What is he/she wearing?
        ¿Qué lleva? **I**
weather el tiempo **I**
    What is the weather like?
        ¿Qué tiempo hace? **I**
wedding la boda **2.2**
Wednesday miércoles **I**
week la semana **I**
weekend el fin de semana **I**
weights
    to lift weights
        levantar pesas **I**
welcome bienvenido(a) **I**
    You're welcome. De nada. **I**
well bien; pues **I**
well-being el bienestar **3.1**
west el oeste **4.2**
wet mojado(a) **2.3**
what cuál(es); qué **I**
    What (fun)!
        ¡Qué (divertido)! **I**
    What a mess! ¡Qué lío! **5.3**
    What a shame!
        ¡Qué lástima! **I**
    What day is today?
        ¿Qué día es hoy? **I**
    What do you recommend?
        ¿Qué me (nos)
        recomienda? **2.3**
    What is he/she like?
        ¿Cómo es? **I**
    What is your phone number?
        ¿Cuál es tu teléfono? **I**
    What would you like?
        ¿Qué desea(n)? **2.3**

when cuando; cuándo **I**
    when I/he/she was young
        cuando era niño(a) **2.1**
whenever cuando **I**
where dónde; adónde **I**
    **Could you tell me
    where…is?** ¿Puedes
        (Puede usted) decirme
        dónde queda…? **I**
    Where are you from?
        ¿De dónde eres? **I**
    Where does it take place?
        ¿Dónde tiene lugar? **I**
    Where is he/she from?
        ¿De dónde es? **I**
which (ones) cuál(es) **I**
while mientras **2.2**
white blanco(a) **I**
who quién(es) **I**
    Who are they?
        ¿Quiénes son? **I**
    Who is it? ¿Quién es? **I**
    Whose is…? ¿De quién es…? **I**
why por qué **I**
    That's why. Con razón. **I**
wide ancho(a) **I, 4.3**
wife la esposa
wild salvaje **5.1**
wild plant
    la planta silvestre **5.1**
to win ganar **I**
wind el viento **I**
window la ventana **I, 4.1**; la
    ventanilla **1.1**
windy
    It is windy.
        Hace viento.; Hay viento. **I**
winner el (la) ganador(a) **I**
winter el invierno **I**
wise man el sabio
with con **I**
    with me conmigo **I**
    with you contigo **I**
without sin **I**

wolf el lobo **5.1**
woman la mujer **I**
wool la lana **I**
word la palabra
to work
　　trabajar **I**; funcionar **4.1**
work of art la obra **1.2**
worker el (la) obrero(a) **6.1**
workshop el taller **I**
world el mundo **I**
worried preocupado(a) **I**
　to be worried about
　　　preocuparse por **2.1**
to worry
　Don't worry!
　　　¡No te preocupes! **I**
worse peor **I**
　worse than peor que **4.3**
wrist la muñeca **3.3**
to write escribir **I**
　was written fue escrita
writer el (la) escritor(a) **I, 1.3**
writing la escritura

x-ray la radiografía **3.3**

year el año **I**
　He/She is…years old.
　　　Tiene… años. **I**
　school year el año escolar
yellow amarillo(a) **I**
yes sí **I**
　Yes, I would love to.
　　　Sí, me encantaría. **I**
yesterday ayer **I, 2.2**
yet todavía **I**
yogurt el yogur **I, 1.2**
you tú **(familiar singular),**

usted **(formal singular),**
　ustedes **(plural),** vosotros(as)
　(familiar plural) I
young joven **I**
young person el (la) joven
younger menor **I**
　younger than menor que **4.3**
your su **(formal),** tu **(familiar),**
　vuestro(a) **(plural familiar) I**

zero cero **I**

Índice

ÍNDICE

Créditos

Acknowledgments

Excerpted material from page 6TV of *El Nuevo Herald* del Domingo 7 al Sábado 13 de Junio de 1998. Copyright © 1998. Used with the permission of *El Nuevo Herald,* Miami, FL.

The words *vamos a bailar* from *The Best of the Gipsy Kings.* Used with the permission of Nonesuch Records, a Warner Music Group Company, New York, NY.

Material from a brochure entitled "El Morro" used with the permission of the Puerto Rico Tourism Company, Old San Juan, Puerto Rico.

Material from a brochure entitled "Jardín Botánico" used with the permission of The University of Puerto Rico, San Juan, Puerto Rico.

Excerpts from an issue of *La Voz Mundial,* a student newspaper, used with the permission of Miami Springs High School, Miami Springs, FL.

Photography

xl-1 *spread* Steve Ogilvy/Picture It Corporation, *inset* PhotoDisc; **2** *top right, bottom center* Steve Ogilvy/Picture It Corporation; **3** Jon Chomitz; **4-5, 6-7** *all* Steve Ogilvy/Picture It Corporation; **8** Jon Chomitz; **9, 10** Steve Ogilvy/Picture It Corporation; **11** *left* Allan Schein/Corbis, *right* Steve Ogilvy/Picture It Corporation; **12-13** *spread* S.B. Grunzweia/Photo Researchers, *all inset* Jon Chomitz; **14, 16-17, 19, 20-21** Jon Chomitz; **22** *left* Peter Gridley, *center* Walter Bibikow/Getty Images, *right* J. Dunn/Monkmeyer Press; **26** *bottom right* Getty Images; **27** *top left* Tom Stack & Associates, *center right* Peter Menzel/Stock Boston, *bottom left* Nebinger/Sichov/Gromik/Sipa Press, *bottom right* Courtesy of Univision; **28** *bottom* Courtesy of Alejandro Romero; **29** *center* Herve Donnezan/Photo Researchers, Inc.; **32** Dana White/PhotoEdit; **33** *top* De Richemond/The Image Works, *bottom left* John Neubauer/Getty Images, *bottom right* George Haling/Photo Researchers, Inc.; **39** Tommy Dodson/Unicorn Stock Photos; **40** *top right* Dario Perla/Image State, *bottom right* Dave G. Houser; **44** Robin J. Dunitz; **45** *top* Bruce Fier/Getty Images, *2nd from top* Nik Wheeler, *3rd from top* Tom McHugh/Photo Researchers, *bottom* Tony Freeman/PhotoEdit; **46** *top right* Sylvain Grandadon/Getty Images, *bottom left* Dave G. Houser, *bottom right* Michael Newman/PhotoEdit; **46-47** *bottom spread* Ken O'Donoghue; **47** *top left* David Young-Wolff/PhotoEdit, *top center* Eric Sander/Getty Images, *top right* Michael Newman/PhotoEdit, *center left* Cesar Vera/eStock Photo; **54** Kactus Foto, Santiago, Chile/SuperStock; **55** *center right* School Division, Houghton Mifflin Co.; **61, 62** *all* School Division, Houghton Mifflin Co.; **68** *inset* Courtesy of Alejandro Romero; **68-69** *spread* PhotoEdit; **70** *all* School Division, Houghton Mifflin Co.; **76** *bottom right* Ryan Williams/ImageState; **77** *top right* Martin Venegad/Allsport, *bottom right* School Division, Houghton Mifflin Co., *bottom left* Dusty Willison/ImageState; **83** *bottom left* Herve Donnezan/Photo Researchers; **90-91** Jeff Greengold/Unicorn Stock Photos; **92** *bottom left* Tom Stack & Associates; **92-93** *top* Victor Ramos/Getty Images, *center* Mauro Petrini/Getty Images; **93** *top left* John Baykin/Index Stock, *top center* Tanya Braganti/Tom Keller & Associates, *top right* Tom Stack & Associates, *bottom left* Susan Watts/Retna, Ltd.; **97** Tony Freeman/PhotoEdit; **100** *bottom right* Bob Daemmrich Photography; **101** *top left* Owen Franken/Stock Boston, *bottom right* San Francisco Museum of Art/Albert M. Bender Collection/Gift of Albert M. Bender, *center* Timothy Greenfield Sanders/Corbis Outline, *bottom left* North Wind Picture Archives; **102** *top* School Division, Houghton Mifflin Co.; **103** *top* Tony Freeman/PhotoEdit, *bottom* Robert & Linda Mitchell Photography; **106-107** *frame* RMIP/Richard Haynes; **107** *bottom right* Robert Frerck/Odyssey Productions; **110** *bottom right* Robert Frerck/Odyssey Productions; **113** *calculator, ball, skates, watch* School Division, Houghton Mifflin Co.; **114** RMIP/Richard Haynes; **117** J.P. Courau/DDB Stock Photo; **119** C.R. Sharp/DDB Stock Photo; **122** Bob Daemmrich/Stock Boston; **124, 125** School Division, Houghton Mifflin Co.; **132** Robert Frerck/Odyssey Productions; **142-143** *spread* Barbara Cerva/DDB Stock Photo; **143** *top inset* Robert Frerck/Odyssey Productions, *bottom inset* Jack Novak/Photri, Inc.; **144** *balloons* PhotoDisc, *all others* School Division, Houghton Mifflin Co.; **145** Robert & Linda Mitchell Photography; **146** *bottom right* Nicolas Sapieha/Art Resource, New York; **151** *bottom left* DDB Stock Photo; **155** Tony Freeman/PhotoEdit; **157** Ken O'Donoghue; **164** N. Frank/Viesti Associates, Inc.; **165** *top* Robert & Linda Mitchell Photography, *inset* Robert Frerck/Odyssey Productions; **166** *bottom left* Patricia A. Eynon; **167, 168** *all* Ken O'Donoghue; **170** *bottom right* Robert Frerck/Odyssey Productions; **171** PhotoDisc; **175** *clockwise from top left* Francisco Oller/Museo de Arte de Ponce, Pam Francis/Getty Images, E.R. Degginger/Photo Researchers, David Parker/Science Photo Library/Photo Researchers, Granger Collection; **176** *top* PhotoDisc, *center left* ImageState, *center right* Ulrike Welsch; **177** *top* W. Lynn Seldon; **178** *inset* Randa Bishop/ImageState, *center* School Division, Houghton Mifflin Co.; **186** W. Lynn Seldon, Jr.; **191** *bottom left & right* Ken O'Donoghue; **192** Ulrike Welsch; **194-195** *spread* John F. Mason/Corbis; **195** *right* Tom Stack & Associates; **198** Richard Rowan/Photo Researchers; **203** *top right* David Matherly/Visuals Unlimited; **214** W. Gregory Brown/Animals Animals; **216-217** *spread* Thomas R. Fletcher/Stock Boston; **217** *top right inset* Fran Hall/Photo Researchers, *bottom left inset* Mark Bacon; **220** Van

Illustration

25 Fian Arroyo; **32-33** Matthew Pippin; **37** Jim Deigan; **45** Catherine Leary; **48** Lisa Adams; **54-55** Elissé Goldstein; **59** Rick Powell; **67, 73** Fian Arroyo; **76-77** Jim Trusillo; **85** Donna Ruff; **89** Fian Arroyo; **90** Veronique Deiss; **111** Rick Powell; **115** Gail Piazza; **119** Jared D. Lee; **120-121** Fabricio Vanden Broeck; **128-129** Nenad Jakesevic; **136** Rick Powell; **141** Catherine Leary; **146, 147** Gail Piazza; **150-151** Matthew Pippin; **163** Fian Arroyo; **172** Fian Arroyo; **180-181** Susan M. Blubaugh; **193** Randy Verougstraete; **196** John Lyttle; **202-203** Wood Ronsaville Harlin, Inc.; **207** Rick Powell; **209** Jared D. Lee; **215** Catherine Leary; **224-225** Stacey Schuett; **237** Randy Verougstraete; **242** Neverne Covington; **245** Randy Verougstraete; **254-255** Matthew Pippin; **259, 267** Fian Arroyo; **273** Catherine Leary; **276-277** Matthew Pippin; **282, 289** Mike Deitz; **295** Fian Arroyo; **298-299** Nenad Jakesevic; **311** *left* Gail Piazza, *bottom right* Fian Arroyo; **316** Randy Verougstraete; **319** Fian Arroyo; **328-329** Patrick O'Brien; **341** Stacey Schuett; **347** Susan M. Blubaugh; **350-351** Neverne Covington; **357** John Lyttle; **363** Catherine Leary; **369** Catherine Leary; **372-373** Stacey Schuett; **382** Susan M. Blubaugh; **385** Stacey Schuett; **386-387** Patrick O'Brien; **392** Rick Powell; **393** Catherine Leary; **402-403, 414** Jim Deigan; **415** Randy Verougstraete; **421** Jared D. Lee; **424-425** Matthew Pippin; **429** Jared D. Lee; **432** Rick Powell; **437** Fian Arroyo; **456** Christine Czernota; **459** Randy Verougstraete; **460-461** Fabricio Vanden Broeck; **467** Catherine Leary; **R1** Catherine Leary; **R2** Susan M. Blubaugh; **R5** School Division, Houghton Mifflin Co.; **R6, R8, R9** Catherine Leary; **R14** Fian Arroyo.